Enciclopedia de las
ANTIGUAS
Civilizaciones

Enciclopedia de las ANTIGUAS Civilizaciones

Shona Grimbly

LIBSA

NOTA: Un punto rojo en los mapas señala la localización de ciudades y yacimientos antiguos. Las ciudades actuales están indicadas mediante puntos azules.

© 2005, Editorial LIBSA
San Rafael, 4
28108 Alcobendas. Madrid
Tel. (34) 91 657 25 80
Fax (34) 91 657 25 83
e-mail: libsa@libsa.es
www.libsa.es

Traducción: José Miguel Parra Ortiz
Edición: Equipo Editorial LIBSA

© Brown Packaging Books Ltd.

Título original: *Encyclopedia of the Ancient World*

ISBN: 84-662-1045-8
Depósito legal: B-38099-04

Derechos exclusivos de edición para todos
los países de habla española.

Impreso en España / *Printed in Spain*

CONTENIDO

Introducción

En sólo unos pocos miles de años los seres humanos han pasado de cazadores, durante la Edad de Piedra, a sofisticados tecnócratas, en la actualidad. Este libro narra la historia de los pueblos del mundo antiguo y nos muestra cómo sentaron las bases del mundo moderno.

En el remoto pasado humano, los personas vivían en tribus nómadas que cazaban animales y recolectaban semillas, frutos y hierbas silvestres para alimentarse. Vivían en refugios de roca o en moradas primitivas, trasladándose de lugar en lugar para encontrar más comida. Los arqueólogos llaman «cazadores-recolectores» a las personas que viven de este modo.

En el transcurso de un largo periodo de tiempo, algunos de estos cazadores recolectores se dieron cuenta de que había cosas que podían hacer para aumentar la cantidad de comida que recogían. Los aborígenes australianos, por ejemplo, descubrieron que podían utilizar el fuego para quemar la vegetación existente. Esto hacía que creciera hierba fresca, lo que atraía a los animales herbívoros y facilitaba la caza. Otros aborígenes descubrieron que podían aumentar el número de ñames cortando la parte superior del tubérculo y volviéndola a colocar en el suelo, donde crecía de nuevo. De este modo, los cazadores-recolectores se convirtieron poco a poco en agricultores, que plantaban cosechas deliberadamente y permanecían en un mismo emplazamiento para poder recoger la cosecha.

Con la agricultura vinieron los poblados, que poco a poco crecieron en tamaño. La cosecha se almacenaba, para que todos tuvieran acceso a la comida durante el año. Dado que no todo el mundo tenía que trabajar la tierra para conseguir suficiente comida para alimentar a todos los habitantes del poblado, algunas personas dispusieron de tiempo para poder desarrollar sus habilidades artesanas, explotar minas de metales o comerciar con otros pueblos. Así fue como la sociedad –en especial el jefe– se hizo más rica.

LAS PRIMERAS CIUDADES

Las primeras ciudades aparecieron en Oriente Medio, en la región que hoy ocupa Iraq. Muchos historiadores creen que la formación de la ciudad fue un rasgo esencial de la civilización. Una ciudad proporcionaba protección a sus ciudadanos y un suministro constante de alimento. También contaba con un poderoso gobernante, un cuerpo organizado de funcionarios para mantener el orden y recolectar impuestos, además de artesanos para producir bienes y productos artísticos; en muchas ocasiones, también contaba con esclavos como mano de obra. Cuando las ciudades se fueron haciendo más poderosas, comenzaron a aparecer los estados, en los que un soberano controlaba una región compuesta por muchas ciudades.

Un estado necesitaba una organización muy compleja para controlarlo. Había un ejército para mantener el orden, una amplia burocracia y muchos mercaderes encargados del comercio, del que solía depender la riqueza de la región. Otros rasgos que a menudo se consideran conectados con la civilización son: la escritura –necesaria para llevar el registro de los impuestos– y unas formas religiosas y artísticas altamente desarrolladas.

No obstante, hubo pueblos que no siguieron este camino hacia una sociedad urbana y, pese a todo, desarrollaron una cultura avanzada, con creencias y formas artísticas sofisticadas. Muchos de ellos desarrollaron una vida espiritual que es envidiada por algunas de las personas que viven en nuestras modernas ciudades. En este libro se ha incluido la historia de algunos de estos pueblos, para demostrar que «civilización» no necesariamente significa urbanización.

Cada uno de los primeros cinco capítulos trata de las culturas y civilizaciones que se desarrollaron en una región concreta del mundo. El último capítulo se detiene en algunos aspectos generales de la vida en el mundo antiguo, como la agricultura o los códigos legales, examinándolos en diferentes culturas. Al final del libro aparece una cronología, que muestra cómo se relacionan entre ellas en el tiempo las culturas de diferentes partes del planeta, además de una selección de obras para ampliar conocimientos y de un índice analítico.

ARRIBA: Las ruinas de la antigua Roma, capital del Imperio romano, que quizá fuera el más poderoso de todos los de la Antigüedad. En el cenit de su poder, Roma dominaba casi toda Europa y la mayor parte del norte de África. Sus ciudades, carreteras, ejércitos y funcionarios fueron superiores a los de sus coetáneos del mundo antiguo.

Oriente Próximo, Oriente Medio y África

Los primeros asentamientos conocidos del mundo antiguo aparecieron en Oriente Próximo durante el Neolítico (finales de la Edad de Piedra). La ciudad neolítica de Çatal Höyük, en Anatolia, fue el primer asentamiento importante del mundo. Tras ella vendrían otros asentamientos, convertidos posteriormente en ciudades, en la zona de Mesopotamia, la fértil franja de tierra que se extiende entre los ríos Tigris y Éufrates, en la región que hoy día se conoce como Iraq. Las gentes que vivieron en esas ciudades fueron inteligentes e inventivas y a ellas les debemos algunos de los más importantes descubrimientos de la humanidad: como el arado tirado por bueyes, la rueda y la escritura.

ABAJO: Imagen de la región de Anatolia (la actual Turquía) en donde estuvo la neolítica Çatal Höyük. Esta tierra, seca y estéril, estuvo en tiempos cubierta de una exuberante vegetación.

Jericó

Se piensa que Jericó, en la actual Israel, fue una de las primeras ciudades del mundo y su historia se remonta hasta aproximadamente 10.000 años a.C. Aparece en la historia por primera vez en la Biblia, donde vemos cómo sus muros caen ante el sonido de las trompetas del ejército de Josué, un acontecimiento fechado en torno al año 1200 a.C.

La ciudad de Jericó es una colina (o «tell» en árabe) en el margen occidental del valle del río Jordán, cerca del mar Muerto. Se encuentra cerca de Ain Musa, una fuente perpetua que en ocasiones se conoce como la «Fuente de Moisés».

Cuando en la década de 1950 la arqueóloga británica Kathleen Kenyon excavó el yacimiento, atravesó numerosos estratos, apilados los unos sobre los otros, cada uno de ellos con los restos de un poblado o ciudad antiguos. En el último de ellos, al fondo del todo, encontró un pequeño poblado que fue ocupado por primera vez hace casi 12.000 años.

Los primeros habitantes de Jericó no eran verdaderos granjeros, pues cazaban animales salvajes y recolectaban cereales en la campiña circundante. No obstante, al contrario que los primeros cazadores-recolectores, vivían en casas permanentes: unas viviendas circulares semienterradas en el suelo y con una única habitación. Fueron esas casas las que crearon la base de la primera Jericó.

LAS MURALLAS DE JERICÓ

El siguiente asentamiento en antigüedad data de hace 10.000 años. Las gentes que vivieron en este poblado ya conocían la agricultura y cultivaban trigo y cebada en los muy fértiles terrenos circundantes. El poblado acogía en

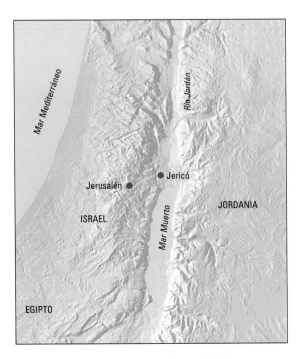

torno a 500 personas, una cantidad muy elevada para esta época. Los habitantes de Jericó también comenzaron a trabajar juntos para construir grandes estructuras de piedra.

La más impresionante de estas estructuras fue un inmenso muro que rodeaba todo el poblado. Tenía 5 m de alto y 3 m de ancho y fueron necesarias unas 10.000 toneladas (9.070 toneladas métricas) de materiales de construcción para levantarlo. Delante del muro había un foso de 8 m de anchura. En la actualidad, todavía se conservan muchos lienzos del muro.

Como si todos estos logros no fueran suficientes, los habitantes de Jericó también construyeron una sólida torre de piedra justo por dentro del muro. La torre se alza a 11 m de altura y tiene una anchura de 9 m en la base. Para alcanzar su cima, plana, los habitantes del poblado construyeron una escalera. Edificaron la torre tan bien que todavía sigue en pie, 10.000 años después.

Algunos arqueólogos creen que esos primeros granjeros construyeron el muro y la torre para proteger el poblado contra los ataques enemigos. Otros piensan, por el contrario, que la intención del muro pudo haber sido la protección del poblado contra las inundaciones, teniendo la torre algún tipo de significado ritual. Cualquiera que fuera su función, se trata de espectaculares ejemplos del primer trabajo de la piedra.

IZQUIERDA: Cráneo humano recubierto de yeso, encontrado en Jericó. Las gentes de Jericó poseían unas costumbres funerarias que les son características. Cuando alguien moría, el cuerpo (sin la cabeza) era enterrado bajo el suelo de la casa. El cráneo era recubierto con yeso, que se moldeaba para darle la forma de la persona fallecida, utilizando pintura negra para el pelo y conchas para los ojos. Los cráneos con yeso se situaban en una habitación especial, que se convirtió en una especie de santuario para los muertos.

IZQUIERDA: Jericó se encuentra situada en Israel, cerca del río Jordán, a unos pocos kilómetros al norte del mar Muerto.

Çatal Höyük

Çatal Höyük es otra ciudad muy antigua. Fue construida por gentes del Neolítico en el sur de Anatolia (la actual Turquía) hace unos 8.000 años y se mantuvo allí durante más de 800 años, aproximadamente entre los años 6250 y 5400 a.C. Las excavaciones, comenzadas en la década de 1960, han demostrado que gran parte de la ciudad todavía se conserva.

Los primeros constructores de Çatal Höyük fueron cazadores nómadas que habían comenzado a cultivar. Para hacerlo necesitaban vivir en un emplazamiento fijo. Las primeras casas que construyeron fueron de madera y ladrillos de barro secados al sol. Esas casas no duraron mucho y, según se fueron derrumbando, se construyeron otras encima. Con el paso de los siglos, las capas fueron aumentado gradualmente hasta llegar a formar un gigantesco montículo de tierra.

El yacimiento de Çatal Höyük cubre un área de 13 hectáreas y consta de dos montículos («höyük» significa «montículo de tierra que contiene restos antiguos»). A comienzos de 1960, un equipo de arqueólogos británicos, dirigido por James Mellaart, comenzó a excavar el gran montículo de Çatal Este y en su interior encontraron una ciudad neolítica. Consistía en un laberinto de casas de una sola habitación, todas construidas pared con pared, sin calles entre medias. Las casas eran de madera, adobe y yeso, con techos planos. Cada vivienda poseía una única habitación grande, por lo general de unos seis por cuatro metros, con uno o dos pequeños almacenes. La habitación principal tenía plataformas para sentarse y dormir, además de un horno para cocinar. En la parte superior de los muros se abrieron unas reducidas ventanas que dejaban pasar una pequeña cantidad de luz natural.

EL CULTIVO DE LA TIERRA

La mayor parte de los habitantes de Çatal Höyük trabajaban como granjeros, regando los campos de alrededor de la ciudad mediante canales que habían excavado. Cultivaban cebada, trigo, guisantes y lentejas, además de criar animales domesticados, como cerdos, ovejas y cabras. En la zona circundante recogían, entre otros, frutos secos y frutas, manzanas, almendras y pistachos.

En su momento de máximo tamaño, Çatal Höyük tuvo entre 5.000 y 6.000 habitantes. La ciudad era lo suficientemente grande como para poder mantener con sus excedentes a algunas personas que no se dedicaban a cultivar la tierra, sino que trabajaban como artesanos o mercaderes. Este nuevo grupo social se hizo más rico

ABAJO: Las casas de Çatal Höyük estaban construidas tan juntas que no había calles. Como tampoco había entradas normales, las personas tenían que subirse a las terrazas, que eran el tejado, y entrar en sus casas a través de un agujero en el techo. El acceso se veía facilitado por unas escaleras de madera, lo que también hacía más fácil defender el asentamiento. Cuando la ciudad se veía amenazada por una invasión, las escaleras podían recogerse para presentarle al enemigo una invencible barrera de altos y blancos muros.

que el resto y comenzó a poseer bienes de lujo, como joyas. Çatal Höyük prosperó con esta riqueza basada en el comercio.

El principal recurso de Çatal Höyük era la obsidiana, un mineral volcánico cristalino de color negro, extraído en las cercanas montañas volcánicas que rodeaban la ciudad. La roca puede trabajarse igual que el pedernal y con ella pueden crearse herramientas con un borde afilado irregular. La obsidiana era apreciada para hacer hachas, cuchillos y espejos pulidos. Se comerciaba con ella hasta tan lejos como Jericó, a 800 kilómetros de distancia, siendo transportada mediante animales de carga, como mulas y burros. A cambio, los mercaderes recibían conchas y pedernal, unos objetos muy apreciados por los ciudadanos de Çatal Höyük.

En el yacimiento se encontraron muchas piezas de cerámica y pequeñas figuras modeladas o esculpidas. La cerámica se fabricaba a mano, porque el torno de alfarero todavía no se había inventado. La gente también tejía telas, decoradas con dibujos realizados con tampones de arcilla. Los artesanos trabajaban el cobre local, y otros metales, para hacer herramientas sencillas y joyas, como cuentas de collar.

RELIGIÓN Y RITOS FUNERARIOS

Cada sección de Çatal Este posee su propia habitación-santuario, donde tenían lugar ritos religiosos. Los muros de los santuarios estaban decorados con cabezas de toro modeladas en yeso, mientras que en los muros se pintaban dibujos geométricos. Es posible que las cabezas de toro fueran el centro de las ceremonias religiosas.

También se encontraron figuras de arcilla, en forma de verraco y otros animales, con heridas de cuchillo, lo que sugiere que las gentes de Çatal Höyük practicaban la magia simpática para tener éxito en la caza (la cual seguía siendo una de sus principales fuentes de carne). Algunos de los muros de los santuarios de Çatal Höyük es-

taban decorados con dibujos de escenas de caza, con animales salvajes y guerreros saltarines.

Además de llevar a cabo ritos mágicos, la gente de Çatal Höyük puede haber adorado a una diosa tierra que traía la fertilidad. Se encontraron muchas figurillas de mujeres embarazadas, hechas de materiales diversos como terracota, mármol y roca volcánica. La más famosa de esas estatuillas de embarazadas es una gran diosa tierra sentada en un trono de leopardos.

Los muertos de Çatal Höyük eran enterrados dentro de las casas, tras un elaborado ritual. En primer lugar los cuerpos se exponían en campo abierto para que los buitres los picotearan. Cuando los huesos habían quedado limpios, eran envueltos en una piel de animal, una tela o una estera, y atados con una cuerda de cuero. Después se dejaban en una especie de depósito de cadáveres. En primavera, cuando las casas se redecoraban, los esqueletos se colocaban debajo de una plataforma dentro de la casa. A menudo eran enterrados con joyas, como collares de conchas, y cubiertos con polvo de color.

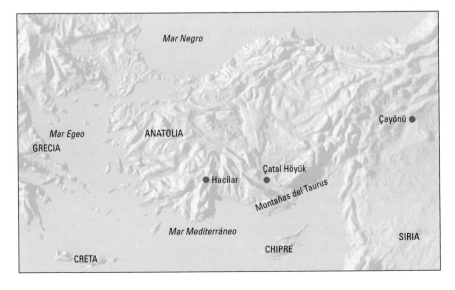

Mesopotamia

El nombre Mesopotamia procede de una frase griega que significa «entre los ríos». La cultura de la antigua Mesopotamia, conocida también como cultura de Uruk, comenzó en un fértil valle entre dos grandes ríos, el Éufrates y el Tigris, en la región que hoy se conoce como Iraq.

En esta región hay varias ciudades que aparecieron hace unos 6.000 años. Los habitantes de estos asentamientos eran personas hábiles e inteligentes que realizaron varios descubrimientos vitales. Se cree que inventaron la rueda, el arado con hoja de metal y, lo más importante de todo, el arte de la escritura.

La tierras que rodeaban a los ríos Tigris y Éufrates eran llanuras bajas en donde la tierra era profunda y fértil. Cada año, en primavera, los ríos inundaban sus orillas depositando una rica capa de limo sobre la tierra. Sin embargo, a pesar de ello la región (en la actualidad parte de Iraq) era demasiado seca como para ser un terreno ideal para la agricultura. En verano caía muy poca o ninguna lluvia y la tierra se volvía seca y dura. Sin agua no podían crecer las cosechas. Mesopotamia sólo pudo ser cultivaba con éxito cuando sus habitantes aprendieron a controlar y regular la crecida de las aguas dadoras de vida.

En algún momento en torno a 5000 a.C., la gente de la tierra de Sumer, en el sur de Mesopotamia, aprendieron cómo hacerlo. Construyeron diques, canales y albercas para almacenar agua y llevarla a sus campos. Esto les permitió cultivar dátiles, verduras, cebada y trigo. La cosecha podía ser almacenada y consumida mucho después de haber sido recogida, liberando a la gente del peligro de morir de hambre. De modo que los antiguos sumerios prosperaron, su número aumentó y sus comunidades se hicieron más grandes.

Gracias a la irrigación, Mesopotamia se convirtió en una tierra de abundancia. La gente pescaba en los ríos, cazaba aves salvajes en las marismas y criaba animales, como cerdos, ovejas y cabras. Mientras regaban y araban sus tierras, la producción de sus cosechas aumentó, llegando a generar un excedente. Esto significó que algunos miembros de cada comunidad podían abandonar el trabajo agrícola y dedicarse a otras ocupaciones, convirtiéndose en sacerdotes, administradores, artesanos y mercaderes. Esta especialización es uno de los primeros signos de civilización.

LOS COMIENZOS DEL COMERCIO

La especialización también significó que los artesanos podían producir bienes con los que se podía comerciar. Los alfareros mesopotámicos transformaron la arcilla local en recipientes donde comer y beber. También produjeron pesas para los telares, herramientas y cuentas para adornos. Los mercaderes sumerios comenzaron a viajar

IZQUIERDA: Este vaso de gran tamaño –tiene 90 cm de alto– fue encontrado en el templo de Uruk y data de aproximadamente el 3000 a.C. Hecho de alabastro, contiene (en el registro central) una procesión de sacerdotes que llevan ofrendas para Inanna, la diosa del amor y de la guerra. Los otros registros muestran imágenes de ovejas, cabras, palmeras datileras y cosechas de cereales.

Cilindro-sellos

Los cilindro-sellos aparecieron en la antigua Uruk aproximadamente al mismo tiempo que la escritura. Eran pequeños cilindros de piedra o marfil en los que se grababan imágenes que dejaban una impresión cuando se hacían rodar sobre arcilla fresca. Se utilizaban para sellar documentos oficiales, así como jarras, baúles y puertas, para indicar quién era el dueño de la propiedad sellada. En ellos se grabó una gran variedad de escenas, prueba de la gran habilidad de los artesanos que los crearon. Las imágenes incluían escenas de la vida diaria, así como de la vida de los dioses y los héroes de mitos y leyendas. Como la escritura y otros inventos, los cilindro-sellos no tardaron en ser ampliamente utilizados fuera de Mesopotamia.

Un cilindro-sello mesopotámico (a la derecha) junto a la imagen que deja sobre la arcilla húmeda. El grabado del cilindro-sello tiene que hacerse en negativo y sobre una superficie curva, por lo que se requiere una extraordinaria habilidad y paciencia por parte del artesano. Se han encontrado muchos de estos pequeños cilindro-sellos y son una importante fuente de información sobre la vida en la antigua Mesopotamia.

ABAJO: Mapa con las principales ciudades de la antigua Mesopotamia, así como la línea de la costa en esa época, antes de que fuera modificada por los cambios en la altura del mar.

mucho, estableciendo lazos comerciales con regiones distantes como Anatolia, Siria y la India. Esos mercaderes podían intercambiar las cosechas y los bienes mesopotámicos por materias primas de las que carecían, como madera, piedra para la construcción y metales.

Según fue aumentando la red de canales, los poblados comenzaron a cooperar en el mantenimiento de la misma. La sociedad se hizo más compleja. Al mismo tiempo, la guerra se hizo más habitual, al ser los poblados asaltados por los asentamientos vecinos o tribus de fuera de la región. Cada vez más y más gente se vio obligada a vivir en grandes asentamientos para protegerse; los asentamientos se comenzaron a fortificar con altos muros. Así fue como, en torno a 4500 a.C., surgieron algunas de las primeras ciudades del mundo. Había nacido una nueva era, urbana, que tomó su nombre de uno de los mayores asentamientos de la región.

LA CIUDAD DE URUK

El asentamiento en cuestión es Uruk, que en torno a 4500 a.C. cobijaba a un millar de ciudadanos. Sobre 3000 a.C. se había convertido ya en una gran ciudad de 100 hectáreas de superficie, que servía de hogar a millares de personas. El asentamiento estaba protegido por 9 km de sólidos muros de ladrillo. Los grandes templos construidos sobre el montículo dominaban la ciudad. Estaban dedicados a Ani, el dios del cielo, e Inanna, la diosa del amor y de la guerra. La principal característica de los templos eran las poderosas columnas decoradas con dibujos a base de clavos –pintados de negro, rojo y blanco– introducidos en el yeso. Los arqueólogos que excavaron en Uruk encontraron tesoros inestimables, incluida una cabeza de mujer esculpida en mármol blanco, que tal vez represente a Inanna, y un alto vaso de alabastro con escenas religiosas.

IRÁN

MESOPOTAMIA

Río Tigris

IRAQ

Río Éufrates

SUMER

● Nippur

● Lagash

Uruk ●

Ur ●

Eridu ●

—— Línea original de la costa

En época de guerra, los hombres de Uruk y otras ciudades se unían para formar ejércitos. Elegían a jefes, llamados *lugals*, para dirigirlos en la batalla. Muy probablemente, estos jefes de guerra acabaron transformándose en los primeros reyes sumerios, que no tardaron en gobernar las ciudades. Al mismo tiempo, cada ciudad llegó a dominar la región que la rodeaba, formando un pequeño reino.

En las ciudades, la mayoría de las viviendas estaban construidas de adobes, ladrillos de barro secados al sol. Es posible que el rey y los ciudadanos importantes, como los sacerdotes y los nobles, se alojaran en grandes viviendas; pero lo edificios más impresionantes eran los templos, que eran edificados sobre montículos de tierra que los elevaban mucho sobre el asentamiento y las tierras circundantes. Algunos de ellos eran gigantescos: la terraza del templo de Uruk ocupaba una tercera parte de la ciudad.

Algunos arqueólogos creen que al principio los templos fueron almacenes donde se guardaba la cosecha. Como también contenían los objetos sagrados de la comunidad, terminaron por convertirse en el centro de las ceremonias religiosas y del comercio. Por lo tanto, los sacerdotes no tardaron en hacerse responsables del adecuado gobierno de la ciudad. Cada año, los granjeros traían sus cosechas al templo y les daban una parte a los sacerdotes como ofrenda para los dioses. Los sacerdotes también controlaban el comercio e incluso la red de canales.

GRANDES DESCUBRIMIENTOS

En torno a 4000 a.C. la civilización de Uruk entró en una nueva fase, caracterizada por muchos brillantes descubrimientos. Para entonces los metalúrgicos sumerios habían aprendido a extraer el cobre de su mena, calentándola a altas temperaturas. Sobre 3500 a.C. ya estaban fabricando bronce, un metal más resistente, que era una aleación de cobre y estaño. Los artesanos hacían herramientas, adornos y armas vertiendo cobre, bronce y oro en moldes. Por esa misma época, los granjeros mejoraron el arado, que hasta entonces había sido arrastrado por personas, unciéndolo a tiros de bueyes. Las hojas de metal hicieron que los arados fueran más eficientes todavía, permitiendo a los granjeros cultivar más tierras.

Alrededor de 3500 a.C., los artesanos de Uruk inventaron el torno de alfarero, una mesa de madera a la que se podía dar vueltas y facilitaba la pesada tarea de darle forma a la arcilla. Unos 300 años después de ese descubrimiento, la rueda se utilizaba ya en carros de madera tirados por bueyes, el primer medio de transporte rodado. Las ruedas estaban hechas de secciones sólidas de madera, de modo que los primeros carros debieron ser pesados y torpes. Pero, aun así, un carro arrastrado por una mula o un burro transportaba tres veces más grano del que un granjero podía cargar a lomos de esos mismos animales.

Zigurats

En Mesopotamia se construyeron muchos zigurats. Estas grandes estructuras de forma piramidal eran utilizadas como plataformas sobre las que se alzaban los templos. Como el de Ur, construido por el rey babilónico Ur-Nammu, eran de adobes que luego se recubrían con ladrillos cocidos para protegerlos de la climatología. El zigurat más famoso era el dedicado al dios Marduk en Babilonia. Tenía ocho pisos y muchas escaleras que conducían a la cima. Se creía que el templo que estaba emplazado en lo más alto contenía un lecho en el que dormía el propio Marduk. Por la noche el templo quedaba abandonado, excepto por los sacerdotes, que se quedaban en el edificio para hacerle compañía al dios.

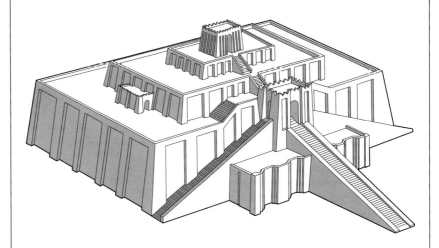

Reconstrucción de un zigurat. La mayoría de estos edificios han desaparecido porque se construyeron con adobes, que no tardan en deshacerse.

En una fecha cercana a 3300 a.C., los mesopotámicos inventaron la escritura. Los primeros textos escritos fueron registros comerciales y listas de los productos agropecuarios entregados a los templos. Para crear estos registros, los escribas hacían marcas en tabillas de arcilla blanda con una herramienta puntiaguda llamada estilo y luego ponían las tabillas a secar al sol.

Este sencillo sistema de registro se fue convirtiendo poco a poco en una forma de escritura más sofisticada, lo que significó que las personas podían enviar mensajes e instrucciones a grandes distancias y transmitir información de una generación a la siguiente.

Se necesitaron aproximadamente otros 500 años para pasar de esta escritura con signos a un sistema más complejo. Las formas más antiguas era simples signos (pictogramas), que representaban imágenes de objetos reales. Así, por ejemplo, un toro se representaba mediante el dibujo de su cabeza. Pero poco a poco el signo del toro pasó a significar la idea de fuerza, además del propio animal. Finalmente, acabó apareciendo un sistema de signos en forma de cuña, llamado escritura cuneiforme. Los nuevos signos eran fonéticos, es decir, que representaban los sonidos del lenguaje, ya fueran palabras enteras o sílabas. Se trató de un paso muy importante hacia el sistema de escritura que utilizamos actualmente.

Los sumerios

Aproximadamente entre los años 3000 y 2000 a.C., Mesopotamia estuvo dominada por las ciudades-estado del sur de esa región, conocida como Sumer. Los habitantes de esa zona, llamados sumerios, crearon una de las más grandes civilizaciones antiguas.

Los sumerios fueron unos pioneros, tanto en la escritura como en las matemáticas. También construyeron magníficos edificios, incluidas esas enormes pirámides escalonadas llamadas zigurats. También produjeron una notable artesanía, esculpiendo pequeñas estatuas y taraceados con diferentes piedras preciosas.

Nadie sabe cómo alcanzaron los sumerios semejante prominencia en una región tan estéril. A pesar de que cuando los dos grandes ríos de la región –el Tigris y el Éufrates– inundaban sus orillas proporcionaban un limo de gran riqueza para el cultivo, no se trataba de una zona bendecida con muchos recursos naturales. La madera era escasa y no había piedra para construir, ni metales para hacer herramientas o armas.

No obstante, Sumer poseía un buen suministro de alimentos, sobre todo aves silvestres y peces. Además, con el paso del tiempo los sumerios aprendieron a sacar mejor partido de sus ríos. Excavaron canales, albercas y levantaron presas, de modo que fueron capaces de llevar agua a sus campos y producir varias cosechas anuales. Para llevar a cabo proyectos como éste necesitaron una buena organización y gobierno, cualidades que pudieron haber ayudado a crear las primeras ciudades.

A partir de aproximadamente 3500 a.C. en adelante, las ciudades de Sumer crecieron en tamaño e importancia. Entre ellas estaban Ur, Eridu, Lagash, Uruk y Nippur. Los habitantes de esas ciudades se consideraban a sí mismos como sumerios, pero no existía un gobierno central que los congregara a todos. En vez de ello, cada ciudad era el centro de su propio y pequeño estado, de un modo semejante al de las ciudades-estado de la antigua Grecia. En ocasiones, una ciudad concreta se hacía más poderosa que las demás y las dominaba. Luego el poder pasaba a otra.

No sabemos qué forma de gobierno tuvieron estas ciudades al principio. Tiempo atrás, se creyó que los restos de los grandes templos indicaban que eran los sacerdotes quienes gobernaban sus respectivas ciudades. Aunque en la actualidad ya no se piensa que ése fuera el caso, muchos historiadores siguen creyendo que los grandes templos tuvieron un papel principal en la vida de sus conciudadanos.

En un momento dado, puede que en torno a 2800 a.C., aparecieron reyes como gobernantes de las ciudades. La palabra sumeria para «rey» es *lugal*, que literalmente quiere decir «gran hombre». Es posible que originalmente un *lugal* fuera nombrado durante una época de crisis, como una guerra, y que en la época

ca que nos ocupa el cargo se convirtiera en permanente. Las ciudades de Sumer continuaron existiendo como entidades independientes hasta 2370 a.C., cuando se produjo el desastre: la región fue invadida y conquistada.

LA ERA DE SARGÓN

El líder de esa invasión fue Sargón, rey de Acad, un estado que se encontraba unos 240 kilómetros al norte de

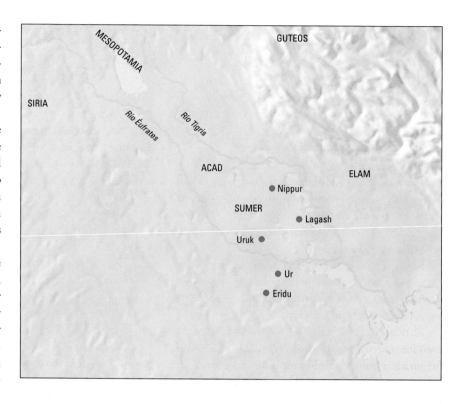

ARRIBA: Sumer no tenía capital. En vez de ello existían en la región varias ciudades importantes cuya riqueza y poder fluctuaron con el paso de los siglos.

IZQUIERDA: Tablilla de caliza de aproximadamente el 2500 a.C., que muestra a Ur-Nanshe, rey de Lagash, con miembros de su familia.

IZQUIERDA: Una tablilla de arcilla, fechada en 2500 a.C., con escritura cuneiforme. La tablilla es una factura por la venta de un campo y una casa; deja bien claro que la casa fue pagada con plata.

Sumer. Sargón era descendiente de los grupos semitas que habían emigrado a Mesopotamia siglos antes. Según la leyenda, la madre de Sargón abandonó a su hijo dentro de una cesta en el río Éufrates. Fue rescatado por un pastor, que lo crió.

Sargón creció y se convirtió en un poderoso líder. No sólo conquistó Mesopotamia, sino también partes de Siria. Se construyó una capital en Acad e hizo del acadio la lengua franca de la región.

El reinado de la familia de Sargón sobre la región duró hasta aproximadamente el año 2200 a.C., cuando fue invadida por un pueblo montañés, los guteos. Tras un siglo de caos, los sumerios volvieron a recuperar el poder guiados por un rey de Ur llamado Ur-Nammu. Durante los siguientes cien años la región prosperó. Se construyeron templos, se introdujeron pesos y medidas estandarizados y se comenzó a utilizar un nuevo calendario. En el 2000 a.C. aproximadamente, los elamitas invadieron la región desde el este y destruyeron Ur, con lo que terminó la era de Sumer.

LOS LOGROS SUMERIOS

Los sumerios eran unos constructores y arquitectos muy hábiles. Sus ciudades estaban sólidamente construidas, con fuertes muros de defensa. En el interior había grandes templos y palacios, distribuidos por entre las calles repletas de casas. Los edificios se hacían principalmente de adobes, aunque también se utilizaban ladrillos más fuertes, cocidos al fuego. Las casas de la gente del común eran de un solo piso, mientras que los ricos tenían viviendas más grandes y de dos pisos, con habitaciones más espaciosas y una zona para los esclavos. El segundo piso también contaba con un balcón.

Para ayudarlos en la construcción y traslado de materiales y bienes, los sumerios utilizaron la rueda, siendo el primer pueblo del mundo en hacerlo. Tenían carros de dos y de cuatro ruedas, de los que se han descubierto pequeñas maquetas de bronce. Aparte de los carros utilizados en la agricultura y la construcción, también tenían carros de guerra.

La sociedad sumeria estaba dividida en diferentes clases, con el rey, los sacerdotes y los nobles situados en la parte más alta y los esclavos en la parte más baja. Entre ambos extremos se encontraban los mercaderes, los artesanos y los granjeros. Los reyes dirigían la guerra, impartían justicia y se aseguraban de que los canales, presas y albercas –vitales para mantener la tierra bien irrigada– estuvieran bien mantenidos. Parece que, en sus primeros tiempos, los sumerios elegían a sus reyes, pero al final la realeza pasó de una generación a otra de forma hereditaria.

Para los sumerios ricos, no todo en la vida era trabajar. Podían permitirse espléndidos banquetes y contratar músicos que tocaran liras, arpas o tamboriles para divertir a sus invitados. A lo largo del año también se celebraban fiestas religiosas, especialmente la que conmemoraba el Año Nuevo, que duraba varios días. Por otra parte, el descubrimiento en Ur de un tablero de juego y sus piezas demuestra que los sumerios también disfrutaban con juegos de mesa.

Los artistas y artesanos sumerios se organizaron agrupándose en gremios para apoyarse unos a otros.

Los templos

Las ciudades sumerias estaban dominadas por unas enormes pirámides escalonadas conocidas como zigurats. El templo era, de hecho, un gran complejo, casi como una pequeña ciudad en sí mismo, con cocineros, cerveceros, jardineros, herreros, escribas y personal administrativo, que lo mantenían en marcha. Se conserva un documento donde se dice que el templo de Lagash tenía que proporcionar pan y cerveza a 1.200 personas al día. Evidentemente, el templo también era el centro religioso de la ciudad, dedicado a su dios tutelar. Los sacerdotes realizaban los ritos necesarios y celebraban las fiestas sagradas. También recitaban oraciones, cantaban himnos y sacrificaban animales. Los sacerdotes eran considerados sirvientes del dios, al que se creía residente en el propio templo.

Los restos del templo de Uruk, una de las principales ciudades sumerias.

La agricultura sumeria

La mayoría de los sumerios trabajaban como agricultores. Dado que la tierra era seca y llovía poco, transportaban el agua desde los ríos hasta los campos mediante canales artificiales. De hecho, el primer canal conocido del mundo fue excavado por los sumerios. Fue construido por orden del gobernador de Lagash en torno a 2500 a.C, y todavía es posible verlo en la actualidad como parte del canal Al-Gharrif. Los sumerios también excavaron pequeños canales de irrigación y presas.

La cebada era el cereal más importante, pero los sumerios también cultivaban cebollas, dátiles, pepinos, granadas y melones. Para arar la tierra de sus campos utilizaban un arado sencillo de madera, al que ataban un tubo para poder esparcir las semillas. Criaban ovejas por su lana y bueyes por su capacidad para arrastrar arados y carros, además de por su piel. Los sumerios también criaban cerdos y cabras, además de onagros para tirar de los carros de guerra.

creó la necesidad de la escritura. La primeras muestras escritas del mundo se han encontrado en tablillas de arcilla en Uruk. Están fechadas en 3300 a.C. y consisten en listados y cuentas[1].

Al principio, la escritura se realizaba mediante pequeños dibujos; por ejemplo, la imagen simplificada de la cabeza de un buey significaba «buey». Con el tiempo estos dibujos evolucionaron y se volvieron más abstractos. Se realizaban presionando un estilo con forma de cuña, o «cuneiforme», sobre tablillas de arcilla húmeda, que luego se dejaba endurecer. También se utilizaban pequeños cilindro-sellos inscritos. Se hacían rodar sobre la arcilla húmeda para producir imágenes y texto, utilizados a menudo para sellar documentos oficiales.

El sistema de las palabras-signo se fue transformando lentamente para poder expresar también ideas más complejas. La imagen de una estrella, por ejemplo, originalmente sólo significaba «estrella»; pero después pasó a poder significar «rey» y, más tarde aún, también «alto». El sumerio fue la primera lengua en ser escrita con signos cuneiformes. No obstante, tras la conquista de Sargón, el cuneiforme se utilizó para escribir la lengua acadia.

Según iban aumentando las habilidades sumerias, se hizo importante enseñar a los jóvenes esas mismas habi-

ABAJO: Uno de los largos paneles decorados de la caja conocida como «Estandarte de Ur», encontrada en una tumba real de esta ciudad. En él se puede ver al ejército sumerio: en el registro

Los trabajos que producían eran de una extraordinaria calidad. Los orfebres eran capaces de martillear el oro hasta formar finas láminas, que luego cortaban con forma de hojas o estrellas. Los escultores creaban pequeñas estatuas utilizando un sistema que se conoce como de la cera perdida. Para ello se moldeaba con cera un figura, que se colocaba dentro de un recipiente y luego se recubría de arcilla. Finalmente se calentaba todo para

central vemos a la infantería, que lleva cascos, mientras que en el registro inferior aparecen cuatro carros de guerra de cuatro ruedas. En el registro superior aparece la imagen del rey, de mayor tamaño, a quien se presentan los prisioneros de guerra.

que la cera se derritiera y saliera por unos agujeritos dejados ex profeso para ello. Esto dejaba un molde hueco de arcilla cocida. En su interior se introducía metal fundido que, al solidificarse, adoptaba la forma de la figura de cera.

LOS PRIMEROS ESCRITOS

Según fueron creciendo en tamaño las ciudades sumerias, su organización se hizo más compleja. Surgió la necesidad de llevar registros cuidadosos, lo que a su vez

lidades. Al principio, los responsables de la educación de los jóvenes eran los sacerdotes del templo. No obstante, con el paso de los años las escuelas terminaron por escapar de su influencia directa. Pruebas halladas en un colegio de Ur, fechadas sobre 1800 a.C., demuestran que los alumnos aprendían a leer, a escribir y aritmética. Entre las tablillas de arcilla allí descubiertas, había algunas que contenían tablas de multiplicar. No obstante, la educación era estrictamente práctica y su intención era producir los escribas, mercaderes u hombres de negocios del futuro.

Ur

En 1925 se organizó una expedición británico-americana para excavar la ciudad sumeria de Ur, en el sur de la actual Iraq. Situada cerca del río Éufrates, Ur había florecido entre 3.000 y 2.000 años a.C. Era una más de las ciudades-estado de Sumer, en la antigua Mesopotamia.

A pesar de que sus edificios habían desaparecido bajo el desierto, el nombre de Ur se había conservado porque aparecía mencionado en la Biblia como el lugar de nacimiento de Abraham. Sin embargo, no fue hasta comienzos del siglo XX cuando los arqueólogos pudieron estar seguros de que Ur estaba situada en Iraq. Ello fue posible gracias al descubrimiento de algunas tablillas de arcilla inscritas, encontradas en un lugar conocido en la región como Tell al-Muqayyar. Cuando las tablillas fueron descifradas, se observó que mencionaban a un rey llamado Ur-Nammu, del que sabíamos que se había convertido en el rey de Ur aproximadamente en 2112 a.C. De modo que cuando comenzaron a excavar al-Muqayyar, los arqueólogos conocían ya el nombre de la ciudad antigua. A pesar de ello, no se podían imaginar los tesoros que encontrarían en ella.

El director de la expedición era un británico llamado sir Leonard Woolley, uno de los más sobresalientes arqueólogos de la época. La excavación de Ur duró 12 años y fue el punto culminante de su carrera. Trabajando incansablemente con un equipo de hasta 400 trabajadores locales, Woolley y su equipo no tardaron en desenterrar plantas de casas y templos, rescatando muchos objetos de la vida diaria de entre la arena y el polvo. Descubrieron que las calles de Ur eran estrechas. Algunas seguían un plan predeterminado, pero otras sencillamente se retorcían en torno a grupos de pequeñas casas. Los edificios estaban hechos de adobes y construidos alrededor de un patio central. Los suelos se cubrían con esteras de caña. Los muebles eran en su mayor parte mesas bajas, taburetes y sillas.

EL CEMENTERIO REAL

Los descubrimientos más espectaculares tuvieron lugar, sin embargo, en el cementerio real. Contenía más de 1.800 tumbas, la mayoría de gente corriente. Sin embargo, 17 de estas tumbas eran mayores que las demás y estaban construidas con más solidez, a base de piedra o ladrillo. También contenían mucha riqueza en forma de objetos preciosos hechos de oro y plata, a menudo engastados con gemas. Sólo dos de estas 17 tumbas habían escapado al saqueo de los ladrones, pero se encontraron inscripciones y nombres de reyes, lo que convenció a Woolley de que eran las tumbas de los soberanos de Ur.

Los arqueólogos tuvieron mucho cuidado al excavar. Una de sus técnicas incluía derramar parafina sobre los objetos delicados para evitar que se desmoronaran al levantarlos. Enseguida comenzaron a aparecer objetos maravillosos, algunos de más de 4.500 años de antigüedad. Entre ellos había estatuas, collares, cuentas y tocados femeninos decorados con finísimas láminas de

ABAJO: Este panel del «Estandarte de Ur» muestra un banquete celebrado por un rey sumerio aproximadamente en 2500 a.C. En el registro superior aparece el rey frente a sus invitados, que alzan sus copas mientras un músico toca la lira. Los demás registros muestran algunos de los alimentos que iban a ser consumidos en el banquete: cabras, pescado, vacas, junto a sacos de grano y otras provisiones.

El gran pozo de la muerte

Durante sus excavaciones, Woolley encontró pruebas de que las gentes de Ur practicaban un nefasto y ciertamente cruel ritual de enterramiento. A partir de los esqueletos encontrados en las tumbas, estaba claro que cuando un rey o reina moría se esperaba que sus servidores murieran con ellos y los acompañaran en la otra vida. Aparentemente, en un funeral regio, los servidores seguían al cuerpo sin vida de su soberano hasta dentro de la tumba. Entonces, habiéndose colocado según su importancia, bebían veneno y se tumbaban a esperar la muerte. No está claro si lo hacían voluntariamente o si eran ejecutados.

La más clara evidencia de que esta práctica se realizaba fue encontrada en la mayor de las tumbas de Ur, que contenía 74 esqueletos, en su mayor parte de mujeres. Llamada el Gran Pozo de la Muerte, la tumba medía 2,3 m². Woolley pudo comprobar que las víctimas se habían vestido para su final. Cintas de oro se encontraron entre los huesos, junto a cuentas de oro y lapislázuli, amén de hojas de oro de los tocados. También había arpas, decoradas con oro y plata, y dos estatuas de carnero, talladas en madera y luego recubiertas de concha, oro y lapislázuli.

oro en forma de hojas de sauce y haya. También apareció un casco de hierro martilleado, que una vez llevó puesto un rey llamado Meskalamdu. Tiene pequeños agujeros en torno al borde para sujeciones que permitían unirle un forro de tela, restos del cual se encontraron en el interior.

No obstante, quizá el más fascinante de todos los hallazgos sea una pequeña caja de madera que se conoce como el «Estandarte de Ur». Está taraceada con conchas y lapislázuli, y puede haber sido la caja de resonancia de una lira. Lo que la hace fascinante son las imágenes taraceadas de sus lados largos y la luz que arrojan sobre la vida sumeria. Uno de los paneles contiene una fiesta regia y el otro una escena de guerra. Los dos paneles estrechos también poseen una decoración elaborada. Uno de ellos presenta a un carnero siendo sacrificado a los dioses.

LAS REDES COMERCIALES

Además de por la información que aportan sobre los rituales funerarios de Ur y las habilidades de sus artesanos, los hallazgos muestran los patrones de su comercio y las gentes con quienes comerciaban. El lapislázuli, por ejemplo, se sabe que procedía de Afganistán, que también pudo haber sido la fuente del estaño. Este metal era especialmente apreciado porque, al ser mezclado con cobre, produce bronce. Las conchas procedían del golfo Pérsico. La cornalina, una piedra roja, fue traída de lo que hoy es Irán, mientras que la madera llegó de las montañas Amanus, al noroeste de Siria, bajando por el río Éufrates.

Si Woolley consiguió mucha información de los artefactos y tumbas de Ur, todavía más obtuvo de una colección de más de 200 textos conservados en tablillas de arcilla. Contenían listas de animales y materiales, como pescado, ovejas, cabras y árboles, así como los nombres de diferentes personas y su profesión. Nos informan de que las gentes de Ur tenían ocupaciones muy especializadas, incluidas las de carpintero, herrero, jardinero, cocinero y fabricante de ladrillos. Las tablillas también describen aspectos de la ley. Si un hombre quería divorciarse de su esposa, por ejemplo, sólo tenía que pagar una determinada cantidad de dinero. También tenía derecho a vender a sus hijos como esclavos si así lo deseaba.

La edad de oro de Ur duró unos 100 años, durante los reinados de Ur-Nammu y sus sucesores. Este rey fue el responsable de la reconstrucción del gran templo de la ciudad, una pirámide escalonada o zigurat. Aunque sólo se conserva su base, las excavaciones han demostrado que era una sólida estructura hecha de ladrillos. Se elevaba hasta los 21 metros de altura en tres pisos, todos conectados mediante escaleras exteriores. En la cima había un pequeño santuario donde tenían lugar los rituales sagrados. Este zigurat, como otros de la región, fue construido para asemejarse a una montaña sagrada, un lugar en donde los humanos pudieran permanecer más cerca de los dioses. El patrón de Ur era Nanna, el dios de la Luna.

El final de Ur se produjo en torno al 2000. a.C. Los elamitas la invadieron desde el oeste y destruyeron la ciudad. Con el paso de los siglos, sus ruinas fueron decayendo hasta terminar completamente cubiertas por la arena. Sin embargo, su destino era, 4.000 años después, sacar sus tesoros a la luz.

DERECHA: Esta estatua de un carnero de oro apoyado en un matorral fue encontrada en el Gran Pozo de la Muerte. La cara y las piernas son de oro, mientras que los cuernos, los ojos y el vellón son de lapislázuli, todo ello recubriendo una base de madera.

Egipto

Las gentes que vivían en las llanuras de Egipto cercanas al Nilo, en torno a 3000 a.C., se encontraban en un lugar privilegiado. Aunque el valle del Nilo está rodeado de desiertos, el río se encargaba de llevar la vida al antiguo Egipto, lo que permitió que en sus orillas creciera y floreciera una vibrante civilización.

Cada año, el Nilo, alimentado por las lluvias invernales caídas en su cuenca, se desbordaba e inundaba los campos egipcios con agua y fértil limo. Cuando las aguas se retiraban, los granjeros podían sembrar sus cosechas en una tierra rica y húmeda. Calentadas por el sol de la primavera, las cosechas crecían con rapidez y proporcionaban una abundante cosecha. Los granjeros eran el 95 por ciento de la población egipcia y el éxito de sus cosechas era vital para la economía del país.

La principales semillas que se plantaban eran el trigo, la cebada y el lino, que se tejía para crear la delicada tela por la que los egipcios eran conocidos. Las abundantes cosechas significaban que una amplia población podía vivir en una zona pequeña y, a su vez, esto significaba que había una amplia fuerza laboral disponible para construir grandes monumentos de piedra, como las tumbas reales.

El Nilo también era importante como medio de transporte. Grandes barcos de carga podían viajar hacia el norte utilizando la corriente del río, o hacia el sur, desplegando una vela y utilizando el viento del norte. Esto facilitaba el transporte de las grandes cantidades de material que necesitaron los egipcios para construir sus famosas pirámides y templos de piedra.

Egipto también era muy rico en otros recursos naturales, que ayudaron a dar forma a su civilización, como el oro y la caliza. El oro era tan abundante que el rey de un estado cercano le escribió envidioso al faraón: «En tu país el oro es como el polvo».

LOS COMIENZOS DE LA HISTORIA

Poco se conoce de la historia egipcia con anterioridad a 3100 a.C. Se piensa que Egipto era un conjunto de pequeños reinos poblados por gentes similares que hablaban la misma lengua, pero que carecían de unidad política. En algún momento entre 3100 y 3000 a.C., Egipto se convirtió en un país unificado controlado por un úni-

DEBAJO: El Nilo lleva vida a las llanuras de Egipto, situado en medio de una región desértica.

co rey. Esta unificación pudo haber tenido lugar como consecuencia de las conquistas de un rey llamado Narmer, procedente de la ciudad meridional de Hieracómpolis. Fue el primer rey en reclamar el derecho a llevar las coronas tanto del Alto (el sur) como el Bajo (el norte) Egipto. Tras las conquistas de Narmer se creó una nueva capital, Menfis, justo donde el delta del Nilo se une al estrecho valle del río, en la orilla contraria al asentamiento de la actual capital egipcia: El Cairo.

En época posterior se decía que el legendario fundador de Egipto era Menes, «aquél que funda». Fue el primer faraón de la I Dinastía. Algunos historiadores piensan que Narmer y Menes pueden ser la misma persona, pero no es seguro. En total hubo 31 dinastías de reyes egipcios antes de la conquista del país por parte de Alejandro Magno, en el 332 a.C. Estas dinastías se agrupan en periodos de estabilidad (llamados Reino Antiguo, Reino Medio y Reino Nuevo) y épocas de confusión (Primer Periodo Intermedio, Segundo Periodo Intermedio y Tercer Periodo Intermedio), cuando el trono tenía varios pretendientes.

Se creía que el rey era elegido por los dioses y era la principal fuente de autoridad. Era el capitán general del ejército, el sacerdote principal de todos los dioses y el único capaz de impartir justicia. Cuando el rey moría, su cuerpo era depositado en el interior de una tumba especial, que durante el Reino Antiguo y Medio fue una pirámide.

LAS PIRÁMIDES

El Reino Antiguo (2650-2150 a.C.) fue un periodo de paz, prosperidad y cultura. La única de las siete maravi-llas del mundo que todavía se encuentra en pie, la Gran Pirámide de Khufu en Guiza, data de esa época. Es la mayor de las pirámides egipcias, pero no la más antigua. Este honor le corresponde a la construida por Zoser, de la III Dinastía, cuya pirámide es el más antiguo de los grandes edificios de piedra construidos en el mundo. Fue edificado en Sakkara, uno de los varios cementerios distribuidos a lo largo del borde del desierto justo al oeste de la capital del Reino Antiguo, Menfis. Los siguien-

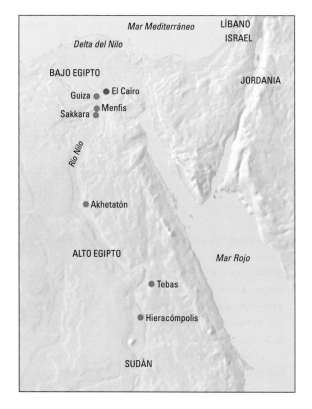

tes reyes de la III Dinastía también construyeron pirámides escalonadas, por lo que hasta comienzos de la IV Dinastía no aparecieron las pirámides verdaderas, de lados rectos. Las primeras fueron construidas por Esnefru, cuyos experimentos en la construcción de tumbas dieron como resultado la erección de no menos de tres pirámides. Khufu, hijo de Esnefru (conocido por los griegos como Keops), construyó la mayor de todas las pirámides, en Guiza, la primera de las tres que allí se yerguen. La pirámide de Khufu tenía 146 metros de altura y se construyó con más de dos millones de grandes bloques de piedra caliza.

La construcción de una pirámide necesitó de un esfuerzo y una organización gigantescos; todas las energías de Egipto se dirigieron hacia la construcción de estas grandes tumbas de piedra para sus dioses-reyes. La mano de obra era traída de todo Egipto para trabajar en los enormes proyectos piramidales, probablemente durante la estación en que el Nilo inundaba la tierra agrícola y los campesinos no podían trabajarla[2].

Los reyes de Egipto no eran las únicas personas que se hacían construir una tumba especial. Los miembros principales de la corte real se enterraban en torno a la pirámide en unas grandes tumbas, bajas y rectangulares, llamadas «*mastabas*» (palabra procedente de la palabra árabe que significa «banco para sentarse», a cuya forma se asemejan). Las mastabas, al contrario que las pirámides, estaban decoradas con escenas grabadas y pintadas que representaban al dueño de la tumba recibiendo ofrendas de alimentos destinados a su *ka* (el alma, que permanecía en la tumba).

Estas tumbas eran visitadas por los familiares del difunto, que podían entrar en su interior para dejar ofrendas de comida delante de la estatua de su familiar o delante de una falsa puerta de piedra, que sólo el *ka* podía atravesar. El cadáver era depositado en la cáma-

La estructura social

En el antiguo Egipto se creía que el rey era un dios hecho humano y que poseía el poder supremo. Sus órdenes eran llevadas a cabo por consejeros, escribas y otros funcionarios. El ayudante directo del rey era el visir, responsable de supervisar la marcha diaria del país.

La sociedad egipcia estaba muy estructurada. La familia real formaba el núcleo de la Corte, a la que accedía la nobleza. Por debajo de la nobleza se encontraban los escribas, sacerdotes y servidores de la Corte. En el escalón inmediatamente inferior hallamos a mercaderes, artesanos y soldados. Aparte los esclavos, los miembros más bajos de la sociedad eran los trabajadores agrícolas y los mineros.

Las mujeres poseían una categoría mucho más elevada que en ninguna otra civilización del mundo antiguo. Con raras excepciones, no podían ser ni funcionarias ni escribas, pero la mayor parte del resto de las ocupaciones sí podían desempeñarlas. También podían poseer propiedades e incluso podían divorciarse de sus esposos.

Una escalera hacia el sol

Los egipcios creían que cuando una persona moría continuaba viviendo en otra vida. De modo que cuando el rey fallecía, su cuerpo era depositado en una cámara funeraria especial en el interior de una pirámide, con todo lo que necesitaba para vivir en el otro mundo: muebles, vestidos y otros objetos personales. Las cámaras funerarias eran bastante pequeñas comparadas con el gigantesco exterior de las pirámides.

Las primeras pirámides se construyeron de tal modo que su parte externa era escalonada, mientras que las posteriores, de la IV a la VI Dinastía, tuvieron las caras lisas. Los textos de las pirámides (grabados en las paredes de las cámaras funerarias de la última pirámide de la V Dinastía y todas las pirámides de la VI Dinastía) parece que nos ofrecen razones para ese diseño. Durante el Reino Antiguo, la deidad más importante era Ra, el dios-sol. Se creía que el rey pasaría la eternidad cruzando el cielo cada día en el barco de Ra. Los textos hablan de una «escalera» que permitía al rey ascender al cielo y también de rayos de sol lo bastante fuertes como para formar una rampa que el rey podía utilizar para subir. Algunos historiadores consideran que, tanto las pirámides escalonadas de la III Dinastía como las posteriores pirámides «verdaderas», eran gigantescas maquetas de esas escaleras y rampas, destinadas a que el rey las utilizara tras su muerte.

La gran cantidad de riqueza enterrada junto a los reyes hizo que todas las tumbas reales fueran saqueadas y robadas. Quizá sea éste el motivo por el cual los reyes dejaron de construir pirámides y, en vez de en ellas, fueron enterrados en cámaras secretas excavadas en la roca del Valle de los Reyes.

---

ra funeraria, bajo la mastaba, en un ataúd de piedra. Para poder servir de «hogar» al *ka*, el cuerpo tenía que ser preservado, motivo por el cual se le extraían los órganos internos, como el cerebro, los pulmones y los intestinos. Seguidamente el cuerpo era cubierto con sal (natrón) y desecado. Por último, continuando con el proceso de la momificación, era envuelto con vendas y especias.

Durante el Reino Antiguo las mastabas se fueron haciendo más grandes, lo que supuso un aumento en la cantidad de muros que podían ser utilizados para representar una amplia variedad de actividades de la vida diaria. Según fue aumentado el tamaño de las tumbas de los nobles, las pirámides disminuyeron su tamaño, lo que puede significar que los reyes estaban volviéndose menos poderosos.

El Reino Antiguo se derrumbó poco después del reinado de Pepi II y, durante el Primer Periodo Intermedio, que vino a continuación, los gobernadores locales de las diferentes zonas de Egipto lucharon entre ellos para conseguir el control de toda la región. Los vencedores finales fueron los gobernantes de la meridional ciudad de Tebas, convirtiéndose Nebhepetre Montuhotep en rey de Egipto en 2040 a.C.

Los primeros soberanos del Reino Medio reunificaron Egipto, reanudaron los lazos comerciales con otros países e incrementaron el poder del trono. Comenzaron de nuevo a construir pirámides cerca de Menfis, pero la categoría de la ciudad comenzó a ser discutida por Tebas. Los soberanos posteriores del Reino Medio fueron menos poderosos y, gradualmente, el reino fue cayendo de nuevo en el caos.

Durante el Segundo Periodo Intermedio (1640-1550 a.C.), el norte de Egipto fue ocupado por unos reyes semitas (llamados «*hyksos*» por los griegos) y Tebas se convirtió en el centro de la resistencia contra el gobierno extranjero. Cuando Ahmose expulsó a los hyksos y se hizo con el trono, en 1550 a.C., proclamó el comienzo de una nueva era.

EL REINO NUEVO

Durante el Reino Nuevo, Tebas fue el centro de un gran imperio egipcio que conquistó y controló la mayor parte del actual Sudán e Israel, así como zonas de Jordania, Líbano y Siria. Durante el reinado de grandes reyes como Thutmosis III y Amenhotep III, de la XVIII Dinastía, y Ramsés II, de la XIX Dinastía, Egipto se convirtió en la superpotencia internacional de la Edad del Bronce, con victorias militares en el extranjero y amplios programas constructivos en el interior. Egipto también pasó a formar parte de un más amplio sistema económico, que incluía a casi todas las regiones del Mediterráneo oriental, Oriente Próximo y Medio, el norte de África y el sur de Europa.

Con la llegada de esta prosperidad, la gente comenzó a desear bienes exóticos. Los mercaderes y marineros cruzaban gustosos grandes distancias en pequeños barcos para satisfacer esa demanda. Un constante flujo de barcos tuvo que estar navegando desde Egipto hasta el Líbano, Chipre y Grecia, y de vuelta a Egipto, mercade-

DEBAJO: Un sarcófago real de 800 a.C. Este tipo de ataúdes siempre estaba primorosamente decorado, como correspondía a la categoría del rey.

La escritura sagrada

Los egipcios poseían varias formas de escribir. La más habitual era llamada hierática. Consistía en series de signos individuales simples, fáciles de escribir sobre papiro (hecho de cañas) o fragmentos de cerámica (llamados *ostraca*) con un cálamo de caña.

La más conocida de estas formas de escritura es la jeroglífica, que en griego significa «escritura sagrada». Era la utilizada en los monumentos. Los egipcios llamaban a esta escritura «las palabras de los dioses». Contaba con cientos de signos que eran dibujos de cosas del mundo real: personas, animales,

partes del cuerpo y muebles. Cada signo se podía utilizar por su valor fonético (representaba un sonido) o como ideograma (entonces representaba a un objeto real). Los símbolos se combinaban formando palabras y frases. Los jeroglíficos nos dan una vívida imagen de la vida diaria en el antiguo Egipto.

Jeroglíficos en una tumba del Valle de los Reyes. Este tipo de escritura se utilizaba principalmente en lugares y objetos sagrados.

ando con las especialidades de cada región: madera del Líbano, cobre de Chipre, vino y aceite de oliva de Grecia, oro de Egipto, y ébano, marfil y huevos de avestruz de África.

EL ASCENSO DE TEBAS

Durante el periodo del Reino Medio, Tebas se convirtió en un importante centro real. En ella se construyó el templo de Karnak, en la orilla este del Nilo, dedicado al dios Amón. Con anterioridad, Amón había sido un simple dios local, pero entonces se convirtió en un rey de los dioses y en el patrón del Imperio egipcio. Se creía que Amón vivía en el seno de una estatua guardada en el corazón del templo –el santuario–, donde era lavada, vestida y recibía ofrendas de comida y bebida diariamente. Rey tras rey, cada uno de ellos compitió con los anteriores en mostrar su devoción a

Amón añadiéndole construcciones a su templo. Por lo general, estos añadidos consistieron en patios, rodeados por filas de pilares y en gigantescas entradas en forma de torre.

El templo se convirtió en uno de los más grandes complejos religiosos construidos nunca y terminó ocupando una extensión de dos hectáreas. La mayor parte de las obras de la XVIII Dinastía realizadas allí fueron ordenadas por Hatshepsut, una de las pocas mujeres que gobernaron Egipto.

En la orilla oeste del río se construyó un nuevo tipo de tumba para los reyes del Reino Nuevo. En un valle escondido se excavaron cámaras subterráneas, en un lugar conocido hoy día como el Valle de los Reyes. Es posible que estas nuevas tumbas se construyeran para esconder los cuerpos reales de los ladrones, pues el soberano sabía que las pirámides habían sido saqueadas y muchos de sus objetos robados. No obstante, sólo la tumba del rey-niño Tutankhamón consiguió sobrevivir incólume hasta el siglo XX.

Como sucedió en Menfis durante el Reino Antiguo, los funcionarios importantes del Reino Nuevo deseaban ser enterrados cerca del rey. En realidad no fueron inhumados en el Valle de los Reyes –reservado casi de forma exclusiva para la realeza–, sino en los acantilados de las colinas tebanas, cerca del valle real. Aunque la forma de las tumbas –excavadas en forma de «T»– era distinta de las de Menfis, los muros seguían estando decorados con detalladas pinturas y relieves de la vida diaria.

Cuando Amenhotep IV se convirtió en rey sobre 1360 a.C., le dio la espalda a muchas de las antiguas tradiciones egipcias, incluida la adoración al dios Amón, que sustituyó por la adoración a un nuevo dios: Atón. Al contrario que los antiguos dioses, Atón no era representado como la imagen de una persona o animal, sino como el Sol. Para promocionar su nueva religión, el rey cambió su nombre de Amenhotep a Akhenatón («Espíritu vivo de Atón») y trasladó la capital de Egipto a una nueva ciudad a medio camino entre Tebas y Menfis. La

bautizó como Akhetatón («Horizonte de Atón»). Desgraciadamente para Akhenatón, su entusiasmo por Atón no era compartido por los demás egipcios. Tras la muerte del rey, Akhetatón fue abandonada y Tebas volvió a ser el centro del poder y Amón el dios principal.

Tras el derrumbe del Reino Nuevo, en 1064 a.C., los reyes fueron incapaces de mantener el orden y el país volvió a sumergirse de nuevo en una época de caos interior llamada Tercer Periodo Intermedio. Durante los siguientes 700 años, Egipto fue gobernado por distintas dinastías locales y soberanos extranjeros, hasta la invasión de Alejandro Magno, el rey macedónico. Desde 332 a.C. hasta 30 d.C., Egipto fue parte del mundo helenístico (griego), siendo gobernado por los descendientes de Ptolomeo, uno de los generales de Alejandro, tras lo cual pasó a formar parte del Imperio romano.

LA VIDA DIARIA

Los arqueólogos han sido capaces de descubrir mucho más sobre las tumbas reales del antiguo Egipto que sobre las casas, pueblos y ciudades de los egipcios normales. Esto se debe a diversos motivos prácticos. Los egipcios, temerosos de la inundación anual, construyeron sus cementerios en la parte alta del desierto, donde las aguas no alcanzaban. Las tumbas, hechas de bloques de piedra, eran excavadas en roca sólida o en el desierto, y se pretendía que se conservaran para siempre. Menos cuidados se ponía en las casas normales. Las personas necesitaban estar cerca del Nilo, que les proporcionaba, a ellos y sus animales, agua y un sistema natural de saneamiento; también tenían que estar cerca de sus tierras.

El Nilo también proporcionaba los ladrillos de barro que se utilizaban para construir casi cualquier edificio, desde establos para animales hasta palacios. Barro de las orillas del río, o de un canal a propósito, se utilizaba para fabricar ladrillos rectangulares con sencillos moldes de madera que luego eran dejados secar al sol. Aunque el barro proporcionaba un material barato y adecuado para las viviendas, se destruía con facilidad si la inundación anual era superior a lo normal. Ello no suponía un gran problema, pues los poblados destruidos se reconstruían con facilidad. No obstante, esto significa que las únicas ciudades o poblados que se han conservado en suficientes buenas condiciones para que las estudien los arqueólogos son las que se encuentran en lugares poco habituales y alejados del río. Las más conocidas son las ciudades levantadas para alojar a las personas implicadas en la construcción y mantenimiento de las pirámides de los Reinos Antiguo y Medio y, sobre todo, el poblado de Deir el-Medina, que durante 500 años alojó a los trabajadores que excavaron y decoraron las tumbas reales del Valle de los Reyes.

Las aterrazadas casas de Deir el-Medina se apiñaban juntas y estaban rodeadas por un alto muro. Eran pequeñas y la mayoría tenía cuatro habitaciones consecutivas. Es posible que la cocina y la parte posterior no tu-

DEBAJO: Una vista de las gigantescas columnas del interior del templo de Karnak, en Tebas. Las partes principales del complejo templario fueron construidas por los reyes de la XVIII Dinastía (1550-1298 a.C.), pero las generaciones siguientes modificaron los edificios constantemente.

IZQUIERDA: Un dibujo del poblado de Deir el-Medina, cercano a Tebas, pero en la orilla opuesta del río, que alojaba a los trabajadores que construyeron las tumbas del Valle de los Reyes. Las pequeñas casas con terraza se construyeron muy juntas, con estrechas calles entre ellas. Los muros de la casa en primer plano se han cortado en el dibujo para mostrar el interior.

vieran techo. Por lo general había un sótano, donde se almacenaban jarras con comida y bebida, además de otros bienes valiosos. Al techo se accedía mediante una escalera. No era mucha la gente corriente que poseía más muebles que un reposacabezas de madera. No obstante, como el clima era cálido y seco, es probable que la gente realizara muchas actividades, como la preparación de comida y la lavandería, en el exterior de las casas.

El arte egipcio

Las pinturas egipcias son reconocibles de inmediato, pero la figura humana que representan parece acartonada y contrahecha al ojo moderno. Esto se debe a que el artista egipcio no intentaba crear una pintura realista. El propósito del arte egipcio era religioso: se hacía para decorar los muros de las tumbas y templos.

Los egipcios creían que una pintura o estatua era mágica y podía servir de sustituto de lo que representaba. Tras la muerte, el *ka*, o alma, de una persona muerta necesitaba tener un hogar. Idealmente, ese hogar era el cuerpo del difunto; pero si éste se había podrido, las pinturas podían servir como hogares sustitutos. No obstante, las pinturas tenían que ser tan completas como fuera posible y –algo vital– tener la adecuada leyenda mencionando al dueño de la estatua o pintura. Para mostrar tanto como fuera posible del cuerpo (cada brazo, pierna, mano, pies y dedo), el pintor dibujaba una forma extrañamente distorsionada (la cabeza de perfil, el ojo de frente, los hombros de frente y el pecho de perfil). Los artistas utilizaban colores planos y no pretendían incluir sombras o resaltes. Este estilo de pintura y escultura egipcio permaneció inalterado durante millares de años.

Una ilustración del Libro de los muertos *de Nedjemet, fechado aproximadamente en 1090 a.C. Rollos como éste se colocaban en las tumbas para ayudar al muerto a realizar su viaje al otro mundo.*

La tumba de Tutankhamón

La mayor parte de los faraones egipcios se recuerdan porque fueron grandes soldados conquistadores o porque construyeron gigantescos templos y tumbas. Tutankhamón no fue ni un gran soldado ni un gran constructor, sin embargo es el más conocido de todos los faraones.

Esta circunstancia se debe al dramático descubrimiento de su tumba en 1922. Al contrario que el resto de tumbas reales, nunca fue saqueada y por ello estaba llena de magníficos tesoros[3].

Tutankhamón nació aproximadamente en 1341 a.C. Sólo reinó durante nueve años y murió antes de cumplir los 20 de edad. A pesar de que no se sabe a ciencia cierta quiénes fueron sus padres, los candidatos más probables son Amenhotep IV (conocido posteriormente como Akhenatón) y su reina, Nefertiti.

Con el nombre de Tutankhatón, el niño fue criado en la nueva capital real: Akhetatón. Su probable padre había rechazado a los dioses tradicionales de Egipto en favor de un nuevo dios, Atón, y trasladado la Corte desde la antigua capital, Tebas. Al contrario que los antiguos dioses, Atón no era representado como una persona o animal, sino como el Sol. La estrecha relación de Tutankhatón con la familia real se ve enfatizada por su matrimonio con la hija de Akhenatón, Ankhesenpaatón, mucho mayor que él y probablemente su hermana. Este matrimonio dio más consistencia a las aspiraciones de Tutankhatón al trono.

Cuando Akhenatón murió, parece que Esmenkhare, hermano de Tutankhatón, se sentó en el trono durante un breve periodo antes de que éste, con nueve años de edad, le sucediera. Su nombre fue cambiado a Tutankhamón y se abandonó la ciudad de Akhetatón. El traslado de la corte real a Menfis y la restauración de Amón como dios principal de Egipto sugieren que los consejeros del joven rey se oponían a las ideas de su padre y querían regresar a la ideología tradicional.

Tutankhamón murió cuando tenía unos 18 años de edad. Se desconoce si fue como consecuencia de una conjura contra él, pero su cuerpo no presenta inusuales signos de violencia. Su muerte fue ciertamente inesperada, puesto que no se había preparado todavía una tumba para él en el Valle de los Reyes. En vez de ello se adecuó con rapidez una pequeña tumba no real –quizá destinada a un cortesano apreciado– y durante los 70 días que duraba la momificación del cuerpo se decoraron sus paredes.

La modesta naturaleza de la tumba implicó que, al contrario que algunas de las más grandes y magníficas tumbas del Valle de los Reyes, la de Tutankhamón fue primero ignorada y posteriormente olvidada, especialmente después de que se echaran sobre su entrada los escombros producidos por la excavación de la cercana tumba de Ramsés VI. El faraón-niño permaneció sin ser

IZQUIERDA: La máscara funeraria de Tutankhamón, de oro macizo y decorada con cristal azul y lapislázuli. La máscara es sólo una parte del gran tesoro encontrado en la cámara funeraria. El cuerpo momificado estaba guardado en el interior de varios sarcófagos, uno dentro de otro, como si se tratara de una muñeca rusa. Dentro de un sarcófago de cuarcita había un ataúd de madera de ciprés cubierta por una fina capa de oro. En el interior de éste había un segundo ataúd de madera chapada en oro, elaboradamente decorado con materiales preciosos, incluidas fayenza, obsidiana y lapislázuli. Finalmente, había un ataúd de oro macizo que pesaba 110 kg. Cuando se levantó la tapa de este último, reveló el cuerpo momificado y la máscara funeraria de oro de Tutankhamón. Las manos del rey también estaban cubiertas de oro y las vendas escondían una impresionante cantidad de joyas.

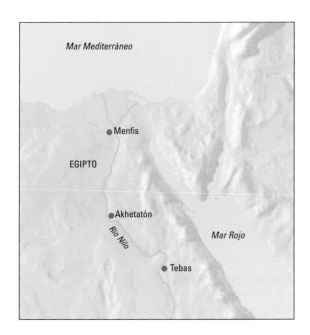

molestado durante más de 3.500 años, hasta que su tumba fue descubierta por el arqueólogo inglés Howard Carter en 1922.

EL DESCUBRIMIENTO DE LA TUMBA

Patrocinado por el aristócrata Lord Carnarvon, Carter había estado trabajando en el Valle de los Reyes desde 1915. El 4 de noviembre de 1922, sus trabajadores descubrieron un grupo de escalones que conducían a una entrada bloqueada. Los sellos del acceso estaban intactos y mencionaban al dueño de la tumba: Tutankhamón. Detrás de esta entrada, un corredor conducía a una segunda puerta. Carter abrió un pequeño agujero en ella para ver qué es lo que había detrás. Lo que vio fue, según sus propias palabras: «por todas partes el brillo del oro». Estaba mirando dentro de la primera de las cuatro habitaciones de la tumba que, si bien pequeñas, estaban repletas de tesoros.

La primera habitación, la Antecámara, medía 7,8 × 3,5 metros. Los objetos más notables eran tres lechos rituales chapados en oro con forma de animales sagrados apilados contra el muro trasero y, a la izquierda de la entrada, un grupo de seis carros desmontados. Dos puertas conducían fuera de la Antecámara. La primera, a la izquierda, conducía a una pequeña habitación llamada el Anexo, que parece haber sido donde se almacenaron la comida, vino y aceites para el rey. La otra entrada, a la derecha, estaba completamente bloqueada y guardada por un par de estatuas del rey a tamaño natural. Esta entrada conducía al premio gordo: la cámara funeraria.

Al igual que las otras habitaciones, la Cámara Funeraria era muy pequeña para ser la tumba de un faraón, sólo medía 6,37 × 4,02 metros. Es la única habitación de las cuatro con decoración pintada en los muros. Pero lo que es más importante, fue allí donde reposaba el propio Tutankhamón.

Pasada la Cámara Funeraria había otra pequeña habitación más. Se llamó el Tesoro, principalmente por la soberbia calidad de los objetos encontrados en su interior, que incluían maquetas de barcos, altares de oro y cajas de joyas. En el Tesoro también había dos ataúdes en miniatura, cada uno de ellos con un feto momificado en su interior. ¿Se trata de los nonatos hijos del faraón y fue por ello por lo que Tutankhamón no dejó herederos que le sucedieran? El misterio puede que no se resuelva nunca.

Desgraciadamente, Lord Carnarvon no llegó a conocer qué se escondía dentro del sarcófago de Tutankhamón, pues murió antes, en abril de 1923 y por entonces la larga tarea de vaciar la tumba y conservar los objetos de su interior apenas había comenzado. El trabajo fue finalmente completado en 1932 por Carter, que murió siete años después. El monumento conmemorativo de Carnarvon y Carter es la maravillosa colección de objetos procedentes de la tumba de Tutankhamón que ellos descubrieron, además de la historia de lo que seguramente sea uno de los más emocionantes y espectaculares descubrimientos arqueológicos realizados hasta el momento.

IZQUIERDA: La tumba de Tutankhamón se encuentra en el Valle de los Reyes, en la orilla oeste del Nilo, en Tebas. Siendo un niño, Tutankhamón fue llevado a Akhetatón, la capital de la época. No obstante, durante su reinado la capital fue trasladada a su antigua sede, la ciudad de Menfis.

DEBAJO: Este detalle de la parte posterior del trono de oro de Tutakhamón muestra al faraón y a su esposa, Ankhesenpaatón. La pareja porta elaboradas coronas enjoyadas.

Los nubios

Los antiguos nubios vivían en una región del noreste de África que se encuentra al sur del actual Egipto y al norte del actual Sudán. Nubia limitaba al oeste con el Nilo y el desierto del Sahara, y al este con el mar Rojo, una zona que en la actualidad es el desierto nubio.

El reino de los nubios, de tez negra, fue invadido en torno a 1920 a.C., cuando el rey Senuseret de Egipto envió a sus ejércitos Nilo arriba. Los egipcios llamaban Kush a esta región y para ellos era una importante fuente de valiosos metales y minerales, en especial oro. Durante cientos de años hubo incursiones recíprocas entre los dos reinos, y los kushitas se las ingeniaron para capturar algunos tesoros egipcios, que llevaron de vuelta a su capital, Kerma, cerca de la tercera catarata del Nilo, en el actual Sudán.

Por aquel entonces Kush era un estado poderoso, gobernado por reyes que vivían rodeados de lujo. Las pruebas de ello fueron descubiertas a comienzos del siglo XX, cuando el arqueólogo norteamericano George Reisner halló una estructura en forma de castillo y un cementerio real con muchos túmulos funerarios, que contenían los esqueletos de personas y animales sacrificados. Los reyes se encontraron enterrados en tumbas

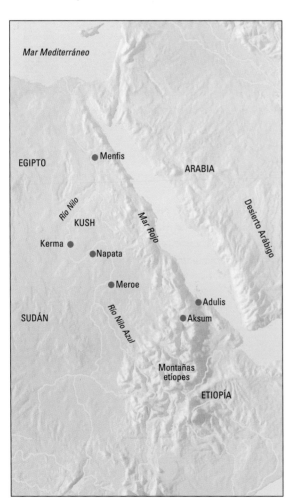

más grandes. El cuerpo del soberano reposaba sobre una cama en una pequeña habitación; cerca de él se encontraron los esqueletos de cientos de hombres, mujeres y niños, todos ellos enterrados junto al soberano como sacrificio. Los historiadores creen que fueron enterrados vivos.

Los kushitas adoptaron algunas de las costumbres religiosas y artísticas de los egipcios. Entonces, en torno al año 740 a.C., el rey kushita Piankhi logró conquistar el propio Egipto. Los kushitas fundaron la XXV Dinastía egipcia, pero su gobierno no duró mucho. Sobre 654 a.C. tuvieron que retroceder hacia el sur empujados por los asirios. Se vieron obligados a situar su capital mucho más al sur, en Napata, cerca de la cuarta catarata del Nilo. Por aquel entonces los kushitas adoptaron el egipcio como su lengua oficial y comenzaron a construir pirámides como tumbas reales, al igual que habían hecho los egipcios muchos cientos de años antes.

EL REINO DE MEROE

Pero quizá Napata estuviera demasiado cerca de Egipto, porque en 590 a.C. los kushitas volvieron a trasladar su capital, esta vez a Meroe, entre la quinta y la sexta cataratas. Su reino, más pequeño, floreció de nuevo, libre de la influencia egipcia. Los kushitas encontraron mena de hierro, que fundieron para crear herramientas y armas de hierro (puede que fuera aquí donde comenzara la práctica de la fundición del hierro en la antigua África). Meroe y Napata estaban unidas mediante una antigua ruta caravanera.

ARRIBA: Maqueta de arqueros nubios encontrada en una tumba egipcia. Los nubios era expertos en el arte de lanzar flechas y los egipcios llamaban a Nubia «la tierra del arco».

IZQUIERDA: A lo largo de los siglos, la capital nubia fue desplazándose cada vez más al sur, primero desde Kerma hasta Napata y finalmente a Meroe.

En Meroe, los kushitas construyeron un palacio real de ladrillo y piedra, así como un muelle fluvial y muchas pirámides escalonadas. Estas pirámides se iban edificando encima de las tumbas y eran mucho más pequeñas y empinadas que sus equivalentes egipcias. Pero desgraciadamente algunos exploradores del siglo XIX desmocharon la parte superior de muchas de ellas en su vana y precipitada búsqueda de tesoros ocultos. Los habitantes de Meroe también construyeron templos al toro sagrado egipcio Apis y a la diosa Isis, que representaba para ellos la fuerza femenina de la naturaleza. También fue dedicado otro templo a una deidad que era netamente africana y que parece haber sido adorada únicamente por los habitantes de Meroe, el dios león Apedemak.

Gradualmente, los habitantes de Meroe se vieron menos influidos por Egipto: crearon nuevos estilos artísticos y arquitectónicos, utilizaron su propia lengua y desarrollaron su propio alfabeto y sistema de escritura a partir de los jeroglíficos faraónicos. Los signos meroíticos aparecen en estelas de piedra, pero los especialistas todavía no han sido capaces de descifrarlos por completo. Los mercaderes de Meroe comerciaban con sus excelentes productos de hierro, tanto en la región mediterránea como en Asia. Los granjeros de fuera de la ciudad canalizaban el agua del cercano Nilo y utilizaban norias accionadas por bueyes para llevar el agua a sus campos. Cultivaban algodón y otros productos; también criaban ganado.

En el 45 a.C., Amanishakhete se convirtió en la reina de la Meroe kushita, incrementando, como sus sucesores, el contacto con Egipto. Sin embargo, en el año 30 a.C., el gran reino egipcio cayó en manos de Roma y siete años después el prefecto romano Petronio condujo una expedición a la región de Meroe. Los romanos capturaron varias ciudades y destruyeron Napata. No tardaron en retirarse hacia el norte, pero a partir de entonces el poder y la riqueza de Meroe declinaron lentamente. Es posible que el declive tuviera que ver con una disminución de las cosechas; la tierra pudo haber quedado desprovista de árboles y haber sido sobreexplotada, de modo que el desierto se apoderó de la región. En el siglo III, nómadas del desierto arábigo se trasladaron aquí y, entonces, en torno a 350 d.C., fuerzas procedentes del poderoso reino de Aksum destruyeron la propia Meroe.

EL ASCENSO DE AKSUM

La ciudad de Aksum estaba situada 600 kilómetros al sureste de Meroe, en las montañas septentrionales de la actual Etiopía. El montañoso reino que rodeaba la ciudad se encontraba entre el Nilo Azul y el mar Rojo, ocupando zonas de las actuales Eritrea, Yibuti y Sudán. En el siglo I d.C., el pueblo que habitaba esta región se había convertido en una importante potencia comercial. Utilizaban el puerto de Adulis, en el mar Rojo, para comerciar con el Imperio romano, Arabia y la In-

Las estelas de Aksum

Aksum es famosa por sus gigantescas estelas de granito: antiguos pilares con inscripciones talladas que parecen estilizados rascacielos. Los monumentos datan de antes del siglo IV d.C. y sus grabados contienen escenas que incluyen edificios aksumitas de caliza, barro y madera, similares a los que todavía se pueden ver en los poblados de las montañas del norte de Etiopía.

La más alta de las estela todavía en pie mide 21 metros de altura. Algunas de las estelas pueden haber sido más altas incluso, pero ahora yacen rotas en el suelo.

Los historiadores no están seguros de cuál era su propósito, pero creen que señalaban tumbas reales aksumitas. En la década de 1970, los arqueólogos encontraron una serie de tumbas debajo de las estelas, algunas de ellas con ocho metros de profundidad.

Una de las estelas más grandes fue trasladada por los italianos a su país en la década de 1930, durante su ocupación de Etiopía como parte del África oriental italiana. Este antiguo monumento aksumita se yergue hoy día cerca del Arco de Constantino, en Roma.

Muchas de las estelas gigantes erigidas por los reyes de Aksum todavía se mantienen en pie.

dia. La conquista de Meroe les dio a los aksumitas un mayor control sobre las rutas comerciales del valle del Nilo.

Aproximadamente por las mismas fechas en que tuvo lugar la conquista de Meroe, el rey Ezana de Aksum se convirtió al cristianismo. Su reino se transformó en un aliado del Imperio romano de Oriente, administrado desde Constantinopla. A lo largo de los siglos siguientes, Aksum incrementó su poder y conquistó parte de Arabia. Los monumentos de la capital, sus iglesias y sus 20.000 habitantes eran mantenidos con los impuestos que pagaban tanto los territorios conquistados como sus propios y exitosos mercaderes. Sin embargo, tras la conquista persa de Arabia, en el año 575 d.C., para los aksumitas se volvió difícil comerciar a lo largo del mar Rojo. En el siglo VII, árabes musulmanes conquistaron a los persas, destruyeron la flota aksumita y los aislaron del resto del mundo cristiano. Los aksumitas ya no pudieron competir con el poder musulmán y, para el año 1000 d.C., su civilización había perdido todo su poder.

El imperio de Acad

Los acadios crearon el primer reino unificado mesopotámico del que se tiene noticia, hace más de 4.000 años. Antes de la aparición de los acadios, Mesopotamia estaba formada por muchas ciudades-estado, cada una de las cuales tenía su propio rey, territorio y ciudades.

En el sur de Mesopotamia vivían los sumerios, mientras que el norte lo ocupaban gentes de habla semita. Se trataba de una lengua bastante distinta de la hablada por los sumerios, pero aparte de esta característica los habitantes del norte eran parecidos a sus vecinos sumerios.

En torno a 2334 a.C., un funcionario de lengua semita de la Corte del rey de Kish, una de las ciudades-estado mesopotámicas, derrocó a su soberano y asumió el poder real. Se llamó a sí mismo Sargón (cuyo significado es «rey verdadero») y desde Kish se dirigió contra el más poderoso monarca de la región, Lugalzagesi, señor y rey de Uruk. Sargón consiguió derrotarlo y luego atacó y venció a tres ciudades más en el sur de Mesopotamia: Ur, Lagash y Umma, derribando sus murallas. Después siguió avanzando con su ejército hasta llegar a las orillas del golfo Pérsico y, para demostrar que su autoridad era incontestada desde Kish hasta el golfo, lavó las armas de su ejército en las saladas aguas.

UNA NUEVA CAPITAL

Sargón construyó su propia capital en Acad, junto al río Éufrates, cerca de la actual Bagdad. Su reino, Acad, y sus gentes, los acadios, recibieron su nombre a partir del de la ciudad. Gente de todo el imperio iba a Acad para mercadear con sus bienes, como cabras, ganado y asnos. La ciudad era un gran puerto en el que atracaban barcos llegados de lugares tan lejanos como la India y Egipto.

Sargón siguió dirigiendo más campañas victoriosas, contra Elam, en las montañas al este de Mesopotamia, y por el oeste, hacia las montañas del Líbano. Por el oeste, los acadios consiguieron acceso a importantes recursos, como la plata y la madera de cedro. Por el este, los acadios hicieron que los elamitas trasladaran su capital, desde Elam hasta Susa, y los obligaron a hablar acadio.

Sargón *el Grande*, como ahora se llamaba a sí mismo, gobernó su imperio hasta 2279 a.C. No obstante, su autoridad se debilitó mucho en los últimos años de su reinado, cuando tuvo que enfrentarse a las revueltas de algunos de sus súbditos sumerios. Pese a todo, consiguió aplastarlos y traspasar su poderoso imperio a su hijo, Rimush.

Rimush gobernó entre 2278 y 2270 a.C. Tuvo un reinado turbulento, pero al igual que su padre consiguió acabar con las ciudades rebeldes. Al final, sin embargo, fue asesinado por sus cortesanos, quienes (según la leyenda) lo apuñalaron con sus propios cilindro-sellos. Fue sucedido por su hermano Manishtusu, quien gobernó entre 2269 y 2255 a.C.

Manishtusu se encontró con que, a pesar de la derrota de Elam, la parte occidental del imperio había

DEBAJO: Un busto de cobre del primer rey acadio, Sargón *el Grande*, quien gobernó su imperio mesopotámico durante más de 50 años.

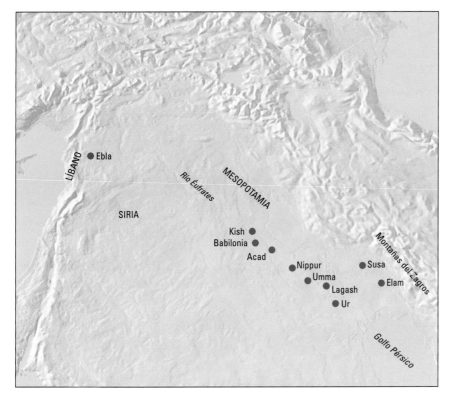

ARRIBA: Las principales ciudades del Imperio acadio, además de dos de sus enemigos, las cercanas ciudades-estado de Ebla y Elam.

DERECHA: Relieve procedente de los muros del palacio del rey Sargón, que muestra a un cazador acadio disparando a los pájaros con arco y flechas.

conseguido recobrar su independencia. Esto suponía una amenaza para las rutas que a los mercaderes acadios les era imprescindible utilizar para ir a buscar metales con los que fabricar el bronce. De modo que, a la desesperada, el rey tuvo que encabezar una expedición hacia el extremo oriental del golfo Pérsico, donde encontró una fuente alternativa de esos metales que necesitaba.

El heredero de Manishtusu fue Naram-Sim (2254-2218 a.C.), quien se pasó la mayor parte de su reinado en guerra. En el oeste, puso de nuevo a la Siria septentrional bajo gobierno acadio. En el norte, conquistó a los asirios y derrotó a los hurritas. En el este, acabó con una revuelta entre los súbditos acadios del golfo Pérsico. También derrotó a su enemigo más poderoso, los lullu-

bi, que vivían en las estribaciones de las cercanas montañas del Zagros.

El Imperio acadio no sobrevivió mucho tiempo tras la muerte de Naram-Sin. Seguidamente, su sucesor, Shar-kali-Sharri (2217-2193 a.C.), fue asesinado por sus propios súbditos y, tras su muerte, se desencadenaron grandes luchas entre los candidatos a sucederle, unida a la invasión del país por parte de las tribus de las montañas del Zagros, terminaron con el Imperio acadio para siempre.

EL PODER ACADIO

Los acadios gobernaron su imperio con la ayuda de un poderoso y despiadado ejército (el rey Sargón tuvo 5.400 soldados) . Los acadios derribaban las murallas de las ciudades que se rebelaban y masacraban a todos sus ciudadanos. Muchos monumentos de piedra muestran a soldados acadios cargando el botín y llevándose a los prisioneros para ser asesinados.

El poder de Sargón se basó en un cambio radical del sistema de gobierno que los sumerios habían utilizado tradicionalmente. Los sumerios habían goberna-

do sus ciudades nombrando gobernadores de entre las principales familias originarias de esas mismas ciudades. Sargón, en cambio, prefirió nombrar gobernadores acadios, que eran enviados a las ciudades con órdenes reales.

Al transformar las ciudades-estado sumerias en una potencia militar, Sargón difundió la cultura sumeria por todo el Oriente Medio. El cuneiforme fue adoptado ampliamente como sistema de escritura y el acadio se convirtió en la lengua semioficial de Mesopotamia y Oriente Medio.

Las tablillas de arcilla de Ebla

Cuando el yacimiento de la antigua Ebla, en el norte de Siria, fue explorado por primera vez, en 1964, los arqueólogos encontraron restos de una ciudad que databa de aproximadamente el año 2500 a.C. Había sido destruida y quemada hasta los cimientos bien por Sargón, bien por su nieto Naram-Sin.

El hallazgo más emocionante fue la habitación que contenía el archivo del palacio real, con más de 20.000 tablillas de arcilla inscritas con escritura cuneiforme. Se trataba de registros estatales y, a partir

de la información que contenían, fue posible reconstruir una vívida imagen de la vida de esta sociedad de la Edad del Bronce. Las tablillas dejaron claro que Ebla era la capital de un poderoso estado, cuya riqueza se basaba en el comercio y la agricultura. La gente cultivaba vino, olivos y cebada, además de criar dos millones de ovejas y medio millón de reses. Comerciaban con telas, oro, plata y bronce. Algunas de las tablillas conservan leyes, decretos y tratados, demostrando que Ebla poseía una eficiente administración.

El imperio babilónico

El Imperio babilónico fue uno de las más importantes del mundo antiguo. El babilonio era un pueblo muy sofisticado, que construyó grandes ciudades e inventó la astronomía, el calendario lunar y el zodiaco. También fueron grandes maestros del álgebra y las matemáticas avanzadas.

La capital del Imperio babilónico era Babilonia, situada en la llanura mesopotámica que rodea al río Éufrates. La primera dinastía babilónica fue fundada en torno a 1890 a.C., cuando un rey de la dinastía amorrita creó un reino en torno a su capital, Bab-ilu, situada cerca del Éufrates. Fue el comienzo del Imperio Antiguo babilónico, que duró hasta cerca de 1600 a.C.

En 1792 a.C., un joven y enérgico rey llamado Hammurabi heredó el trono. Poco a poco construyó un amplio imperio que se extendía desde Asiria, en el norte, hasta el golfo Pérsico, en el sur. Para mantener el orden dentro de sus dominios, Hammurabi desarrolló un elaborado código legal. Puso en marcha eficientes sistemas para organizar la defensa del país, administrar justicia, recaudar impuestos y controlar el comercio y la agricultura. Fue la época dorada del Imperio Antiguo, durante el cual florecieron en Babilonia las artes y las ciencias.

Tras la muerte de Hammurabi, sobre 1750 a.C., Babilonia sufrió diversos ataques. Finalmente, en 1595 a.C. la capital fue saqueada por los hititas, procedentes de Anatolia. No fueron ellos, sin embargo, sino los kasitas, procedentes del este, quienes finalmente heredaron el reino. Durante los siguientes 440 años, los reyes kasitas gobernaron Babilonia, hasta que fueron expulsados en 1155 a.C. Comenzó entonces una época turbulenta para Babilonia, durante la cual una serie de poderosas dinastías reinaron cada una durante un breve periodo de tiempo.

A comienzos del primer milenio a.C., el poder de los asirios, al norte, estaba en su apogeo. En el siglo VII a.C. los asirios saquearon Babilonia y se hicieron con el con-

ARRIBA: Relieve de piedra procedente del palacio de Nabucodonosor. Muestra al gobernador de Babilonia orando al dios Adad y a la diosa Ishtar, representados a mayor tamaño.

trol de la región. Pero el Imperio asirio estaba en pleno declive y, en el año 626 a.C., un general de Caldea (una región meridional de Mesopotamia) llamado Nabopolassar, reconquistó la ciudad y restauró la independencia babilónica. Su victoria dio comienzo al periodo de mayor grandeza de la historia de Babilonia.

EL IMPERIO NUEVO

Nabopolassar, que gobernó entre los años 625 y 605 a.C., afirmó que era el «hijo de un don nadie», pero durante su gobierno Babilonia se convirtió de nuevo en un poderoso imperio. Ayudado por sus aliados, los medos de Persia, Nabopolassar derrotó a los asirios y reclamó sus tierras. En 605 a.C., su hijo Nabucodonosor derrotó al ejército egipcio en la batalla de Carquemish, siendo coronado rey poco después. Su reinado (605-562 a.C.) fue el punto culminante del Imperio Nuevo babilónico.

Nabopolassar había comenzado un programa de reconstrucción en Babilonia. El nuevo rey, Nabucodonosor, continuó la labor de su padre. Construyó unas murallas más fuertes, nuevos palacios y templos, además de los bellos jardines colgantes de Babilonia para su esposa.

Los dioses del destino

Los babilonios adoraban a muchos de los mismos dioses que los sumerios. Sus deidades representaban a las poderosas fuerzas de la naturaleza o cuerpos celestes como el Sol, la Luna y las estrellas. Ishtar, la diosa del amor y la guerra, representaba al planeta Venus, mientras que Adad era el dios de la tormenta y los vientos. Cada ciudad babilónica poseía su propio dios tutelar. El dios tutelar de Babilonia era Marduk *el Creador*.

Los babilonios creían que sus dioses eran responsables de su destino. Signos en el firmamento, sueños y acontecimientos inusuales predecían para ellos el futuro. Por eso los babilonios se convirtieron rápidamente en expertos astrónomos, que estudiaron y guardaron registros de los movimientos de las estrellas cada noche. Podían predecir eclipses de Sol y Luna, e inventaron muchos de los nombres que todavía hoy damos a las constelaciones.

La ley babilónica

Los babilonios poseían un código legal completo, aplicado en todo el imperio. La ley estaba, literalmente, escrita en piedra, pues se grabó en tablillas de este material. El grupo de leyes más conocido es el *Código de Hammurabi*, escrito en torno a 1760 a.C. El código era muy largo, pues contenía 282 artículos, y su objetivo declarado era «hacer que prevalezca la justicia en la tierra, destruir al infame y al malvado, que el fuerte no pueda oprimir al débil».

No obstante, la ley no era igual para todos. El mismo crimen tenía un castigo diferente según quién fuera el que lo había cometido y contra quién hubiera sido cometido. Por ejemplo, si un aristócrata hería a otro, la norma era «ojo por ojo y diente por diente»; en otras palabras, que el criminal debía sufrir el mismo daño que él había causado a la víctima. Sin embargo, si un aristócrata dañaba a un plebeyo o un esclavo, el castigo era más suave y sólo tenía que pagar una multa.

Los castigos de la ley babilónica incluían multas, golpes, mutilaciones y ejecuciones. La cárcel y los trabajos forzados no existían. Si un cirujano mataba a un paciente durante un operación importante, podía sufrir la amputación de la mano. Un arquitecto que hubiera construido una casa que se derrumbara sobre su dueño y lo matara podía ser ejecutado.

También había leyes para gobernar la vida familiar. Los hombres podían divorciarse de sus esposas y tenían permitido tener amantes. Asimismo, podían vender a sus esposas e hijos como esclavos. Las mujeres, sin embargo, sólo podían divorciarse de sus esposos si podían demostrar que habían sido maltratadas o tratadas con crueldad, corriendo el peligro de perder la vida si no podían demostrar sus acusaciones. La ley también se ocupaba de los niños: un hijo que golpeara a su padre podía terminar con la mano cortada.

El Código de Hammurabi *fue grabado en esta columna de piedra en escritura cuneiforme. En la parte superior hay un relieve que muestra a Shamash, el dios de la justicia (sentado), entregándole las leyes al rey Hammurabi (de pie).*

Nabucodonosor también amplió las fronteras del imperio de su padre, derrotando a Siria y al reino de Fenicia, a orillas del Mediterráneo. Desde allí continuó hacia el sur para conquistar los reinos de Israel y Judá, capturando la capital de este último, Jerusalén, en el año 597 a.C. Tras esta conquista, el rey de Judá y miles de ciudadanos judíos fueron llevados encadenados a Babilonia. Cuando, diez años después, Jerusalén se rebeló, la ciudad fue saqueada y de nuevo muchos de sus ciudadanos fucron deportados a Babilonia.

Tras Nabucodonosor, la gloriosa historia de Babilonia declinó. El último de sus reyes fue Nabónido, que gobernó entre los años 556 a.C. y 539 a.C. Era un personaje misterioso; un anciano erudito que parecía más interesado en la religión que en resolver los problemas de Babilonia. En torno a 550 a.C., de improviso, Nabónido se marchó a vivir a Taima, un oasis del desierto Arábigo.

Permaneció allí durante diez años, dejando a su hijo mayor, Belshazzar, a cargo de Babilonia. En 539 a.C. los persas invadieron Babilonia y en las batallas que hubo tanto Nabónido como Belshazzar resultaron muertos. Babilonia fue conquistada y convertida en una provincia del Imperio persa.

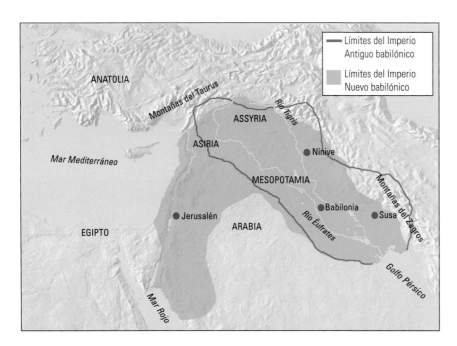

ARRIBA: Mapa de
Mesopotamia con los
límites del Imperio Antiguo y
el Imperio Nuevo.

DEBAJO: Un collar de
Babilonia en oro y
lapislázuli, con una cabeza
de mujer como colgante.

LA SOCIEDAD BABILÓNICA

La sociedad babilónica estaba formada por tres grupos diferentes: los aristócratas, los ciudadanos libres (la gente del común) y los esclavos. Por lo general, los aristócratas eran funcionarios del gobierno, líderes militares, sacerdotes, ricos terratenientes y pudientes mercaderes. Los ciudadanos libres eran artesanos, mercaderes, granjeros y escribas. Los esclavos se encontraban en la parte inferior de la jerarquía, pero algunos de ellos poseían unos limitados derechos: podían poseer tierras e incluso, en determinados casos, comprar su propia libertad. Las mujeres también podían poseer tierras, pero aparte de eso tenían pocos derechos. Nunca recibían educación, por ejemplo, pues sólo los niños tenían permitido ir al colegio.

La mayor parte de los habitantes de Babilonia se dedicaban a trabajar los campos. La lisa llanura existente entre los ríos Tigris y Éufrates era muy fértil, pues cada primavera los ríos se desbordaban, depositando un rico limo sobre el terreno. Cuando las aguas de la inundación se retiraban, una red de canales artificiales sacaba agua de los ríos para irrigar los campos. Los campesinos cultivaban cebada y sésamo, verduras y frutas. También tenían abejas para producir miel y cultivaban flores, como lotos y lirios, para hacer perfume. Rebaños de cabras, ovejas y ganado vacuno pastaban en los ricos campos. La mayor parte de la tierra no pertenecía a los agricultores, sino al rey o a los sacerdotes y nobles, de modo que muchos granjeros tenían que arrendar los terrenos que cultivaban.

Muchos habitantes de la ciudad era mercaderes o artesanos. Los mercaderes viajaban a grandes distancias para comerciar, intercambiar telas, grano y productos manufacturados por madera, piedra y metales preciosos. En Babilonia no abundaban los materiales de construcción, de modo que la madera y la piedra eran muy valiosos.

Los artesanos eran muy hábiles y estaban agrupados en gremios. Para poder ser admitidos en el gremio, los chicos tenían que ser primero aprendices de un maestro artesano y aprender el oficio.

LA CIENCIA Y LAS MATEMÁTICAS

Los babilonios eran unos destacados científicos y matemáticos. Inventaron el calendario lunar, que dividía el año en 12 meses basados en las fases de la Luna. Los meses estaban divididos en semanas de siete días y cada día dividido en 24 horas. De la misma forma que los sumerios, ellos también dividían las horas en 60 minutos.

En matemáticas, destacaron en geometría y álgebra, pues llegaron a comprender las raíces cuadradas y las fracciones. Eran hábiles doctores y nos han dejado detallados registros de los síntomas de muchas enfermedades y sus curas. Poseían un buen conocimiento de la anatomía humana y comprendían la circulación de la sangre.

Los babilonios hablaban acadio, una lengua semítica. Escribían en cuneiforme, el sistema de escritura desarrollado por los sumerios. Se han descubierto varios miles de documentos escritos sobre tablillas de arcilla. Muchos son registros mercantiles, contratos legales, recibos y préstamos. Otros hablan de victorias militares, pruebas matemáticas, oraciones e incluso algunos son obras de ficción literaria.

Babilonia

Aproximadamente entre los años 2000 y 500 a.C., Babilonia fue la capital del Imperio babilónico y un importante centro religioso y mercantil. También fue el lugar donde se levantó la legendaria Torre de Babel y se construyeron los Jardines Colgantes, considerados una de las Siete Maravillas del Mundo.

L a ciudad de Babilonia fue famosa en todo el mundo antiguo. Cuando el escritor griego Herodoto la visitó, en torno al año 450 a.C. –tras haber sido conquistada por los persas–, afirmó que «sobrepasaba en esplendor a cualquier ciudad del mundo conocido». Las glorias de la capital incluían inmensos y decorados templos y palacios, además del zigurat de ladrillo que, supuestamente, era la Torre de Babel mencionada en la Biblia.

Babilonia se encuentra en Iraq, 88 kilómetros al sur de la ciudad de Bagdad. Entre 1899 y 1913, Babilonia fue excavada por el arqueólogo alemán Robert Koldewey y su equipo. Ladrillo a ladrillo, fueron reconstruyendo lentamente la imagen de la antigua ciudad. Su investigación sacó a la luz a Babilonia tal cual había sido en sus años finales, durante el reinado del rey Nabucodonosor II. Bajo las ruinas de la Babilonia de Nabucodonosor se encuentran los restos de la ciudad en épocas anteriores.

En el siglo XVII a.C., Babilonia se había convertido en el centro de un amplio imperio, durante el reinado de Hammurabi. El equipo de Koldewey encontró que la Babilonia de Hammurabi contaba con preciosos templos y palacios, así como un complicado laberinto de estrechas calles flanqueadas por casas. Todos los edificios estaban hechos de adobes, sobre cimientos de ladrillos cocidos. La capital de Hammurabi estaba protegida por fuertes murallas.

Tras el reinado de Hammurabi, Babilonia pasó a manos de los kassitas, que la gobernaron desde 1660 a.C. hasta 1150 a.C. Entonces, en el siglo VII a.C, los asirios capturaron y saquearon la ciudad.

LA CIUDAD DE NABUCODONOSOR

No fue hasta que el general babilonio Nabopolasar derrotó a los asirios en el año 626 a.C., cuando Babilonia recuperó su antigua gloria. Él y su hijo Nabucodonosor reconstruyeron la capital y la transformaron en la más bella ciudad del Oriente Medio antiguo. La capital de Nabucodonosor ocupaba una extensión de 850 hectáreas, más grande que muchas ciudades modernas. En su apogeo vivían en ella 250.000 personas.

La ciudad, rectangular, estaba rodeada por una doble línea de murallas. La exterior tenía 26 metros de grosor. La interior era igual de maciza, pues Herodoto nos dice que por el camino de ronda podían pasar juntos dos carros tirados por cuatro caballos cada uno.

Ocho puertas de bronce daban paso a la ciudad. La más magnífica de ellas era la Puerta de Ishtar. Sus muros y acceso estaban decorados con brillantes ladrillos vidriados de color azul, además de por relieves de animales que representaban a los dioses babilónicos. Ishtar, la diosa del amor y la guerra, estaba representada por un león; Adad, el dios de las tormentas, estaba representado por un toro. Un grifo representaba a Mar-

ARRIBA: Esta reconstrucción de la puerta de Ishtar se encuentra en el Museo de Berlín. Estaba recubierta de ladrillos azules y amarillos con imágenes de toros y grifos, ambos símbolos de dioses.

DERECHA: Un mapa de
Babilonia de la época de
Nabucodonosor en el que
se aprecian las murallas,
las anchas avenidas y la
ubicación del palacio, los
templos y el zigurat.

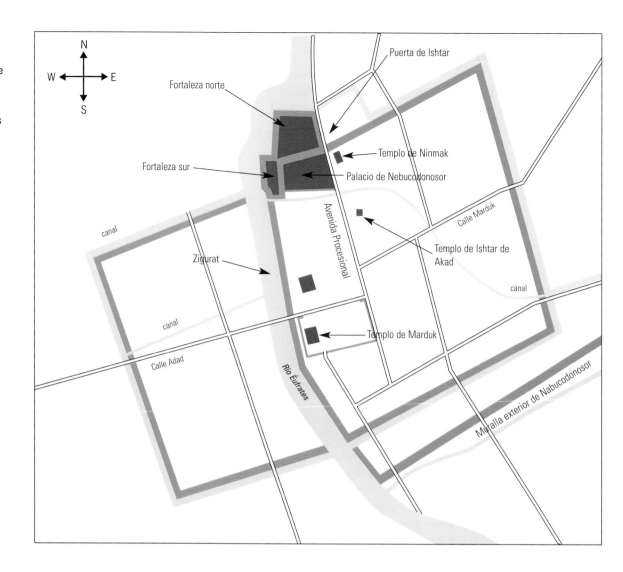

duk, que era un dios importante, además del patrón de
la ciudad.

En época de Nabucodonosor, el río Éufrates atrave-
saba la ciudad, dividiéndola en dos. Ambas mitades estaban comunicadas mediante un puente de piedra. La parte occidental contenía las casas de la mayoría de los
ciudadanos, mientras que la parte oriental contenía templos y palacios.

El palacio de Nabucodonosor estaba cerca de la
Puerta de Ishtar. Conocido como «Maravilla de la humanidad», se construyó en torno a cinco patios y sus
muros estaban decorados con ladrillos vidriados. En el
suelo de uno de los patios, los arqueólogos encontraron
una inmensa escultura de un león pisoteando el cuerpo
de un hombre. La estatua simbolizaba el triunfo de Babilonia sobre sus vecinos.

Al sur del palacio se encontraba el templo de Marduk, unido a la Puerta de Ishtar mediante una amplia calle llamada Avenida Procesional. Este templo era el centro de la fiesta más importante de la ciudad, que tenía
lugar durante el año nuevo y duraba 11 días. En su clí-
max, el rey encabezaba una procesión que llevaba una
estatua de Marduk, a través de la Puerta de Ishtar, hasta
un santuario en las afueras de la ciudad. Al norte del
templo de Marduk había un zigurat, o pirámide-templo,

de ladrillo y que se supone es el origen de la Torre de
Babel mencionada en la Biblia. Se alzaba hasta los 91 m
de altura y en su cima había un pequeño santuario para
Marduk.

LOS JARDINES PERDIDOS

Aunque se han buscado repetidamente, los arqueólogos
no han podido encontrar hasta ahora resto alguno de los
Jardines Colgantes de Babilonia. Según las descripciones que se han conservado de autores antiguos, los jardines fueron construidos por Nabucodonosor para complacer a su esposa, una princesa meda que echaba de
menos los bosques y praderas de su tierra natal. Los jardines probablemente crecieran en terrazas, derrumba-
das desde hace mucho.

Tras Nabucodonosor, el poder de Babilonia desapareció. La ciudad cayó primero en manos del Imperio
persa, en el año 539 a.C., siendo conquistada de nuevo
en 331 a.C., esta vez por el general macedonio Alejandro Magno. Éste la convirtió en su capital, pero cuando
Alejandro murió, la región pasó a manos de su general
Seléuco, que prefirió construir junto al río Tigris una
nueva capital, Seléucia, por lo que Babilonia fue abandonada.

Los asirios

Los asirios fueron un pueblo guerrero de la región norte de Mesopotamia. A lo largo de un periodo de unos 1.500 años lucharon y derrotaron a muchos de sus vecinos, construyendo un gran imperio que, por el oeste, llegó tan lejos como el mar Mediterráneo y, por el este, hasta el golfo Pérsico.

El lugar de origen de los asirios se encontraba en el norte de Mesopotamia (el actual Iraq), cerca del río Tigris. Era una tierra de colinas y fértiles valles, donde la gente cultivaba cebada y sésamo y cuidaba rebaños de vacas, cabras y ovejas.

La historia de Asiria se divide en tres periodos: los Imperios Antiguo, Medio y Nuevo. Durante el Imperio Antiguo (2000-1450 a.C.) los asirios construyeron ciudades-estado, en especial Ashur, a orillas del Tigris. Cada ciudad era un conjunto de casas y palacios dentro de una muralla defensiva. Los mercaderes asirios se hicieron ricos comerciando con cobre con la gente de Anatolia, en el noroeste, por lo que a lo largo de las rutas comerciales surgieron muchas colonias asirias.

Desde 1813 a.C. hasta 1781 a.C., Asiria estuvo gobernada por una jefe-guerrero, Shamshi-Adad, que aumentó la extensión del territorio asirio mediante la conquista. No obstante, durante el reinado de su hijo Asiria fue atacada y conquistada por Hammurabi, rey de Babilonia, con lo que terminó el Reino Antiguo. Asiria fue gobernada entonces desde Babilonia y, posteriormente, en torno a 1450 a.C., por los mitanios del norte de Siria. En 1363 a.C., el rey Ashur-ubait I restauró la independencia asiria, dando comienzo al Imperio Medio, que duró hasta 1000 a.C. Durante este tiempo, los reyes asirios lucharon contra sus vecinos y conquistaron nuevas tierras. Al mismo tiempo, la cultura asiria se hacía más influyente y se enriquecía con la de las civilizaciones vecinas.

EL IMPERIO NUEVO

Durante el Imperio Nuevo (1000-612 a.C.), el poder asirio alcanzó su máximo esplendor. El imperio fue gobernado por una serie de despiadados reyes-guerreros que demostraron no tener clemencia en su búsqueda de nuevas tierras que conquistar. Durante el siglo VIII a.C., uno de los más feroces, Tiglath-pileser III, conquistó y destruyó las principales ciudades de Israel y el reino mediterráneo de Fenicia. Los prisioneros eran asesinados o deportados a otras partes del imperio, de modo que no hubiera resistencia al gobierno asirio.

DEBAJO: Relieve de piedra procedente de uno de los muros del palacio de Nínive. Muestra a Asurbanipal II y su reina siendo servidos en un banquete de la victoria.

Las tierras conquistadas se convertían en provincias del imperio, controladas por gobernadores nombrados por el rey. Cada año, las provincias eran obligadas a enviar oro, plata, alimentos, animales o bellas telas y bienes de lujo a la capital asiria. Los sucesores de Tiglath-pileser utilizaron las mismas tácticas. En el siglo VIII a.C. los reyes asirios conquistaron Israel y el Estado de Urartu, en Anatolia. En el siglo VII a.C. incluso Egipto fue conquistado, y las ciudades de Babilonia, Tebas y Susa saqueadas. Para entonces, no obstante, el Imperio asirio había crecido tanto que era difícil de gobernar.

Los asirios se granjearon muchos enemigos y fue en ese momento de debilidad cuando éstos decidieron atacar a sus opresores. En los años 614 a.C. y 612 a.C. los babilonios y los medas, procedentes de Persia, invadieron Asiria y saquearon las ciudades de Asur y Nínive. En el año 608 a.C. el Imperio asirio había quedado destruido.

UN EJÉRCITO MORTAL

En su momento de máximo esplendor, durante el Imperio Nuevo, el ejército asirio era una de las más mortales y eficientes fuerzas de combate que el mundo había conocido. Con anterioridad, la mayor parte de los soldados asirios eran campesinos obligados a luchar en época de guerra. Sin embargo, durante el siglo VIII a.C. el ejército fue reorganizado en una fuerza regular de soldados a tiempo completo.

La mayor parte del ejército estaba formada por soldados de infantería, proporcionados por los terratenientes y las provincias conquistadas. También había divisiones de caballería y tropas de carros, formadas por la elite más privilegiada. Los soldados recibían armaduras de cuero o cotas de malla, escudos, lanzas, hondas, hachas, espadas y puñales para la lucha cuerpo a cuerpo. Cada unidad de 50 hombres era dirigida por un capitán. Las unidades especiales de arqueros estaban protegidas por sus propios soldados, que portaban grandes escudos y lanzas.

Por lo general, era el propio rey quien conducía personalmente al ejército al combate. En el siglo VIII a.C. se convirtió en una tradición para el rey realizar cada año una nueva campaña, ya fuera para recaudar impuestos, ya para conquistar nuevas tierras. Cada campaña era llevada a cabo con un mínimo uso de la fuerza, para preservar el mayor número posible de vidas asirias. Una vez que había decidido conquistar una nueva región, el rey elegía como objetivo una ciudad y la sometía a asedio, cortando sus suministros. Cuando el enemigo estaba debilitado, comenzaba el asalto.

Durante el asalto, los arqueros del ejército ayudados por otros soldados con hondas mantenían al enemigo a raya con lluvia de flechas y proyectiles. Mientras esto tenía lugar, se utilizaban máquinas de asedio de madera para castigar las puertas y murallas. Los soldados también utilizaban escalas para trepar por las murallas y penetrar en la ciudad.

DERECHA: Relieve de piedra del palacio de Asurbanipal en Nimrud, que representa una escena de caza real, con el rey en su carro apuntando con flechas a un león que le ataca. La caza era el deporte favorito de los reyes asirios: el rey y los miembros de su Corte marchaban a caballo o en carro con largas lanzas o arco y flechas para matar a su presa. Cazaban elefantes, toros salvajes o leones, que por entonces vagaban por la llanura asiria. La caza era peligrosa, pues un león acorralado puede revolverse y atacar al caballo y su jinete.

Una vez conquistada la ciudad, los asirios se mostraban implacables con sus habitantes: hacían algunos prisioneros, para ser usados como esclavos; pero la mayor parte de ellos eran masacrados y sus destrozados cuerpos colocados sobre estacas en torno a los límites de la ciudad, para asustar a toda la región y lograr que se rindiera. De regreso a la capital asiria, el rey encabezaba una procesión triunfal por las calles hasta el templo, para poner en conocimiento del dios guerrero Asur la buena nueva.

MAGNÍFICAS CIUDADES

Los asirios construyeron muchas bellas ciudades. A lo largo de los siglos, varios fueron los reyes que trasladaron la capital del imperio. Durante los Imperios Antiguo y Medio, la capital fue Asur y en ella estaban las tumbas de los reyes. En torno al año 880 a.C., Asurbanipal II construyó una nueva capital más al norte, en Nimrud.

Artesanos de todo el imperio fueron conducidos allí para trabajar en los edificios de la nueva ciudad. Cuando el palacio real estuvo al fin terminado, el rey Asurbanipal lo celebró con un gigantesco banquete al que invitó a 69.500 personas. La fiesta duró diez días y durante ese periodo los invitados consumieron 10.000 recipientes de vino y 14.000 ovejas.

En el siglo VII a.C., el rey Senaquerib trasladó de nuevo la capital, esta vez a Nínive, también a orillas del Tigris. Allí construyó «un palacio sin rival», con bellos jardines.

Cada una de las capitales asirias estaba fuertemente protegida por grandes murallas y contenía templos para los dioses principales y un zigurat, un templo en forma de pirámide con escalones. Los muros y umbríos patios de los palacios ocupaban varias hectáreas. El salón del trono era la construcción más impresionante del palacio. El trono del rey estaba guardado por estatuas gigantes de leones alados o de toros con cabeza humana. Los muros del palacio estaban decorados con relieves de batallas, pueblos conquistados llevando tributo o caza de leones.

La posición de Asiria, en el punto de encuentro de las rutas comerciales norte-sur, significaba que estaba en el lugar perfecto para comerciar con sus vecinos. Los asirios exportaban telas e importaban madera, vino, metales preciosos y piedras, además de caballos y camellos. Los bienes se intercambiaban mediante un sistema de trueque basado en diferentes metales, como la plata, el estaño y el cobre.

Los asirios escribían en cuneiforme, el sistema de símbolos en forma de cuña desarrollado por los sumerios. Durante el siglo VII a.C., el rey Asurbanipal reunió una gran biblioteca de tablillas de arcilla procedentes de toda Asiria, Babilonia y los países vecinos. Algunas de estas tablillas eran narraciones históricas de las conquistas asirias; otras documentos legales, registros médicos, mitos u oraciones.

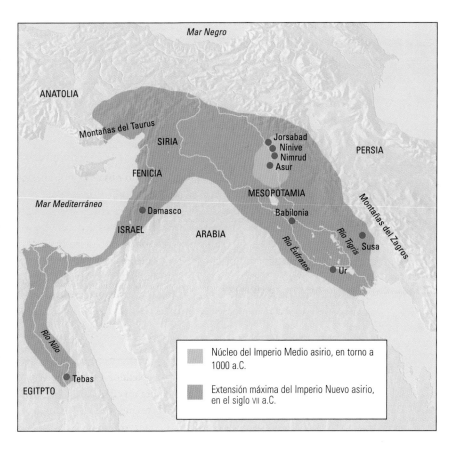

Núcleo del Imperio Medio asirio, en torno a 1000 a.C.

Extensión máxima del Imperio Nuevo asirio, en el siglo VII a.C.

Los asirios adoraban algunos de los mismos dioses que los babilonios. Reverenciaban a Ishtar, la diosa babilonia del amor y la guerra; a Adad, el dios de la tormenta; y a Ninurta, el dios de la guerra y la caza. No obstante, su dios principal, el dios guerrero Asur, les era propio. El rey era tanto la máxima autoridad religiosa como del Estado; ocupaba el puesto de sacerdote jefe y el de capitán general del ejército.

La mayor parte de los asirios eran campesinos o ganaderos. Criaban rebaños de cabras, ovejas y vacas; asimismo cultivaban cebada, sésamo, verduras y uvas en terrenos irrigados. También cultivaban frutas y verduras en pequeños jardines fuera de los muros de la ciudad. Todos, desde los ricos terratenientes a los campesinos y esclavos, tenían que seguir el estricto código legal asirio. La ley castigaba severamente a los malhechores. Los castigos iban desde los golpes hasta la mutilación, pasando por la muerte.

ARRIBA: Mapa que muestra la dramática ampliación del territorio asirio conseguida por los reyes-guerreros del Imperio Nuevo.

La artesanía asiria

Los asirios llegaron a ser hábiles artesanos. Aprendieron muchas de sus técnicas de los babilonios, pero también desarrollaron su propio estilo. Los escultores asirios eran muy buenos tallando relieves en muros de piedra. Cuando estaban recién terminados, los relieves tenían brillantes colores, pero en la actualidad no queda sino la piedra desnuda. Los asirios también trabajaron el oro, el bronce y otros metales, además de hacer pequeños relieves en marfil, piedra y madera. Utilizaban pequeños cilindro-sellos con imágenes grabadas en la superficie para dejar improntas en tablillas de arcilla, con las que sellar documentos importantes. Esas delicadas impresiones muestran muchas escenas de mitos y leyendas.

Los hititas

Los hititas, un pueblo agresivo, sentaban sus reales en la antigua Anatolia (la actual Turquía). Con la ayuda de sus superiores fuerzas de combate, construyeron un imperio que se extendía desde Anatolia hasta tan lejos por el este como Mesopotamia (el actual Iraq) y por el sur hasta Siria y Chipre.

En su momento de máximo esplendor, el Imperio hitita rivalizaba con los imperios egipcio y babilónico, siendo una poderosa fuerza en Oriente Próximo durante cerca de 500 años, entre los años 1700 y 1190 a.C. aproximadamente. A pesar de ello, casi todo lo que sabemos de su civilización estuvo perdido durante miles de años, hasta que recientes descubrimientos arqueológicos pudieron devolver a los hititas su lugar en la historia.

La capital hitita, Hattusas, se encuentra en el oeste, cerca de la moderna ciudad de Ankara, en la Turquía central. Sin embargo, los hititas no procedían originalmente de esta región. Se trata de una raza indoeuropea procedente de las yermas estepas de Asia central. En algún momento anterior a 2000 a.C., se encaminaron hacia el sur hasta asentarse finalmente en una zona de Anatolia llamada Hatti. El nombre «hitita» procede de la región que conquistaron.

El antecesor de los grandes reyes hititas fue un príncipe llamado Anittas, que creó un pequeño reino en Anatolia central sobre 1850 a.C. Anittas conquistó la ciudad de Kanesh y luego el asentamiento montañoso de Hattusas, que dominaba la región septentrional. Destruyó Hattusas completamente y luego la declaró terreno maldito. No obstante, la ciudad era una fortaleza natural en una posición clave, lo que la hacía demasiado valiosa para abandonarla durante demasiado tiempo. Unas pocas generaciones después, un rey hitita llamado Labarnas reocupó el lugar y reconstruyó la ciudad, haciendo de ella su capital. Labarnas incluso cambió su nombre por el de Hatussilis, que significa «hombre de Hattusas», en honor del lugar.

LA CREACIÓN DE UN IMPERIO

Hattusilis fue el verdadero fundador del Imperio hitita. Durante el siglo XVIII a.C., conquistó las ventosas mesetas de Anatolia al sur de su nueva capital y luego guió a su ejército a lo largo de la barrera rocosa de las montañas del Taurus, hasta la costa meridional de Turquía. Seguidamente, sus fuerzas marcharon hacia el este para apoderarse de las ciudades del norte de Siria, gobernadas por los reyes de Alepo, una de las más poderosas ciudades sirias.

Su nieto, Mursilis I, coronó los logros de su abuelo conquistando la propia Aleppo. En 1595 a.C., Mursilis siguió hacia el este a lo largo del Éufrates, penetró en Mesopotamia y saqueó la gran ciudad de Babilonia.

No obstante, esta orgullosa victoria les costaría cara a los hititas. Mientras regresaban por la misma ruta, las exhaustas tropas hititas fueron atacadas y rodeadas por los hurritas, una feroz raza guerrera de la región del Éufrates superior. Al mismo tiempo, la larga ausencia de Mursilis había debilitado su control sobre el reino, siendo asesinado a su regreso por su propio cuñado. Los reyes hititas posteriores no consiguieron controlar las tierras conquistadas por Mursilis y también ellos cayeron en manos de los hurritas.

Entonces, en 1375 a.C., un joven y enérgico rey llamado Suppiluliumas dio comienzo a un nuevo y glorioso capítulo de la historia hitita. Suppiluliumas poseía muchas habilidades. Era un valiente guerrero, además de un inteligente diplomático. Aunque el joven rey había heredado un imperio debilitado por los poderosos enemigos que lo rodeaban, en un espacio de tiempo relativamente corto, él y sus sucesores edificaron un impe-

IZQUIERDA: Una pareja de hititas tallada en piedra en una estela funeraria. En la sociedad hitita, la elección de un compañero para el matrimonio la realizaban los padres de la pareja, basándose sobre todo en consideraciones financieras, pero a las mujeres les estaba permitido rechazar la elección de sus padres.

rio que fue lo bastante poderoso como para rivalizar con cualquiera otro del Oriente Medio antiguo.

Suppiluliumas comenzó sus conquistas recuperando los antiguos territorios hititas al sur de Anatolia. Sus ejércitos se dirigieron al sur para dominar las ciudades-estado sirias, llegando nada menos que a Damasco. Finalmente, giró hacia el este para arreglar cuentas con los urritas.

Supiluliuma derrotó a los urritas en una batalla que tuvo lugar en Carquemish, colocando sobre el trono urrita a un príncipe menor que le había jurado lealtad. Seguidamente fortaleció la alianza casando a su hija con el príncipe.

LA CONSOLIDACIÓN DEL IMPERIO

Mediante una combinación de fuerza militar y astuta política, Suppiluliumas consiguió crear un gran imperio formado a base de muchos reinos pequeños. Cada uno de estos reinos estaba gobernado por un vasallo que juraba lealtad política y obediencia al rey hitita. La lealtad de estos vasallos se reforzaba en ocasiones arreglando matrimonios con miembros de la familia real hitita. Suppiluliuma ofrecía a sus vasallos la «protección» del poderoso Imperio hitita y, a cambio, los príncipes vasallos tenían que enviar un tributo anual a la capital, además de un número determinado de hombres para aumentar las filas del ejército hitita.

El hijo de Suppiluliumas, Mursilis II, siguió los pasos de su padre. Conquistó el reino de Arzawa, en Anatolia occidental, ampliando la influencia hitita hasta el mar Egeo. El siguiente rey, Muwatalis, atacó al poderoso Egipto, que en esa época gobernaba Ramsés II, causándole grandes daños al ejército egipcio en la batalla de Kadesh, en 1275 a.C. Posteriormente, los hititas firmaron la paz con Egipto y Babilonia, penetrando el Imperio hitita en un periodo de gran prosperidad y poder. Pero no por mucho tiempo, pues por el este el Imperio asirio se estaba haciendo todavía más fuerte, mientras

DERECHA: Los dioses hititas se representaban por lo general –como éste que vemos aquí– con un sombrero en forma de cono y una falda corta. Este pendiente de oro posiblemente sirviera para proteger del mal a su rico dueño.

que una serie de razas-guerreras conocidas como los «pueblos del mar» amenazaban Anatolia desde el oeste. En torno a 1190 a.C., los «pueblos del mar» invadieron las tierras hititas y la capital, Hattusas, fue saqueada. El Imperio hitita quedó destruido para siempre.

LA SOCIEDAD HITITA

En el Imperio hitita, la mayor parte de la gente trabajaba en el campo. En lo alto de la meseta anatolia, con su duro clima, el cultivo principal era el trigo y la cebada, pero también se cultivaban cebollas, guisantes, aceitunas, uvas y manzanas. Reses, cerdos, ovejas y cabras se criaban para conseguir lana, carne y productos lácteos. El alimento principal era el pan, junto a los pasteles, las gachas, la carne y los estofados de verdura.

Además de los granjeros, había trabajadores con oficios especiales, como los carpinteros y albañiles, así como artesanos metalúrgicos y alfareros, que fabricaban

El ejército hitita

El ejército hitita tenía reputación de ser una formidable fuerza de combate. Durante las campañas principales podía contar hasta con 30.000 soldados, y el propio rey dirigía a sus tropas en el combate. Los nobles y oficiales dirigían unidades menores, de entre 10.000 y 1.000 soldados.

Las divisiones de carros se encontraban entre las más efectivas unidades de combate del Oriente Medio antiguo. En otros ejércitos, como el egipcio, los carros llevaban dos hombres: un conductor y un guerrero armado con un arco y jabalinas

para el combate a media distancia. Los carros hititas llevaban tres hombres: un conductor, un portador de escudo y un soldado armado con una lanza para el combate a corta distancia. Cargado con sus tres ocupantes, el carro hitita era menos maniobrable, pero la mano de obra extra lo volvía más mortífero en el núcleo de la batalla. El ejército también tenía divisiones de infantería, armadas con arcos, hachas, lanzas o espadas de tajo en forma de hoz. Los cascos y escudos ayudaban a proteger a los hombres de los golpes del enemigo.

jarras de cuello estrecho y copas anchas y bajas, o vasos con forma de pájaros y otros animales.

LAS HABILIDADES ARTESANAS

Los hititas eran conocidos por su trabajo del metal. De las gentes de Anatolia aprendieron a trabajar el bronce y el arte de la fundición, la técnica que les permitía obtener hierro de la mena de este metal calentándolo a altas temperaturas. Los hititas guardaron celosamente este precioso secreto, pues era la base de su comercio. La mena de hierro era extraída de minas locales, donde *in situ* se le daba una basta forma de lingote. Los lingotes eran luego transportados a las ciudades para ser refinados y transformados en fuertes y duraderas herramientas y armas. No obstante, el hierro era escaso y la mayoría de las armas y armaduras hititas eran de bronce. Sólo al poco de la caída del Imperio hitita comenzó la verdadera Edad del Hierro.

Los hititas eran también hábiles canteros y escultores. De hecho, sus gigantes esculturas de dioses, hombres y animales son los restos más impresionantes que nos han quedado de su civilización. La mayor parte de las esculturas hititas eran relieves –grabados en superficies planas de piedra– destinados a ser vistos sólo de frente. No obstante, algunas pequeñas figuras de bron-

ce, e incluso grandes estatuas de piedra, fueron esculpidas en bulto redondo.

La lana se hilaba y los vestidos se hacían en casa. Para diario, los hombres llevaban una túnica hasta la rodilla, de manga larga, sujeta en los hombros con alfileres de bronce. Para el exterior, las mujeres se ponían sobre los hombros capas largas para cubrir los ligeros vestidos que llevaban dentro de las casas. Tanto hombres como mujeres llevaban joyas.

Durante las fiestas, los hombres hititas llevaban túnicas a media pierna llamadas «camisas urritas», adornadas con bordados o decoración de bronce. En ocasiones de Estado parece que los reyes pueden haber llevado

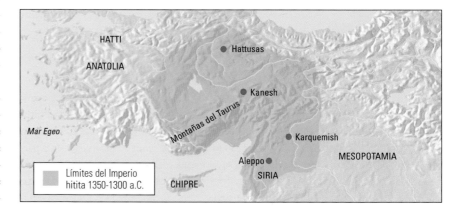

Hattusas

La capital del Imperio hitita era la gran ciudad de Hattusas. Sus ruinas ocupan en la actualidad unas 162 hectáreas de escarpados riscos y laderas, pero originalmente tenía 2,4 kilómetros de lado a lado. Fue edificada en un lugar donde muchos arroyos bajan desde la montaña, y los hititas excavaron cisternas en la roca sólida para almacenar ese agua. Los constructores de la ciudad no trazaron sus calles siguiendo un patrón ortogonal, sino que utilizaron toda la tierra sobre la que se pudiera construir. Para conseguir más terreno llano, construyeron terrazas en las desiguales laderas.

Las casas de Hatussas estaban construidas de ladrillo y piedra, con techos planos de maleza y barro soportados por vigas de madera. El interior de las casas debió de ser muy oscuro, pues hay pocas ventanas. Las casas más grandes, construidas para las familias de la nobleza, eran castillos en miniatura, colgados de salientes rocosos y fortificados con robustos muros. Además de viviendas, la ciudad también contenía muchos talleres de artesanos, tabernas, casas de comidas y graneros.

Por todo el Imperio hitita, la mayoría de la gente trabajaba la tierra, pero en Hattusas muchas personas se ganaban la vida con una profesión especializada. Había mercaderes, soldados, vigilantes, posaderos, médicos, sastres y zapateros, junto artesanos como alfareros, canteros y orfebres.

En el apogeo del imperio, las calles de Hattusas estuvieron repletas de personas: sacerdotes, guerreros y esclavos que se ocupaban presurosos de sus asuntos. Granjeros, panaderos y pescadores se mezclaban con otros ciudadanos mientras vendían sus mercancías. Los mercaderes que guiaban sus ponis de carga por entre las colinas cercanas sabrían que estaban llegando a su destino en cuanto vieran los rizos de humo que se alzaban sobre centenares de hogares y

Parte de las ruinas de la ciudad de Hattusas, en Turquía central. A la derecha se pueden ver los restos del Gran Templo.

escucharan los martillos golpeando el hierro, los gritos de los soldados y los ladridos de los perros de la ciudad.

Los enemigos de los hititas, que se acercaban a la ciudad con intenciones mucho menos pacíficas, se arredrarían ante las defensas de la ciudad, pues ésta se encontraba rodeada por 6 kilómetros de altos terraplenes de tierra sobre los que había fuertes muros de piedra. Algunas de las rocas empleadas en las murallas eran tan grandes que visitantes posteriores creyeron que la ciudad había sido construida por gigantes. Un largo y secreto túnel construido bajo estos muros permitía a los defensores montar contraataques contra los invasores.

Las puertas que conducían a la ciudad estaban guardadas por torres y almenas. Las que mejor se conservan actualmente son las puertas meridionales, cerca de la cima de la cadena montañosa. Cada una de ellas estaba decorada con

esculturas realizadas sobre piedras gigantes. La Puerta de las Esfinges estaba decorada con esfinges gemelas (tomadas de la mitología egipcia), mientras que la Puerta del León tenía dos leones rugientes que dan la impresión de estar a punto de cargar directamente fuera de la roca. La Puerta del Rey contaba con la estatua más delicada, la figura de un joven guerrero que sujeta un hacha, vestido con un casco puntiagudo y una túnica corta. Hoy día la estatua se encuentra en el Museo de Ankara, mientras que en la antigua ciudad sólo se conserva una copia.

En el interior de las puertas meridionales había un grupo de templos y castillos, así como viviendas más humildes. Más abajo, una fortaleza llamada la Ciudadela, que incluía el palacio del rey con sus pasillos columnados, se erguía sobre un saliente rocoso. Más abajo aún se encontraba el Gran Templo, que indudablemente era la sede de importantes fiestas hititas.

los altos y cónicos sombreros reservados generalmente para los dioses hititas.

LENGUAJE Y ESCRITURA

Los hititas hablaban una lengua indoeuropea, que forma parte de un grupo de lenguas relacionadas con el sánscrito, que es la antigua lengua de la India. Las lenguas clásicas como el griego y el latín se desarrollaron a partir de este grupo y, seguidamente, dieron lugar al español, inglés, francés y otras lenguas europeas. Algunas antiguas palabras hititas son muy semejantes a su equi-

valente inglés; por ejemplo, la palabra hitita para agua era «*watar*» y la inglesa es «*water*»; asimismo, la palabra para hija era «*dohter*», mientras que en inglés se dice «*daughter*».

De otras civilizaciones de la época, como la urrita y la babilonia, los hititas aprendieron el arte de escribir, tanto en jeroglífico (escritura de símbolos) como en cuneiforme (escritura con signos en forma de cuña). En el siglo XX se encontraron en los yacimientos hititas miles de tablillas jeroglíficas y cuneiformes, que han permitido a los historiadores reunir parte de la perdida historia del Imperio hitita.

El imperio persa

Originalmente, los persas fueron nómadas procedentes del Asia Central. Entre los siglos VI y IV a.C., llevaron a cabo una agresiva política que dio como resultado la creación de un imperio que por el oeste llegaba a Egipto y Anatolia, mientras que por el este lo hacía hasta la India. Fue el mayor Estado conocido hasta ese momento.

IZQUIERDA: Relieve de ladrillos vidriados procedente del palacio del rey Darío en Susa, que representa a la guardia real. Armados con lanzas, arcos y flechas, los guardias reales eran conocidos como los Inmortales, porque cualquiera que falleciera en combate era reemplazado de inmediato.

Los persas fueron gobernantes justos, que trataron a los pueblos que conquistaron mejor de lo que lo había hecho ningún otro poder dominante, como por ejemplo los asirios. Cuando los persas fueron finalmente derrotados por Alejandro Magno, sus conquistadores griegos adoptaron su tolerante actitud y muchos de sus valores se convirtieron en parte de la sociedad griega, pasando desde allí al mundo moderno.

Originalmente, los persas fueron nómadas procedentes de las estepas del Asia Central. En torno al año 1000 a.C. se trasladaron hacia el oeste para asentarse en Elam, la tierra de los elamitas. Su nuevo hogar, que en la actualidad es parte de Afganistán e Irán, era una meseta alta, reseca y polvorienta. Los recién llegados pusieron a pastar sus rebaños en las montañas y plantaron cosechas en los valles. Al igual que otros pueblos nómadas, eran expertos jinetes y criadores de caballos. Para el año 800 a.C. los persas y un grupo relacionado con ellos, los me-

das, ya habían llegado a dominar a los habitantes originales de Elam.

Durante el siglo VIII a.C., los medas crearon el reino de Media, situado al noreste de Mesopotamia. Al oeste de Media se encontraban los poderosos imperios de Asiria y Babilonia, donde la civilización llevaba ya prosperando miles de años antes. Pero en el año 612 a.C., los medas firmaron una alianza con el rey de Babilonia para atacar Asiria, invadiendo el país y saqueando la capital, Nínive.

CIRO EL GRANDE

No obstante, en el año 550 a.C. los propios medas fueron derrotados por Ciro, jefe de los persas. Al unir a persas y medos, Ciro sentó las bases del Imperio persa. Lo llamó el Imperio aqueménida en honor a uno de sus antepasados, Aquemenes, que había sido el creador del

La inscripción de Behistun

La historia de la lucha de Darío para hacerse con el trono persa aparece recogida en una roca gigante cercana a Behistun, en Irán. La inscripción contiene una imagen de Darío, que recibe el homenaje de nueve reyes rebeldes, al tiempo que es protegido por el principal dios persa, Ahura Mazda.

La inscripción de la roca se realizó en escritura cuneiforme en tres lenguas antiguas: persa, babilonio y elamita, ninguna de las cuales se había descifrado aún a comienzos de 1800. Fue el erudito inglés Henry Rawlinson quien consiguió descifrar la escritura persa y babilónica en la década de 1850 y, al hacerlo, consiguió con ello romper el secreto de la antigua escritura cuneiforme, que se componía de signos en forma de cuña. De esta forma, la roca de Behistun consiguió tanta fama en términos arqueológicos como la Piedra Rosetta, que había sido la clave para comprender los jeroglíficos egipcios. Gracias a su trabajo, los arqueólogos son capaces de leer las tablillas de Asiria, Mesopotamia y Sumer, lo que ha acrecentado notablemente nuestro conocimiento de la historia, religión, economía, ciencia y literatura del Oriente Medio antiguo.

DEBAJO: Losa de caliza esculpida, procedente de Persépolis, que muestra a Darío sentado en su trono.

linaje real. Ciro era un ambicioso estadista y un inteligente general. Durante su reinado, Persia pasó de ser un pequeño reino a un poderoso imperio.

Primero consiguió conquistar el reino de Lidia, en el oeste de Anatolia. Lidia poseía mucho oro y su rey, Creso, era fabulosamente rico. Antes de dirigirse a la guerra, consultó al oráculo de Delfos, en Grecia, para saber si iba a ganar. El oráculo le dijo que si cruzaba el río Halys para hacer la guerra un imperio caería. Complacido por la noticia, Creso cruzó el río para luchar contra los persas, pero el imperio que cayó fue el suyo. Ciro se apoderó de Lidia y de las ciudades griegas de Jonia y Anatolia.

Aproximadamente medio siglo después, en torno al año 500 a.C., las ciudades de Jonia se rebelaron, ayudadas por las de la Grecia continental. La rebelión no tardó en ser aplastada, pero el incidente originó una larga hostilidad entre griegos y persas.

En el año 539 a.C., Ciro capturó la ciudad de Babilonia y se apoderó del Imperio babilónico, incluidas Palestina y Siria. Trató con justicia a los pueblos conquistados y no tardó en ser popular. También liberó a los judíos mantenidos cautivos en Babilonia, permitiéndoles regresar a su patria, en Palestina, y reconstruir el templo.

En el año 530 a.C., Ciro fue muerto en combate y sucedido por su hijo, Cambises. El nuevo rey conquistó Egipto y gobernó con mayor severidad que su padre. En el 522 a.C., Cambises murió mientras iba de regreso a Persia. Su muerte vino seguida de una época de confusión, pues los príncipes Aqueménidas lucharon entre ellos por hacerse con el trono persa y varias partes del imperio aprovecharon la ocasión para rebelarse contra el gobierno persa. Al final, fue un noble llamado Darío quien derrotó a sus rivales, acabó con las rebeliones y fue coronado rey en el 521 a.C.

EL REY DARÍO

La primera tarea de Darío fue restablecer el control sobre todas las regiones de su reino. Dividió el imperio en provincias, que fueron llamadas *satrapías*, y puso al frente de ellas como gobernador a un funcionario llamado *sátrapa*. Creó un código legal justo, un nuevo sistema impositivo, unificó la acuñación, los pesos y medidas, creó un servicio postal y dispuso el uso de un calendario común. También construyó capitales reales en Susa y Persépolis.

Tras haber arreglado los asuntos internos, Darío se lanzó a una campaña para conquistar más territorios. En la frontera oriental de Persia siguió conquistando territorio, hasta que el imperio alcanzó la orilla del Indo. Entonces se volvió hacia el oeste y derrotó a los reinos de Tracia y Macedonia, justo en la frontera de Grecia. Tras una infructuosa guerra contra los escitas, que vivían en la región en torno al mar Caspio, fijó sus ojos en la propia Grecia. Al principio su ejército y armada lograron vencer, pero el año 490 a.C. las fuerzas persas fueron aplastadas en la batalla de Maratón.

Darío murió en 486 a.C., en el momento en que estaba preparando una nueva guerra contra los griegos. Fue sucedido por su hijo Jerjes, que encabezó un ejército de 70.000 hombres contra Grecia. Al principio, los persas vencieron e incluso consiguieron apoderarse de Atenas. Sin embargo, en el año 479 a.C. fueron derrotados en la batalla de Platea y expulsados de Grecia. Esta derrota significó el final de la expansión persa por Europa y Oriente Medio.

Al contrario que sus predecesores, Jerjes fue un soberano de mano dura y su reinado se vio salpicado por la revuelta de las ciudades-estado de Anatolia. En 465 a.C. fue asesinado. Su muerte dio comienzo a un siglo de guerra civil y rebeliones en Persia, mientras los miembros de la dinastía Aqueménida conspiraban y se asesinaban unos a otros para hacerse con el poder. Los persas nunca volvieron a recuperar el control total de su vasto imperio.

En el año 336 a.C. un nuevo rey, Darío III, se sentó en el trono persa. Persia se encontraba amenazada por una nueva fuerza, los ejércitos de Alejandro Magno, rey de Macedonia, que deseaba forjarse su propio imperio. Alejandro ganó tres batallas contra los persas y luego marchó contra Persépolis, la capital del imperio. Celebró una fiesta en el palacio real antes de quemarlo hasta los cimientos.

El triunfo de Alejandro aceleró el final del Imperio aqueménida, pero no el de los reyes persas. Después de casi cinco siglos de gobierno extranjero, una nueva dinastía persa, los Sasánidas, se hizo con el poder en el año 225 d.C. Este linaje de reyes gobernó Persia durante cerca de 400 años, hasta 636 d.C., cuando fueron conquistados por los árabes.

UN GOBIERNO ILUSTRADO

A pesar de su poder, los reyes persas no gobernaron mediante el terror, sino con la ayuda de un consejo de nobles. Los pueblos conquistados eran tratados con justicia y se les permitía mantener sus propias leyes e instituciones, siempre y cuando reconocieran al gobierno persa. Cada *satrapía* (provincia) era dirigida por un gobernador, responsable de la recogida de impuestos y el mantenimiento de la ley y el orden. Anualmente, cada región tenía que enviar tributo al rey en forma de oro o plata, marfil, animales o esclavos. También tenía que proporcionar soldados para que sirvieran en el ejército persa.

A cambio de los impuestos regionales, el gobierno persa llevó a cabo un programa de obras públicas por todo el imperio. Mejoró el drenaje y la irrigación, exca-

vando una red subterránea de canales para llevar agua a través del desierto. Durante el reinado de Darío I, los persas construyeron un canal que unía el mar Rojo con el Mediterráneo.

Los obreros también construyeron excelentes caminos, que comunicaban todas las zonas del imperio. El mejor conocido de ellos es el Camino Real, que iba desde Sardis, en Lidia, hasta la capital, Susa, a una distancia de 2.500 kilómetros. Todas las grandes rutas contaban con postas para que los viajeros pudieran comer, descansar y cambiar de caballos. Los soldados y los mensajeros del rey podían viajar con rapidez y los relevos de mensajeros a caballo proporcionaban un eficiente servicio pos-

ARRIBA: Uno de los magníficos relieves de piedra que decoraban los muros y escaleras de la ciudad de Persépolis. La construcción de la ciudad comenzó en el año 516 a.C. por orden de Darío I, siendo finalmente terminada en 465 a.C.

IZQUIERDA: Los persas destacaron en el trabajo del oro y las joyas. Este brazalete de oro está decorado con grifos y, originalmente, habría estado incrustado con piedras semipreciosas y cristal de color.

DERECHA: Un mosaico romano basado en una pintura griega del siglo IV a.C. Representa al ejército persa dirigido por Darío III luchando contra Alejandro Magno en la batalla de Issos, en el 333 a.C.

tal. Herodoto, el historiador griego del siglo V a.C., escribió lo siguiente de los mensajeros persas: «Ni la nieve, ni la lluvia, ni el calor, ni la oscuridad de la noche apartan a estos corredores del veloz recorrido del camino marcado».

Los persas de la Antigüedad adoraban a muchos dioses de la naturaleza, como el Sol. En torno a 1000 a.C., un profeta llamado Zoroastro llamó a los persas a abandonar sus deidades y adorar al dios supremo Ahura Mazda. También hizo hincapié en la necesidad de las buenas obras. En el siglo VI a.C. el zoroastrismo se había convertido en la religión del Estado.

Los persas fueron grandes constructores y edificaron muchas ciudades magníficas. Parece que las más bellas fueron Pasargada, Susa y Persépolis, todas ellas capitales del Estado. Cada una de estas ciudades tenía un palacio real, construido aplicando los conocimientos y materiales de todas las partes del imperio. El palacio de Susa, por ejemplo, fue diseñado por arquitectos babilónicos y medas, y luego construido con ayuda de artesanos lidios y egipcios. Se utilizaba madera de la India y el Líbano, oro de Lidia y Bactria, marfil de África, además de plata, turquesa y piedras preciosas de muchas tierras lejanas.

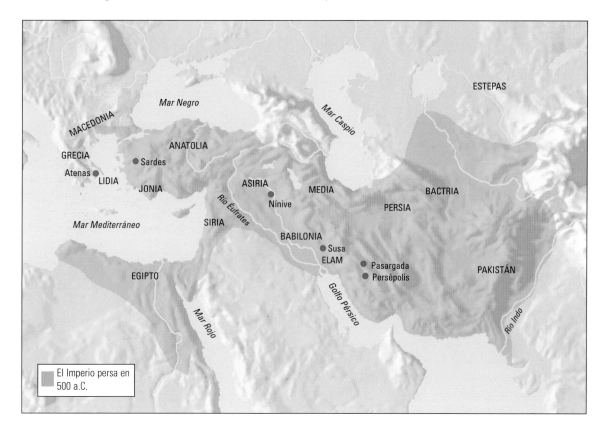

DERECHA: Límites del Imperio persa en el año 500 a.C., con la localización de sus tres capitales: Susa, Persépolis y Pasargada.

África

Los comienzos de la civilización en el continente africano al sur del desierto del Sahara pueden remontarse hasta aproximadamente el año 1000 a.C. En esa época, el sur de África se encontraba todavía en la Edad de Piedra, por lo que cazadores y campesinos sólo disponían de herramientas de este material para ayudarlos en sus labores.

La región del África subsahariana durante esta época estaba formada por dos tipos de terreno. La sabana –una pradera con pocos árboles– cubría la mayor parte de la zona septentrional de la región y algunas zonas meridionales. En la fértil zona norte, adecuada para cosechar y criar ganado, vivían algunas pequeñas comunidades agrícolas. La mayor parte de la zona meridional estaba cubierta por bosques tropicales, y allí, junto a la zona costera, los grupos humanos vivían como cazadores-recolectores.

Hace unos 2.500 años, algunos pueblos del norte de África comenzaron a desplazarse a la zona meridional del continente, llevando con ellos un nuevo modo de vida. Estas tribus vivían en comunidades sedentarias, cultivaban sorgo, mijo, judías y fríjoles, además de criar reses, ovejas y cabras. También conocían el hierro y cada grupo fabricaba una cerámica con su propio estilo característico.

Fue el comienzo de la Edad del Hierro africana. El hierro fue el primer metal utilizado por los africanos que vivían al sur del desierto del Sahara y fueron los granjeros quienes lo difundieron por toda África. Se utilizaba para fabricar herramientas con las que despejar tierras y tallar madera, además de para hacer armas. Los africanos también comenzaron a trabajar el cobre y el oro. A partir del año 200 a.C., comenzaron a aparecer ciudades, reinos y estados.

LAS PRIMERAS CULTURAS

La cultura Nok, que perduró desde el siglo VI a.C. hasta las primeras centurias después de Cristo, fue la primera comunidad conocida que trabajara el hierro en el África Occidental. Los nok cultivaban sorgo y tenía rebaños de reses. Algunos de los nok cambiaron sus casas de madera y hierba por viviendas de barro. Los artesanos nok realizaban sorprendentes esculturas de terracota, algunas de las cuales eran de tamaño natural y representaban a personas con elaborados peinados, collares, brazaletes y tobilleras.

En torno a 250 a.C., en Mali, en el África Occidental, se construyó un pequeño asentamiento junto al río Níger. Poco a poco fue creciendo hasta que aproximadamente en el año 800 d.C. ya era un rico centro mercantil llamado Jenné-Jeno. La ciudad estaba rodeada por un muro de adobes de 4 metros de altura y más de 2 km de longitud. Probablemente la función del muro no era defensiva, sino para proteger la ciudad de las in-

El comercio a través del Sahara

Es probable que los mercaderes comenzaran a cruzar el desierto del Sahara utilizando carros tirados por caballos en algún momento del primer milenio a.C. Realizado de este modo, el viaje seria muy lento y difícil. Cuando el camello comenzó a utilizarse como animal de carga, las cosas cambiaron de forma radical. El motivo fue que el camello podía pasarse varios días sin beber y puede recorrer cargado hasta 32 kilómetros diarios.

En el siglo IX d.C., el comercio a través del Sahara estaba bien asentado y en el desierto existían estaciones comerciales. Las gentes del África Occidental comerciaban con oro, esclavos y productos animales a cambio de sal, telas, cerámica, cristal, fruta y caballos. El oro era una exportación muy importante, pues hasta que los europeos encontraron oro en América, el oro africano era casi el único que se vendía en Europa.

undaciones, controlar el acceso al mercado o incluso identificar la ciudad como un lugar importante y prestigioso donde vivir. De muros adentro, la ciudad era un laberinto de estrechos callejones y casas muy apiñadas. Cuando una casa se derrumbaba, la gente sencillamente construía otra sobre las ruinas.

Unas 27.000 personas pueden haber vivido en Jenné-Jeno y sus alrededores. Había artesanos, incluidos la-

IZQUIERDA: Los nok esculpían en terracota cabezas de tamaño natural como esta. Este tipo de bustos muestran los complejos peinados que llevaban los nok.

DERECHA: Los poblados del antiguo Mali consistían en casas construidas con gruesos muros de adobes y probablemente se parecieran mucho a este poblado moderno.

drilleros y alfareros, que fabricaban elegantes cuencos con dibujos en blanco o negro, y herreros que fabricaban objetos de hierro, cobre y oro. La riqueza de la ciudad se basaba en sus propias actividades agropecuarias: cría de ovejas, reses y cabras, la pesca y el cultivo de sorgo, mijo y arroz africano.

La ciudad fue abandonada durante el siglo XIII d.C. En la actualidad, lo único que queda de ella es un montículo de ochos metros de altura, sembrado de restos de muros de adobe, cerámica, juguetes de barro cocido y adornos de hierro y cobre.

En el siglo IX, la riqueza del África Occidental estaba concentrada en manos de unos pocos. La ciudad de Igbo-Ukwu, en los bosques meridionales de Nigeria, se convirtió en un rico centro mercantil donde se producían notables objetos de cobre y bronce. Una cámara funeraria encontrada allí consistía en una habitación subterránea revestida con planchas de madera y esteras. El cadáver había sido situado sobre un taburete en una esquina. En la mano llevaba un abanico y un espantamoscas; en la cabeza, un tocado de cuentas y una corona de cobre, además de una coraza y muñequeras a base de cuentas azules con hilo de cobre. Enterradas junto a esta persona, evidentemente de elevada posición, había más de 100.000 cuentas y un montón de objetos de hierro, bronce, marfil y hueso.

EL REINO DE GHANA

En el África Occidental aparecieron estados según se fue desarrollando el comercio y la clase más rica consiguió

El método de la cera perdida para fundir bronce

Al excavarse una importante cámara funeraria en Igbo-Ukwu, en el sur de Nigeria, se encontraron muchos magníficos objetos de bronce fechados en el siglo XI d.C. Fueron fabricados con el método de la «cera perdida», una técnica utilizada por los metalúrgicos del África Occidental para crear con bronce formas muy complejas. El primer paso del proceso era recubrir una escultura con

cera. La cera se recubría después con una delgada capa de arcilla. Seguidamente se cocía la arcilla para que se convirtiera en un molde rígido. El calor también fundía la cera, que era vaciada, mientras el molde se metía dentro de arena. Luego se vertía en su interior metal fundido. Cuando el metal se había enfriado y solidificado, la arcilla se rompía y aparecía una escultura de bronce.

mayor poder. El reino de Ghana surgió entre los ríos Níger y Senegal, en lo que hoy día son Mauritania y Mali, mucho antes del siglo VIII d.C. Este antiguo reino se encuentra muy lejos del actual Estado de Ghana.

La riqueza de Ghana procedía del comercio del oro y la sal, así como de los impuestos sobre los bienes que atravesaban la región. Los soninke de Ghana actuaban como intermediarios entre los mineros de oro del sur y los mercaderes musulmanes del norte, que proporcionaban sal a los mineros. La sal tenía una demanda tan alta entre los mineros que, a cambio de un peso determinado de sal, daban ese mismo peso en oro. El contacto con sus vecinos musulmanes llevó a Ghana a convertirse en un estado islámico.

La capital de la antigua Ghana era Kumbi Saleh, localizada en la frontera meridional de la actual Mauritania. Era una ciudad próspera llena de mezquitas y casas en las que vivían muchos mercaderes del norte. Eran edificios de piedra cementada con barro y su interior estaba decorado con yeso amarillo. El rey vivía en una zona separada. Escritores antiguos nos han dejado historias de la impresionante Corte real.

El rey se sentaba en un pabellón rodeado de caballos ataviados con telas de oro, pajes con espadas montadas en oro y príncipes con oro entrelazado en el pelo. El rey escuchaba las quejas de sus súbditos mientras estaban arrodillados delante de él y derramaban polvo sobre sus cabezas. Los extranjeros daban palmas para demostrar su respeto.

La gente normal vivía en casas de barro con tejado de paja, cultivaban mijo y pescaban. A menudo el rey les pedía que lucharan con sus vecinos o realizaran incursiones para capturar esclavos. Ghana fue conquistada en el siglo XI por los beréberes sanhaja, procedentes del norte.

EL IMPERIO DE MALI

El sucesor de Ghana fue el antiguo imperio de Mali, que ocupaba aproximadamente la misma región que el actual Estado del mismo nombre. A finales del siglo XIII, Mali contaba con un ejército permanente de soldados profesionales y era el más rico y poderoso Estado de la región. Durante el reinado de Mansa Musa (1307-1332), en Mali se construyeron muchos edificios impresionantes.

Esto se debió a que Mansa Musa peregrinó a la ciudad sagrada musulmana de La Meca, en Arabia Saudita. Allí se encontró con un poeta y arquitecto español, Es-Saheli, a quien Mansa Musa convenció para que fuera a África con él para construir grandes mezquitas y palacios en la capital. Es-Saheli utilizó para muchos de sus edificios los hoy habituales ladrillos rojos cocidos del África Occidental.

Tras la muerte de Mansa Musa, el imperio de Mali se debilitó. Fue conquistado en el siglo XV por Sanni Ali, un belicoso rey guerrero de los songhai de Gao, junto al río Níger. Su nuevo reino se llamó Reino de Songhai. Cuando Sanni Ali murió, un general del ejército, Askia

ARRIBA: Esta cabeza de bronce se piensa que representa a Oni, soberano del reino de Ife. Fue realizada por los yuruba utilizando el método de la cera perdida.

Mohamed, se hizo con el trono y desarrolló un sistema muy efectivo de dirigir el Estado y recaudar impuestos: nombró inspectores para asegurarse de que los pesos y medidas utilizados en todos los mercados del reino eran los mismos. El comercio y el saber prosperaron. La universidad de Tombouktou se hizo tan famosa que era visitada por estudiosos de todo el mundo islámico y de fuera de él. No obstante, el reino tuvo corta vida. En 1589 fue conquistado por un líder marroquí, El-Mansur, que atravesó el desierto del Sahara junto a sus seguidores, equipados con armas de fuego, y derrotó al ejército songhai, armado sólo con lanzas y espadas.

LOS YURUBA

Más hacia el sur del África Occidental, las ciudades aparecieron en los bosques, en lugares seguros contra el

Las cabezas Lydenburg

En la década de 1960, un estudiante encontró algunos restos de cerámica cerca de Lydenburg, en la parte nororiental de Sudáfrica. Años después, cuando el chico se convirtió en estudiante universitario, le contó a uno de sus tutores lo que había encontrado. Los pedazos de cerámica demostraron ser fragmentos de siete cabezas huecas decoradas, fabricadas en el siglo VIII a.C. Probablemente fueron utilizadas en ritos de iniciación: las dos más grandes podían haber cubierto la cabeza de una persona, mientras que las más pequeñas da la impresión de que eran colocadas sobre postes. Al final de la ceremonia, parecen haber sido rotas deliberadamente y los pedazos arrojados a pozos profundos.

Una de las cabezas Lydenburg de cerámica. Cabezas similares se han encontrado en otras partes de Sudáfrica, lo que sugiere que este tipo de rito estaba muy extendido.

ber tenido importancia religiosa y se colocaban en altares en las casas.

En el siglo XI, en el bosque al sureste de Ife surgió en Benin otra ciudad-estado. La gobernaba un *oba* –rey– que poseía una amplio ejército y muchos funcionarios para ayudarle a gobernar. A partir del siglo XVI, el *oba* se hizo muy rico comerciando con latón, marfil y coral. Los europeos que visitaron la ciudad en el siglo XVII, por lo general quedaban gratamente sorprendidos por su tamaño y su calle principal, de seis kilómetros de largo, así como por el palacio, que tenía torres coronadas por pájaros gigantescos y estaba decorada con grandes serpientes pitón de latón.

EL ÁFRICA ORIENTAL

En el siglo IX o incluso antes, mercaderes pertenecientes a una sociedad islámica africana llamada swahili («gente de la costa») crearon estaciones mercantiles a lo largo de la costa oriental africana. Eran expertos navegantes y utilizaban los vientos del monzón para navegar hasta la India y regresar. En el interior de África conseguían bienes como marfil, oro y hierro, que transportaban hasta la costa y luego, en pequeños barcos, llevaban hasta los puertos septentrionales de la costa oriental africana. Seguidamente navegaban hasta Arabia y la India, donde los intercambiaban por bienes como cuentas de cristal, cerámica y telas. Como resultado de este comercio, los soberanos islámicos se hicieron muy ricos.

La sociedad swahili estaba dividida en varios grupos diferentes. Los swahili solían ser granjeros y cultivaban mijo, arroz y sorgo, además de frutas como naranjas, granadas e higos. Luego estaban los gobernantes, descendientes de mercaderes árabes y persas; también los artesanos, que eran nativos africanos de habla swahili; y, por último, los esclavos. Los swahili eran también unos excelentes constructores, que edificaron palacios y mezquitas de piedra.

En torno al año 1000, unos recién llegados crearon una nueva capital mercantil para el reino de Schroda, situado cerca del punto en que se juntan las fronteras de las actuales Sudáfrica, Zimbabue y Botswana. El poblado seguía un patrón de asentamiento llamado del Ganado Central: en el centro se situaban las zonas «masculinas», como un patio y un cementerio para personas importantes; estos edificios estaban rodeados a su vez por casas y graneros, asociados generalmente con las mujeres. Sin embargo, cuando la capital se trasladó unos 6 km hacia el sur, hasta Mapungubwe («Colina de los chacales»), en 1220 aproximadamente, su gobernante no siguió el patrón del Ganado Central. Se asentó en una colina con su familia, dejando que la gente corriente viviera en el valle de debajo. Este patrón de construcción se conoce como la Tradición Zimbabue.

Mapungubwe fue abandonada aproximadamente en 1270. Fue entonces cuando el Gran Zimbabue emergió como el reino comercial más poderoso, que a su vez sería abandonado en torno a 1450.

DEBAJO: Un mapa del África Occidental muestra las cercanas culturas de Nok, Ghana, Mali y Songhai.

ataque de los animales o las personas. La ciudad de Ife, en el sur de Nigeria, fue una de ellas. Floreció entre los siglos XI y XV. Los yoruba de Ife vivían en edificios construidos de adobes, con patios pavimentados con grandes cantidades de fragmentos de cerámica. Realizaban esculturas en terracota, bronce y piedra, con las que comerciaban, además de con productos forestales. Las realistas figuras de terracota y bronce que esculpían parecen ha-

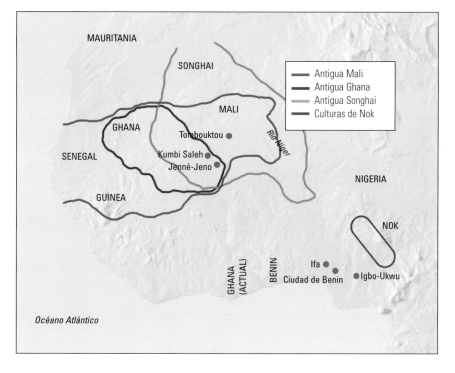

El Gran Zimbabue

El Gran Zimbabue es una impresionante ciudad en ruinas rodeada de macizos muros de piedra en Zimbabue, un país meridional africano. En la lengua shona, hablada por sus habitantes, «zimbabue» significa la casa, el patio o la tumba de un jefe. Se conocen más de 150 zimbabues, pero el Gran Zimbabue es el más grande e impresionante de todos. En su momento de máximo esplendor, en el siglo XIV, era la capital de un Imperio shona que se extendía desde lo que hoy es el norte de Sudáfrica hasta más allá del río Zambeze, y desde Mozambique hasta la Botswana oriental.

El emplazamiento del Gran Zimbabue estuvo ocupado entre los años 500 y 900 d.C. por granjeros de la Edad del Hierro. Probablemente se asentaron allí porque había mucha agua, hierba para que su ganado pastara y un terreno fértil donde plantar cosechas. Los shona llegaron al Gran Zimbabue en torno al año 900 d.C.

Entre 1270 y 1450, la ciudad creció hasta convertirse en el más grande e importante centro comercial de la región. A partir del número de montículos de casas y vertederos de basura encontrados allí, los arqueólogos piensan que alcanzó su punto álgido en el siglo XIV, cuando la ciudad ocupaba 700 hectáreas y cobijaba a 18.000 personas.

En sus primeros momentos, la riqueza del Gran Zimbabue se basaba en el ganado y es posible que la clase dominante consiguiera su poder al hacerse con el control de los rebaños de ganado y de las tierras de pastos. La clase gobernante mantenía sus privilegios controlando el comercio con los mercaderes de la costa oriental de África. Los reyes del Gran Zimbabue se hicieron muy ricos intercambiando oro y marfil por productos importados como telas, cuentas vidriadas y cerámica china. El oro era cribado en los arroyos o extraído en peligrosos túneles, siendo importante fuente de riqueza para el Gran Zimbabue.

Al contrario que en otras muchas sociedades africanas meridionales de la época, los soberanos y sus familias, así como importantes funcionarios, vivían separados del resto de la gente. Las casas del rey, los miembros de su familia y los funcionarios importantes, así como lugares con relevancia religiosa, se encuentran en una serie de recintos de piedra conocidos hoy como la Hill Ruin, en la cima de una gran colina de granito llamada Zimbabwe Hill. El emplazamiento de la casa del rey, en lo alto de una montaña, era considerado un símbolo de su elevada categoría.

El Gran Recinto ocupa la parte central del valle donde se ubica el Gran Zimbabue. Debió ser una escuela en la que los jóvenes se preparaban para la vida adulta.

Los nobles vivían en casas en las laderas inferiores de la colina, parcialmente rodeada por un muro. Otro muro en el valle bajo la colina rodea una gran área central, dentro vivían las numerosas esposas reales, controladas por la esposa principal del rey. Se piensa que algunos poderosos reyes shona pudieron haber creado alianzas políticas casándose con hasta mil esposas.

En la zona central del valle también existe una gran estructura conocida como el Edificio Elíptico o Gran Recinto. Es la parte más conocida del yacimiento. El muro exterior tiene 250 metros de largo y está formado por al menos 900.000 bloques de piedra. Parece haber sido construido en varias fases. En su interior hay una torre gigante y una serie de pasajes de piedra. Los historiadores creen que este impresionante edificio pudo haber sido utilizado como escuela para que los jóvenes aprendieran los privilegios y responsabilidades de la edad adulta antes de casarse.

La gente corriente vivía en el valle, en casas redondas con techo de paja y muy apelotonadas. La casa de cada familia consistía en una amplia vivienda para cocinar, comer y alojarse, con pequeños edificios para dormir, todos ellos unidos mediante muros de piedra. Las casas tienen el interior decorado: muchos de los muros de

piedra, así como las escaleras, los asientos, las chimeneas y los postes estaban enlucidos con barro pintado y esculpido. La excavación de estas casas ha permitido encontrar objetos de la vida diaria como cerámica y herramientas agrícolas, además de adornos como cuentas de cristal y brazaletes.

Mientras que los vestidos de la gente corriente eran bastante sencillos –probablemente simples mandiles de piel–, se cree que los funcionarios poseían vestidos hechos de seda importada. Los textos históricos sugieren que el propio rey se vestía con un largo vestido de algodón con uno de sus extremos echado sobre el hombro. A partir del descubrimiento de cientos de discos de cerámica utilizados como pesas giratorias, está claro que en el Gran Zimbabue se hilaba mucho algodón.

La importancia del Gran Zimbabue comenzó a declinar con posterioridad a 1450. Se piensa que la gente abandonó la ciudad porque las muchas personas que vivían en ella habían esquilmado los recursos locales de madera, corteza (utilizada para redes, cestas y sábanas) y terreno fértil. La competencia por los recursos probablemente causaría también considerables problemas sociales.

Europa

Sobre el año 4000 a.C. los pueblos neolíticos de Europa cultivaban la tierra, vivían en poblados sedentarios y comenzaron a construir tumbas a base de grandes bloques de piedra y círculos de gigantescas piedras erguidas. La primera cultura europea con palacios y una administración compleja fue la minoica, que apareció en torno a 3500 a.C. Le siguieron otras culturas, que culminaron en la gran civilización de los griegos y el impresionante Imperio romano. Tras la caída de Roma, Europa cayó en una anarquía de la que nacieron algunos reinos estables, sobre todo el de los anglosajones y el de los vikingos, en Gran Bretaña.

DEBAJO: Uno de los edificios más famosos del mundo, el Partenón, se alza en lo alto de una colina que domina la ciudad de Atenas. Construido de mármol blanco y en estilo dórico, es la mejor expresión de esa gloria que era Grecia.

La Europa neolítica

Los europeos comenzaron a cultivar después que los habitantes del Oriente Próximo y Medio. La agricultura llegó a Europa en torno a 6500 a.C. y aproximadamente 4.000 años a.C. ya había comunidades agrícolas asentadas por toda la Europa continental, el sur de Escandinavia y Gran Bretaña.

Los arqueólogos llaman Neolítico o Edad de la Piedra Nueva al periodo de la primera agricultura, diferenciándolo así del periodo anterior, el Paleolítico o Edad de la Piedra Antigua, que fue el de los cazadores-recolectores, que se trasladaban constantemente de un lugar a otro.

Los primeros campesinos europeos cultivaban y criaban el mismo tipo de vegetales y animales que ya se habían domesticado en Oriente Próximo y Medio. Partiendo de Grecia, la agricultura se extendió por la cuenca mediterránea, hacia el oeste, y por Europa central y septentrional, hacia el norte. La mayoría de los primeros agricultores de la zona mediterránea vivían en cuevas costeras, lo que sugiere que las comunidades de cazadores-recolectores locales pueden haber estado en contacto las unas con las otras mediante barcas o a lo largo de la costa.

Esas comunidades probablemente obtuvieran ovejas y grano mediante el comercio, de modo que habrían cultivado al mismo tiempo que pescaban, cazaban y recolectaban plantas. Finalmente, estos grupos se trasladaron tierra adentro y crearon asentamientos en zonas donde había más espacio para sembrar plantas y criar animales.

Según se fueron difundiendo hacia el norte, partiendo en torno a 6000 a.C., las comunidades agrícolas se encontraban en ocasiones con grupos de cazadores-recolectores que habían hallado zonas con una caza y pesca abundantes. Uno de estos grupos vivía justo donde el Danubio atraviesa las montañas del Cárpatos, en una garganta conocida como las Puertas de Hierro. Allí, los habitantes de yacimientos como Lepenski Vir y Vlasac vivían en grandes asentamientos de chozas pequeñas, cada una de ellas con un hogar central de piedra. Los ha-

DEBAJO: Una vista del interior de una típica casa neolítica de una sola habitación en Skara Bae, en las islas Órcadas escocesas. El hogar central y el mobiliario, como el aparador gigante que hay pegado al muro, estaban hechos de piedra.

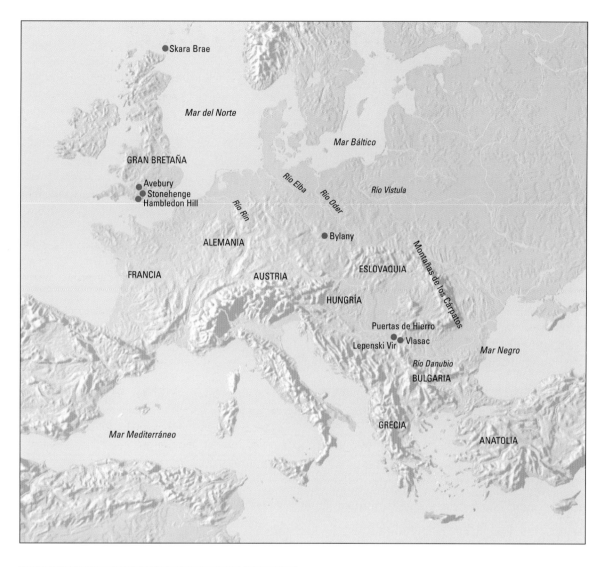

DERECHA: Mapa de Europa con alguno de los principales asentamientos y emplazamientos ceremoniales neolíticos.

DERECHA: Estatua de piedra de un hombre-pez procedente de los yacimientos de las Puertas de Hierro, en la Europa oriental. La pesca representaba un papel vital en la vida de los habitantes de esos asentamientos; es posible que la estatua tenga significado religioso.

bitantes de estos asentamientos esculpían extrañas estatuas de piedra con cabezas de pez. Esos cazadores-recolectores se aprovechaban de los numerosos animales salvajes de las laderas de las montañas circundantes y también contaban con una abundante provisión de peces en los rápidos y remolinos del río. Finalmente, acabaron adoptando la agricultura de las cercanas comunidades agrícolas.

Cuando los campesinos alcanzaron la Europa central, en torno a 5.500 años a.C., sólo encontraron unos cuantos grupos grandes de cazadores-recolectores, de modo que pudieron extenderse rápidamente hacia el oeste, desde Hungría hasta Francia, y hacia el norte, por los valles del Rin, Elba, Oder y Vístula, hasta alcanzar el mar Báltico y el mar del Norte.

CERÁMICA LINEAL

Esos granjeros habían comenzado a fabricar una cerámica muy característica, llamada Lineal, debido a su decoración a base de líneas incisas. Las formas de los recipientes y su decoración eran muy similares desde Eslovaquia hasta Francia.

Los agricultores de la cerámica Lineal se asentaron junto a pequeñas corrientes de agua por toda la Europa

ARRIBA: La cerámica de Europa oriental a menudo se pintaba para representar animales o humanos. Este recipiente decorado con ojos y nariz procede de Bulgaria y data de aproximadamente 6.000 años a.C.

y sus enseres. Los campos, donde los agricultores cultivaban trigo y cebada, estaban localizados en pequeños claros en el bosque, allí donde los árboles habían sido talados o muertos al quitarles la corteza. Las reses eran los animales más habituales de los campesinos de cerámica Lineal, aunque también tenían ovejas, cabras y cerdos. Parece que se encontraron entre los primeros grupos de personas en criar animales por su leche. Algunos de los asentamientos de cerámica Lineal estaban fortificados con zanjas y terraplenes.

Más al norte, junto a las costas del los mares Báltico y del Norte, pequeños grupos de cazadores-recolectores vivían cerca de la costa, donde podían encontrar muchos alimentos.

LOS PUEBLOS COSTEROS

Esos pueblos costeros reunían grandes cantidades de conchas marinas. Los grandes montículos creados a partir de las conchas desechadas después de que las ostras, berberechos y almejas fueran abiertas y comidas, fueron llamados «muladares de cocina» por los primeros arqueólogos. Esos grupos también pescaban con trampas, que consistían en cestas especialmente diseñadas para que el pez pudieran penetrar en ellas a través de un pequeño agujero y ayudado por la corriente, pero no pudiera salir.

Tierra adentro, los cazadores-recolectores remaban en piraguas en lagos y ríos y pescaban con arpones. Utilizando un nuevo invento, el arco y las flechas, también cazaban aves acuáticas como ocas y patos. En el bosque encontraban plantas comestibles, junto a ciervos y cerdos silvestres. Los niños podían aumentar los suministros alimentarios de la familia recolectando bayas y nueces.

Esos cazadores-recolectores costeros no veían ninguna razón para adoptar la agricultura, de modo que durante casi mil años ésta no pasó más allá de la zona ocupada por los granjeros de cerámica Lineal. A pesar de todo, los dos grupos comerciaban y el trigo y la cebada comenzaron a crecer en algunas comunidades costeras en torno a 4.000 años a.C. Es posible que, en un primer

central. Sus asentamientos, como Bylany, en lo que hoy es la República Checa, y Schwanfeld, en Alemania, consistían en pequeños grupos de largas casas de madera, cada una de ellas ocupada por una familia, sus animales

El hombre de hielo

En septiembre de 1991, unos excursionistas encontraron en los Alpes el cuerpo de un hombre que yacía en un charco de agua que se había fundido de un glaciar. El cadáver fue llevado a la Universidad de Innsbruck, en Austria, donde fue identificado como el de un hombre que había muerto hacía unos 5.300 años, habiendo quedado preservado en el hielo. Como fue hallado en una zona llamada Alpes Otzlaer, el hombre comenzó a ser

conocido como «Otzi» o, sencillamente, «el hombre de hielo». Parece que nuestro protagonista estaba cruzando las montañas cuando murió (quizá de agotamiento). Llevaba consigo muchos objetos personales que, junto a sus prendas de ropa, se habían conservado gracias al hielo.

El Hombre de hielo tenía un hacha de cobre, un arco de madera, un carcaj de cuero con 14 flechas y un puñal de pedernal. Puede que también llevara

una mochila de cuero. En los pies llevaba calzas y zapatos de cuero, que habían sido rellenados con paja como aislante contra el frío. Cerca del cuerpo había un gorro de piel. En un pequeño contenedor de corteza de abedul se encontraron bayas y hongos. Estos objetos proporcionaron a los arqueólogos una «cápsula del tiempo» que nos ha dicho mucho sobre la vida diaria durante el Neolítico en los Alpes.

Lugares ceremoniales neolíticos

Además de construir impresionantes tumbas, los primeros agricultores de la Europa central y occidental construyeron grandes centros ceremoniales donde se reunían para realizar rituales. En un principio, solían situarlos sobre cumbres rodeadas por zanjas y terraplenes. Uno de esos emplazamientos es Hambledon Hill, en el suroeste de Inglaterra, donde varias zanjas rodean una cumbre. Dentro de las zanjas se encontraron muchos esqueletos humanos, parciales o completos, lo que sugiere que los cuerpos de los muertos tenían un papel en las actividades rituales. Otros recintos encontrados en Dinamarca, Francia, Alemania y la República Checa indican que ese tipo de sitios se difundió entre los años 3500 y 3000 a.C.

Con el paso del tiempo, la construcción de grandes estructuras ceremoniales se hizo más importante. Uno de tales «henges» se encuentra en Avebury, el en sur de Inglaterra, en donde se excavó una profunda zanja para rodear un área de 300 metros de largo. El terraplén formado con la tierra excavada todavía tiene 8 m de alto, la misma profundidad que la zanja. En el interior del círculo, se colocaron piedras erguidas formando círculos, mientras que dos avenidas de piedras conducen fuera de la zona ceremonial. Fechado justo después de 3000 a.C., se cree que Avebury fue construido unos siglos antes que su más famoso vecino, Stonehenge, situado unos 32 kilómetros hacia el sur.

El importante sitio ceremonial de Avebury, en Inglaterra, tal como se encuentra en la actualidad. Se puede ver parte de un círculo de piedra y del terraplén que hay detrás de él.

momento, los pueblos de la costa practicaran la agricultura a tiempo parcial, pero ésta terminó por convertirse en su principal fuente de comida.

Junto a la costa atlántica de Francia y en Gran Bretaña, los últimos cazadores se convirtieron en granjeros justo después del año 4000 a.C. Poco es lo que se conoce de los asentamientos de estos nuevos agricultores, excepto los pocos yacimientos que se han conservado. Uno de ellos es el de Skara Brae, en las Órcadas, junto a la costa de Escocia, creado en torno a 3100 a.C. Había pocos árboles en Orkney, de modo que las casas de un sola habitación se construyeron de piedra, así como los hogares, las camas y los aparadores. Pasajes cubiertos conectaban las casas. Los habitantes de Skara Brae y otros similares asentamientos cercanos eran principalmente ganaderos, habiéndose encontrado durante las excavaciones mucho huesos de ovejas y reses.

No mucho después de que se estableciera la agricultura en la Europa occidental, comenzaron a edificarse tumbas megalíticas. Estaban construidas a base de grandes rocas planas erguidas que formaban los muros de la cámara funeraria, que podía tener una sencilla forma de caja o ser un largo corredor con habitaciones laterales. La tierra se acumulaba en el exterior para formar una rampa y luego se arrastraban más piedras hasta la parte superior para formar el tejado, que seguidamente era cubierto de tierra. Estas tumbas eran utilizadas durante muchas generaciones. Cuando moría gente, se abría la tumba y sus cuerpos se depositaban junto a los huesos de sus antepasados. En algunas de las tumbas más grandes se han encontrado varios cientos de esqueletos.

Con el paso del tiempo, los primeros agricultores encontraron buenas fuentes de sílex para hacer herramientas y el comercio de este material puso en contacto a muchas comunidades. En torno a 3000 a.C., los agricultores aprendieron a enjaezar a sus animales para arrastrar arados y carretas. Por último, descubrieron que ciertas rocas, al ser calentadas, expulsaban cobre fundido. El cobre se utilizó primero para hacer adornos, porque es un metal blando que no conserva bien la forma, pero al final la gente comenzó a utilizarlo para hacer herramientas, como hachas.

Stonehenge

El impresionante círculo de gigantescas piedras erguidas que es Stonehenge, se encuentra en las tierras bajas del sur de Inglaterra, a unos 120 kilómetros de Londres. Es uno de los yacimientos arqueológicos más fascinantes, pero menos comprendidos, del mundo.

Stonehenge es sólo uno más de los muchos círculos de piedras construidos en la Gran Bretaña neolítica a lo largo de un periodo de más de mil años. No obstante, este círculo de megalitos (piedras grandes) en concreto lleva cientos de años fascinando a los especialistas, habiendo sido objeto de muchos mitos y supersticiones. Todos los que visitan el monumento hoy día quedan impresionado por las gigantescas piedras erguidas, un efecto que debió de ser mucho más apabullante para las gentes del Neolítico que lo construyeron, hace 4.000 años.

Stonehenge fue construido entre el final del periodo Neolítico y el comienzo de la Edad del Bronce, entre los años 2950 y 1600 a.C., y ciertamente es el ejemplo más conocido del tipo de monumentos megalíticos que por esas fechas se estaban construyendo por toda Europa occidental. En la actualidad está formado por 90 grandes piedras, aunque parece que a lo largo de los siglos han desaparecido unas 50 piedras.

La imagen que la mayoría de la gente tiene de Sto-nehenge, la de un círculo de piedras erguidas que sirven de base a otras piedras horizontales o dinteles, es sólo parte de un monumento mucho más grande y complejo. En el centro hay una serie de piedras azules dispuestas formando una pequeña herradura que rodean la piedra que sirvió de altar, el centro focal de Stonehenge. En torno a las piedras azules hay otra herradura formada por cinco gigantescos trilitos, cada uno consistente en dos inmensos pilares de piedra con un dintel igual de inmenso sobre ellos.

Los trilitos están rodeados por un círculo de pequeñas piedras azules erguidas, rodeadas a su vez por otro círculo. Este círculo exterior estuvo compuesto en el pasado por 30 grandes piedras erguidas y el mismo número de dinteles. Al igual que los trilitos, estaban hechos de una piedra llamada sarsen. Muchos de ellos todavía se conservan en pie. En torno al perímetro de esta zona central había un terraplén de tierra y una zanja.

DEBAJO: Cuatro mil años después de su construcción, Stonehenge todavía sobrecoge y maravilla. Aunque muchas de sus piedras han desaparecido, el monumento sigue siendo el testamento de las extraordinarias habilidades ingenieriles de los habitantes neolíticos de Gran Bretaña.

LOS AGUJEROS DE AUBREY

Justo en el interior del terraplén, los arqueólogos encontraron 56 agujeros excavados en el estrato de roca caliza que hay justo bajo el suelo; agujeros que fueron rellenados inmediatamente después de ser excavados, por motivos que nadie conoce realmente. Estos agujeros se conocen como agujeros de Aubrey. En cuatro puntos, el anillo de agujeros se ve interrumpido por una piedra azul erguida llamada Station Stone. La entrada principal a la zona rodeada por el terraplén está marcada por una gran piedra llamada Heel Stone.

Muchas personas no se dan cuenta de que Stonehenge fue construido en varias etapas. Primero fueron construidos, en torno a 2750 a.C., la zanja, el terraplén y los agujeros de Aubrey excavados en la caliza. Durante los siglos siguientes Stonehenge permaneció con estas sencillas formas. Luego, en torno a 2100 a.C. se eri-

---

¿Por qué se construyó Stonehenge?

Nadie conoce con seguridad el propósito de Stonehenge, aunque está claro que era un lugar de gran importancia para los habitantes neolíticos y de comienzos de la Edad del Bronce de la zona de alrededor. No parece que estas gentes vivieran en él, pues en la zanja y entre las piedras sólo se han encontrado unos pocos enterramientos. Sin embargo, algo hizo que a lo largo de varios siglos los agricultores y ganaderos de la región dedicaran su tiempo y sus energías a edificar esta gigantesca construcción.

En las décadas de 1950-1960, algunos historiadores sugirieron que Stonehenge pudo haber sido un observatorio o un medio primitivo para predecir acontecimientos astronómicos. De hecho, durante el solsticio de verano, el 21 ó 22 de junio, el sol amanece casi exactamente sobre la Heel Stone.

Exceptuando este detalle, pocas pruebas más existen de que Stonehenge estuviera alineado con las estrellas y planetas; en la actualidad, la mayoría de los arqueólogos no aceptan la idea de que el monumento fuera un observatorio astronómico. En vez de ello consideran que era un lugar de reunión o zona ceremonial, destinada a proporcionar a los campesinos y ganaderos de la zona un poderoso sentido de comunidad: servía como un visible y duradero recordatorio de los antepasados que habían reclamado el territorio donde vivían. Las piedras más grandes pudieron haber sido erigidas por un poderoso jefe que quería hacer de él el monumento más elaborado de la región, visible desde muy lejos en toda la llanura que lo rodea.

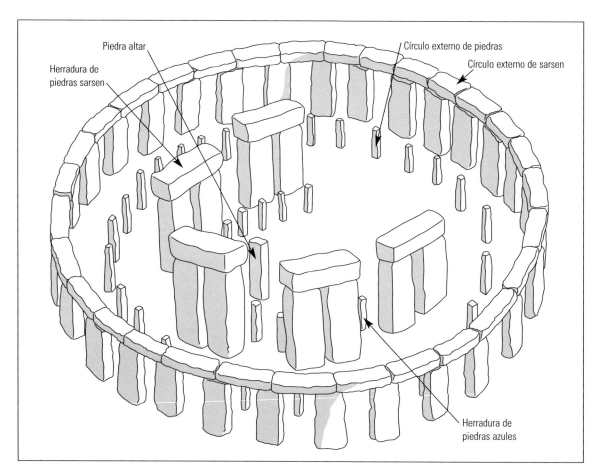

Piedra altar

Herradura de
piedras sarsen

Círculo externo de piedras

Círculo externo de sarsen

Herradura de
piedras azules

gieron las cuatro Station Stones en medio de los agujeros de Aubrey y la Heel Stone. Hoy día sabemos que las piedras azules proceden de un lugar situado a unos 200 kilómetros de distancia, en las montañas de Gales, y que probablemente fueron transportadas por el agua sobre almadías durante gran parte de ese recorrido. No fue hasta cerca de un siglo después cuando se colocaron los gigantescos trilitos y el círculo de sarsens que lo rodea.

LA ERECCIÓN DE LAS PIEDRAS

Colocar estas grandes piedras en su sitio fue un notable logro de ingeniería. En primer lugar, las piedras tuvieron que ser traídas desde 30 kilómetros de distancia. Nadie sabe con seguridad cómo se hizo, pero parece que pudieron haber sido transportadas sobre rodillos durante los meses de invierno, cuando el suelo estaba duro. Otra teoría supone que las piedras pudieron haber sido transportadas sobre trineos a lo largo de caminos especialmente construidos para ello. Una vez en el lugar adecuado, tenían que ser erigidas. Es probable que esto se lograra alzándolas hasta la vertical mediante un sistema de rampas, andamios y palancas, para luego encajarlas en agujeros excavados *ex profeso*. Toda la operación seguramente necesitó la fuerza de cientos de bueyes y personas.

Los dinteles fueron colocados en su lugar alzando un extremo de la piedra y calzándolo con troncos, para luego repetir la operación con el otro extremo y así tantas veces como fueran necesarias para alcanzar la altura requerida, cuando la piedra era empujada sobre los pilares. Los antiguos constructores dejaron salientes de piedra en la parte superior de estos pilares, para que encajaran en huecos excavados en la parte inferior de los dinteles y así mantener en su sitio las piedras.

Los historiadores han calculado que se necesitaron unas mil personas para alzar las piedras más grandes y que esta tercera fase de construcción de Stonehenge necesitó dos millones de horas de trabajo en total.

La región que rodea Stonehenge posee muchos monumentos que recordaban a la gente sus antepasados y jefes. Enterraban a sus líderes bajo montículos redondos o túmulos («barrow» en inglés), a menudo acompañados por objetos de oro y bronce. Bush Barrow, a 1,6 ki-

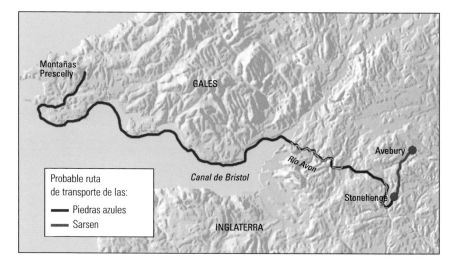

Montañas
Prescelly

GALES

Río Avon

Canal de Bristol

Avebury

Stonehenge

Probable ruta
de transporte de las:
— Piedras azules
— Sarsen

INGLATERRA

lómetros al sur de Stonehenge, contenía el esqueleto de una persona alta junto a dos dagas de cobre, un hacha de bronce y algunos adornos de oro.

Aproximadamente a 2,5 kilómetros de la entrada principal de Stonehenge se encuentra un terraplén conocido como «La avenida», consistente en dos zanjas paralelas separadas entre sí unos 30 metros; la tierra que resultó de excavarlas fue colocada entre ambas para crear un camino elevado.

Unos 30 kilómetros al norte se encuentra Avebury, donde una zanja delimita un enorme recinto de 300 metros de ancho construido justo después de 3000 a.C. En el interior de Avebury, como en Stonehenge, hay un círculo de piedras sarsen, aunque están dispuestas de modo diferente. Avebury también es mucho más grande que Stonehenge.

DEBAJO: Algunas de las piedras erguidas de Carnac, en Bretaña. En vez de círculos de piedras, los constructores de Carnac erigieron espectaculares líneas rectas de piedras, algunas de las cuales tienen cerca de un kilómetro de largo.

Cerca de Avebury se encuentra el montículo artificial de tierra llamado Silbury Hill, construido aproximadamente a la vez que Stonehenge. Es muy probable que en la región existieran muchos monumentos semejantes, pero que han sido destruidos a lo largo de los últimos 4.000 años. Por esas fechas se estaban construyendo monumentos megalíticos por toda Europa occidental. Pequeños círculos de piedra son habituales en Inglaterra, Gales y Escocia, quizá como continuación de una tradición más antigua de construcción de círculos a base de piezas de madera clavadas en el suelo y que no han sobrevivido.

Al otro lado del canal de La Mancha, en Bretaña, en un lugar llamado Carnac, en la misma época que se construía Stonehenge se estaban creando muchas filas de miles de piedras erguidas. En un lugar hay siete filas paralelas de piedras, de las que todavía se yerguen 1.029, a lo largo de 1.130 metros. Cerca, en Locmariaquer, hay un enorme pilar de granito que antes de caerse (o ser derribado), rompiéndose en cuatro pedazos, tuvo 22 metros de altura.

LOS DRUIDAS

Existe una creencia errónea sobre Stonehenge, que se ha extendido bastante, que sostiene que fue construido por sacerdotes celtas, conocidos popularmente como druidas y descritos por los romanos que llegaron a Gran Bretaña. Esto no es más que una fantasía romántica sobre los orígenes de Stonehenge, que comenzó hace cerca de 300 años y todavía persiste en la actualidad. Cada año, en el solsticio de verano, druidas modernos y otras personas que creen que las piedras poseen poderes místicos o religiosos se reúnen en Stonehenge para realizar rituales en el día de san Juan. Aunque estas creencias no se basan en ninguna evidencia arqueológica, el hecho de que los reúna Stonehenge refleja la mágica atracción que sienten todos los que ven este espectacular monumento.

Los nómadas de las estepas

Las estepas son una vasta región de praderas que se extiende a lo largo de 8.000 kilómetros desde el sur de Ucrania hasta Manchuria, en el este. Los ganaderos que vivían allí en torno a 3500 a.C. fueron los primeros seres humanos en montar caballos, convirtiéndose en jinetes temidos por todos en las regiones circundantes.

El clima de las estepas varía desde el frío helador del invierno al ardiente calor del verano, y hay muy pocas lluvias. Como el clima es poco hospitalario, los agricultores no se trasladaron a la región hasta cerca de 4.500 años a.C. y cuando lo hicieron siguieron confiando más en los animales que en las cosechas. Las praderas proporcionaban buenos pastos para las reses, las ovejas y los caballos. En torno a 3500 a.C. estos ganaderos utilizaban sus caballos para montar, más que como comida, convirtiéndose en los primeros en hacerlo en el mundo antiguo.

La domesticación del caballo tuvo un gran impacto en la sociedad de los habitantes de las praderas, pues significó que podían convertirse en plenamente nómadas, trasladándose de un lugar a otro con sus rebaños. Este cambio también influyó mucho en otras civilizaciones, puesto que los grupos de jinetes armados podían atacar asentamientos a voluntad, de modo que las incursiones de los nómadas de las estepas no tardaron en ser temidas en muchas partes de China, la India y Europa.

La más antigua cultura esteparia conocida es la de Sredny Stog (en torno a 4400-3500 a.C.). Se trata de gente que vivía en asentamientos permanentes de casas de madera cerca del río Dnieper y que fueron los primeros en domesticar el caballo, aunque en esta época la mayoría de los caballos eran utilizados como alimento.

No obstante, algunas personas comenzaron a montarlos. En el tercer milenio, los pueblos esteparios ya utilizaban carros tirados por bueyes y trabajaban el cobre. En torno a 1850 a.C., los caballos eran utilizados para tirar de carros ligeros de dos ruedas. Este invento se extendería posteriormente por el Oriente Próximo y Medio, donde tuvo un impacto dramático en el arte de la guerra. En el primer milenio a.C., las gentes de las estepas eran completamente nómadas.

Gran parte de nuestro conocimiento de estos nómadas esteparios procede de sus enterramientos, puesto que su modo de vida nómada significa que vivían en tiendas. Sus pertenencias era ligeras y portátiles; los carros transportaban los utensilios del hogar y las tiendas. Las ovejas eran una importante fuente de riqueza y podían ser intercambiadas por todo tipo de objetos valiosos. Los caballos también tenían una importancia vital para ellos y a menudo eran enterrados junto a sus dueños. En Pazryk, en las montañas Altai de Siberia, por ejemplo, el enterramiento de un jefe estepario del siglo V a.C. incluía un carro desmontado y nueve caballos.

LOS ESCITAS

Los escritores griegos de 600 a.C., describen un pueblo al que llaman escita. Los escitas eran bandas montadas

IZQUIERDA: Detalle de una jarra escita con un jinete desatando las ataduras de su caballo. Los escitas eran expertos orfebres y en las tumbas de sus jefes se han encontrado bellos ejemplos de su trabajo.

DERECHA: Las estepas se extienden desde Ucrania, en el oeste, hasta Manchuria, en el este.

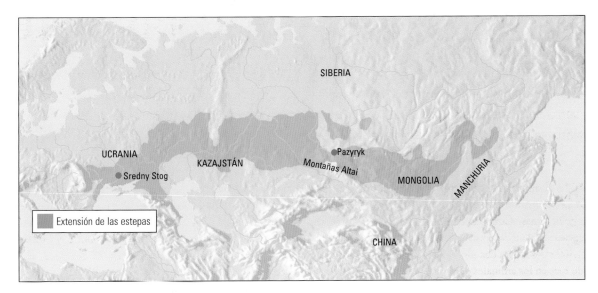

DERECHA: Restos de un muro de aproximadamente 400 años a.C. Encontrado en una tumba de Pazyryk, nos ofrece una rara imagen de cómo vestían los nómadas.

de guerreros formadas en torno a fuertes jefaturas. La lealtad del grupo era entregada a su jefe y las bandas rivales luchaban por la hierba y el agua. En ocasiones estas bandas formaban débiles alianzas controladas por el rey de un grupo dominante.

Los escitas estaban armados con espadas de hierro, impresionantes lanzas del mismo metal y arcos, que lanzaban unas flechas de las que se decía que eran capaces de atravesar armaduras de bronce. Eran unos feroces guerreros y los griegos nos dicen que arrancaban las cabelleras de sus enemigos y las conservaban como trofeo. Pero, a pesar de esta fama, tras su derrota ante Filipo II de Macedonia en el año 339 a.C., los escitas perdieron su poder y su imperio finalmente se derrumbó en el siglo I d.C.

En modo alguno fueron los escitas la última banda de guerreros estepparios en aterrorizar a las gentes de Europa. De hecho, durante gran parte de los siguientes 2.000 años, una serie de pueblos de las estepas lanzaron devastadores ataques contra Europa hacia el oeste, la India hacia el sur, y China hacia el este.

Entre los ataques más destacados se encuentran los de los hunos, que aparecieron en Europa en torno a 370 d.C. Yendo hacia el oeste desde las estepas, los hunos dejaron tras ellos un rastro de destrucción y muerte. A las órdenes de su jefe más conocido, Atila, que reinó entre los años 434 y 453, los hunos crearon un gigantesco imperio, incorporando a su ejército a las gentes que conquistaban. Su fuerza era tan formidable que incluso el Imperio romano se vio forzado a pagarles tributo.

Hacia el este, también China sufrió ataques semejantes por parte de diferentes tribus guerreras nómadas. En los siglos siguientes, los bárbaros supondrían una amenaza continua.

Tumbas congeladas

Aproximadamente 400 años a.C., en una alta meseta entre las montañas Altai de Siberia, un grupo humano relacionado con los escitas seguía un modo de vida nómada similar. Sabemos de ellos debido a que sus cuerpos y posesiones se han encontrado en sus tumbas. Enterraban a sus muertos en tumbas forradas de madera excavadas durante la época cálida, cuando la tierra estaba blanda. La humedad formada en la tumba después de que fuera construida y que luego se congelaba durante el helado invierno, además del túmulo de tierra construido encima, mantuvieron el contenido del enterramiento permanentemente congelado. En 1995 se encontró el cuerpo de un hombre, al que los arqueólogos bautizaron como «el Guerrero», en el interior de un ataúd de madera con una serie de arcos y flechas, un hacha y un cuchillo. Tenía un ciervo tatuado en el hombro derecho, calzaba botas de cuero y un abrigo de piel. Junto a él yacía su más preciada posesión: su caballo.

Las Cícladas

Conocemos como Cícladas a un numeroso grupo de más de 200 islas griegas que se encuentran en el mar Egeo. Reciben este nombre de la palabra griega *kyklos,* que significa «círculo», porque los griegos pensaban que formaban un círculo en torno a la isla central de Delos.

Delos y las demás Cícladas fueron habitadas por primera vez hace ya varios miles de años. El primer asentamiento que conocemos se encuentra en la isla de Kythnos y puede que date de hace 9.000 años. Parece que las primeras personas en asentarse en la isla procedían de Anatolia (la actual Turquía), eran gentes marineras, por lo que todos sus primeros asentamientos estaban cerca de la costa, incluso en las islas más grandes. En época posterior, los griegos se refirieron a estas gentes como «piratas».

LA CULTURA CICLÁDICA

La antigua civilización de las Cícladas, que es conocida también como cultura cicládica, comenzó cuando las gentes que vivían en la región del mar Egeo descubrieron cómo fabricar bronce a partir de una mezcla de cobre y estaño. Este importante acontecimiento tuvo lugar en torno a 3.000 años a.C. y señaló el comienzo de la Edad del Bronce.

Durante la Edad del Bronce, los isleños de las Cícladas se convirtieron en expertos en el tallado de la piedra. Esculpían figuras femeninas en mármol blanco, que obtenían de Paros y de la mayor de las Cícladas, Naxos. Los escultores pulían las figuras con piedra de esmeril, una roca oscura y dura encontrada principalmente en

DEBAJO: Un fresco de la enterrada ciudad de Akrotiri. La pintura de la izquierda muestra a dos chicos boxeando, mientras que el de la derecha representa a un par de antílopes. Muchos de los frescos encontrados en las islas Cícladas presentan fuertes influencias minoicas.

Naxos. Algunas de estas figuras que tallaban eran pequeñas, pero también hacían otras casi de tamaño natural. Los detalles se añadían a menudo con pintura roja y azul. Las figuras se colocaban en tumbas y los arqueólogos consideran que pueden haber sido imágenes de diosas, situadas para proteger al difunto. También se han encontrado figuras de hombres tocando instrumentos musicales.

En la isla de Milos, sus habitantes descubrieron otro material que demostró su utilidad para toda la región. Se trata de la obsidiana, una roca volcánica cristalina que se puede utilizar para hacer cuchillos y raspadores. Se convirtió en un producto tan solicitado que los isleños de Milos se especializaron en el comercio de obsidiana por toda la región.

En torno a 2500 a.C., las comunidades marineras y pescadoras de las Cícladas comenzaron a trasladarse desde las zonas costeras al interior de sus pequeñas islas. También comenzaron a construir ciudadelas, probablemente para defenderse contra cualquier posible ataque. En Kastri, en la isla de Syros, se ha encontrado una ciudadela rodeada por seis torres.

Los arqueólogos también han encontrado muchos útiles de la vida cotidiana y ornamentales que arrojan luz sobre la vida de la gente cicládica. En un cementerio cercano a Kastri se hallaron 50 tumbas que contenían muchos objetos interesantes, incluidos cuencos, vasos y otros recipientes de terracota, mármol e incluso oro. También se encontraron agujas de plata y bronce, que se utilizaban para sujetar la ropa y estaban grabadas con diseños similares a los encontrados en Egipto y la Grecia continental.

Los historiadores creen que, entre los años 2000 y 1500 a.C., algunas de las islas Cícladas comenzaron a tener cada vez más contactos con los minoicos de Creta. Puede incluso que algunas de ellas estuvieran gobernadas por ellos.

LA VIDA EN LAS ISLAS

Los isleños pescaban, cultivaban cereales y tenían olivos y viñas. Las uvas se utilizaban para hacer vino. Los campesinos criaban sobre todo ovejas y cabras, pero también algunas reses y cerdos.

La gente vivía en casas de dos o tres pisos, con muchas habitaciones, separadas por calles estrechas que contaban con sistemas de aguas residuales para deshacerse de los desechos del hogar. En Phylakope, en Mi-

los, había casas espaciosas, algunas de ellas bellamente decoradas con pinturas murales (frescos). Una de los más famosos representa a un grupo de peces voladores.

El grupo más completo de frescos cicládicos se encontró en la meridional isla de Santorini. Ésta quedó enterrada bajo capas de ceniza volcánica procedente de una gigantesca explosión producida en la isla en torno a 1500 a.C. La erupción fue tan violenta que la ceniza y el polvo volcánico fueron lanzados a la atmósfera y arrastrados por el viento hasta la isla de Creta, a 110 kilóme-

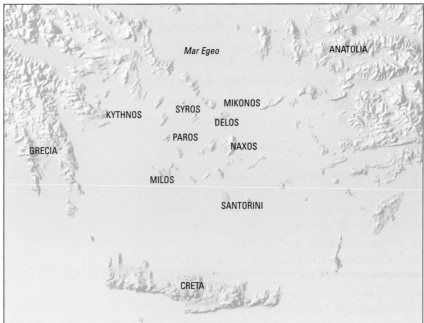

ARRIBA: Las Cícladas son un grupo de más de 200 islas del mar Egeo, la mayor de las cuales es Naxos.

tros de distancia. La explosión también destrozó la isla, que si antes era una sola, después del cataclismo se convirtió en una isla principal y cuatro islas secundarias en torno al cráter del volcán.

Las casas de Santorini tienen hasta tres pisos de altura y fueron encontradas enterradas bajo 5 m de ceniza volcánica, en la antigua ciudad de Akrotiri. Algunos de los edificios están muy bien conservados y ofrecen claves sobre cómo era la vida en las Cícladas antes de 1500 a.C. Muchas de las casas contenían muebles de madera, largas jarras de almacenaje, objetos de cerámica y frescos de fiestas, batallas, deportes y ceremonias religiosas.

TIEMPO DE HUIR

Al contrario que la ciudad romana de Pompeya, que sufrió un destino similar, las excavaciones en Santorini no descubrieron ni joyas ni figuras humanas huyendo. Por lo tanto, se piensa que antes de la explosión final pudo haber habido una serie de pequeños terremotos o erupciones que habrían avisado a los isleños de lo que se avecinaba, dándoles tiempo de escapar con sus posesiones más valiosas.

Después del año 1500 a.C., las Cícladas comenzaron a verse cada vez más influenciadas por gentes de una cultura diferente, los micénicos, de la Grecia continental. Los fenicios también utilizaron las islas como bases mercantiles. Les interesaban los metales preciosos que se encontraban en ellas, así como una tintura especial de color púrpura que se conseguía de un molusco marino del mar Egeo.

Para el año 1000 a.C., los dorios del noroeste de Grecia se habían asentado ya en Santorini y Milo, mientras que el resto de las Cícladas fueron conquistadas por los jonios procedentes de Anatolia. La cultura cicládica había terminado.

IZQUIERDA: Un ídolo femenino tallado en mármol y fechado en el siglo XXIII a.C. Recién terminadas, muchas de estas esculturas estaban pintadas con brillantes colores.

Los minoicos

La primera gran civilización de Europa surgió hace 4.500 años en la isla mediterránea de Creta. Los reyes minoicos construyeron grandes palacios, espléndidamente decorados con pinturas murales, y gobernaron sus dominios con la ayuda de un amplio cuerpo de funcionarios.

Esta civilización recibió su nombre del arqueólogo británico Arthur Evans (1851-1941), a partir del nombre del rey Minos de Creta. Evans estaba fascinado por la leyenda del Minotauro, un monstruo con cuerpo de hombre y cabeza de toro que era mantenido dentro de un laberinto por el rey Minos. Cada nueve años el minotauro era alimentado con siete chicos y siete chicas enviados desde Atenas como sacrificio. Finalmente, Teseo, el hijo del rey de Atenas, se ofreció para ir a Creta como uno de los siete chicos. Con la ayuda de la hija del rey Minos, Ariadna, encontró el camino hasta el centro del laberinto y mató al minotauro.

Evans creía que había cierta verdad en la leyenda, por lo que en 1899 fue a Creta en búsqueda del mítico laberinto. Allí descubrió y excavó el magnífico palacio del rey Minos. Con sus 1.200 habitaciones y un vasto sistema de retorcidos corredores, el palacio ciertamente se asemejaba al laberinto y es posible que fuera parte del origen de la antigua leyenda. Las excavaciones de Evans produjeron una gran cantidad de información sobre los minoicos y su modo de vida. Desde que tuvieron lugar estas primeras excavaciones en Creta se han descubierto y excavado otros palacios y asentamientos, proporcionándonos una detallada imagen de la civilización minoica.

Los primeros grupos en asentarse en Creta probablemente navegaron hasta ella desde Anatolia (la actual Turquía) en torno a 7.000 años a.C. Crearon diferentes asentamientos en la isla, uno de los cuales era Knossos; pruebas de lo cual se han encontrado bajo las ruinas del palacio de Minos. Los primeros cretenses eran agricultores que cultivaban grano y criaban ovejas y cabras. También cultivaban viñas y olivos, que requerían menos trabajo que otros tipo de cosecha y podían sobrevivir en

DEBAJO: Las ruinas de la parte norte del palacio de Minos en Knossos, que era el más grande e importante de los palacios minoicos de Creta.

terrenos de poca calidad. El vino y el aceite de oliva demostraron ser importantes exportaciones en años posteriores, cuando los cretenses comenzaron a comerciar con otros países mediterráneos.

En torno a 3000 a.C., las gentes del mar Egeo y de Creta descubrieron cómo hacer bronce a partir de una mezcla de cobre y estaño. Durante el comienzo de la Edad del Bronce, se comenzó a utilizar este metal para hacer herramientas y armas. Los minoicos se volvieron cada vez más hábiles en el trabajo del metal y se han encontrado muchos bellos artefactos de oro. El oro se cortaba y troquelaba en forma de cuentas y adornos, los orfebres utilizaban también la técnica de la filigrana y el granulado.

Las casas del comienzo de la Edad del Bronce estaban hechas principalmente de adobes. Pese a ello, muchas eran sofisticadas, con habitaciones distintas para la cocina, los dormitorios y las zonas de trabajo.

LA CIVILIZACIÓN MINOICA

La civilización cretense que llamamos minoica comenzó en torno a 2.500 años a.C. Se caracteriza por los grandes palacios construidos por sus reyes. Los cambios que condujeron a la construcción de estos grandiosos edificios probablemente ocurrieron entre la gente que ya vivía en la isla. Pero algunos historiadores consideran que nuevos grupos humanos pudieron haber llegado a la isla desde la Grecia continental, Anatolia y otras costas del Mediterráneo. Ciertamente, al tiempo que aumentaba la población, fueron introducidos en Creta nuevos tipos de olivos y viñas.

Los primeros minoicos comerciaban con otras tierras e importaban finos recipientes de piedra desde Egipto. También traían obsidiana (cristal volcánico) desde la isla de Melos, en las Cícladas, que se utilizaba para cortar y raspar.

La sociedad minoica estaba organizada en diferentes grupos sociales. En la parte superior estaba el soberano,

DERECHA: Una estatuilla de fayenza (cerámica vidriada) de la diosa serpiente, encontrada en el palacio de Minos. Lleva un típico vestido minoico y sujeta un ofidio en cada mano.

DEBAJO: Algunos de los principales yacimientos de la isla de Creta.

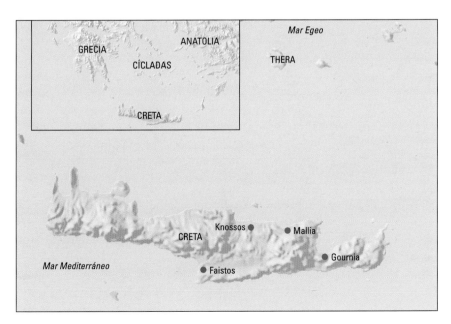

que poseía su propio palacio. El mayor de estos palacios, el del rey Minos, se encuentra en Knossos. Según la leyenda, los dos hermanos de Minos tenían su propios palacios: el de Sarpedón estaba en Mallia, mientras que el de Rhadamanthys se encontraba en Faistos. Los reyes pueden haber compartido parte de su poder con sus nobles, los gobernadores provinciales que vivían en mansiones en el campo.

Los artesanos formaban otro grupo y los mercaderes les proporcionaban bienes importados para que trabajaran con ellos, como marfil. Debe de haber habido un cuerpo de funcionarios para organizar y controlar el trabajo de los artesanos y mercaderes. Luego venían los agricultores, que hacían crecer muchos productos que eran almacenados en los grandes palacios. También existía un grupo de escribas (los arqueólogos han encontrado tres tipos diferentes de escritura).

La religión tenía un papel importante en la vida minoica, y en los palacios reales había muchos sacerdotes y sacerdotisas. Los reyes y reinas pueden haber compartido algunas de sus obligaciones durante los rituales religiosos. Los minoicos adoraban a muchos dioses e incluso a más diosas. Arthur Evans creía que adoraban a una diosa por encima de todas las demás deidades. Esta diosa madre o diosa tierra era un símbolo de fertilidad. Protegía a los animales y plantas y estaba casada con un joven dios que moría cada año al acercarse el invierno, pero que regresaba a la vida en primavera.

xos saltando sobre toros a la carrera. Es probable que el salto del toro fuera en parte un deporte y en parte un ritual; tenía lugar en los patios de los palacios.

Los palacios y casas minoicos estaban decorados con brillantes frescos (pinturas murales), que se pintaban en el yeso mientras aún estaba fresco. Los arqueólogos han encontrado escenas de pájaros y flores, delfines nadando, señoras de la corte ricamente ataviadas y procesiones de hombres llevando vasos. En estas imágenes los hombres aparecen a menudo pintados de color rojo. No se trata sólo de una convención artística, pues por motivos ceremoniales los hombres cubrían a menudo su cuerpo con un polvo rojo llamado colorete.

Los frescos nos han proporcionado mucha información sobre la vida diaria de la antigua Creta. Las mujeres llevaban el pelo entretejido con hilos de cuentas y joyas. Sus vestidos, que tenían el corpiño abierto, dejaba los brazos y pechos al desnudo, y tenían una larga falda con volantes. Llevaban pulseras, collares, brazaletes, pendientes y sortijas. Los hombres vestían sólo un cinturón de cuero y un taparrabos, aunque algunos llevaban falda corta. En la calle los hombres iban con sandalias o botas, pero en casa iban descalzos. Llevaban el pelo largo, pero se afeitaban. Las telas minoicas están hechas principalmente de lana y algunos frescos muestran cómo la tejían con coloridos diseños, incluidos dibujos de animales y pájaros.

Las mujeres parecen haber sido iguales a los hombres dentro de la sociedad minoica. Tomaban parte en muchas actividades, incluido el peligroso deporte del salto del toro. Las pinturas y los sellos muestran que los principales ritos religiosos los llevaban a cabo sacerdotisas. Los apellidos pueden haberse transmitido por vía femenina. En los grandes palacios, los aposentos de la reina y otras nobles damas estaba ricamente decorados y contaban con baños y retretes con los adecuados desagües y tuberías.

LA CERÁMICA MINOICA

Los vasos y otras cerámicas encontradas en esas estancias estaban bellamente decorados con espirales, animales y peces. En ocasiones, los alfareros le aplicaban a su trabajo un engobe oscuro y pintaban sobre él dibujos con colores claros. Este tipo de piezas se conoce como cerámica Kamares, según el nombre de una cueva sagrada en el monte Ida donde se encontraron vasos de este tipo (y donde según algunas leyendas nació el dios Zeus). En los grandes palacios, los alfareros hacían copas de paredes delgadas y brillantes superficies oscuras decoradas con dibujos abstractos en blanco, rojo y naranja; este tipo de cerámica se conoce como «cáscara de huevo».

Se ha encontrado cerámica decorada cretense en la región oriental del Mediterráneo y en Egipto. Algunos de los vasos más grandes eran exportados sirviendo de recipiente a un producto: aceite de oliva, grano, vino y miel.

Otra importante deidad minoica era la diosa serpiente. Se han encontrado muchas estatuillas suyas en asentamientos y palacios. Probablemente fuera considerada como la guardiana de la casa y, dado que las serpientes cambian de piel periódicamente, puede que también fuera un símbolo de renacimiento. En vez de construir grandes templos para sus dioses, los minoicos llevaban a cabo las ceremonias religiosas en palacios, cuevas, casas y, sobre todo, pequeños santuarios de piedra sobre la cima de las colinas cretenses.

Los toros representaban un papel principal en la religión minoica, lo que posiblemente alimentara la leyenda del Minotauro. En Creta se han encontrado un elevado número de cuernos de toro realizados en piedra, lo que sugiere que el toro era el punto central de algún tipo de culto religioso. Esta teoría se apoya en varias pinturas murales en las que se representa a jóvenes de ambos se-

ARRIBA: Parte de las «Damas de azul», un fresco del palacio de Minos que nos muestra un elaborado peinado, popular entre las mujeres minoicas. Hilos de cuentas eran entretejidos con el largo pelo, mientras que una diadema mantenía en su lugar los rizos de la frente. Mechones de pelo también se curvaban sobre las orejas.

La escritura minoica

Los primeros minoicos escribían con jeroglíficos, una escritura a base de signos con forma de animales u objetos. Era similar a la antigua escritura egipcia, aunque sólo unos pocos signos minoicos son parecidos a los egipcios. No obstante, esta escritura pictórica minoica puede haber surgido inspirada por los contactos con Egipto o Siria.

A partir de aproximadamente 1700 a.C., los minoicos escribieron sobre tablillas de arcilla con una nueva escritura, desarrollada con bastante probabilidad a partir de los primeros jeroglíficos. Arthur Evans llamó a este tipo de escritura Lineal A. Utiliza signos para representar cada sílaba de las palabras. Se han encontrado unas 400 inscripciones en lineal A, pero todavía no ha sido posible descifrarlo por completo. Algunos expertos creen que se desarrolló a partir de una lengua utilizada por los marineros fenicios. Se cree que las tablillas pueden contener registros sobre rebaños, grano, vino, etc.

Aproximadamente algo después de 1450 a.C., las tablillas minoicas contienen una escritura distinta, que Evans llamó Lineal B. Él no pudo descifrarla, pero una conferencia que dio en 1936 inspiró a un quinceañero que estaba presente, que se dedicó a intenta romper el código. Michael Ventris, que se convirtió en arquitecto y en un erudito, estudió miles de inscripciones y, unos 16 años después, consiguió descifrar el lineal B. Demostró ser una temprana forma de griego, con unos 90 signos que representan diferentes sílabas. De nuevo, la mayor parte de las inscripciones son listas y registros de almacenes. Tablillas en lineal B se ha encontrado también en la Grecia continental, lo que sugiere que los micénicos pudieron haber llevado el lenguaje a Creta.

IZQUIERDA: Los minoicos eran hábiles alfareros, que fabricaban recipientes de paredes muy delgadas con una intrincada decoración. Los motivos vegetales, como los de este elegante recipiente, eran populares, al igual que el símbolo del hacha de doble hoja, también visible en la fotografía.

Gournia: una ciudad minoica

En el tiempo en que Arthur Evans excavaba el palacio de Knossos en 1901, la arqueóloga norteamericana Harriet Boyd Hawes comenzaba a excavar los restos de una ciudad minoica llamada Gournia, a 60 kilómetros al este de Knossos. Allí descubrió calles retorcidas y un revoltijo de casas y patios pequeños. También encontró una plaza con un altar en donde probablemente habían tenido lugar ceremonias religiosas y acontecimientos públicos. Se encontraron talleres y herramientas de artesanos y a partir de ellos se ha podido deducir que la comunidad de la ciudad incluía carpinteros, herreros y alfareros. También vivían en ella agricultores y pescadores.

La ciudad de Gournia se encuentra en una cadena montañosa que mira al mar. Las casas, de hasta tres pisos y planta cuadrada o rectangular, tienen tejados planos. Las zonas residenciales se encontraban por lo general en el segundo piso, al que se accedía por unas escaleras directamente desde la calle, mientras que el primer piso tenía almacenes y posiblemente talleres. También había una casa más grande que las demás, ocupada probablemente por el gobernador, bien de la ciudad, bien de esta región del este de Creta. Gournia fue destruida en torno al 1450 a.C. Algunos de sus ciudadanos parecen haberla abandonado con tremenda prisa (un juego de herramientas de carpintero se encontró fuera de una de las casas, allí donde había sido abandonado).

Las ruinas de una casa en la pequeña ciudad minoica de Gournia. En el muro de la izquierda se pueden ver restos del revoco original.

También exportaban lana, lo que nos demuestra el éxito de los granjeros minoicos. Las laderas de las montañas de la antigua Creta estaban cubiertas de bosques de cipreses, lo que impedía que la lluvia arrastrara la tierra y desaguara directamente en el mar, como sucede en la actualidad. Las llanuras costeras estaban bien regadas y eran fértiles, lo que era bueno para los cultivos. La eficiente agricultura mantenía a una amplia población y posiblemente generara un excedente para la exporta-

DEBAJO: La Sala de la Reina del palacio de Minos está decorada con un fesco de delfines. Todos los frescos originales están en museos; los que se ven en el palacio son copias.

ción. El comercio, así como la artesanía y la producción agrícola, probablemente se encontrara bajo control del palacio.

Los minoicos eran expertos marineros. Sus barcos tenían un único mástil con una vela cuadrada y eran gobernados mediante un largo remo en la popa. Los barcos mercantes poseían cascos anchos y redondeados con largas proas puntiagudas, mientras que los barcos de guerra eran más estrechos, ligeros y rápidos. Algunos barcos poseían remos, posiblemente para utilizarlos cerca de la costa. Los barcos minoicos dominaron los mares en torno a Creta. Esto dio a los minoicos la confianza necesaria para dejar sus casas y palacios sin muros que las protegieran, puesto que se sentían a salvo de los ataques. En épocas posteriores, los griegos se referían a Minos como «el rey de los mares». Puede que hubiera colonias minoicas en algunas de las islas del Egeo, pero no sabemos si estaban gobernadas directamente desde palacio.

LA DESTRUCCIÓN DE LOS PALACIOS

En torno a 1700 a.C., todos los palacios minoicos fueron destruidos, probablemente por terremotos. No obstante, fueron por completo reconstruidos y probablemente ampliados antes de que gran parte de Creta resultara dañada por los detritus producidos por la explosión de la cercana isla de Thera (la actual Santorini), en torno a 1500 a.C. La ceniza volcánica que cayó sobre Creta arruinó las cosechas y la explosión creó una gigantescas olas que causaron inundaciones y puede que destruyeran la flota minoica. Los historiadores creen que esta devastación debilitó la civilización minoica, lo que quizá animó a otros a atacarla, sobre todo los guerreros micénicos procedentes de la Grecia continental. Cualquiera que fuera la razón, la civilización minoica que había estado centrada en Creta durante más de mil años estaba cerca de su final.

Knossos

El palacio de Knossos, en la isla de Creta, es uno de los más notables yacimientos arqueológicos del mundo. Fue descubierto y excavado por el arqueólogo británico Arthur Evans, que estuvo dedicado durante 30 años de su vida a recuperar esta civilización perdida.

IZQUIERDA: Los diferentes pisos del palacio de Minos están conectados mediante una gran escalera de la que este descansillo es una parte. Se llama Salón de la Guardia Real, y fue restaurado por Evans junto al resto de la escalera. Ésta, que es uno de los grandes logros de la arquitectura minoica, tenía cinco pisos de altura y estaba iluminada por un pozo de luces y ventanas dobles. Las columnas originales eran de madera. Los frescos representan escudos en forma de ocho.

Evans estaba familiarizado con los antiguos mitos y leyendas griegos, y la historia que más le fascinaba era la de Minos, el legendario hijo de Zeus, rey de los dioses. Minos nació en Creta y se convirtió en rey de la isla. Su esposa, Pasifae, se enamoró de un magnífico toro y como resultado de sus amores dio a luz al Minotauro, un monstruo con cuerpo humano y cabeza de toro. El rey Minos dejó al Minotauro en un laberinto oculto en las profundidades de su palacio.

Evans tenía 51 años cuando finalmente pudo ir a Creta, en 1899, e investigar la verdad de la leyenda. Ese año Creta obtuvo su independencia de los turcos otomanos y Evans pudo comprar un trozo de tierra en un monte llamado Kefala (que la gente de la zona llamaba Knossos). Evans comenzó a excavar en serio en marzo de 1900.

Sus tierras se encontraban en el lateral de un ancho valle, a unos 5 km al norte de la costa de Creta. La excavación comenzó el día 23 y, cuatro días después,

Evans anotaba en su cuaderno de campo que estaba convencido de que la ciudad que desenterraban «llega como mínimo bastante más allá del periodo premicénico». Evans y sus colegas fueron encontrando bloques de roca grabados con extraños e irreconocibles símbolos. Al cabo de unas semanas estaba claro que esos bloques formaban parte de un gran edificio prehistórico. Además, según se iban descubriendo frescos y decoraciones, se observó que el toro era un motivo recurrente en ellos.

Evans estaba eufórico, pues no tenía duda de que había descubierto el palacio del rey Minos y bautizó a la civilización que lo había construido con el nombre de este soberano cretense.

Según avanzaba la excavación, Evans pudo ver que el palacio era amplísimo. En algunos puntos tenía cinco pisos de altura, así como 1.200 habitaciones, incluidos almacenes, salones conectaban las habitaciones, todas ellas agrupadas en torno a un gran patio central. La dis-

ARRIBA: Reconstrucción artística del aspecto del palacio de Minos durante la época minoica. Los muros estaban construidos a base de bloqes de caliza y yeso, cementados con arcilla. Los pilares de madera estaban pintados de brillantes colores.

posición de las habitaciones, bastante aleatoria, debió recordarle a Evans la leyenda del laberinto. Parecía como si estancias y salones se hubieran añadido al palacio según se fueron necesitando, sin que nadie tuviera en cuenta un diseño equilibrado.

Mientras la excavación progresaba, se descubrieron las bases de los muros y puertas, así como muchos objetos hechos por los artesanos minoicos. Algunos restos aparecían justo unos pocos centímetros por debajo de la superficie moderna y ello sugería que el edificio había

DERECHA: La restaurada habitación del trono, con el colorido fresco de majestuosos grifos. El trono estaba tallado en yeso y es el más antiguo que se conoce en Europa.

DERECHA: Planta del palacio de Knossos. Tenía varios pisos en torno a un patio central abierto. Su compleja disposición puede haber dado lugar al mito del laberinto y el Minotauro. El palacio incluía un salón del trono, donde el rey recibiría a sus visitantes, estancias separadas para el rey y la reina, así como un amplio número de almacenes, utilizados para guardar grano y aceite de oliva.

Entrada noroeste

Almacenes

Salón del trono

Patio central

Entrada y porche oeste

Gran escalera

Corredor de la procesión

Entrada sur

Salón de la reina

Salón del rey

sufrido una gran catástrofe. Evans escribió: «Desde el día de su destrucción hasta ahora el yacimiento ha estado por completo desolado. Durante tres mil años o más no parece que ni un solo árbol se haya plantado aquí; sobre una parte del terreno ni siquiera ha pasado un arado. En el momento de la gran caída, sin duda el palacio fue metódicamente saqueado en busca de objetos metálicos y los caídos escombros de las habitaciones y pasajes revueltos y registrados en busca del precioso botín [...] Pero los muros de arcilla y yeso todavía se conservan intactos».

LA RESTAURACIÓN

Mientras trabajaba, Evans decidió unir las piezas del gigantesco rompecabezas en un trabajo de restauración que llamó «reconstitución». Desde entonces algunos arqueólogos han criticado su trabajo, pero es innegable que el visitante moderno consigue una mejor imagen del palacio y el mundo minoico gracias a él. Evans decía que una cierta restauración era esencial, porque los trabajadores tienen que consolidar lo que han descubierto antes de excavar más profundamente.

El palacio tiene gruesos muros de piedra y muros más delgados de ladrillo; muchos contaban con un ar-

mazón de madera, probablemente para ayudar al edificio a soportar los terremotos. Los muros se habían derrumbado, la paja y arcilla de los tejados estaban caídos y gran parte de la madera se había podrido. Evans reemplazó los troncos estropeados por hormigón que luego pintó de color beige para que pareciera madera. Seguidamente reconstruyó los muros utilizando las piedras originales.

La parte occidental del palacio tenía como mínimo dos pisos, pero sólo el primero de ellos se conserva. En un patio cerca de la entrada oeste se han encontrado tres grandes pozos redondos. Originalmente puede que fueran para almacenar grano o para las ofrendas sagradas de las ceremonias religiosas. La entrada principal desde el oeste conduce, mediante un porche columnado, hasta un amplio corredor cubierto con una procesión de brillantes y coloridos frescos, de tamaño natural, de hombres jóvenes llevando jarras. Evans encontró otros frescos en Knossos, que nos cuentan mucho sobre cómo vivían los minoicos. En una antecámara junto a la gran escalera había un fresco de una figura llamada «sacerdote-rey», aunque puede que en realidad sea una sacerdotisa.

El 13 de abril de 1900, Arthur Evans vio por primera vez la extraordinaria habitación que conducía hasta el patio central. Dentro había un trono de piedra de respaldo alto guardado por grifos pintados. El salón del trono puede haber sido el lugar donde el rey Minos recibía a sus visitantes importantes, aunque algunos expertos piensan que era utilizado por los sacerdotes para adorar a la deidad suprema minoica.

Evans encontró vasos esparcidos por la estancia, por lo que pensó que cuando el desastre llegó a Knossos se estaba realizando algún tipo de ritual. En un corredor cercano se encontró una pila de piedra de gran tamaño. Evans la trasladó a la antecámara del trono porque creía que los minoicos la habían utilizado para purificarse antes de entrar en la importante habitación del trono.

La mayor parte del resto del primer piso estaba ocupado por estrechos almacenes, en donde se guardaba grano, aceite de oliva, vino, pescado seco y judías en inmensas jarras. El piso superior probablemente contenía las principales habitaciones para recepciones y amplios salones columnados, utilizados por el rey en las audiencias públicas.

LAS HABITACIONES REALES

La parte oriental del palacio probablemente tuviera cinco pisos de altura, algunos de los cuales han sobrevivido porque estaban excavados en una ladera de la colina. Los diferentes pisos, que estaban conectados por una gran escalera, contenían las habitaciones reales. Evans llamó a la habitación del rey el «Salón de las hachas dobles», porque este símbolo apareció grabado en algunas de los bloques de piedra de esas estancias. Esta habitación doble tenía un pozo de luces en un extremo y una ancha galería que miraba hacia el este. Todo el palacio estaba inteligentemente construido para recibir luz, permitir que circulara el aire y ofrecer protección contra el feroz calor del verano. Durante el invierno, las puertas se cerraban y los hogares proporcionaban calor.

Las cercanas habitaciones de la reina contenían bellos frescos de delfines y una chica bailando. En un rincón, rodeado por un muro a media altura, había un cuarto de baño regio con una bañera de barro cocido. El baño probablemente fuera llenado por una sirvienta y vaciado mediante un agujero en el suelo que conecta con el desagüe.

La habitación de al lado era un retrete. En el suelo del vestidor había un agujero, por el que se habría hecho correr el agua para tirar de la cadena. El desagüe del retrete conducía las aguas de albañal hasta un arroyo que corría bajo el palacio. Evans escribió: «El elaborado sistema de desagües del palacio y las disposiciones para la salubridad excitan la imaginación de cuantos los ven. Las tuberías de terracota, con sus secciones científicamente conseguidas, bellamente conectadas, que datan de los primeros días del edificio, se ajustan bastante a los estándares modernos».

Además del rey, la reina, los nobles y los sacerdotes, muchas otras personas vivían en el palacio de Minos.

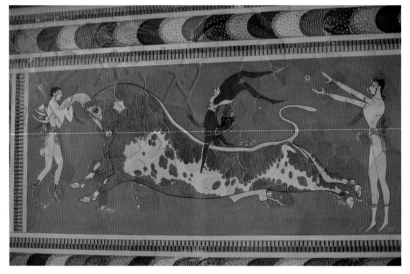
Había gran número de sirvientes y esclavos para atender las necesidades de la familia real y sus cortesanos. Mercaderes, escribas y contables organizaban y llevaban un registro de las grandes tiendas. Había alfareros, joyeros, albañiles, carpinteros y pintores (se han encontrado muchos de sus almacenes). Fuera de los muros de palacio, que no estaba rodeado por fortificaciones o una muralla defensiva, había edificios más pequeños. Desde el palacio partían caminos que conducían a la ciudad de Knossos.

A partir del trabajo de Evans y otros, sabemos que el palacio fue construido en torno a 1900 a.C. Fue destruido, probablemente por un terremoto, unos 200 años más tarde. Tras ser completamente reconstruido y quizá ampliado, el palacio puede haber resultado dañado por la erupción del volcán de la cercana isla de Thera (la actual Santorini) en torno a 1500 a.C. Unos 100 años después, el palacio fue destruido por un fuego y no volvió a ser reconstruido. La ciudad de Knossos fue tomada por guerreros micénicos y se convirtió en una importante ciudad-estado griega, hasta que los romanos conquistaron Creta en el año 67 a.C.

Los micénicos

La micénica fue una sofisticada cultura de la Edad del Bronce que floreció en la antigua Grecia, entre los años 1600 y 1100 a.C. Su prosperidad se extendió a lo largo de 500 años, con una riqueza basada en el comercio marítimo con los países de la cuenca mediterránea.

Los micénicos no formaban un único reino. Eran un grupo de pequeños estados ligados por una lengua, unas creencias religiosas y un modo de vida comunes. Cada estado estaba gobernado por un rey desde una ciudad fortificada.

Además de la gran ciudad de Micenas, las ciudades de Tirinto, Pilos, Tebas, Gla y Atenas fueron importantes centros micénicos. Los micénicos amaban la guerra, pero también contaban con hábiles artesanos y prósperos comerciantes. Sus reyes era fuertes y poderosos, como sabemos por las deslumbrantes riquezas descubiertas en sus tumbas.

La historia del auge y caída de los micénicos sigue siendo un tanto misteriosa. Los micénicos proceden de Europa central y algunos expertos creen que emigraron a Grecia en torno a 2000 a.C. En 1600 a.C. su influencia se había extendido por toda la Grecia continental. El auge de los micénicos coincidió con el declive de la civilización minoica, centrada en Creta, que había dominado la antigua Grecia desde aproximadamente 2200 a.C.

En torno a 1450 a.C., los micénicos se apoderaron de Creta, que había sido el centro del Imperio minoico. También ocuparon muchas islas griegas, incluida Rodas, en el este. En la Grecia continental sus ciudades flore-

ARRIBA: La ciudadela de Micenas tal como se encuentra en la actualidad. Las profundas tumbas pozo encontradas allí datan de aproximadamente 1600 a.C. Su contenido incluía oro, joyas y cetros de cristal, lo que indica que probablemente fueran tumbas reales.

cieron y el comercio y la influencia micénica se extendieron por toda la región mediterránea.

No obstante, transcurridos sólo 200 años, los micénicos se enfrentaron a una misteriosa amenaza, pues en torno a 1250 a.C. comenzaron a construir gigantescos muros de piedra para fortificar sus ciudades contra los atacantes. Sobre el año 1100 a.C. la civilización micénica llegó a su final de un modo repentino y violento. No sabemos si los micénicos fueron derrotados por un enemigo invasor procedente del norte, arruinados por una guerra civil o incluso debilitados por una mala cosecha que produjo una hambruna. Cualquiera que fuera el motivo, sus ciudades fueron incendiadas o abandonadas. Grecia entraba entonces sobre una época de declive conocida como la Edad Oscura, que duró hasta el naci-

DERECHA: Estas dos estatuas femeninas de terracota, con los brazos alzados en señal de oración, puede que representen a la diosa tierra o puede que las dejaran en un santuario para recordarle a la deidad que respondiera a una petición de ayuda o de sanación.

Schliemann en Micenas

Heinrich Schliemann (1822-1890) fue el arqueólogo alemán que excavó Micenas en la década de 1870. Armado con una copia de la *Ilíada* de Homero, buscaba la ciudad del rey Agamenón cuando comenzó a excavar una necrópolis en una empinada colina al sur de Grecia. Encontró tumbas pozo que contenían un tesoro en forma de oro, plata, gemas y objetos preciosos. En la última tumba encontró un cuerpo momificado cubierto por una máscara de oro. Schliemann levantó la máscara y posteriormente afirmó: «He mirado al rostro de Agamenón». No obstante, desde entonces, los expertos han demostrado que la máscara de oro data de 1550 a.C., es decir, tres siglos antes de la época de Agamenón.

La «máscara de Agamenón» encontrada en Micenas por Heinrich Schliemann. Está hecha a partir de una hoja de oro que primero fue golpeada para darle forma y posteriormente esculpida utilizando martillos y punzones.

miento, en 800 años a.C., de lo que se conoce como el Periodo Arcaico.

EL DESCUBRIMIENTO DEL PASADO

Gran parte de lo que se conoce sobre los micénicos procede de las excavaciones arqueológicas. Éstas, que comenzaron en la década de 1870, continúan en la actualidad. Las excavaciones produjeron una segunda fuente de información: textos escritos sobre tablillas de arcilla redactadas en una escritura griega arcaica conocida como Lineal B, desarrollada a partir del antiguo minoico.

El poema épico la *Ilíada* contiene información sobre los micénicos, pero los expertos no se ponen de acuerdo sobre si el poema describe o no la realidad. Atribuida al poeta griego del siglo IX a.C. Homero, la *Ilíada* narra la historia de la guerra de diez años que mantuvieron los griegos, dirigidos por el rey Agamenón de Micenas, contra los troyanos (los habitantes de Troya, una ciudad en la costa oeste de Anatolia, la actual Turquía). Algunos expertos descartan la *Ilíada* como una fantasía heroica. Sin embargo, Heinrich Schliemann, el arqueólogo alemán que descubrió la ciudad de Micenas y con ella las primeras pruebas de la cultura micénica, creía que hasta la última coma del poema era verdad.

En el centro de cada reino micénico hay una ciudad fortificada. Todas las ciudades están construidas sobre colinas que pueden defenderse con facilidad contra los ataques del enemigo. En la cima de la colina se encuentra la acrópolis, o ciudad alta. Durante las épocas turbulentas de finales del micénico, se construyeron gigantescos muros de cinco metros de grosor en torno a las ciudades. Eran de piedras enormes e irregulares, tan pesadas que los griegos de épocas posterior creían que sólo podían haber sido colocadas allí por gigantes. Llamaron a este estilo de trabajo de la piedra ciclópeo, por los cíclopes, una mítica raza de gigantes. Imponentes entradas abiertas en los muros permitían la entrada y salida de la ciudad. La puerta principal de Micenas está coronada por dos leones de piedra, que parecen ser el símbolo del rey.

EL PALACIO REAL

En Micenas y otras ciudades, el palacio real dominaba la acrópolis. Actuaba tanto de centro regional como de cuartel general. Construido en torno a majestuosos patios, el palacio contenía un salón del trono, salones, talleres artesanos, almacenes y las habitaciones privadas del rey.

La habitación más importante del palacio era el *megaron*, un amplio salón donde el rey reunía a la corte y decidía sobre los asuntos de Estado. En el centro de esta habitación ardía un brillante fuego dentro de un hogar. Los muros de esta impresionante cámara para audiencias estaban decorados con coloridos frescos representando escenas de la vida diaria.

En los talleres de palacio, los artesanos producían bella cerámica, joyas, telas, perfumes, herramientas y armas de bronce. Fuera de los muros de palacio, las calles de la acrópolis estaban flanqueadas por casas normales. En la ciudad alta no había grandes templos para que el público celebrara sus ritos. En vez de ello, muchas casas tenían un santuario. Al igual que los minoicos, los micénicos adoraban a la diosa tierra como su deidad principal. Los textos demuestran que también reverenciaban a Zeus, Poseidón, Atenea, Hera y Hermes; deidades que luego tendrán un papel destacado en la religión de los griegos de épocas posteriores.

La fortaleza situada en lo alto de la colina de Micenas también contenía tumbas reales. Los reyes y nobles eran enterrados junto a muchas de sus más valiosas propiedades, que los micénicos creían que necesitarían en la otra vida. Los arqueólogos que excavaron en las ruinas descubrieron joyas de oro y plata, copas y cetros de cristal, vasos de incalculable valor, armaduras y armas incrustadas con piedras preciosas. Cinco de los reyes enterrados en Micenas llevaban máscaras hechas de oro batido. Estos tesoros funerarios se encuentran entre los más ricos hallazgos arqueológicos del mundo.

Los reyes micénicos fueron enterrados en dos tipos diferentes de tumbas. Las tumbas más antiguas, que datan de 1600 a.C., eran sencillas tumbas pozo, excavadas profundamente en la tierra. Varias generaciones se enterraron junto a sus posesiones en este tipo de tumba. Seguidamente, la tumba fue techada con piedras y el pozo rellenado con tierra. Una losa de piedra pudo haber sido colocada en la parte exterior para señalar el lugar.

A partir de 1500 a.C., los maestros artesanos construyeron unas tumbas más elaboradas, llamadas *tholos*. Eran amplias salas abovedadas con forma de gigantescas colmenas, construidas con piedra y luego recubiertas de tierra. Ambos estilos de tumba eran difíciles de robar

DEBAJO: La ciudadela de Micenas estaba rodeada por un grueso muro construido de rocas gigantescas estrechamente encajadas. La Puerta de los Leones, que se ve aquí, era la entrada principal a la ciudadela.

por los ladrones de tumbas, de modo que muchos de los tesoros que contenían se conservaron intactos hasta la época moderna.

Los micénicos eran un pueblo guerrero. Sus tumbas contenían armaduras, armas y pinturas de batallas, lo que proporciona muchas pistas sobre la época micénica. Los reyes mantenían grandes ejércitos permanentes, que vivían en el palacio en época de paz. De los soberanos se esperaba que alimentaran, armaran y vistieran a sus hombres. Los jefes vestían pesadas armaduras de bronce y cascos erizados de colmillos de jabalí. Los soldados normales vestían túnicas de cuero y llevaban muchas armas, incluidas lanzas, espadas, escudos y puñales. Los jefes marchaban a la batalla en carros, mientras el resto del ejército iba a pie.

En el campo, la mayor parte de los micénicos trabajaban como agricultores. En unos terrenos que por lo general pertenecían al rey, granjeros pobres y esclavos cultivaban o criaban animales, como ovejas y cabras. Cada año, los granjeros llevaban sus cosechas para ser almacenadas en las habitaciones correspondientes del palacio (también tenían que darle al rey una parte de su cosecha o ganado como renta por el terreno en el que habían trabajado). En la ciudad, la gente se ganaba la vida de otro modo. Eran sacerdotes, administradores o soldados, mientras que otros trabajaban como mercaderes o artesanos.

Los micénicos dominaron el comercio marítimo desde 1600 a.C. Crearon asentamientos comerciales en la Italia del sur y a lo largo de la costa oeste de Anatolia, comerciando con lejanos países de Oriente Medio, norte de África y Escandinavia. Los mercaderes comerciaban con grano, cerámica, telas y bienes manufacturados a cambio de metales como oro, cobre y estaño.

HÁBILES ARTESANOS

Los artesanos micénicos se encuentran entre los mejores del mundo antiguo. En el arte, igual que en la escritura y la religión, los micénicos estaban muy influidos por los minoicos. Los alfareros producían elegantes vasos para beber y vasos de cuerpo ancho de estilo minoico, pintados con vidriados de color, que representaban animales marinos. La guerra y la caza también eran te-

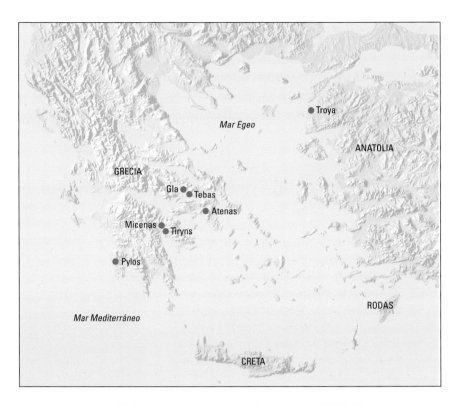

mas muy populares. Del mismo modo que los minoicos, los micénicos fabricaban pequeñas estatuas femeninas vestidas con largos vestidos y los brazos alzados en señal de oración. Estas estatuas aparecen a menudo en tumbas; algunos arqueólogos creen que representan a la diosa Tierra.

ARRIBA: Mapa con los principales reinos micénicos de la Grecia continental y la localización de Troya, en la costa oeste de Anatolia.

IZQUIERDA: Un vaso micénico para beber en forma de erizo. Los alfareros micénicos eran muy hábiles y producían grandes cantidades de objetos de cerámica para comerciar tanto con la Grecia continental como con otros países.

Troya

Durante siglos se creyó que Troya no era sino una ciudad legendaria, que existió únicamente en el poema épico la *Ilíada*. Sin embargo, en la segunda mitad del siglo XIX, un arqueólogo alemán llamado Heinrich Schliemann consiguió demostrar que Troya había sido una ciudad que existió realmente.

La *Ilíada*, del poeta griego Homero, es la historia de la Guerra de Troya, que tuvo lugar entre griegos y troyanos. Después de la derrota de los troyanos, la ciudad desapareció sin dejar rastro y en el siglo XIX la mayoría de los historiadores creían que sólo existía como un antiguo mito. No obstante, Heinrich Schliemann (1822-1890) demostró que estaban equivocados.

Cuando sólo tenía siete años, Schiliemann vio en un libro de historia una recreación artística de cómo podía hacer sido Troya; fue entonces cuando quedó convencido de la existencia real de la ciudad y de que sus ruinas debían de encontrarse en alguna parte. Años después, los estudios de Schliemann sobre el poema de Homero le condujeron a la costa egea del oeste de Anatolia, a una colina llamada Hissarlik, situada en la actual Turquía. Algunos arqueólogos ya había sugerido que se trataba de un posible emplazamiento para Troya y, en cuanto llegó allí, Schliemann estuvo seguro de que era el lugar correcto.

En 1870 Schliemann comenzó a excavar en Hissarlik y no tardó en encontrar, a 4,5 metros bajo la superficie, un antiguo muro de piedras gigantescas. Un año después regresó para continuar la excavación y realizó más descubrimientos. En 1872, Schliemann tenía más de 100 trabajadores locales ayudándole. Encontró los restos, no sólo de una ciudad antigua, sino de varias ciudades construidas unas sobre otras. Estaba claro que cada ciudad había sido destruida y luego reconstruida sobre sus ruinas. Las excavaciones continuaron y se encontraron muros, urnas y fragmentos de cerámica. Pero ¿se trataba realmente de Troya? En junio de 1873, Schliemann pensó que había encontrado la respuesta a la pregunta.

En la base de un muro que estaba excavando, Schliemann vio una brillante pieza de oro. Cuando la cogió, se dio cuenta de que era una diadema. Poco después encontró otra diadema más, brazaletes de oro, una copa de oro y un gran recipiente de plata con miles de pequeños anillos de oro. Schliemann estaba eufórico y convencido de que había encontrado el tesoro de Príamo, el legendario último rey de Troya.

Tras la muerte se Schliemann, su colega Wilhem Dörpfel y después otros arqueólogos de la Universidad de Cincinnati continuaron la excavación. Se dieron cuenta de que el oro que Schliemann había llamado el «Tesoro de Príamo» era de una época unos 1.000 años anterior a este rey y a la Guerra de Troya. Procedía de la segunda de las nueve ciudades que yacen una sobre otra.

ARRIBA: Los restos de los muros de Troya VI, que floreció entre los años 2000 y 1300 a.C. Esta etapa de la ciudad fue destruida por un terremoto.

La Guerra de Troya

Según Homero, la Guerra de Troya comenzó cuando Paris, hijo del rey Príamo de Troya, secuestró a Helena, la esposa de Menelao, rey de Esparta. Agamenón, el hermano de Menelao, navegó hasta Troya junto a un inmenso ejército trasportado por una flota de 1.000 barcos para llevar de regreso a Helena. Puso sitio a la ciudad durante diez años, pero no pudo conquistarla.

Entonces, Odiseo, uno de los comandantes griegos, trazó un plan. Los griegos construyeron un caballo de madera gigantesco, lo colocaron ante los muros de Troya y luego se marcharon con sus barcos. Los troyanos creyeron que el caballo era una ofrenda sagrada y lo introdujeron en la ciudad. Pero el caballo de madera estaba en realidad repleto de

guerreros griegos que salieron de él protegidos por la oscuridad de la noche y abrieron las puertas de la ciudad al resto del ejército, que había regresado en los barcos desde una isla cercana. Los griegos se llevaron a Helena, mataron al rey Príamo y a los troyanos, se apoderaron de sus mujeres y quemaron Troya hasta los cimientos.

DERECHA: Tomada en época de las excavaciones de Schliemann, esta fotografía muestra una colección de jarras de cerámica para almacenamiento encontradas en Troya. Datan del comienzo de la Edad del Bronce, de la ciudad que los arqueólogos llaman Troya II.

Los arqueólogos creen que Troya fue fundada a comienzos de la Edad del Bronce, que en Anatolia comenzó en torno a 3.000 años a.C. A lo largo de los siglos siguientes, Troya se convirtió en un centro comercial extremadamente importante, principalmente gracias a su emplazamiento. No sólo se encontraba en una de las principales rutas terrestres entre Asia y Europa, sino también en una ruta marítima entre el Egeo y el mar Negro. Gracias a ello, Troya se volvió extremadamente rica y los historiadores creen que sirvió como capital de la región circundante, una zona que hoy se conoce como Troas.

Los arqueólogos dividen la historia de Troya en diferentes periodos. La primera Troya era una ciudadela fortificada a la que se trasladaban los agricultores y los vecinos en tiempos de peligro. La segunda Troya, construida sobre la primera y llamada Troya II por los arqueólogos, fue una ciudad mayor y más rica, que comerciaba activamente con los micénicos de Grecia. Esta ciudad terminó abruptamente debido a un fuego, lo que llevó a Schliemann a confundirla con la Troya de Homero. Cada una de las siguientes tres ciudadelas fue mayor que la anterior.

Troya VI tuvo muchos habitantes nuevos y estaba muchísimo más influenciada por los micénicos que sus predecesoras. Fue destruida por un terremoto en torno al año 1300 a.C. La siguiente ciudad, llamada Troya VIIa, fue saqueada y quemada sobre 1250 a.C. aproximadamente. Los arqueólogos llegaron a esta fecha porque la cerámica encontrada en el yacimiento puede ser fechada con bastante exactitud. La mayor parte de los historiadores creen que Troya VIIa fue la ciudad del rey Príamo que aparece en la historia de la Guerra de Troya. Su sucesora, Troya VIIb, no duró demasiado, pues fue abandonada en torno a 1100 a.C. y permaneció desocupada durante varios siglos.

Un nuevo capítulo de la historia de Troya comenzó con el siglo VII a.C., cuando los griegos de la cercana isla de Lemnos la volvieron a ocupar. La ciudad se conoce a partir de entonces como Ilión y prosperó durante muchos años. Finalmente, los romanos la saquearon en el año 85 a.C., construyendo a continuación Troya IX, la versión final de la ciudad, que fue abandonada aproximadamente en el año 400 d.C.

DERECHA: Pendiente de oro que formaba parte de un tesoro encontrado en Troya y conocido como el «Tesoro de Príamo». No obstante, en realidad data de 2300 a.C. aproximadamente, unos 1.000 años antes de la época de la Guerra de Troya.

Los fenicios

Los fenicios fueron una nación de grandes navegantes y comerciantes, un pueblo originario de las costas orientales del mar Mediterráneo. No se ha podido descubrir de dónde vinieron, pero se piensa que probablemente llegaran a la región mediterránea en torno a 3000 a.C.

La tierra natal de los fenicios, aquella donde se asentaron en la costa del Mediterráneo, era una estrecha franja de terreno que hoy no forma un país, sino que se divide entre Siria, Líbano e Israel. Los fenicios eran renombrados comerciantes, navegantes, constructores navales y dotados artesanos. También eran famosos por sus conocimientos, pues inventaron un alfabeto que fue adoptado por los griegos y que, posteriormente, sería la base de todos los alfabetos utilizados en Occidente en la actualidad.

El nombre «fenicio» procede del griego *phoinix*, que significa «púrpura». Los griegos llamaban a los fenicios *phoinikes* (hombres púrpura), porque su producto más importante era un tinte de ese color utilizado para teñir telas. No obstante, los fenicios se llamaban a sí mismos cananeos. Eran los descendientes de los pueblos de la Edad del Bronce del Canaán (la región que en la actualidad es Siria y Palestina); Canaán también significa «tierra de púrpura» en cananeo.

LOS CANANEOS

Durante el comienzo de la Edad del Bronce (3000-2000 a.C.), los cananeos construyeron gran número de ciudades, incluidos los puertos de Biblos y Ugarit, que se convirtieron en importantes centros comerciales entre los años 2000 y 1500 a.C. No obstante, con posterioridad a 1550 a.C., las ciudades de Canaán fueron conquistadas y gobernadas por una serie de potencias extranjeras, incluidos hititas, egipcios y micénicos.

ARRIBA: Las ruinas de la ciudad de Biblos. Esta ciudad era el principal puerto fenicio mediterráneo para la exportación de madera de cedro. Siguió siendo un gran centro comercial hasta bien entrada la época romana.

ARRIBA: Recreación artística de un barco mercante fenicio. Los fenicios los construían con el casco ancho, para que cupiera mucha carga.

La historia de Fenicia comienza realmente en torno a 1100 a.C., cuando los fenicios vieron la oportunidad de conseguir su libertad. Por esas fechas, las civilizaciones del sur de Europa y el oeste de Asia se vieron amenazadas por un grupo de tribus invasoras conocidas como los Pueblos del Mar. Estos feroces guerreros atacaron a los egipcios, conquistaron a los hititas y contribuyeron a la caída de los micénicos en Grecia, quienes habían dominado el comercio marítimo en el Mediterráneo desde 1600 a.C. La debilidad de todas esas naciones dio a los fenicios la oportunidad, no sólo de reclamar su independencia, sino también de conseguir controlar el comercio marítimo de la región.

LA INFLUENCIA FENICIA

A lo largo de los siguientes 250 años, el poder e influencia fenicios se difundieron por toda la región mediterránea. Sus ciudades crearon puestos comerciales, y luego colonias, en Chipre, el occidente de Sicilia y Gavad-

des (la moderna Cádiz) en España. Cartago, un puerto en la costa norte de África, fue otra importante colonia fenicia.

Cartago fue fundada en el año 814 a.C. por la ciudad de Tiro, que junto a Sidón se convirtió en una ciudad rica y un importante lugar de conocimiento. Edificada sobre dos islas cercanas a la costa, Tiro era especialmente poderosa porque era muy difícil de atacar. En el siglo VI a.C., Nabucodonosor, rey de Babilonia, le puso sitio sin éxito durante 13 años.

En el siglo X a.C., el rey de Tiro firmó una alianza con David, el rey de los israelitas, y luego con su sucesor, Salomón. Según la Biblia, el rey Hiram de Tiro proporcionó madera de cedro y artesanos especialistas en el trabajo del «oro y la plata, hierro y madera, así como del hilo púrpura, violeta y rojo, y fino lino», para ayudar a construir el templo de Salomón. Hiram envió constructores de barcos para crear una flota israelita en el mar Rojo. Desde allí, los barcos de Salomón, gobernados por marineros fenicios, marcharon en misiones comerciales. Una vez cada tres años, nos dice la Biblia, «esta flota de mercaderes llegaba a casa, trayendo oro y plata, marfil, manzanas y monos».

En torno al año 850 a.C., los fenicios habían colonizado las islas mediterráneas de Córcega, Cerdeña, Malta y Gozo, y quizá también partes de la Grecia continental. Controlaban el estrecho de Gibraltar, donde el Mediterráneo se estrecha hasta los 13 kilómetros de anchura y sus aguas se mezclan con las del océano Atlántico. Osados marineros fenicios se aventuraron más allá del estrecho, llegando a las islas Azores y posiblemente incluso Cornualles, en el extremo suroeste de Inglaterra, que era un centro minero de estaño. Posteriormente, durante el siglo VII a.C. los marineros fenicios encabezaron una expedición egipcia que circunnavegó el continente africano, en un viaje que según el historiador griego Heródoto duró tres años.

El desarrollo de Fenicia estuvo influido por su geografía. Hacia el oeste, las aguas del Mediterráneo forman una frontera natural. Hacia el este las montañas del Líbano crean otra barrera protectora entre Fenicia y sus poderosos vecinos de tierra adentro. Las grandes ciudades fenicias –Tiro, Sidón, Biblos, Beritus (Beirut) y Arvad– comenzaron siendo pequeños puertos marítimos que se hicieron ricos con los beneficios del comercio. Sin embargo, los kilómetros de escarpadas costas que separaban estos asentamientos impidieron que Fenicia se convirtiera en un reino unificado. En vez de ello, floreció como una cadena de poderosas ciudades-estado.

Aunque pequeña, Fenicia poseía ricos recursos. La tela y la madera formaban la base del comercio fenicio. Las aguas poco profundas lejos de la costa proporcionaban ricas zonas pesqueras y eran la fuente del múrex, los caracoles que producían el famoso tinte púrpura. Tierra adentro, la franja de tierra estaba bien regada por arroyos y ríos. En este terreno fértil, los agricultores cultivaban trigo, cebada, viñas y olivos, además de apacentar sus rebaños. Pero el mayor atractivo de Fenicia

La púrpura real

Los fenicios eran famosos por sus telas púrpuras, que tenían gran demanda por toda la región mediterránea, porque el púrpura era el color que llevaban los reyes. El tinte era obtenido del múrex, un caracol marino. Para fabricar el tinte, se cascaban las conchas y se extraía el molusco. Sus cuerpos putrefactos producían un líquido amarillo que se oscurecía hasta el púrpura una vez cocido y tratado. Tiro y Sidón

eran conocidas por el hedor que producían los moluscos podridos. Cada uno de ellos producía una escasa cantidad de líquido, de modo que para crear 450 kilos de tinte eran necesarios hasta 60.000 moluscos. Expertos tintoreros podía crean una amplia variedad de colores que iban desde el rosa hasta el púrpura oscuro. Luego los sastres convertían las telas en ropa.

se encontraba en las montañas: los poderosos bosques que crecían en las empinadas laderas de los montes. El cedro del Líbano era apreciado por su madera, fuerte y duradera. Los fenicios la utilizaban para construir sus barcos y la vendían en grandes cantidades para la exportación.

BIENES PARA COMERCIAR

Los mercaderes fenicios vendían productos agrícolas como grano, aceite, vino y pasas. También actuaban como intermediarios, vendiendo cosechas y bienes producidos por otros pueblos. Los mercaderes importaban metales y otras materias primas del entorno mediterráneo para que los artesanos fenicios las convirtieran en objetos deseables. Los orfebres fundían y martilleaban oro, plata y bronce para convertirlos en objetos que tuvieran demanda, como herramientas, armas y joyas. El marfil traído de África era tallado en forma de delicados paneles para decorar muebles, incluidas sillas, camas y arcones. Los trabajadores del cristal hacían objetos a partir de tierra rica en sílice y cenizas de madera. Los fabricaban dando forma al cristal fundido sobre un molde de arena o arcilla y luego dejando que se asentara antes de destruir el molde. Es posible que en una fecha posterior los fenicios inventaran el soplado del vidrio.

Los fenicios adoraban a una amplia variedad de dioses, algunos de los cuales compartían con otras civilizaciones antiguas, incluidas la egipcia y la babilónica. Por ejemplo, adoraban al dios egipcio Ra y a la diosa Hathor, así como al dios mesopotámico de las tormentas, Hadad.

Por lo general los fenicios llamaban a sus deidades sencillamente *Baal* (señor) o *Baalat* (señora). Les ofrecían sacrificios de animales en altares que llamaban *tofets*.

DERECHA: Este elegante recipiente de cristal para perfume fue fabricado por artesanos fenicios en el siglo V a.C. Para hacer objetos de cristal, primero vertían capas de vidrio fundido sobre un molde de arena. Cuando el cristal se asentaba, la arena se vaciaba, quedando el recipiente. Para decorarlo se dejaban caer gotas de cristal coloreado sobre el recipiente y luego lo hacían rodar sobre una superficie plana, antes de que el cristal se enfriara.

DEBAJO: El imperio comercial fenicio llegaba hasta el estrecho de Gibraltar y, posiblemente, más allá.

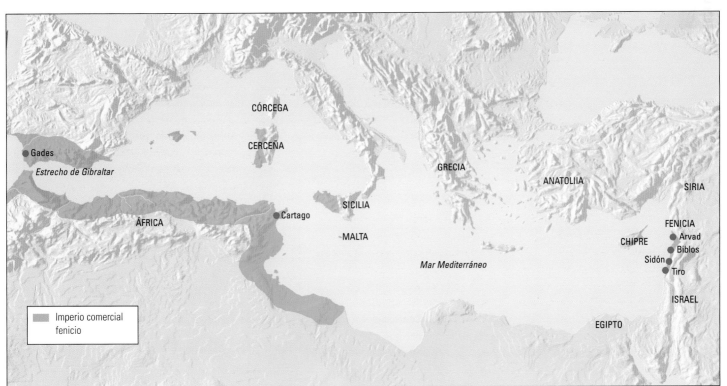

CÓRCEGA

CERCEÑA

GRECIA

ANATOLIIA

SIRIA

Gades

Estrecho de Gibraltar

SICILIA

FENICIA

ÁFRICA

Cartago

CHIPRE

Arvad

MALTA

Biblos

Sidón

Mar Mediterráneo

Tiro

ISRAEL

EGIPTO

Imperio comercial fenicio

Un nuevo alfabeto

Los fenicios hablaban una lengua semítica emparentada con el hebreo y el babilonio. De los babilonios tomaron la escritura cuneiforme (con signos en forma de cuña).

En torno a 1200 a.C. desarrollaron su propio alfabeto de 22 letras, todas las cuales eran consonantes. Se trató de un avance inmenso, puesto que la escritura cuneiforme de esa época podía tener hasta 600 símbolos diferentes. Posteriormente, los griegos adaptaron el alfabeto fenicio, añadiéndole vocales. De los griegos el alfabeto pasó a los romanos y, gracias a ellos, se convirtió en la base de todos los alfabetos occidentales. Algunas palabras fenicias todavía se conservan en español, como «Biblia» y «bibliografía», por ejemplo, ambas derivadas de Biblos, el nombre de un puerto fenicio que era conocido por su comercio de papiro, el material de escritura del mundo antiguo.

En el año 842 a.C., Fenicia fue conquistada por el Imperio asirio y durante los siguientes 200 años sus ciudades sufrieron su duro gobierno. En el siglo VII a.C. pasaron primero a manos de los babilonios y después de los persas. Los persas concedían muchas libertad a las culturas que habían conquistado, de modo que las ciudades fenicias prosperaron de nuevo, en especial Sidón. La flota fenicia luchó por los persas en sus guerras contra los griegos, siendo destruida por éstos en la batalla de Salamina en el año 480 a.C.

En el 330 a.C. Fenicia fue conquistada de nuevo, esta vez por Alejandro Magno de Macedonia. Durante el reinado de sus sucesores, Fenicia prosperó como centro de comercio y cultura hasta el año 64 a.C. Fue entonces cuando pasó a formar parte del Imperio romano y dejó de tener una identidad propia.

DEBAJO: Un altar sacrificial en la ciudad de Cartago. Los fenicios utilizaban altares como este para sacrificar pequeños animales a los dioses. Algunos historiadores creen que los padres también sacrificaban a sus primogénitos a los dioses, aunque puede que se haya exagerado la difusión alcanzada por esta práctica.

Los etruscos

Los etruscos vivieron en la región central de Italia a partir aproximadamente de 900 años a.C. y allí desarrollaron una cultura característica con un lenguaje único. Pueden haber sido nativos de Italia o descendientes de los tirrenos, que vinieron originalmente de Lidia, al oeste de la actual Turquía

IZQUIERDA: Los etruscos ricos eran enterrados en elaboradas tumbas, frecuentemente diseñadas a semejanza de las casas y decoradas con pinturas murales. Esta tumba en la roca, del siglo VI a.C., se encuentra en Tarquinia. Contienen realistas escenas de la vida diaria y una puerta pintada para proporcionar acceso al mundo de los muertos.

Antes de que Roma se convirtiera en la potencia dominante de la región mediterránea, existían tres principales poderes marítimos: los griegos, los fenicios y los etruscos. Cuando los etruscos se aliaron con los fenicios, derrotaron juntos a los griegos en la batalla de Alalia, en el año 540 a.C., y los expulsaron de la isla de Córcega. Éste fue el zenit de la expansión etrusca.

En el año 510 a.C., los etruscos habían sido expulsados de Roma por sus habitantes y, finalmente, en el siglo I a.C. toda la región etrusca fue absorbida por el Estado romano.

ETRURIA

Los etruscos vivían en una zona de Italia llamada Etruria, bordeada al sur y al este por el río Tíber y al norte por el río Arno. Doce eran las principales ciudades etruscas. Algunas de ellas, como Tarquinia, Vulci y Orvieto, se encuentran en los alrededores de ciudades italianas modernas. Por lo general, estos asentamientos estaban construidos sobre cimas de colinas fácilmente defendibles.

IZQUIERDA: Esta estatua de una mujer reposando sobre un diván procede de un sarcófago etrusco. Las mujeres etruscas parecen haber disfrutado de una elevada posición en la sociedad.

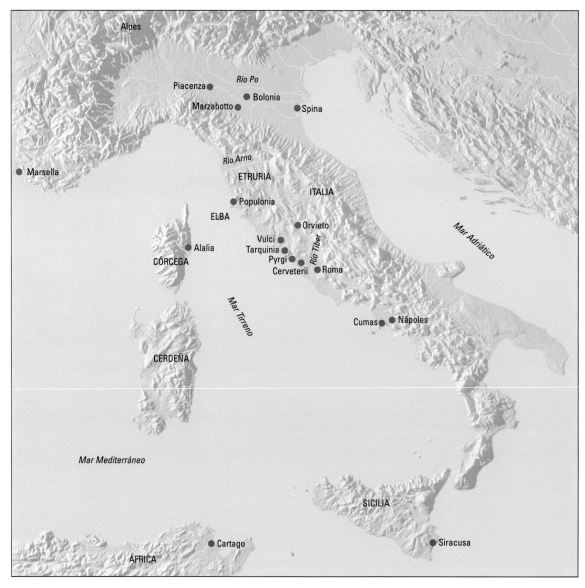

DERECHA: Los puntos rojos de este mapa de Italia muestra el emplazamiento de las principales ciudades de la antigua Etruria, así como de otras ciudades importantes de la época.

Una de las ciudades etruscas más conocidas es la actual ciudad de Bolonia. Construida en el siglo VI a.C. fue diseñada con calles ortogonales y una zona específica para los templos. Las casas solían tener un patio central que daba acceso a las habitaciones. Los muros estaban hechos de adobes y los techos de tejas cocidas. Tradicionalmente, cada ciudad estaba gobernada por un rey, pero ya en el siglo V a.C. una serie de ricas familias controlaba las ciudades. Esos nobles llevaban a cabo tareas administrativas concretas.

Los templos etruscos eran muy característicos, pues tenían dos filas de columnas en su parte anterior, lo que más tarde se conoció como estilo «toscano» de arquitectura. Muchos de los templos estaban construidos de adobes y el tejado a menudo estaba decorado con figuras mitológicas de barro cocido.

No sabemos demasiado sobre la religión etrusca, pero parece que uno de sus aspectos era el estudio de los órganos internos de animales como medio de adivinar el futuro. Un hallazgo que parece relacionado con esta circunstancia es una maqueta en bronce del hígado de un cordero, descubierta cerca de Piacenza. El modelo está dividido en secciones. Cada una lleva el nombre de varios dioses (en total se nombran 52 de ellos). Los dioses a menudo se parecen a los que se conocen de Grecia y Roma. La diosa etrusca Menerva, por ejemplo, es similar a la romana Minerva y a la griega Atenea.

El comercio marítimo fue importante para la civilización etrusca. Los etruscos tenían contactos mercantiles regulares con griegos y fenicios. Exportaban metales,

La lengua etrusca

Para escribir, los etruscos utilizaban una forma adaptada del alfabeto griego, al que añadieron sus propias letras. Durante siglos nadie fue capaz de comprender sus textos. Fue en 1964 cuando se produjo un gran avance en el estudio de esta lengua, cuando un arqueólogo italiano descubrió tres placas de oro en el puerto etrusco de Pyrgi. Dos de las placas tenían textos inscritos en etrusco, mientras que la tercera lo tenía en púnico (la lengua de los fenicios

y cartagineses). Aunque los textos no eran paralelos (es decir, que no se trataba de traducciones directas de los demás), coincidían lo suficiente como para permitir a los estudiosos descifrar la parte etrusca de las inscripciones. Uno de los textos etruscos más largos que se conservan —formado por unas 1.200 palabras— fue escrito en un libro de lino y proporciona detalles sobre el calendario religioso etrusco.

como la mena de hierro, extraída de la isla de Elba y fundida en la ciudad de Populonia. También exportaban objetos más valiosos, como copas de oro para beber. Importaban bienes raros de África, como huevos de avestruz ricamente decorados y miles de cacharros de cerámica de Atenas.

Los etruscos se extendieron hacia el norte, creando un puerto en Spina, en la desembocadura del Po. Esto les dio acceso al mar Adriático, lo que significó que podían comerciar fácilmente con Grecia, sobre todo con Atenas. También comerciaron con la Europa central, utilizando los pasos de los Alpes.

Los etruscos parecen haber exportado vino y aceite de oliva. Se han encontrado contenedores etruscos (ánforas) en sitios tan distantes como el sur de Francia, cerca de Marsella. Un pecio con ánforas etruscas encontrado cerca de la isla Giglio (en la costa noroeste de Italia) también contenía lingotes de metal.

La presencia de mercaderes griegos en Etruria queda demostrada por el descubrimiento de un ancla de piedra en uno de los santuarios etruscos de la ciudad portuaria de Pyrgi. El ancla estaba dedicada al dios griego Apolo, probablemente por un hombre llamado Sóstratos, originario de la isla de Egina, cerca de Atenas. El mucho comercio existente con Grecia en los siglos VI y V a.C. nos lo indican también los miles de objetos de cerámica ateniense presentes en las tumbas etruscas.

CASAS PARA LOS MUERTOS

Las tumbas son los monumentos etruscos mejor explorados. Estaban dispuestas en grandes cementerios fuera

de las ciudades. A menudo, las tumbas se asemejan al interior de las casas. En la ciudad de Tarquinia las tumbas consistían en una cámara excavada en la roca volcánica y estaban decoradas con elaboradas pinturas murales. La llamada «Tumba de los relieves» en Cerveteri también está excavada en la roca y dispuesta como si fuera una cámara de banquetes. Copas y armaduras colgaban de los muros. En torno a la habitación había divanes tallados en la roca, acondicionados con cojines, sobre los cuales podían colocarse los difuntos. El efecto habría sido el de una fiesta para los muertos.

Grecia

Es posible que la civilización de la antigua Grecia fuera la más importante del mundo antiguo. En el primer milenio a.C., la filosofía, la política, la ciencia, la arquitectura, el arte y el teatro griegos iban a sentar las bases de gran parte de la cultura occidental de los siglos siguientes.

Tras el final de la civilización micénica, Grecia entró en un periodo conocido como la Edad Oscura (1100-800 a.C.). Poco es lo que se conoce de esta época, porque el arte de la escritura se perdió y apenas hubo contactos con otras civilizaciones. No obstante, en torno al año 800 a.C., la civilización griega comenzó una nueva fase: la población comenzó a aumentar, creció el nivel de vida, reapareció la escritura y hubo un florecimiento del comercio con otras culturas.

La institución que formó la base de esta floreciente nueva cultura fue la ciudad-estado, o *polis*. Una *polis* consistía en una ciudad y los terrenos que la rodeaban. Algunas *polis* como Atenas eran grandes, mientras que otras eran bastante pequeñas. Todas se basaban en la agricultura, que era la principal ocupación de la mayoría de la gente. Incluso los habitantes de la ciudad poseían granjas a menudo.

Las ciudades-estado compartían una lengua común (el griego), si bien con variaciones locales, adoraban a los mismos dioses y ocasionalmente se reunían para participar en juegos atléticos o luchar contra los invasores de su tierra. No obstante, el montañoso paisaje hacía que la comunicación entre ellas fuera complicada. Esto significaba que la gente sentía más lealtad por su propia ciudad que hacia otros griegos, de modo que las ciudades luchaban entre ellas con frecuencia. No obstante, los griegos poseían un fuerte sentimiento de identidad común y llamaban «bárbaros» a todos los pueblos no griegos, porque pensaban que sus lenguas sonaban como meros «bar-bar», ruidos sin sentido.

Atenas es la mejor conocida de las ciudades-estado. Ello se debe en parte a que fue una de las más exitosas y poderosas, pero también a que poseemos más información sobre ella. Los atenienses fueron unos pioneros en política, leyes y administración; de modo que para mediados del siglo V a.C. se había convertido en el centro intelectual del mundo griego. Tradicionalmente, Atenas había sido gobernada por reyes, pero en el siglo VII a.C. ya lo estaba por magistrados, o *arcontes*. Los *arcontes* y el consejo gobernante eran todos aristócratas, ricos terratenientes. En muchas ciudades-estado había una gran diferencia entre la riqueza y poder de la aristocracia y la pobreza de la gente. Esta situación condujo a rebeliones y, en ocasiones, a la aparición de un gobernante absoluto, llamado tirano. Algunos de esos tiranos fueron líderes ilustrados que domeñaron el poder de los aristócratas; otros demostraron justo el tipo de despiadado comportamiento que llevó a darle a la palabra su signifi-

cado actual. Falaris, por ejemplo, fue un tirano siciliano del siglo VI a.C. que asaba a sus víctimas vivas dentro de un buey de bronce.

LOS COMIENZOS DE LA DEMOCRACIA

En el año 594 a.C., para evitar una rebelión, el consejo gobernante de Atenas dio al *arconte* Solón poderes espe-

ARRIBA: El templo de mármol de Atenea (hay llamado el Partenón) fue construido sobre una colina que domina la ciudad de Atenas.

ciales para introducir reformas. Solón canceló todas las deudas agrícolas, devolvió la libertad a los atenienses vendidos como esclavos y concedió a todos los ciudadanos (sólo los terratenientes podían ser ciudadanos) el derecho a votar en la Asamblea. Muchos consideran a Solón el fundador de la democracia ateniense; pero tras su muerte la familia de los Pisistrátidas se hizo con el poder en Atenas sobre 561/560 a.C. En el año 510 a.C. fueron expulsados por un grupo de nobles encabezados por Clístenes y ayudados por el principal rival de Atenas, Esparta.

Clístenes dividió a todos los ciudadanos del Ática (Atenas y la región que la rodeaba) en diez tribus (filae). Cada tribu recibió tres terrenos, cada uno de los

cuales contenía muchos pequeños pueblos llamados *demos*. Los *demos* votaban a las 50 personas de cada tribu que formarían el Consejo. Las tribus se encargaban de gobernar la ciudad, ocupando cada una el puesto durante un mes. El grupo dominante *(pritanía)* proporcionaba un determinado número de personas que siempre estaban disponibles en caso de que una crisis necesitara ser tratada de inmediato. Además, todos los ciudadanos varones adultos servían como miembros de la Asamblea Popular, que se reunía en la Pnyx, una de las colinas de Atenas. Al menos 6.000 miembros tenían que estar presentes antes de que cualquier propuesta del Consejo pudiera ser votada y convertida en ley. Con este sistema democrático, gran parte del poder de

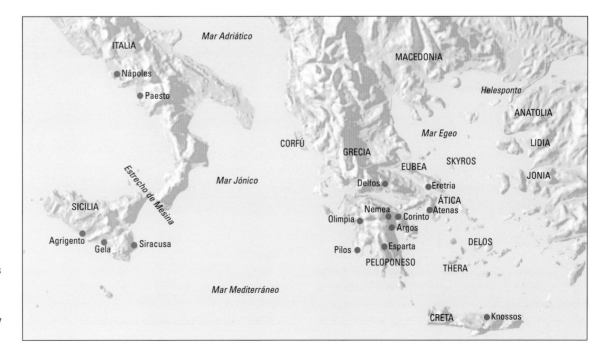

los *arcontes* pasó a los *estrategos* (comandantes militares). Había en total diez de ellos, uno por cada tribu. Eran elegidos anualmente (pero podía ser reelegidos) y llevaban a cabo las órdenes dadas por el Consejo y la Asamblea.

La justicia también estaba en manos del pueblo. Se elegían magistrados, se seleccionaban jurados por sorteo y los defensores y los acusadores tenían que hablar ante ellos (se utilizaban relojes de agua para limitar la longitud de los discursos).

Los atenienses no querían que ningún ciudadano consiguiera demasiado poder, de modo que desarrollaron un sistema que llamaron ostracismo. En un momento determinado del año, todos los ciudadanos eran convocados. Si alguien quería expulsar de la ciudad a otro, escribía su nombre en un fragmento de cerámica *(ostraca)* y lo colocaba en una urna. Si se reunían suficientes votos contra una persona concreta, ésta era expulsada. Aunque el sistema político ateniense concedía grandes poderes al pueblo y es la base del sistema democrático occidental, no incluía ni a las mujeres, ni a los esclavos y ni a los extranjeros.

La población de Atenas se dividía en dos grupos principales: hombres libres y esclavos. Los esclavos estaban completamente a merced de sus dueños, no podían poseer propiedades y tampoco casarse sin su permiso. Casi la mitad de los habitantes de Atenas eran esclavos. La mayoría trabajaba en las casas, pero otros lo hacían

en las canteras, los puertos o los talleres. En general, los esclavos estaban razonablemente bien tratados, con excepción de los desdichados que trabajaban diez horas diarias en unas condiciones terribles en las minas de Laurión.

Los hombres libres también se dividían en dos grupos: ciudadanos y *metecos*. Un ciudadano era alguien nacido de padres atenienses y se esperaba de él que participara en el gobierno, ya fuera un aristócrata o un campesino. Un *meteco* era alguien que había nacido de un matrimonio en el que uno de los miembros de la pareja no era ateniense. Un *meteco* tenía que estar patrocinado por un ciudadano y podía vivir en la ciudad por largo tiempo. Pagaban ciertos impuestos y servían en el ejército, pero no podían votar, poseer tierras o casas, ni casarse con ciudadanos. Aunque nunca podrían convertirse en ciudadanos, los *metecos* estaban socialmente aceptados, disfrutaban de la protección de la ley y podían desempeñar una profesión o dedicarse al comercio. Las mujeres tenían la categoría de su esposo o familiares masculinos, no permitiéndoseles tomar parte en la vida pública.

Esparta, principal rival de Atenas en el mundo griego, contaba con unos valores por completo diferentes. Los espartanos siempre habían sido amantes de la guerra y desarrollaron un modo de vida que se basaba por completo en los ideales militares. A la edad de siete años, los niños varones eran sacados de casa y entrena-

ARRIBA: El templo de Apolo en Corinto. Los griegos construyeron sus templos como casas para los dioses. Una habitación llamada *cella* contenía la estatua del dios, mientras que una segunda habitación servía como tesorería para guardar las ofrendas. El altar para los sacrificios estaba situado fuera del templo, a menudo en la puerta principal.

dos en las artes de la guerra y el deporte. A los 20 todos se convertían en soldados.

Esparta estaba gobernada por dos reyes que dirigían el ejército durante la guerra, pero el poder principal lo ejercían cinco magistrados elegidos por una Asamblea formada por todos los ciudadanos mayores de 30 años. El Consejo estaba formado por los dos reyes y 28 consejeros con más de 60 años, que eran elegidos de por vida. La Asamblea votaba a favor o en contra de las propuestas del Consejo.

Las mujeres no tenían permitido votar, pero gozaban de mayor libertad que las atenienses. Podían poseer propiedades y representarse a sí mismas ante el tribunal. Dado que todos los espartanos eran soldados, todos los demás trabajos eran llevados a cabo por los *ilotas* (esclavos) y *periecos* (extranjeros). Al contrario que los esclavos atenienses, los espartanos eran tratados con dureza y odiaban a su amos. Los espartanos eran famosos por su valentía, disciplina y lealtad; pero no fueron capaces de producir arquitectura, arte o literatura dignas de mención. Con el tiempo, no obstante, muchas de las ciudades-estado recurrieron a Esparta para domeñar el poder de Atenas.

COLINAS Y COMERCIO

Durante el siglo VI a.C., muchas ciudades-estado enviaron colonos para crear nuevas ciudades en regiones des-

pobladas. Aunque no se tienen claras las razones de este movimiento colonizador, es posible que en determinados momentos las familias más ricas animaran a los ciudadanos a dejar la ciudad y a fundar colonias para aliviar las tensiones políticas existentes en la *polis*. Las principales zonas colonizadas fueron Italia y Sicilia. De hecho, se crearon allí tantas ciudades que la zona comenzó a conocerse como la Magna Grecia. Se establecieron colonias tan lejanas como Massalia (Marsella, en Francia), Emporion (Ampurias, norte de España) y en Anatolia (Turquía).

Los griegos desarrollaron una gran actividad mercantil. Lo sabemos por la gran cantidad de objetos griegos que se han encontrado muy lejos de Grecia. Por ejemplo, una crátera (vaso) de bronce encontrada en Vix (centro de Francia) probablemente proceda de la colonia de Massilia (en la costa sur de Francia), que gracias al Ródano permitía al comercio griego alcanzar la Europa central. Durante el siglo VI a.C., los griegos crearon un puerto en Egipto, Naucratis, en el delta del Nilo, donde se han encontrado grandes cantidades de piezas de cerámica griega. En el puerto griego de Al Mina, en la costa este del Mediterráneo, también se han encontrado almacenes con cerámica griega, lo que parece sugerir que era uno de los puntos de contacto entre el mundo griego y el Oriente Próximo.

No cabe duda de que los puertos como Al Mina comenzaron a recibir productos exóticos procedentes de

DEBAJO: Los restos del oráculo (santuario) de Apolo en Delfos. Muchas personas, tanto griegos como extranjeros, desde reyes a ciudadanos, iban a consultar al dios Apolo sobre cuestiones importantes. Los visitantes sacrificaban un animal al dios y luego esperaban a que la pitia (sacerdotisa) diera una respuesta a su pregunta.

Oriente Medio, bellos objetos de oro, plata y bronce. Grandes cantidades de cerámica ateniense de figuras decoradas, fechada en los siglos VI y V a.C., se han encontrado también en cementerios etruscos de la Toscana, como Cerveteri, Tarquinia y Vulci.

El descubrimiento de varios naufragios antiguos ha demostrado cómo actuaba el comercio griego. Por ejemplo, un pecio del siglo V a.C. en Porticello, en el estrecho de Mesina, entre Italia y Sicilia, contenía ánforas (jarras para el transporte de vino o aceite de oliva), lingotes de plomo e incluso una cabeza de bronce.

SANTUARIOS Y DIOSES

Aunque no existía el concepto de Grecia como nación, la identidad griega se veía fortalecida por los santuarios que compartían, que eran utilizados por todas las ciudades. Los mejor conocidos son los de Delfos y Olimpia. Los santuarios organizaban competiciones atléticas con regularidad, con eventos como carreras, boxeo y carreras de carros. Un vencedor era recompensado con una corona de olivo y se le daba permiso para conmemorar su victoria con una estatua. Sólo los hombres griegos podían competir; los esclavos y los mujeres ni siquiera tenían derecho a ver la competición. Los juegos olímpicos tenían lugar durante un festival en honor del dios Zeus. Se enviaban heraldos a todas las ciudades para anunciar la fecha y declarar una tregua universal, con lo que las hostilidades quedaban suspendidas durante una semana.

Además de los santuarios, los griegos también construyeron templos, que suponían la casa terrenal de los dioses. En Atenas, los templos principales fueron situados en un afloramiento rocoso en el corazón de la ciu-

IZQUIERDA: Un vaso de «figuras negras» del siglo VI a.C. con la imagen de la diosa de la Guerra, Atenea, con casco, lanza y escudo. El color naranja procede de la arcilla natural, mientras que el negro es pintura aplicada al recipiente.

DERECHA: Dibujo de un hoplita (soldado de infantería) en un vaso griego. En el siglo VII a.C los hoplitas eran la parte más importante de los ejércitos de las ciudades-estado griegas. Lleva un casco de bronce, espinilleras, escudo, pica y espada corta.

dad llamado la Acrópolis. La diosa tutelar de la ciudad era Atenea y su templo principal, el Partenón, contenía una inmensa estatua suya de oro y marfil. El templo de mármol estaba decorado con esculturas, incluido un maravilloso friso que hoy se conserva en el Museo Británico de Londres.

Los griegos adoraban a muchos dioses. Los 12 principales se creía que vivían en el monte Olimpo, al noroeste de Grecia, y eran llamados olímpicos. Además, cada ciudad-estado tenía sus propios dioses locales. Zeus era el soberano de los dioses y controlaba los cielos. Estaba casado con Hera, que era la protectora de las mujeres. Poseidón era su hermano y el soberano de los mares; Hades era el rey del inframundo, el reino de los muertos.

Los dioses se comportaban como humanos: se casaban, enamoraban y sentían emociones como los celos y la rabia. Muchos mitos griegos narran historias sobre los dioses. La gente le rezaba al dios apropiado según transcurría su vida diaria y se le hacían sacrificios solicitando algún favor.

LAS GUERRAS PERSAS

En el siglo VII a.C. había dos grandes potencias dominantes al este de Grecia: Lidia y Persia. Los griegos mantenían buenas relaciones con Lidia y, aunque eran menos amistosas con Persia, las dos culturas comerciaban entre sí. No obstante, en el año 546 a.C., el rey persa Daría amplió su imperio conquistando Lidia y las colonias griegas de Jonia. En 499 a.C. las ciudades jonias se rebelaron contra sus gobernadores persas y recurrieron a sus amigos griegos en busca de ayuda. Fue el co-

Los científicos y filósofos griegos

Los griegos de la Antigüedad pensaban que los dioses eran responsables de la forma en que funcionaba el mundo, pero algo definitivo varió en el siglo VI a.C. Algunos de ellos empezaron a estudiar el mundo de un modo más científico. Sus descubrimientos fueron los cimientos de nuestro conocimiento sobre la ciencia.

Uno de ellos fue Anaxágoras, que fue expulsado de Atenas por proclamar que el Sol no era una deidad, sino una piedra al rojo vivo. Anaximandro fue más lejos todavía, al proponer una teoría del universo que no implicaba a los dioses y sugerir que la vida comenzó en el barro caliente, produciendo

primero los reptiles, luego los animales terrestres y por último los seres humanos. Además de plantear preguntas sobre el mundo físico, estos hombres también debatían sobre el comportamiento humano y el sentido de la vida.

Sus ideas sentaron las bases de la filosofía moderna. Tres de los más famosos filósofos fueron Sócrates, Platón y Aristóteles. Sócrates (sobre 469-399 a.C.) animaba a sus estudiantes a cuestionarse las creencias y prácticas establecidas. Nunca respondía a sus estudiantes, les hacía más preguntas. Las autoridades consideraron peligrosos sus puntos de

vista y fue obligado a cometer suicidio. Uno de sus pupilos fue Platón (sobre 427-347 a.C.), quien puso por escrito muchas de las enseñanzas de Sócrates en forma de diálogos. Platón fundó una escuela de filosofía, llamada Academia, en un bosquecillo en las afueras de Atenas.

El principal discípulo de Platón fue Aristóteles (384-322 a.C.), quien también crearía su propia escuela, llamada Liceo. Aristóteles escribió muchos libros, prácticamente sobre todos los temas conocidos. Entre Platón y Aristóteles crearon el marco de gran parte del pensamiento y el conocimiento occidentales.

Un dibujo del siglo XIX que representa el Liceo, la escuela de filosofía de Aristóteles. El método de enseñanza de Aristóteles seguía al de Sócrates y Platón; también él tuvo problemas con las autoridades y tuvo que huir de Atenas.

mienzo de una serie de batallas entre griegos y persas, que llegarían a ser conocidas posteriormente como las guerras persas.

Al final, las ciudades griegas formaron una alianza y la disciplina y tácticas de sus ejércitos llevaron a las victorias de Maratón (490 a.C.) y Platea (479 a.C.). En ellas los hoplitas (infantería) griegos se ganaron una reputa-

ción por su disciplina en la línea de batalla. Toda la unidad (falange) se movía como un solo hombre, barriéndolo todo delante de ella. En el año 480 a.C., 380 barcos griegos derrotaron a 1.200 barcos persas, más rápidos y grandes, en la feroz batalla naval de la bahía de Salamina.

Las guerras persas vinieron seguidas por una época de grandes logros para Atenas –llamada la Edad de Oro

El teatro

El teatro occidental tal como lo conocemos en la actualidad comenzó en la Grecia antigua como una fiesta religiosa. Las fiesta en honor de Dioniso incluían canciones y danzas interpretadas por un grupo de hombres llamado coro. Al principio, las fiestas probablemente tuvieran lugar en el mercado o en estructuras temporales, pero finalmente se terminó edificando un teatro permanente en una ladera cercana al santuario de Dioniso.

El teatro era semicircular, con filas de asientos que seguían la pendiente de la colina. Con el tiempo, según se fue desarrollando el drama, se construyeron teatros por todo el mundo griego que incluyeron edificios detrás de la orquesta (la zona al pie de los asientos) y un escenario elevado. Todos los actores eran hombres. Al principio, una obra consistía sólo en el coro, luego se añadió un actor para que dialogara con el coro y luego más actores, hasta que al final los actores acabaron siendo más importantes que el coro. Los teatros eran enormes (la mayoría podían acoger en torno a 18.000 personas), de modo que para ayudar a la audiencia a reconocer a los personajes, cada uno de ellos llevaba ropa de colores diferentes y una máscara pintada.

Las obras griegas no tardaron en dividirse en dos tipos: comedias y tragedias. Aristófanes (sobre 450-385 a.C.) era un maestro de la comedia. Muchas de sus obras se burlaban de los políticos de su época. Las más famosas son: *Las avispas*, *Los pájaros* y *Las ranas*. Tres grandes escritores de tragedias fueron Esquilo, Sófocles y Eurípides. Esquilo (sobre 525-456 a.C.) escribió tragedias sobre dioses y héroes. Las más famosas son tres tragedias sobre el rey Agamenón y su familia, que conforman la *Orestiada*. Sófocles (sobre 496-406 a.C.) fue el primer autor en concentrarse en los personajes humanos en vez de en los dioses. Sus obras más famosas son *Antígona*, *Edipo rey* y *Electra*. Eurípides (sobre 485-406 a.C.) escribió obras que incluían algunos papeles femeninos muy importantes. Las más famosas son *Medea*, *Las troyanas* y *Orestes*. Muchas obras de teatro griego antiguo se han perdido (en ocasiones sólo se conservan fragmentos), pero otras todavía se representan en la actualidad y han influido en escritores de todas las épocas.

El teatro de Epidauro, del siglo IV a.C., acogía a 14.000 personas sentadas en 55 filas de asientos.

(479-431 a.C.)–, cuando la ciudad se enriqueció gracias al comercio y se convirtió en un aclamado centro de filosofía, escultura, poesía y teatro. El líder ateniense durante gran parte del siglo V a.C. fue Pericles. Fue un general reconvertido a político que animó a muchos artistas e intelectuales a estabalecerse en la ciudad. También dio comienzo al programa constructivo que produjo alguno de los mejores edificios de Atenas, incluidos los de la Acrópolis.

La prosperidad de Atenas y su posición como líder de la Liga de Delos (una alianza de ciudades creada para contrarrestar cualquier nueva amenaza persa) tuvo como consecuencia que la ciudad comenzara a dominar todo el mar Egeo. Esto condujo a rivalidades con la ciudades de Corinto y Esparta, y finalmente a la Guerra del Peloponeso, que comenzó en el año 431 a.C.

La guerra duró 27 años, terminando en 404 a.C., cuando Esparta ocupó Atenas. Los espartanos derribaron los muros de la ciudad, prohibieron la democracia en favor de la oligarquía, o gobierno de unos pocos, conocidos como los Treinta Tiranos, y creó en Delfos un elaborado monumento para celebrar su victoria. No obstante, los costes de la guerra para ambos lados habían sido elevados y ni Atenas ni Esparta se recuperaron del todo de su larga lucha.

La victoria espartana no consiguió llevar la paz a Grecia y la guerra estalló de nuevo entre las ciudades, que por entonces estaban demasiado ocupadas como para darse cuenta del surgimiento de una nueva potencia en el noroeste, en Macedonia. Filipo II se sentó en el trono de Macedonia en 359 a.C. En los 23 años que reinó antes de en ser asesinado, en el año 336 a.C., unificó su país y convirtió a Macedonia en el mayor poder militar de su época. En el proceso de extender su imperio derrotó a todas las ciudades helenas y se hizo con el control de toda Grecia.

La creación de la *polis* no sólo tuvo una fuerte influencia en la política de los griegos, sino que también determinó el modo en que vivían y el entorno en donde

lo hacían. Cuando ello era posible, las calles se trazaban ortogonalmente para crear manzanas; un lugar plano adecuado se convertía en la plaza principal (*ágora*) y se construían impresionantes edificios públicos de piedra con techumbres de tejas. Un tipo de edificio muy popular era la *stoa*. Se trataba de un salón con pasillos por tres lados, con una fila de columnas en el lado libre y un techo para proporcionar protección contra el sol y la luvia. Las *stoas* se construían a menudo en torno a la plaza central y contenían tiendas detrás de la columnata. La mayor parte de las ciudades contaban también con un teatro, un gimnasio y un santuario dedicado al dios local.

LA VIDA DIARIA EN GRECIA

En cambio, las casas particulares solían estar construidas con adobes, con un techo de madera protegido por tejas de barro cocido. En el centro de la casa había un patio abierto al cual daban las puertas de las habitaciones del primer piso, mientras unas escaleras conducían a las habitaciones superiores. Muy pocas de estas casas han sobrevivido, de modo que no sabemos con exactitud cómo era el interior de la casa típica.

No obstante, los arqueólogos han encontrado varias estructuras domésticas en Atenas. Algunas contienen talleres, donde se realizaban bronces y esculturas. Es posible identificar la zona de los hombres, que incluía un comedor en el que se reunían para los *simposia* (fiestas de bebida). En estos comedores se disponían divanes junto a los muros de la estancia, dejando el centro para la crátera donde se mezclaba el vino con el agua. Los muebles eran por lo general de madera y de diseño sencillo. Las personas ricas poseían muebles más elaborados, que podían estar taraceados con plata, oro o marfil. Sus casas pueden haber tenido una habitación con un pequeño baño; el agua procedía de pozos y cisternas. Las lluvias eran raras, pero muchas casas contaban con una alberca que era vaciada regularmente.

La antigua Grecia era sobre todo un mundo masculino. Los chicos eran enviados al colegio para aprender a leer, escribir, música y a prepararse para las competiciones deportivas. Los alumnos eran escoltados hasta y desde el colegio por un esclavo, llamado *paidagogos*. La escolaridad no era gratuita, de modo que los chicos pobres posiblemente no consiguieran más que una educación muy básica. Las chicas se quedaban en casa y sus madres les enseñaban a cocinar y tejer. A los 18 años los atenienses eran aceptados en la *filae* (tribu) y comenzaban dos años de entrenamiento militar, mientras que una chica por lo general era casada a la edad de 15 años con un hombre mucho más viejo, escogido por su padre. Las mujeres no tenían ninguna autoridad, excepto dentro sde la casa, donde eran las responsables de las tareas domésticas. Por lo general, hombres y mujeres vivían en secciones separadas de la casa. Las mujeres de clase alta muy raras veces salían de su casa y, cuando lo hacían, tenían que hacerlo escoltadas por un esclavo. Las mujeres

---

La arquitectura griega

La arquitectura griega ha influido en los estilos arquitectónicos occidentales hasta la actualidad. Había tres tipos de estilos arquitectónicos distintos, basados en tres tipos diferentes de columnas.

Los estilos dórico y jónico aparecieron entre finales del siglo VIII y comienzos del siglo VI a.C. El estilo dórico, con sus macizas columnas y capiteles (la parte superior de la columna) sin decorar, era predominante en la Grecia continental y las colonias griegas de Italia y Sicilia.

El estilo jónico, más elaborado, tenía unas columnas más delgadas y capiteles con espirales. El estilo jónico se utilizaba en proyectos más grandiosos, diseñados para mostrar el poder y riqueza de las ciudades orientales griegas de Jonia (la actual Turquía). El estilo mixto, llamado en ocasiones corintio, es una combinación del dórico y el jónico. Sus capiteles contienen hojas de acanto talladas y se convirtió en el estilo principal de la arquitectura romana.

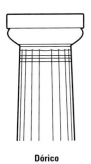
Dórico

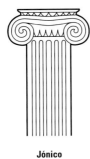
Jónico

Mixto/Corintio

Los tres estilos de las columnas griegas. Las columnas dóricas eran de diseño sencillo y pueden haber sido una imitación en piedra de una columna de madera. El jónico era más decorativo, mientras que el estilo mixto, con sus capiteles con hojas, estaba adornado de forma más extravagante.

menos pudientes gozaban de más libertad, porque tenían que trabajar.

VESTIDOS Y CERÁMICA

La escultura, cerámica y joyería de los griegos nos proporcionan mucha información sobre el modo en que vestían. En la Grecia continental las mujeres vestían el *peplo*, una tela de lana en torno al cuerpo, ceñida al pecho y sujeta con alfileres en los hombros. En jonia, las mujeres tendían a vestir el *chiton*, una túnica (por lo general de lino) que en ocasiones tenía manga larga con botones. La moda variaba de telas ajustadas y coloridas hasta vestidos lisos, pasando luego a vestimentas con dibujos y adornos de oro. Los hombres llevaban túnicas sencillas sujetas en los hombros, además de una tela rectangular (llamada *himation*) que se envolvía en torno al cuerpo con uno de sus extremos descansando sobre un hombro.

Por lo general, la gente iba descalza gran parte del tiempo, sobre todo en el interior de las casas. Las sandalias de cuero eran el calzado habitual, pero también había zapatos. Los jinetes llevaban botas de media caña. Los sombreros protegían a hombres y mujeres del sol. La gente pudiente llevaba joyas de oro, plata y marfil.

Aunque la cerámica griega estaba pensada para el uso diario, estaba siempre bellamente decorada. Había varios centros que producían esta cerámica decorada.

Durante los siglos VII y VI a.C., en Corinto se produjeron cerámicas de formas diversas, todas ellas deco-

La literatura griega

Dos famosos poemas épicos nos han llegado de los antiguos griegos: la *Ilíada* y la *Odisea*. Hasta hace poco, se creía que habían sido escritos en el siglo IX a.C. por un poeta ciego llamado Homero; pero actualmente los especialistas piensan que pudieron haber sido escritos por varios poetas a lo largo de un dilatado periodo de tiempo. En un primer momento, los poemas habrían sido transmitidos de forma oral, siendo finalmente puestos por escrito alrededor de 700 años a.C., en la forma en que hoy los conocemos. Los poemas épicos son largas narraciones de los acontecimientos producidos durante y después de la Guerra de Troya, que enfrentó a Grecia y la ciudad de Troya (localizada en la actual Turquía). El poema habla de la belleza de Helena de Esparta (la causa de la guerra), las heroicas hazañas de los hombres y las conjuras y contraconjuras de los dioses (que tomaban partido por los diferentes bandos). También nos ofrecen una de las escasas imágenes vívidas que poseemos de la vida en la Grecia de la Edad Oscura (en torno a 1100-800 a.C.) Las historias de la *Ilíada* y la *Odisea* han inspirado e influenciado a muchos escritores a lo largo de los siglos.

Alejandro Magno

AlejandroMagno fue uno de los grandes comandantes militares del mundo antiguo. También fue, en virtud de su extraordinaria campaña de conquista que le llevó hasta regiones tan lejanas como la India, uno de los mayores exploradores de la Antigüedad.

Alejandro nació en Macedonia, al noroeste de Grecia, en el año 356 a.C., hijo del rey Filipo II. Cuando se convirtió en rey, a la edad de 20 años, comenzó una campaña militar para hacerse con el poder de Persia. Una serie de ininterrumpidas victorias le permitió derrotar al ejército de Darío, el rey persa, además de conquistar Anatolia y Egipto. En el valle del Nilo fue reconocido como faraón (rey) y penetró profundamente en el desierto africano para alcanzar el oráculo de Amón, situado en el oasis de Aiwah.

A continuación, Alejandro se dirigió hacia el este, marchando sobre Mesopotamia y Persia, conquistando las ciudades de Babilonia y Persépolis. A pesar de la muerte de Darío, el rey persa, Alejandro decidió continuar hacia el este, hacia las tierras que se encontraban tras las altas montañas del Hindu Kush. No estaba seguro de lo que encontraría allí, aparte de «densos bosques y vastos desiertos», pero creía que podía ser el final del mundo (que por entonces se creía plano). Pese a ello, en el año 329 a.C. se enfrentó a las montañas. Cuando sus hombres se quedaron sin comida, se vieron obligados a comerse crudos a los animales de carga, pues no había madera como combustible. A pesar del sufrimiento, cuando alcanzó el otro lado de las montañas, las tierras de los bactrios y los escitas, su ejército era una fuerza victoriosa.

Alejandro cruzó entonces el río Indo con un ejército de 75.000 soldados y derrotó al rey indio Poros. Creía que la India era la última provincia de Asia y que con ella su conquista habría concluido. Pero mientras dirigía su ejército hacia el norte y el este se dio cuenta de que la India era mucho mayor de lo que le habían hecho pensar.

La gran campaña había durado ocho años y durante la misma su ejército había recorrido una distancia casi idéntica a la mitad de la circunferencia de la Tierra. Una marcha que la infantería de Alejandro anduvo poniendo un pie tras otro. Cansados y nostálgicos, sus soldados se negaron a seguir avanzando.

En el viaje de regreso, Alejandro envió a uno de sus generales, Nearco, a comprobar si Mesopotamia y la India podían comunicarse por mar. Nearco descendió por el Indo y luego remontó el golfo Pérsico, para unirse con el ejército de Alejandro cerca de la desembocadura del Tigris (en la actual Iraq).

Alejandro envió otras tres expediciones para explorar el golfo Pérsico e incluso pensó en mandar una expedición en torno a África. Sin embargo, murió a la edad de 32 años, posiblemente de malaria, tras su regreso a Babilonia.

ARRIBA: Sección de una típica casa griega, construida en torno a un patio central. El dibujante ha incluido algunos de los muebles y actividades que pudieron haber tenido lugar en cada habitación.

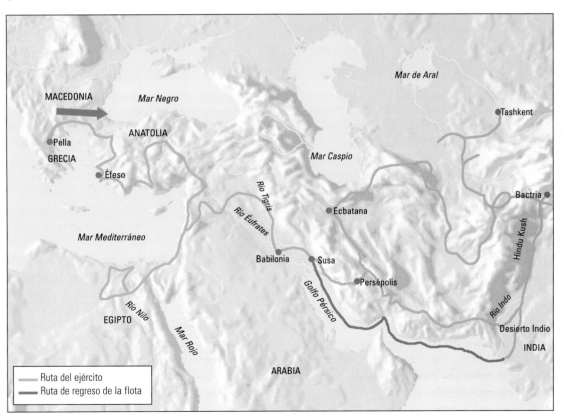

En el año 332 a.C., Alejandro Magno había conquistado un imperio que se extendía desde Grecia hasta la India. El mapa muestra el camino recorrido por su ejército durante los ocho años de campaña desde su partida de Grecia, a través de un territorio que en gran medida era desconocido para los macedonios. Además, en el viaje de regreso envió una flota para que navegara desde la desembocadura del Indo hasta alcanzar la desembocadura del Tigris, en el golfo Pérsico.

IZQUIERDA: Escena pintada en una copa fechada sobre 560 años a.C., que muestra el pesaje y almacenamiento en la cocina de una hierba llamada silfio. El silfio era un producto valioso que crecía en la colonia griega de Cirene, norte de África, y con la que se comerciaba en el resto del mundo antiguo.

radas con bandas decoradas con animales exóticos del este, como leones, o animales míticos, como esfinges. La cerámica fabricada en Atenas entre los siglos VI al IV a.C. proporciona una importante información sobre la vida social griega, puesto que está decorada con escenas de la vida diaria, así como con imágenes que ilustran historias sobre los dioses.

Había dos técnicas principales para decorar la cerámica. Una es la llamada de figuras negras, en donde figuras «vidriadas» se pintaban sobre el color naranja natural de la cerámica. La otra era la llamada de figuras rojas, donde las imágenes era perfiladas en negro y luego dejadas de color rojo sobre el fondo negro «vidriado». Los griegos gustaban de celebrar fiestas de bebida y muchos de los recipientes se hacían con ese propósito: ánforas para contener el vino y el agua, cráteras para mezclar el agua y el vino, jarras (*oinochoai*) para verter y copas para beber.

ESCULTURA

Los antiguos griegos eran famosos por sus esculturas del cuerpo humano. Los helenos crearon estatuas por varias razones. A menudo una estatua del dios se colocaba en el templo para centrar la adoración. Una de las más famosas era la estatua en oro y marfil de Zeus sentado en su trono, en Olimpia. Las personas que iba a adorar a un templo podían colocar una estatua del dios e incluso de sí mismos en el santuario como señal de su devoción.

En ocasiones, los atletas que habían conseguido victorias en los juegos organizados por los santuarios colocaban un monumento que la conmemorara. Las ciudades podían erigir retratos de sus ciudadanos prominentes en lugares públicos. Por último, las esculturas también podían utilizarse para indicar dónde había una tumba.

Pot lo general, los cementerios se encontraban fuera de las murallas de la ciudad. Dado que los objetos personales solían enterrarse junto al muerto para su uso en el más allá, gran parte de lo que conocemos sobre los griegos procede de la excavación de las necrópolis. En la Atenas del siglo VIII a.C., dentro de las tumbas se colocaban ánforas decoradas con escenas de gente de duelo, de pie alrededor del cadáver, situado sobre un lecho. Los griegos creían que las almas tenían que pagale una moneda a Caronte, el barquero, para que las llevara en su barca a través de la laguna Estigia hasta el Más Allá. Allí eran juzgados según el modo en que hubieran vivido sus días terrenos.

Los celtas

Los celtas era un grupo de tribus feroces y guerreras que vivieron en la Europa central y occidental entre los siglos VIII y I a.C. Se les conocía por su habilidad como jinetes, hablaban lenguas semejantes y compartían, asimismo, muchas costumbres religiosas y artísticas.

Aunque los propios celtas eran analfabetos y no dejaron documentos escritos, gran parte de la historia celta puede ser reconstruida a partir de los escritores romanos. Gracias a sus textos sabemos que en el siglo IV a.C. colonos y guerreros celtas procedentes del norte de los Alpes atacaron Italia y los Balcanes. Los celtas saquearon Roma en el año 390 a.C. y en 279 a.C. llegaron nada menos que hasta Delfos, en Grecia. En el siglo III a.C. se podían encontrar celtas tan al este como los Balcanes y Anatolia.

El ejército romano luchó denodadamente contra los invasores «bárbaros» y los derrotó en la batalla de Telemón, en el norte de Italia, en el 225 a.C. Posteriormente, los romanos se apoderaron gradualmente de las tierras celtas de Italia, Hispania (la actual península Ibérica) y Anatolia.

El comandante romano Julio César comenzó a conquistar la Galia (la actual Francia) en el año 50 a.C. Según los romanos iban penetrando en las regiones celtas, mataban o tomaban prisioneros en masa. De una población de entre seis y siete millones de celtas, un millón fueron asesinados y otro millón vendidos como esclavos. A finales del siglo I d.C., los romanos habían conquistado gran parte de Inglaterra y Gales; además, toda la Europa central al sur del Rin y el Danubio estaba en sus manos. Los celtas que vivían fuera de esas regiones habían sido derrotados por las tribus germánicas del norte y los dacios, al este.

En el siglo V d.C. todos los restos de cultura celta habían desaparecido de Gran Bretaña y la Galia, cuando las invasiones germanas siguieron al colapso del Imperio romano. En la actualidad, las lenguas celtas sobreviven exclusivamente en los extremos occidentales de Europa: Escocia, Irlanda, Gales, Bretaña (Francia) y Galicia (España).

LA CULTURA CELTA

En la cultura celta se aprecian dos grandes periodos. Uno es el de Hallstatt, que se extendió entre los años

IZQUIERDA: Este cuenco de plata, decorado con figuras y escenas mitológicas, se fabricó para ser utilizado durante los rituales celtas. Fue depositado en una ciénaga danesa como parte de una ceremonia sagrada. Una escena que se repite en el interior muestra a un cazador a punto de matar a un toro con una espada.

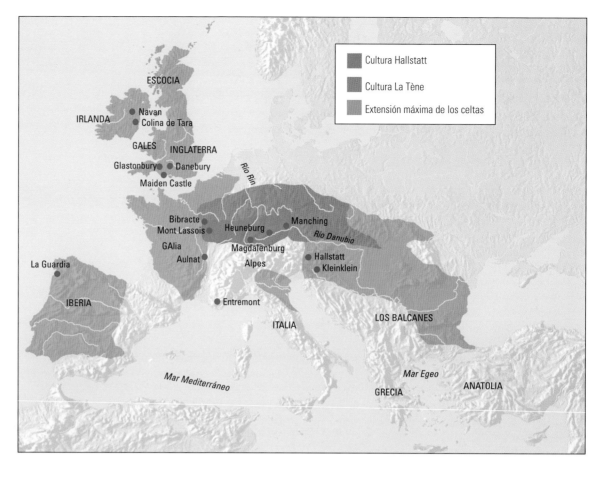

DERECHA: Mapa con algunas de las ciudades, castros y túmulos funerarios de la Europa celta y de la Edad del Hierro. La cultura celta floreció primero en la región de Hallstatt (de color rojizo en el mapa) y luego en la región de La Tène (de color azulado). En el siglo III a.C. los celtas se extendieron por la mayor parte de Europa y llegaron hasta los Balcanes (como se ve por la zona verde).

Cultura Hallstatt

Cultura La Tène

Extensión máxima de los celtas

ESCOCIA

IRLANDA

Navan
Colina de Tara

GALES

INGLATERRA

Glastonbury   Danebury

Maiden Castle

Río Rin

Bibracte
Mont Lassois   Heuneburg   Manching

Río Danubio

GAlia
Aulnat   Magdalenburg
Alpes   Hallstatt
Kleinklein

La Guardia

IBERIA   Entremont

ITALIA   LOS BALCANES

Mar Mediterráneo   Mar Egeo   ANATOLIA
GRECIA

DEBAJO: Un torques (gargantilla) de oro que un guerrero celta habría llevado a la batalla. Los celtas creían que la decoración de estos objetos tenía cualidades mágicas.

800 y 500 a.C., y el otro es el de La Tène, que duró entre 500 a.C. y 50 d.C. La cultura Hallstatt recibe su nombre del cementerio de Hallstatt, en Austria, Europa central. Por lo que sabemos, eran gentes que trabajaban el hierro con habilidad y buenos jinetes. Establecieron una industria de explotación de las minas de sal y un imperio comercial. Una rica elite de jefes vivía en asentamientos fortificados en la cima de colinas y era enterrada con muchas de sus posesiones: armas, joyas, carros y otros bienes de lujo.

Con posterioridad al siglo V a.C. cesaron los ricos enterramientos y la cultura Hallstatt declinó con rapidez. La cultura de La Tène, que la siguió, llamada así por un poblado junto a un lago en Suiza, tenía centros de poder en la zona al norte de la región de Hallstatt. Los guerreros celtas que cruzaron los Alpes en el siglo IV a.C. procedían de la cultura de La Tène. La región de La Tène también fue donde se originó ese estilo artístico que se conoce como celta.

Los griegos y los romanos consideraban a los celtas como enemigos peligrosos, pero vulnerables. La furia de los celtas en la guerra era legendaria y su valentía y experto dominio de los caballos eran muy admirados. No obstante, se los consideraba carentes de la disciplina de los soldados griegos y romanos. Algunas de las prácticas celtas, como conservar las cabezas cortadas de los enemigos distinguidos y presentárselas a los visitantes, eran consideradas horribles por los pueblos mediterráneos.

El guerrero celta era completamente distinto al legionario romano. Llevaba el pelo largo blanqueado con cal y vestía pantalones en vez de túnica. También llevaba joyas y una colorida capa a cuadros. Por lo general llevaba una larga espada de hierro, una lanza y un gran

Un poblado celta

El dibujo muestra lo que podría haber sido un poblado iceni en Gran Bretaña. Cobijaba a unas 100 personas y estaba construido cerca de un arroyo de agua potable. El poblado estaba rodeado por una empalizada de estacas de madera y un foso; la única entrada estaba guardada por una atalaya. El puente levadizo sobre el foso se movía mediante un sistema de contrapesos que se situaban en cestas colgadas de largos postes, lo que permitía izarlas cuando se acercaba el enemigo. A menudo, en lo alto de la atalaya colocaban las cabezas cortadas de los enemigos.

Dentro del poblado había varios tipos de casas, todas construidas con madera y techadas con paja. La casa redonda pertenecía al jefe y su familia, y durante el invierno era en ella donde se reunían los guerreros para realizar fiestas y beber. Los guerreros vivían en la casa grande junto a sus familias, una residencia que contaba con una sección donde había un fuego en el que las mujeres preparaban las comidas. Es posible que durante el invierno el ganado también fuera introducido en la casa. En torno al interior de la empalizada había viviendas mucho más pequeñas, donde vivían los ancianos y los enfermos. Otros edificios incluían una casa para los carros, un silo y un ahumadero, donde los habitantes secaban y ahumaban carne y pescado para conservarlos hasta el invierno. En el centro del poblado había un profundo pozo con serpientes venenosas en el fondo. Era el pozo de las serpientes, al que eran arrojados los prisioneros enemigos y los malhechores, donde se les dejaba morir.

escudo de piel. El casco y la cota de malla le daban una protección adicional, si bien hay muchos textos que nos dicen que los guerreros celtas iban desnudos a la batalla, excepto por el torques (gargantilla decorada de oro o bronce).

La guerra era extremadamente importante para la sociedad celta. Las tribus estaban gobernadas por elites guerreras para las cuales su reputación de valentía en la batalla era una importante fuente de poder. El fracaso, en especial en el caso de un jefe, no era aceptable, y en ocasiones los jefes celtas se suicidaban para no sufrir la humillación de la derrota. El poder de un guerrero celta venía determinado también por el número de sus seguidores, de modo que su habilidad para distribuir la riqueza conseguida a través de las incursiones o las conquistas era de gran importancia.

La agricultura era la principal actividad de una comunidad celta. Aunque su práctica variaba con el tipo de tierra, por lo general los celtas utilizaban una agricultura mixta, con ganado y cultivos. El campo estaba cubierto de pequeñas granjas y poblados, con asentamientos fortificados en las cumbres que servían como mercados, centros artesanos y capitales tribales.

LAS MUJERES CELTAS

En la sociedad celta, las mujeres ocupaban una posición más importante que en las sociedades griega o romana. Su habilidad como luchadoras es mencionada por varios escritores y tenían derecho legal a la propiedad tras casarse. La existencia de importantes líderes femeninos, como la reina Boudicca de la tribu iceni –los más temidos adversarios por los romanos en Gran Bretaña– demuestra que era posible que las mujeres ocuparan cargos muy importantes.

Al mismo tiempo que conquistaban sus tierras en Italia, Iberia y Anatolia, los romanos iban creando lazos comerciales con los pueblos celtas sin conquistar de la Galia y el centro de Europa. Roma necesitaba materias primas y esclavos. Los jefes celtas locales necesitaban

La difusión del hierro

Fundir mena de hierro era mucho más complicado que hacer bronce. El método para extraer hierro de su mena fue descubierto por los hititas en Anatolia aproximadamente a mediados del segundo milenio a.C. Durante siglos fue un secreto celosamente guardado, pero tras la descomposición del Imperio hitita en el siglo XII a.C., la técnica se difundió, primero por el Egeo y luego por el resto de Europa. En el siglo VIII a.C. el hierro ya se trabajaba ampliamente en la región de la cultura celta de Hallstatt.

A pesar de que el trabajo del hierro era más complejo y laborioso que el del bronce, el nuevo metal tenía dos ventajas principales. La primera es que aparecía de forma natural en grandes cantidades y en una zona más amplia que el cobre y el estaño, los dos elementos que formaban el bronce, por lo que era más barato. Segundo, era un metal mucho más fuerte que el bronce y podía ser afilado mucho mejor. Esto dio a los celtas una ventaja en la batalla y también les permitió talar bosques y arar la tierra de un modo más eficaz.

DERECHA: Un escudo de bronce decorado encontrado en el Támesis, en Londres, donde pudo haber sido lanzado como parte de una ceremonia religiosa.

bienes de lujo que entregar a sus seguidores y las oportunidades de conseguirlos mediante el saqueo habían disminuido. De modo que se creó un floreciente comercio y, según fue aumentado el volumen del mismo, la moneda se fue difundiendo cada vez más. Muchos de los poblados y castros celtas se transformaron en complejos asentamientos comerciales conocidos como *oppida*. Sólo en la Europa del noroeste continuó la vida casi igual que en los siglos anteriores.

LOS BARDOS CELTAS

Aunque los celtas carecían de una literatura escrita, poseían una clase profesional de poetas, narradores de historias y músicos: los bardos. Los bardos pasaban por un periodo de formación de 12 años, aprendiéndose de memoria una vasta tradición oral de poemas-historias. También componían canciones para honrar o burlarse

IZQUIERDA: Aunque los celtas luchaban con espadas de hierro, sus cascos y escudos a menudo eran de bronce. Este casco decorado de bronce fue encontrado en el norte de Gran Bretaña.

de gente todavía viva, por lo que eran tratados con gran respeto por los jefes y los guerreros, para los cuales la reputación lo era todo.

Los celtas utilizaban un calendario muy parecido al actual y sus fiestas caían en momentos significativos del año agrícola. La principal de ellas tenía lugar el 1 de noviembre y señalaba el fin del año en curso y el comienzo del año nuevo. Conocido en Irlanda como Samain, era el momento en que los espíritus de los muertos podían vagar libremente. Tradición que se ha conservado hasta nuestros días con la fiesta de Todos los Santos y el Halloween anglosajón.

Los celtas creían en un gran número de dioses, más que en una única deidad todopoderosa. Aunque estos dioses variaban de región en región, se pueden identificar tres figuras centrales: el dios de la tribu, asociado con la guerra; el dios del cielo y la tierra; y el dios de la artesanía. El número tres tenía un significado especial para los celtas; en el arte celta hay muchas estatuas con tres cabezas y dibujos con tres lados.

Algunas ceremonias religiosas implicaban el ritual de lanzar objetos valiosos a pozos, ríos, arroyos, ciéna-

Arte celta

La civilización de La Tène, del siglo v a.C., tiene fama por el estilo de sus artes decorativas, que se han llegado a conocer como arte celta. Especializados y muy hábiles, sus artesanos fabricaban espejos, escudos y mangos de espada en oro y bronce. Influidos tanto por el arte mediterráneo como por el arte del este de Europa, desarrollaron un estilo original caracterizado por sus líneas en volutas y sus dibujos irregulares. Algunos animales y motivos utilizados en el arte celta poseían significado religioso. Por ejemplo, se piensa que los verracos y cuervos, visibles a menudo en armas y armaduras, representaban a dioses de la guerra en forma de animal. No obstante, gran parte del significado oculto del arte celta se ha perdido.

Parte posterior de un espejo de bronce encontrado en Desborough, Gran Bretaña. Está ricamente grabado con las típicas volutas de la cultura de La Tène. Los círculos del dibujo probablemente se realizaron con un compás.

gas o lagos. Los especialistas religiosos, conocidos como druidas, actuaban como intermediarios entre el hombre y los dioses. Además de supervisar todos los sacrificios, los druidas actuaban como jueces en causas criminales y tenían el poder de excluir de la vida religiosa de la comunidad a todos aquellos encontrados culpables. También tenían capacidad para comenzar rebeliones y unificar a las tribus contra Roma.

DEBAJO: Los celtas estaban en guerra constantemente, por lo que construyeron sus castros sobre colinas para cobijar a grandes comunidades. Éste de la fotografía se encuentra en Gales y está protegido por una doble muralla de piedra en seco.

El castro de Danebury Hill

Danebury Hill es uno de los muchos castros que se construyeron en el sur de Gran Bretaña entre los años 1000 y 500 a.C. Los castros eran los centros comunales de le época, pues servían de plazas de mercado y lugar para las fiestas religiosas, además de ser un refugio en tiempo de peligro.

Los castros estaban rodeados por altos terraplenes de tierra y profundas zanjas. El único modo de penetrar en ellos era la entrada dispuesta en la muralla. En el interior había grupos de casas redondas, filas de graneros, talleres, pozos-almacén y caminos. Los castros eran el centro de la vida local, allí donde las comunidades agrícolas circundantes almacenaban sus cosechas, donde los comerciantes realizaban sus transacciones y donde se celebraban las fiestas religiosas. En tiempos turbulentos servían como refugios, cobijando a la gente, sus posesiones y sus animales hasta que el peligro pasaba.

Cientos de castros se conocen en Gran Bretaña y muchos de ellos han sido parcialmente excavados. Gracias a la información que proporcionan, sabemos mucho de la vida diaria de la Gran Bretaña de la Edad del Bronce, anterior a la invasión de Roma.

Durante tres semanas del verano de 1969, el arqueólogo británico Barry Cunliffe excavó trincheras de prueba en el castro de Danebury Hill, en el condado inglés de Hampshire. No tardó en comprender que un grupo de árboles centenarios estaba dañando el castro prehistórico de 2.500 años de antigüedad. Dado que un hongo se estaba comiendo la corteza de los árboles y matándolos, las autoridades locales estuvieron de acuerdo en que podían ser talados, por lo que fue posible para los arqueólogos excavar la zona antes de que fueran plantados nuevos árboles. La «excavación» de Danebury Hil duró 20 años. Cada verano, los secretos de Danebury fueron saliendo gradualmente a la luz, hasta que más de la mitad de las cinco hectáreas del castro terminaron excavadas.

LAS DEFENSAS

La transformación de Danebury de colina a castro comenzó en torno al año 600 a.C., cuando una amplia zona de la cima fue rodeada por un muro de madera de unos metros metros de altura. Un terraplén detrás del mismo le servía de apoyo. Delante del muro había una zanja para mayor protección contra los invasores. En torno al año 400 a.C. esta disposición cambió de forma dramática. En lugar de un muro de madera se construyó un terraplén que terminaba con una zanja en V. La distancia entre el fondo de la V y la parte superior de la muralla era de unos 16 metros. Esto habría hecho que fuera muy difícil de escalar para una fuerza atacante, sobre todo si estaba siendo acribillada con proyectiles.

El punto vulnerable de los castros era su entrada. En la entrada principal este de Danebury, sus constructores crearon un elaborado sistema de murallas y zanjas para hacer que a los atacantes les resultara extremadamente difícil penetrar en él. Incluso si uno de ellos conseguía traspasar la entrada exterior, después tenía que conseguir atravesar un pasaje flanqueado por murallas de pedernal, desde lo alto de las cuales los defensores podían utilizar hondas para atacar a los invasores con piedras. El castro fue utilizado durante 500 años por la comunidad

IZQUIERDA: El castro de Danebury Hill se encuentra en el condado de Hamshire, en el sur de Inglaterra.

DEBAJO: La parte superior de la muralla del castro tal como se encuentra en la actualidad. Danebury estaba protegido por un formidable sistema de zanjas y murallas.

donde quedaban protegidas del viento. En su interior había hogares, hornos y pozos en donde se guardaba la comida y los bienes personales. Graneros cuadrados, erguidos sobre fuertes pilares de madera, conservaban el grano por encima del nivel del suelo. Entonces, como ahora, la gente hacía lo que fuera para proteger la comida de las plagas.

La principal ocupación de la gente era la agricultura. Los granjeros criaban ovejas, reses y cerdos, además de cultivar trigo y cebada en los campos alrededor de la colina. Los restos de sendas indican que los animales eran arreados hasta el poblado de la colina, en donde eran sacrificados (se han encontrado millares de huesos).

La gente vivía a base de una dieta de productos animales y de cereales. Los animales de granja dan carne, leche y queso, mientras que el grano se convertía en harina para hacer pan o se guisaba para hacer gachas. Frutas del bosque, bayas, plantas y nueces también aparecían en el menú de la Edad del Hierro. En Danebury se utilizaba sal marina, como indican los fragmentos de contenedores de barro cocido con restos de ella. La sal era una parte esencial de la dieta y también se utilizaba para preservar la carne.

El hilado y el tejido eran cosa habitual en las casas de Danebuty. Para desenredar la tosca lana de las ovejas se utilizaban peines hechos de cuerno o hueso. La lana era luego hilada con la ayuda de husos girados a mano con pesas de barro o piedra. La ropa se tejía en telares verticales y probablemente se teñía con tintes vegetales.

Los herreros hacían objetos diversos, como herramientas y joyas de hierro y bronce. La pizarra de la costa sur también encontró modo de llegar hasta Danebury, donde era transformada en brazaletes.

Parece haber pruebas que demuestran que los habitantes de Danebury llevaban a cabo cierto tipo de ritual o magia. En el fondo de pozos, cuidadosamente colocados, aparecieron cráneos de caballo y vaca. En otros pozos aparecieron restos de cacharros de cerámica, aparentemente rotos a propósito. Puede que de esa forma los habitantes del castro estuvieran dándole ofrendas de alimento a los dioses a cambio de buenas cosechas.

LOS ÚLTIMOS DÍAS DE DANEBURY

Durante unos 300 años hubo pocos cambios en la comunidad de Danebury. La vida diaria transcurría como siempre, siguiendo el cambio de las estaciones y el ciclo agrícola. Los terraplenes se mantenían en buenas condiciones, la zanja se limpiaba, nuevos edificios reemplazaban a los viejos, etc.

Sin embargo, en torno al año 100 a.C., el castro fue abandonado. Su entrada de madera se quemó y las zanjas defensivas comenzaron a rellenarse con el barro de derribo procedente de los terraplenes. Por razones desconocidas, la comunidad abandonó el poblado del castro, dejando que la naturaleza lo reclamara.

campesina de las tierras bajas circundantes. Si bien algunas personas vivían en el propio castro, muchas más vivían en granjas dispersas por el ondulado y calizo terreno circundante. El número de personas que pudo haber vivido a la vez en el castro no debió de sobrepasar las 200.

Los edificios del poblado eran principalmente de dos tipos: casas y graneros. Las casas, circulares y de unos seis metros de diámetro, se pegaban a las murallas,

DEBAJO: Una sección del terraplén principal. La figura está arrodillada sobre el suelo original.

El pueblo thule

El pueblo thule es el antepasado de los actuales inuit, que viven dentro del Círculo Polar Ártico. El científico danés Therkel Mathiassen, que en la década de 1920 estudió yacimientos suyos en el Canada, sugirió que emigraron hacia el este a partir del estrecho de Bering, cruzando el Ártico hace unos mil años.

Los estudios arqueológicos en Alaska y la región del estrecho de Bering no tardaron en confirmar el origen y la dispersión propuestos para el pueblo thule. Esos estudios revelaron que los antepasados de los inuit procedían originalmente del noreste de Asia. Hace unos 2.000 años desarrollaron un nuevo estilo de vida a lo largo de la costa y las islas del mar de Bering. Durante ese periodo comenzaron a cazar mamíferos marinos –incluidas algunas ballenas– para conseguir comida y ropa, apareciendo entonces mucha de la tecnología thule básica. En el año 700 d.C. ya habían llegado al norte, hasta las costas del mar de Chukchi y el noroeste de Alaska.

En torno a 1000 d.C. el clima se hizo más cálido y puede que ello desencadenara una expansión por el Ártico. Por entonces la capa de hielo se redujo y la pacífica ballena de Groenlandia se expandió por las aguas septentrionales del Canadá. La gente de Thule se aprovechó de las nuevas oportunidades para la caza de la ballena con sus sofisticadas técnicas y se trasladó hacia el este, a tierras nuevas. Las leyendas inuit hablan de un pueblo desaparecido (llamado tunit), que vivía allí por esas fechas. Aproximadamente en el año 1200 d.C. los thule había alcanzado Groenlandia, donde conocieron a los vikingos, con quienes comenzaron a comerciar.

Aunque era posible conseguir alguna madera llevada al norte por las corrientes oceánicas, muchas herramientas y armas thule se fabricaron con pieles y huesos de animales. Las ballenas y las morsas se cazaban desde umiaks –largos barcos hechos con un armazón de ma-

ARRIBA: Los restos de una casa de piedra de los thule en el norte de Groenlandia. Este tipo de casas a menudo eran semisubterráneas, para protegerlas de las heladas inclemencias del tiempo.

dera recubierto de piel–. Barcos más pequeños, los cayaks, también con cascos de piel, se utilizaban para cazar focas.

Los thule eran gente del Ártico que utilizaban a los perros como transporte. Poseían trineos en forma de escala construidos de madera, con algunas partes de hueso, marfil y hueso de ballena. A los arneses de los perros se les sujetaban piezas giratorias o hebillas de marfil o hueso.

Combatir el mortal frío era básico. La ropa, hecha de pieles y cuero de animales, incluidas capuchas, panta-

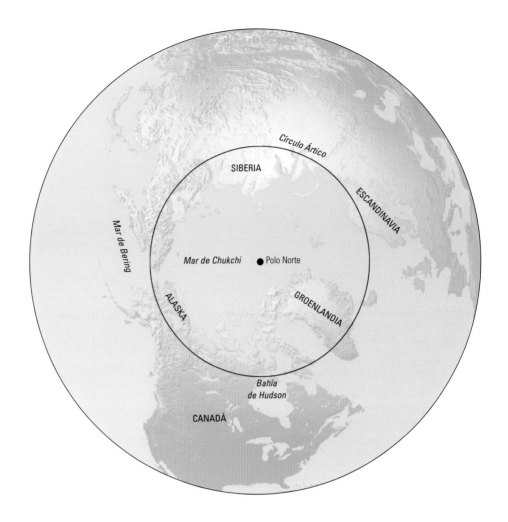

lones, guantes y botas, se cosía apretada con agujas y punzones. La ropa estaba diseñada con dos capas, para proporcionar el aislamiento añadido de una capa de aire entre los vestidos interiores y exteriores. El pueblo thule también utilizaba visores y tallaba anteojos de marfil para filtrar el brillo de la luz reflejada en la nieve durante los meses de verano.

Las casas invernales estaban inteligentemente diseñadas para protegerlas contra el frío. Eran redondas o rectangulares y siempre tenían una entrada enterrada en forma de túnel. El aire frío (más pesado) permanecía atrapado en el túnel, manteniendo la zona habitada confortablemente caliente. Los cimientos estaban formados por bloques de piedra, mientras que el armazón estaba compuesto por madera o huesos gigantes de ballena. Lámparas de piedra o arcilla añadían calor y luz. Aunque los arqueólogos aún han de descubrir un iglú intacto, en los yacimientos thule se han encontrado grandes «cuchillos de nieve» fabricados con huesos de ballena, iguales a los utilizados en la actualidad por los inuir para cortar bloques de nieve.

La caza de ballenas trajo grandes cambios a la sociedad thule. Cazar a los animales más grandes del globo terráqueo necesita un equipo grande y organizado. Al mismo tiempo, la enorme cantidad de carne y otros productos proporcionada por una única balena podía mantener a muchas personas, de modo que algunos poblados thule se hicieron muy grandes y contaron con muchas casas.

Después de 1400 d.C., el clima se volvió más frío en el hemisferio norte. El hielo hizo que la caza de ballenas fuera más difícil en el ártico canadiense y la gente regresó a la caza invernal de focas y a la construcción de iglúes a partir de bloques de hielo o de nieve congelada como casas invernales permanentes. Estaban apareciendo nuevas culturas árticas, lo que señaló el final del periodo thule.

La tecnología de la caza

Para matar un gran mamífero marino, los thule utilizaban un ingenioso arpón con punta de botón. Tenía una cabeza desmontable (tallada en marfil) diseñada para permanecer en la herida. Asegurada mediante una cuerda de tendón y a menudo unida a una boya de arrastre (hecha de piel o vejiga de foca e inflada mediante una boquilla de marfil), permitía al cazador cansar y sacar a su herida presa de las aguas heladas.

Los thule fabricaban una gran variedad de armas, incluidos dardos de hueso lanzados con bastones lanzadores para la caza de focas. Lanzas y arcos reforzados con tendones, con flechas de asta, se utilizaban para la caza de mamíferos árticos terrestres como el caribú, el buey almizclero y el oso polar. Los pájaros se cazaban con dardos dentados y una gran variedad de intrincados anzuelos, plomos y redes se usaban para pescar.

Roma

En su momento de máximo esplendor, Roma ocupaba la mayor parte de Europa y los países que rodean el Mediterráneo. El imperio era administrado por los gobernadores provinciales, responsables ante el emperador y comunicados con Roma mediante la fabulosa red de carreteras del imperio.

La historia de Roma comienza en torno al año 1000 a.C., cuando la gente comenzó a asentarse en una colina que dominaba el río Tíber, en la Italia central. Los colonos pertenecían a un pueblo llamado latino, que habitaba la región en torno al río, llamada Lacio. Eran agricultores y ganaderos que construían sus pobla-dos en lo alto de colinas, para que fuera más fácil defen-derlos contra las tribus vecinas. La colina del Palatino, donde por primera vez se asentaron los latinos, era una de las siete que más tarde servirían de base a la magnífi-ca ciudad de Roma, el centro de uno de los mayores im-perios que ha conocido el mundo.

ARRIBA: Los restos del principal foro de Roma. El foro era un amplio espacio abierto utilizado como lugar de mercado y reuniones políticas.

Los primeros reyes de Roma procedieron de los latinos y otros dos pueblos, los etruscos y los sabinos. Los etruscos eran gentes muy civilizadas, que construyeron carreteras, templos y edificios públicos en la ciudad, que iba creciendo. Tuvieron gran influencia en los habitantes Roma y su soberano, Lucio Tarquinio o Tarquinio *el Soberbio*, se convirtió en rey de Roma en el año 534 a.C. Tarquinio era un hombre arrogante y con el tiempo los habitantes de Roma llegaron a odiarlo. En 509 a.C. lo derrocaron y decidieron que estaban mejor sin un rey todopoderoso. Roma se convirtió entonces en una república democrática, gobernada por representantes del pueblo elegidos por los ciudadanos.

LA DEMOCRACIA ROMANA

La nueva república romana estaba encabezada por dos cónsules, votados cada año y ayudados por otros funcionarios y un consejo de Estado llamado Senado. No todo el mundo podía votar, mujeres y esclavos quedaban excluidos. Los trabajadores normales, llamados plebeyos, no podían convertirse en cónsules u ocupar altos cargos en la república. Estos puestos estaban destinados a los patricios, nobles que poseían tierras y remontaban sus orígenes al comienzo de Roma. Dado que los funcionarios no tenían sueldo, sólo los ricos podían permitirse el lujo de dedicarse a la política. No obstante, con el paso de los siglos, los plebeyos consiguieron más y más derechos, y finalmente, poco después del año 300 a.C., consiguieron igualdad ante la ley romana. Por esas fechas ya existía una tercera clase, la clase media, formada por los llamados ecuestres *(equites)*, formada por ricos hombres de negocios que no procedían de una familia noble.

La república romana organizó un ejército fuerte y bien entrenado y se extendió rápidamente. A finales del siglo III a.C., Roma ya había conquistado toda Italia. Entre los años 264 y 146 a.C. los romanos lucharon en tres largas guerras contra Cartago, una poderosa ciudad del norte de África. En la segunda de estas guerras, llamadas púnicas, el brillante general cartaginés Haníbal guió a su ejército de 40.000 hombres y 37 elefantes a través de los Alpes hasta Italia, pero Cartago terminó siendo derrotada. Los romanos estaban orgullosos de su poder militar y de su cada vez más grande república, pero la distancia entre ricos y pobres se iba incrementando. Esto llevó a conflictos entre los líderes políticos y, en la confusión, uno de los más grandes romanos –Julio César– se hizo con el poder.

Nacido en torno al año 100 a.C., en una rica familia de la clase patricia, Julio César comenzó su carrera política en el ejército romano antes de convertirse en cónsul. En el año 58 a.C. tomó el mando de los ejércitos romanos en la Galia (la actual Francia) y no tardó en conquistar todo el territorio. Tres años después atacó Gran Bretaña.

El creciente poder y popularidad de Julio César preocupaba a muchos políticos romanos, en especial a un

ARRIBA: El acueducto romano de Nerja, en España. Los romanos construyeron muchos acueductos –algunos recorrían grandes distancias– para llevar agua a sus ciudades.

DERECHA: Estatua de bronce de Julio César. Fue un exitoso general y su poder militar, combinado con su popularidad entre la gente, le permitió hacerse con el control político de Roma.

Las ropas de los romanos

Los romanos vestían ropas sencillas hechas de lana o lino. Hombres, mujeres y niños, todos vestían túnicas, que llegaban por la rodilla o más abajo. Los romanos que eran ciudadanos llevaban la túnica y sobre ella vestían togas, una larga y amplia pieza de tela de lana que se enrollaba en torno al cuerpo. Las togas eran por lo general blancas, aunque en los funerales se llevaban de color negro. Los niños se convertían en ciudadanos a los 14 años, cuando vestían la toga por primera vez.

Sobre sus túnicas, las mujeres llevaban largos vestidos llamados estolas, que podían ser de colores variados. Un largo mantón llamado *palla* se enrollaba encima del vestido para salir a la calle. Las mujeres también se teñían el pelo —el rubio y el pelirrojo eran sus favoritos— o llevaban pelucas. Sus esclavas personales les ayudaban a maquillarse, utilizando cal para aclarar la piel y ocre para colorear sus labios y mejillas. Tanto hombres como mujeres llevaban confortables sandalias de cuero en los pies.

Un mosaico del siglo v d.C. que representa a una romana siendo vestida por sus esclavas. Una de las sirvientas aparece sujetando un espejo para que su ama pudiera observar su peinado y maquillaje.

general rival suyo, Pompeyo, particularmente celoso de él. En el año 49 a.C., Pompeyo convenció al Senado para que ordenara a César licenciar a su ejército. César se negó y estalló una guerra civil.

Durante las muchas batallas que siguieron, César demostró su brillantez como general. Tras una fácil victoria cerca del mar Negro, envió un mensaje al Senado diciendo: «Vini, vidi, vici» (Vine, vi y vencí). La guerra civil terminó cuatro años después, cuando César derrotó en España al ejército de los hijos de Pompeyo. Ahora César gobernaba el mundo romano y se declaró a sí mismo «dictador perpetuo». En una fiesta pública, el general Marco Antonio le ofreció la corona de rey, que César la rechazó, consciente de la impopularidad de los reyes entre el pueblo de Roma.

En los dos años que siguieron, César realizó muchas reformas, que tendrían gran impacto en la vida romana. Redactó un nuevo código legal, reformó el calendario, creó una fuerza de policía y tomó medidas para reducir la congestión de Roma. A pesar de estos logros, muchos patricios no estaban contentos con la idea de tener un único gobernante, por lo que dos nobles comenzaron a conjurar contra César. En los idus de marzo (el día 15) del año 44 a.C., el mismo día en que un adivino había prevenido a César para que fuera prudente, los conjurados lo apuñalaron en el exterior del Senado hasta matarlo.

EL PRIMER EMPERADOR

A la muerte de César le siguió un periodo de confusión y guerras civiles intermitentes, mientras Marco Antonio y el hijo adoptivo y heredero de César, Octaviano, intentaban compartir el poder. Hasta que diecisiete años después de la muerte de César, Octaviano se convirtió en el primer emperador de Roma. Adoptó el nombre de Augusto, que significa «reverenciado» o «respetado». El Senado y los cónsules siguieron existiendo, pero con el poder muy disminuido, porque éste recaía verdaderamente en Augusto. Se aseguró de que las fronteras de su imperio estuvieran bien defendidas y de que las las provincias romanas de toda Europa estuvieran controladas. Antes de morir, en el año 14 d.C., Augusto había apadrinado a Tiberio, su hijastro, para que se convirtiera en el segundo emperador. Esta decisión dejó el camino abierto para una serie de emperadores que gobernarían el Imperio romano durante un total de casi 500 años.

Augusto y Tiberio fueron ambos políticos capaces y gobernaron bien el imperio. No obstante, el tercer emperador, Calígula, no tardó en conseguir reputación de gran crueldad y comportamiento excéntrico. Es famoso por haber convertido en cónsul a su caballo favorito y haberle construido un palacio. El Senado no podía controlar el extraño comportamiento de su líder, de modo que Calígula fue asesinado en el año 41 d.C. Su tío Claudio lo reemplazó.

Claudio era un erudito que había escrito una historia de los etruscos y otra de los cartagineses. Su ejército invadió Gran Bretaña en el año 43 d.C. y añadió otras provincias al imperio. Claudio hizo mucho por mejorar la Administración romana, el cuerpo de funcionarios que se encargaban de las actividades no militares del gobierno, como recaudar impuestos y construir edificios públicos.

Nerón, el hijo adoptivo de Claudio, sólo tenía 16 años cuando se convirtió en el nuevo emperador en el año 54 d.C., por lo que estaba más interesado en actuar, la música y las carreras de carros que en gobernar el imperio. Nerón fue otro emperador famoso por su crueldad. Se sospecha que fue responsable de comenzar el gran incendio que en el año 64 d.C. casi destruyó Roma. El propio Nerón acusó a los cristianos y torturó a muchos de ellos hasta matarlos. Finalmente, en el año 68 d.C. se suicidó.

CARRETERAS Y RELIGIÓN

Para poder trasladarse con rapidez por todo el imperio, los romanos construyeron unas carreteras de primera clase. Talaban bosques, cortaban colinas, construían puentes y desecaban marismas para que estas vías romanas fueran lo más rectas posible. Estas carreteras reemplazaron los sinuosos caminos que encontraron en las provincias del nuevo imperio.

Las vías romanas se construían excavando una zanja, que se rellenaba con escombros y sobre los cuales se colocaba una capa de piedras planas, que era por donde se circulaba. Las vías estaban ligeramente arqueadas en el centro, para que el agua se escurriera por los laterales. Muchas carreteras modernas de la Europa actual siguen las directas rutas de las vías romanas, que cubrían unos 80.000 kilómetros.

Según fueron viajando por todo el imperio, los romanos empezaron a adoptar a los dioses adorados en esas regiones a las que llegaban. De Egipto, por ejem-

El ejército romano

Para poder mantener su gigantesco imperio, los romanos necesitaban un ejército bien entrenado y equipado. A mediados del siglo I d.C., este ejército estaba compuesto por 28 legiones, cada una formada por aproximadamente 5.500 hombres (legionarios). Cada legión era mandada por un oficial llamado legado, por lo general nombrado por el emperador, y dividida en diez grupos llamados cohortes. Cada cohorte estaba dividida a su vez en centurias, que eran unidades de unos 100 soldados dirigidos por un centurión. Los centuriones eran los responsables del entrenamiento y la disciplina, que era importante, puesto que el ejército tenía que soportar duras condiciones tanto en el campamento como durante la marcha.

Los soldados del ejército romano eran los propios ciudadanos, pero otros miembros del imperio podían unirse a las fuerzas auxiliares y se les concedía la ciudadanía si luchaban bien. Cuando un nuevo legionario se unía al ejército, se le entregaba un uniforme y el equipo (por el que tenía que pagar). Un soldado romano llevaba un casco de cuero o metal, una túnica de lana cubierta con una cota de malla y sandalias. Llevaba un escudo de madera o cuero, dos jabalinas y una espada (60 cm de largo). En climas fríos podía llevar pantalones y botas.

Cuando las legiones romanas se desplazaban, tenían que crear un campamento nuevo cada día. Eran expertas en hacerlo de forma rápida y eficiente, y al día siguiente lo desmontaban para seguir camino. Un soldado romano podía recorrer unos 30 kilómetros en cinco horas de marcha antes de detenerse para construir otro campamento.

Un relieve de la columna de Trajano, un monumento de piedra que conmemora las conquistas militares de este emperador. Aquí vemos a los legionarios romanos luchando contra los soldados dacios.

plo, adoptaron a la diosa Isis. En Persia fue Mitra y en Gran Bretaña la diosa sol Sul. Desde el primer momento, los romanos creían que los dioses estaban en todas partes y controlaban las acciones humanas. Realizaban ofrendas y adoraban a esos dioses para que fueran amistosos y les ayudaran. El más importante era el dios del cielo, Júpiter. De su esposa, Juno, se pensaba que cuidaba a las mujeres. Venus era la diosa de la belleza y la fertilidad; Jano, el guardián de la puerta; Ceres, la diosa de las cosechas; Mercurio, el mensajero de los dioses; y

El Coliseo

Emperadores, patricios y plebeyos, todos sin distinción disfrutaban con espectáculos grandiosos y sangrientos, razón por la cual uno de los edificios más importantes de una ciudad romana era el anfiteatro. En el año 70 d.C., el emperador Vespasiano ordenó la construcción del más famoso de todos ellos, el Coliseo de Roma.

El gigantesco Coliseo tardó diez años en ser edificado, siendo terminado en el año 80 d.C. por Tito, el hijo de Vespasiano. Podía albergar a 50.000 personas y se construyó para las luchas de gladiadores, espectáculos de fieras e incluso batallas navales simuladas, durante las cuales todo el ruedo se llenaba de agua.

El Coliseo tiene 75 filas de asientos de mármol y madera. El emperador y sus invitados se sentaban delante. Detrás y por encima de ellos estaban los patricios y luego los plebeyos, los extranjeros y los esclavos. Las mujeres se sentaban en lo más alto, protegidas de las inclemencias del tiempo por un gigantesco toldo.

Debajo del suelo de madera del ruedo, cubierto de arena para que absorbiera la sangre, había una red de pasadizos. Allí es donde se encontraban las estancias de los gladiadores y otros participantes, además de las jaulas para los animales salvajes. Los romanos disfrutaban viendo cómo los gladiadores mataban animales y lo consideraban un gran deporte. El día de la inauguración del Coliseo se mataron 5.000 animales, incluidos leones, tigres, leopardos y elefantes. Los criminales eran ejecutados siendo lanzados al ruedo para que se los comieran los leones.

La mayoría de los gladiadores eran esclavos capturados en la guerra, a los que se entrenaba para luchar en escuelas pagadas por los patricios. Había muchos tipos de gladiadores. Algunos, como los samnitas, llevaban una pesada armadura, mientras que otros luchaban sólo con una espada y un escudo. El popular retiario llevaba un tridente y una red para atrapar a su oponente. Según el poeta Estacio, en ocasiones las mujeres también tomaban parte.

Un gladiador herido alzaba el índice pidiéndole clemencia a la muchedumbre. Si querían salvarlo, los espectadores agitaban pañuelos o apretaban el pulgar contra el índice, si querían que muriera apuntaban el pulgar contra el pecho. Si un gladiador mostraba gran bravura, en ocasiones se le daba una espada de madera, lo que significaba que era un hombre libre.

Los restos del Coliseo, probablemente el más espectacular de los edificios de la antigua Roma. El anfiteatro podía acoger a 50.000 espectadores, que disfrutaban viendo los sangrientos combates de gladiadores.

Vesta, la diosa del fuego. Muchos emperadores romanos fueron también adorados como dioses, sobre todo tras su muerte.

Cada casa romana contenía un santuario con pequeñas imágenes de los dioses del hogar. Eran los espíritus guardianes que protegían a la familia y a los cuales ésta rezaba. Los niños romanos eran llevados todos los días al hogar para orar ante Vesta junto al resto de los habitantes de la casa; era una parte importante de la vida familiar.

En la propia Roma, sólo los ricos patricios podían permitirse una casa individual. La mayor parte de la gente vivían en bloques de apartamentos, cada uno de los cuales se conocía como *insula* («isla»). Algunos de

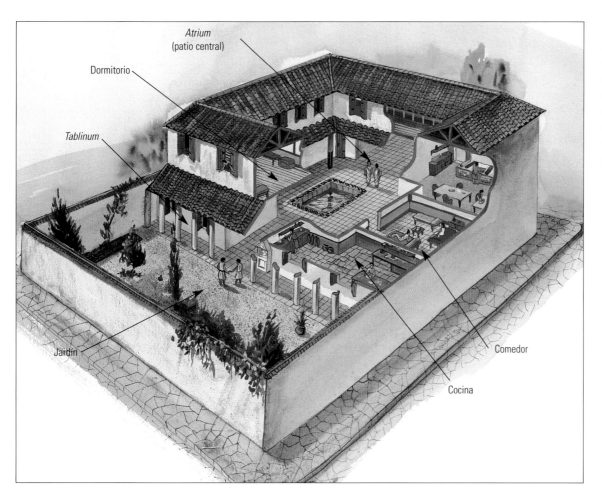

Atrium
(patio central)

Dormitorio

Tablinum

Jardín

Comedor

Cocina

ellos tenían cinco y seis pisos de altura. Los pisos bajos tenían habitaciones amplias y confortables, pero cuanto más altos eran más pequeños y tenían menos comodidades. En la planta baja por lo general había una tienda o un negocio, abierto a la calle. Las casas más ricas se construían en torno a un atrio, o patio interior, e incluían una cocina, comedor y dormitorios. La habitación más importante de la casa era el tablinio, el comedor principal.

El suministro de agua de la ciudad de Roma era muy bueno, como en todas las ciudades romanas. Los romanos construyeron acueductos para llevar agua desde los ríos o arroyos cercanos; muchos patricios tenían un suministro de agua directo hasta su casa. Para todos los demás había retretes y baños públicos (las ciudades grandes tenían varios).

LOS ESCLAVOS DOMÉSTICOS

Los romanos más acomodados llevaban una vida muy confortable, que sólo era posible porque tenían esclavos. La señora de la casa se encargaba de todo, incluidos los esclavos. Por lo general, los esclavos domésticos eran tratados bien, pero no estaban protegidos por la ley, por lo que sus amas podían tratarlos tan duramente como quisieran. Una familia rica podía poseer docenas de esclavos, pero incluso las más pobres poseían al menos uno. Si se comportaban mal, los esclavos podían ser torturados y el poeta Juvenal nos habla de esclavas azotadas

por no haber peinado bien a sus amas. En ocasiones, los esclavos eran liberados por sus buenos servicios. Un liberto no poseía los mismos derechos que las demás per-

Los baños romanos

Los emperadores romanos construyeron lujosos baños públicos, decorados con mármol y oro, que no sólo eran populares por los baños propiamente dichos, sino también como lugares para realizar ejercicio o, sencillamente, encontrarse con los amigos. Los baños más grandes tenían piscinas separadas para los hombres y las mujeres, mientras que los demás tenían horarios diferentes para cada uno. Los baños tenían piscinas frías, piscinas calientes y saunas, además de fuentes calientes para limpiarse.

Los romanos creían que era bueno sudar la suciedad. No tenían jabón, de modo que en su lugar hacían que los esclavos frotaran con aceite su piel sudorosa y luego los rasparan para limpiarlos con un instrumento curvo especial hecho de metal, hueso o madera.

Los baños estaban abiertos a todos y por lo general costaban un *quadrans* (un

«cuarto»), la menor de las monedas romanas. En ocasiones este precio era sufragado por el emperador o un rico patrocinador. Gran número de esclavos mantenían los baños funcionando correctamente. El calor era producido en un horno, donde se quemaba madera que expulsaba aire caliente bajo los suelos y por entre los muros. Este sistema también se utilizaba como calefacción central en las casas de la gente rica.

Algunos romanos llevaban a sus propios esclavos a los baños, para que cargaran con sus toallas, los frotaran y rasparan la piel, mientras que otros alquilaban sus servicios en los propios baños. Los baños públicos hacían las veces de los actuales gimnasios. Además de las piscinas, por lo general había lugares para sentarse, jardines, un gimnasio, un campo de deporte y una biblioteca.

sonas, pero sus hijos eran ciudadanos romanos de pleno derecho.

En el momento de máximo esplendor del imperio, la ciudad de Roma contaba con un millón de habitantes y en el resto de Italia había cinco millones más. Repartidos por todo el imperio había 70 millones de personas y la mayoría de ellas vivían de trabajar sus tierras. Algunos ciudadanos ricos que vivían en la ciudad se hicieron más ricos todavía al poseer granjas, en las que construían grandes villas de campo. En los fértiles valles cercanos a Roma los granjeros cultivaban trigo, centeno y cebada. En las colinas plantaban bosques de olivos y viñedos, para conseguir aceite de oliva y vino, además de criar ovejas y cabras. La segunda ciudad más grande del imperio, Alejandría, en Egipto, enviaba por barco grandes cantidades de trigo hasta Roma.

LA CAÍDA DE ROMA

El enorme tamaño del imperio hacía difícil administrarlo de forma adecuada desde Roma y, finalmente, algunas de las provincias fueron invadidas. En el siglo III d.C., un pueblo germánico conocidos como los godos invadió territorio romano en Grecia, mientras que los persas hicieron lo propio en Mesopotamia y Siria. En el año 330, el emperador Constantino trasladó la capital a la ciudad de Bizancio, bautizándola Constantinopla (la actual Estambul, en Turquía). Sesenta y cinco años después, el imperio fue dividido en dos: el Imperio Occidental, bajo jurisdicción de Roma, y el Imperio Oriental, administrado desde Constantinopla.

La parte occidental del imperio sufrió cada vez más invasiones por parte de los vándalos, visigodos y otras tribus germánicas, a quienes los romanos llamaban

Roma y el cristianismo

Durante cientos de años, el cristianismo coexistió junto a las creencias tradicionales romanas. No obstante, los cristianos fueron perseguidos desde el principio mismo de su existencia, en el siglo I d.C. Dado que los cristianos solían vivir en comunidades muy cerradas y unidas, eran mirados con sospecha por otros ciudadanos romanos. Los magistrados podían ordenar a los cristianos que llevaran a cabo rituales paganos y, si se negaban, podían ser ejecutados.

A pesar de este trato, el cristianismo floreció y en el siglo III d.C. había muchas comunidades cristianas importantes por todo el Imperio romano. Por esa época se podían encontrar cristianos en cualquier nivel de la sociedad romana. En el año 312 d.C., el emperador Constantino soñó que si pintaba el símbolo cristiano de la cruz en los escudos de sus soldados ganaría una batalla decisiva. El sueño se hizo realidad. Tras esto, Constantino estuvo cada vez más en contacto con la iglesia cristiana, rodeándose de consejeros cristianos y poniendo el símbolo de esta religión en las monedas del imperio. Finalmente, fue bautizado en su lecho de muerte, en el año 337 d.C., convirtiéndose así en el primer emperador cristiano.

bárbaros. El ejército romano sufrió una serie de devastadoras derrotas y sus generales tuvieron que firmar humillantes tratados con los jefes germanos, que incluían la pérdida de grandes cantidades de territorio. El imperio se debilitó tanto que en el año 410 los visigodos llegaron a saquear la propia Roma. Entonces, en 476, el jefe germánico Odoacro derrocó al último emperador romano, Rómulo Augusto, y se declaró a sí mismo rey de Italia. Odoacro accedió a aceptar al emperador del Este como su señor, y el imperio oriental o bizantino sobrevivió hasta 1453. Pero el gran imperio construido por los romanos había terminado casi 1.000 años antes.

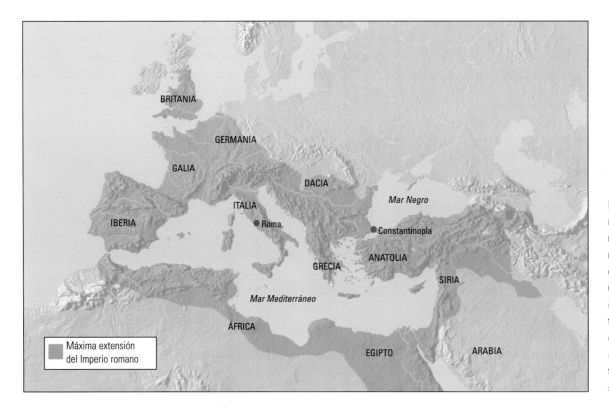

IZQUIERDA: El Imperio romano en su momento de mayor extensión, tras la muerte en el año 116 d.C. del emperador Trajano (nacido en España). Los emperadores posteriores tuvieron cada vez más dificultades para administrar y defender las tierras conquistadas por sus predecesores.

Máxima extensión del Imperio romano

Pompeya

Pompeya era una ciudad del sur de Italia que floreció durante el Imperio romano. En el año 79 d.C. un volcán cercano, el Vesubio, inundó la ciudad de lava y ceniza, conservándola así durante los siguientes 2.000 años. Es uno de los yacimientos arqueológicos más famosos del mundo.

IZQUIERDA: Las ruinas de Pompeya tal como se pueden ver en la actualidad. Pompeya era una ciudad amurallada con calles largas y rectas que conducían a las siete puertas de la muralla exterior. Esta vista desde el muro norte muestra la calle central, pavimentada, que conduce hasta el foro.

Pompeya era una ciudad normal, sin ninguna importancia especial. Se convirtió en una comunidad romana en 91 a.C. y durante los siguientes 150 años muchos romanos ricos construyeron en ella sus casas, disfrutando del clima a orillas del mar Mediterráneo. Este emplazamiento sólo tenía un inconveniente: la ciudad estaba dominada por el monte Vesuvio, un volcán. No obstante, esto no preocupaba demasiado a sus habitantes, que nunca lo habían visto en erupción. En el año 62 a.C., el Vesubio retumbó y Pompeya fue sacudida y dañada por un fuerte terremoto. Diecisiete años después hubo más temblores de tierra en la región, pero la gente de Pompeya los ignoró y siguió con sus vidas.

El 24 de agosto del año 79 d.C., el monte Vesuvio entró en erupción. Una violenta explosión de caliente ceniza y polvo volcánicos, pequeños trozos de piedra pómez y grandes pedazos de lava cayeron de repente sobre Pompeya como una lluvia. En las calles el aire se

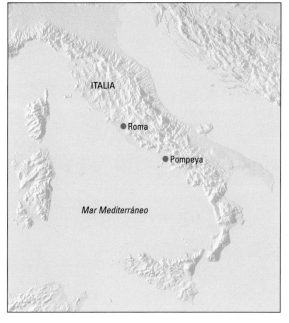

IZQUIERDA: En época romana, Pompeya era una plácida ciudad en la bahía de Nápoles, donde muchos romanos ricos pasaban sus vacaciones.

Las gentes de yeso de Pompeya

Giuseppe Fiorelli encontró muchos esqueletos durante su excavación de la lava de Pompeya. También se dio cuenta rápidamente de que los cuerpos de las víctimas habían dejado huecos en la ceniza y la piedra pómez, endurecidas antes de que los cuerpos y las ropas se deshicieran con los años. Esos huecos eran como los moldes que utilizan los escultores y Fiorelli encontró un ingenioso sistema para rellenarlos y hacer copias de los cuerpos.

Vertía yeso líquido en un hueco y, cuando se había endurecido, quitaba la lava de alrededor para revelar el molde de yeso. Éste era una detallada copia de la persona, que en ocasiones conservaba expresiones de miedo o agonía en el rostro de la víctima. Se hicieron moldes de personas y animales, incluido un perro que estaba encadenado y no podía escapar. Muchas de las víctimas estaban intentado cubrirse la cara con las manos o las ropas mientras se estaban ahogando. También se hicieron moldes de puertas, contraventanas e incluso raíces de árboles.

En total, en Pompeya se han encontrado unos 2.000 cuerpos de una población total de 20.000 personas. Muchos ciudadanos debieron conseguir escapar de la catástrofe huyendo a los terrenos cercanos, pero puede que todavía haya más cuerpos por descubrir.

llenó de humo venenoso y el cielo se oscureció. Algunas personas intentaron protegerse, otras corrieron para salvar sus vidas mientras la ciudad iba quedando sepultada por cinco metros de ceniza y lava. Cuando estos restos volcánicos se solidificaron, sellaron gran parte de la ciudad. Los supervivientes huyeron mientras tenían lugar otra erupciones en la región; la cercana ciudad de Herculano también quedó arrasada por la lava.

Pompeya había desaparecido. Primero quedó enterrada y luego quedó olvidada, aunque en los siglos posteriores las gentes de la región hablaban de la «ciudad perdida» y encontraban piezas de cerámica y otros restos antiguos. En 1594 los obreros que trabajaban en un acueducto de la región encontraron edificios en ruinas. Entonces, en 1709, un granjero local encontró grandes losas de mármol mientras excavaba un pozo. Con ello comenzó la caza del tesoro, por lo que seguramente muchos objetos valiosos fueron desenterrados y llevados a otros lugares. Treinta años después, un ingeniero llamado Rocco Alcubierre utilizó herramientas más poderosas y pólvora para excavar un túnel por entre la lava sólida. De inmediato encontró pinturas murales y las gradas de un anfiteatro.

CONSERVAR UN REGISTRO

Durante más de 100 años, las personas que visitaban el yacimiento sólo estaban interesadas en encontrar objetos preciosos. Fue en 1860 cuando Giuseppe Fioreli se hizo con el control de la excavación. Comenzó a investigar la ciudad manzana a manzana, tomando y conservando cuidadosas notas de todo lo que encontraba en el yacimiento. Numeró cada puerta, de modo que cada casa o tienda pudiera identificarse. Siempre que era posible, dejaba las cosas allí donde las encontraba, para que fuera más fácil hacerse una idea de toda la comunidad. Desde entonces las excavaciones han continuado con regularidad a pesar de algunas paradas ocasionales.

Gran cantidad de datos sobre los acontecimientos del año 79 d.C. se saben gracias a los escritos de Plinio *el Joven*, que se encontraba en la cercana ciudad de Misena. Su tío, Plinio *el Viejo*, mandaba la flota que se apresuró a rescatar a los supervivientes y tuvo una visión de cerca de la erupción volcánica. Plinio *el Viejo* fue alcanzado en la playa por el humo y murió allí.

En la actualidad se han desenterrado unas tres cuartas partes de la ciudad y el visitante moderno puede hacerse una idea de cómo era la vida diaria en Pompeya. Los edificios se han restaurado, con tejados reconstruidos, y los científicos han identificado y conservado semillas de muchas plantas y vuelto a plantar los jardines de los que disfrutaban los pompeyanos.

En el momento de la erupción había tres baños públicos en Pompeya, en los que hombres y mujeres podían bañarse y relajarse. Algunos ciudadanos ricos poseían sus propios baños de lujo en casa. Había dos teatros: uno grande y abierto que podía acoger a unos 5.000 espectadores, y otro más pequeño y cerrado para conciertos y recitales. El anfiteatro, donde los gladiadores luchaban y se mataban unos a otros, así como a animales salvajes, también está excavado por completo.

En el año 79 d.C., la puerta del puerto de la amurallada ciudad de Pompeya se encontraba a sólo 500 metros de la bahía de Nápoles. La erupción lanzó ceniza y lava a la bahía, elevando el nivel del fondo marino, por lo que hoy día Pompeya se encuentra a 2 kilómetros tierra adentro. Esto demuestra la fuerza del desastre que enterró a una ciudad y creó un yacimiento arqueológico único.

DEBAJO: Esta casa de Pompeya, como otras casas romanas, estaba construida en torno a un patio central columnado y a cielo abierto.

Los anglosajones

A principios del siglo v d.C., Gran Bretaña comenzó a ser invadida por unas feroces tribus procedentes de Noruega, Dinamarca y el noroeste de Alemania. Eran los anglos y los sajones, que terminaron creando una cultura en Gran Bretaña que perduraría más de 400 años.

Los invasores comenzaron a llegar a Gran Bretaña después de que las legiones romanas abandonaran la provincia. Arribaban en unos botes largos y estrechos manejado por 28 remeros. Los barcos no tenían velas y no eran adecuados para cruzar océanos, por lo que los invasores recorrían la costa de Holanda antes de realizar la corta travesía hasta Gran Bretaña.

Estos guerreros eran unos luchadores altos y feroces con ojos azules y pelo rubio. Al principio, los anglosajones fueron contratados como mercenarios para defender a los británicos de los enemigos del norte, los pictos, que vivían en lo que hoy es Escocia. Pero en el año 600 d.C. los anglosajones se habían asentado en el este y el sur de Inglaterra, conquistanto a los británicos que los habían contratado.

La Inglaterra anglosajona estaba dividida en siete reinos: Northumbria, al norte; Mercia y Wessex, al oeste; East Anglia, al este; y Essex, Kent y Sussex al suroeste. Aunque algunos británicos fueron empujados hacia el oeste, a Gales y Cornualles, muchos de ellos se quedaron y probablemente terminaron casándose con los anglosajones. No obstante, los británicos eran tratados como ciudadanos de segunda y obligados a convertirse en trabajadores de la tierra o esclavos.

Los anglosajones poseían una sociedad jerarquizada, con el rey y los nobles en lo más alto, los campesinos en

ARRIBA: Reconstrucción de un poblado anglosajón en West Stow, East Anglia. Los granjeros anglosajones vivían en casas de una sola habitación construidas con muros de madera y tejados de paja.

DEBAJO: Dibujo de un bote anglosajón, con capacidad para 28 remeros.

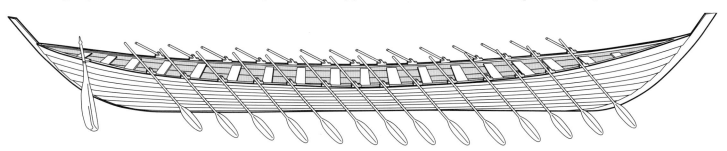

el medio y, por debajo de ellos, se encontraban los trabajadores agrícolas –quienes no podían abandonar el lugar donde trabajaban– y los esclavos. Los nobles poseían grandes cantidades de tierras entregada por el rey, mientras que a los campesinos libres o *ceorls* (pronunciado «chiurls») se les daban menos tierras y tenían que servir en el ejército del rey. El grupo social más bajo era el de los esclavos, personas que habían sido capturadas durante la guerra, habían quebrantados las leyes o, simplemente, eran pobres y se habían vendido a sí mismos a cambio de comida.

La mayor parte de las personas que vivían en la Inglaterra anglosajona eran granjeros. Vivían en granjas individuales o caseríos de entre dos y diez granjas. Cada granja tenía una casa principal de madera con techo de paja en donde la familia vivía y dormía. El resto de edificios que rodeaban la casa eran utilizados como talleres o almacenes. En ocasiones había un patio vallado junto a la granja y el resto de edificios se encontraba en su interior. Hacia el final del periodo anglosajón, entre los siglos IX y XI d.C., la aparición de un nuevo tipo de campo cultivable, grande y abierto, significó que los granjeros tuvieron que trabajar juntos, en equipo. De modo que los campesinos comenzaron a vivir en grandes pueblos.

LA NOBLEZA ANGLOSAJONA

Los nobles vivían en salones construidos de roble con techos de paja. A menudo, las paredes y puertas de madera estaban talladas y bajo los suelos de madera había espacio para almacenar bienes. En esos salones de fiesta, como se llamaban, no había dormitorios, de modo que los nobles tenían que comer y dormir con sus criados. En ocasiones esos grandes salones hacían las veces de centros reales, como los descubiertos en Yeavering, en el reino de Northumberland, y en Cheddar, en Sommerset. Se sabe que Yeavering fue visitado por el rey Edwin en la década de 620 y Cheddar por Alfredo *el Grande* en los siglos IX-X d.C.

Los nobles anglosajones eran enterrados con sus armas junto a ellos para dejar clara su categoría, mientras que sus esposas eran enterradas con vestidos ajustados mediante prendedores decorados. En los siglos VI-VII d.C., las tumbas de los reyes, los nobles y sus familiares se cubrían con túmulos de tierra.

En la sociedad anglosajona, si alguien hería, mataba o causaba algún daño a otro tenía que pagar una cantidad de dinero, conocida como *wergeld* o dinero de sangre, a su víctima o a la familia de ésta. La cantidad a pagar dependía de quién había resultado herido y de con cuánta gravedad. De modo que una herida pequeña a una persona sin importancia requería un pago pequeño, mientras que una herida a un noble necesitaba de una gran suma.

Las mujeres podían ser ricas y poderosas en la sociedad anglosajona. Ethelfled, la hija del rey Alfredo, era conocida como «la señora de los Mercians» y era una de

ARRIBA: Una reconstrucción de un salón anglosajón. Los nobles anglosajones comían y dormían junto a sus soldados y sirvientes en grandes salones como éste.

las personas más poderosas de Inglaterra. Los casamientos estaban arreglados, pero la mujer podía decidir no casarse con el esposo elegido para ella. También podía abandonar a su esposo y quedarse con los hijos para ayudarla a mantenerse. Los matrimonios implicaban el

IZQUIERDA: Una reconstrucción moderna de una escena anglosajona, con mujeres tejiendo e hilando.

DEBAJO: Mapa de los siete reinos anglosajones, con el emplazamiento de ciudades, puertos y enterramientos importantes.

Sutton Hoo

En 1939 se excavaron varios extraordinarios túmulos anglosajones en Sutton Hoo, cerca de la costa de Suffolk, en East Anglia. En uno de los túmulos aparecieron los restos de un barco de madera de 30 metros de eslora que había sido arrastrado desde el cercano río Deben. En una cabina en el centro del barco se había dispuesto un emplazamiento funerario. No había cuerpo, pero el enterramiento contenía alguna de las más bellas armas, armaduras y joyas anglosajonas encontradas hasta entonces. Ente los hallazgos había un casco y un escudo de ceremonia, joyas de oro y granate, cuernos para beber con adornos de plata, una lira, un cetro y numerosos objetos de oro y plata, incluidas monedas de oro. Evidentemente, Sutton Hoo era la tumba de un gran señor de la guerra. Algunos historiadores creen que se trata de la tumba de Raedwald, un rey de East Anglia que murió en torno al año 625 d.C.

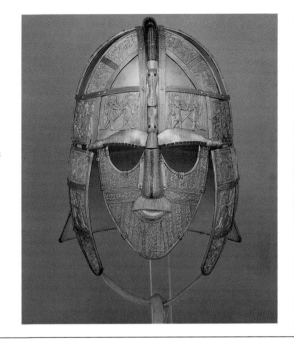

Reconstrucción del casco encontrado en la tumba de Sutton Hoo.

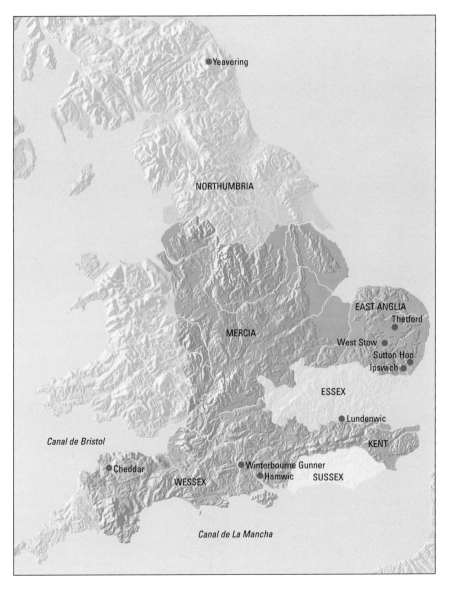

pago de dotes: el marido entregaba a su mujer dinero y tierras. Las mujeres más pobres recibían joyas en su boda. No obstante, la mayor parte de las mujeres de los granjeros pasaban su tiempo tejiendo, cosiendo ropa y trabajando en los campos.

EL COMERCIO ANGLOSAJÓN

Las ciudades se transformaron lentamente en centros comerciales. Aquí los nobles vendían esclavos, animales, pieles, cuero y tela de lana a cambio de bienes y joyas procedentes de otros países: ruedas de molino alemanas, cerámica de Egipto, vino del norte de Francia y piedras preciosas del Oriente Medio. Los puertos de Ludenwic, Ipswich y Hamwic se convirtieron en importantes centros comerciales entre los siglos VII y IX. No obstante, no estaban fortificados y fueron atacados por asaltantes vikingos procedentes de Escandinavia. Como respuesta, los anglosajones comenzaron a construir ciudades fortificadas para reemplazar a los puertos comerciales; muchas de ellas todavía existen en la actualidad.

Las incursiones vikingas del siglo IX destruyeron todos los reinos anglosajones, excepto el de Wessex. En el siglo X sus reyes contraatacaron y conquistaron a los vikingos daneses, creando un único reino en Inglaterra. Este reino unificado sobrevivió incluso a la invasión del rey danés Canuto.

No obstante, después de que el rey inglés Eduardo *el Confesor* muriera sin heredero, Guillermo, duque de Normandía (conocido como *el Conquistador*), invadió Inglaterra desde allí y derrotó a los anglosajones en la batalla de Hastings en 1066. A partir de ese momento gobernó sobre Inglaterra como Guillermo I.

Los vikingos

A partir del siglo VIII d.C., los vikingos fueron conocidos en Europa como unos audaces y despiadados guerreros. Esos feroces aventureros, conocidos también como escandinavos, navegaron desde su tierra natal, Escandinavia, para aterrorizar a una amplia zona de la Europa occidental.

Durante más de 400 años, los vikingos lanzaron una continua sucesión de violentas incursiones contra las ciudades y poblados costeros de Europa, ganándose una terrible reputación que han conservado hasta la actualidad.

Los vikingos eran descendientes de los pueblos germánicos que comenzaron a desplazarse hasta la región europea hace 4.000 años. Se asentaron en Escandinavia, una región que incluye Dinamarca, Noruega y Suecia. A finales del siglo VIII d.C. su población estaba creciendo rápidamente y puede que no hubiera suficientes tierras de calidad en sus territorios como para mantenerla. Quizá por esa razón se dedicaron al saqueo, pero también es probable que muchos vikingos jóvenes vieran en ello un modo rápido y fácil de conseguir riqueza y honores.

Los vikingos noruegos comenzaron sus incursiones en la década de 790, atacando las costas de Inglaterra, Irlanda y Escocia. Los guerreros solían aparecer de repente, en pequeños grupos de barcos, saltando a tierra con sus lanzas, espadas y hachas. Saqueaban poblados, iglesias y monasterios para, seguidamente, tan deprisa como habían venido, hacerse de nuevo a la mar. Pronto se les unieron los vikingos daneses, que invadieron Inglaterra en el año 865. Conquistaron gran parte del país, pero fueron obligados por el rey Alfredo *el Grande* a asentarse en la región este, que pasó a conocerse cono Danelaw.

Por esas fechas, los noruegos y daneses habían saqueado y quemado ciudades en Francia, Bélgica, Holanda, Italia y España, aunque no se asentaron permanentemente en estos países en grandes cantidades, como había sucedido en Gran Bretaña.

No obstante, los vikingos suecos viajaron a lo largo de los ríos del este de Europa para establecer centros comerciales y, a finales del año 800, las ciudades eslavas de Novgorod y Kiev eran fortalezas vikingas. El principal grupo vikingo implicado en esa exploración fueron los rus y de ellos recibe su nombre la moderna Rusia.

LOS DRAKKARS

Para poder llevar a cabo sus incursiones, los vikingos desarrollaron unos robustos y rápidos barcos de guerra. En la antigüedad, los escandinavos utilizaban frágiles canoas y barcas, hechas de piel de animal tensada sobre un armazón de madera. Ahora, sin embargo, los vikingos construían los poderosos barcos por los que se

hicieron famosos, los drakkars. Estos estrechos navíos realizados con planchas de roble, en vez de piel de animal, poseían una quilla continua y una gran vela central. Para construir cada barco se necesitaba un equipo especializado.

Los drakkars vikingos tenía hasta 30 remos, cada uno manejado por un remero, en cada borda del navío. Los remos eran utilizados cerca de la costa, cuando se

ARRIBA: Dibujo de un drakkar vikingo con un grupo de saqueadores a punto de desembarcar. Los vikingos eran unos despiadados asaltantes, muy temidos en todo el norte de Europa.

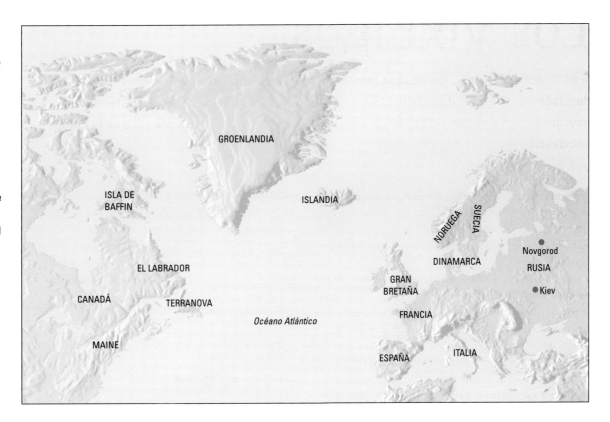

DERECHA: Los vikingos se expandieron desde Escandinavia para colonizar Gran Bretaña, Francia, Rusia, Islandia y Groenlandia. Se cree que exploradores vikingos cruzaron el Atlántico ya alrededor del año 1000 a.C. Probablemente desembarcaron en la isla de Baffin, aunque puede que navegaran tan lejos como El Labrador e incluso Maine.

GROENLANDIA

ISLA DE BAFFIN

ISLANDIA

NORUEGA

SUECIA

Novgorod

DINAMARCA

RUSIA

EL LABRADOR

GRAN BRETAÑA

Kiev

CANADÁ

TERRANOVA

Océano Atlántico

FRANCIA

MAINE

ESPAÑA

ITALIA

necesitaba una punta de velocidad o cuando había poco viento. Cada drakkar poseía una única vela, hecha de basta tela de lana reforzada con tiras de cuero, utilizada por lo general en mar abierto. Los barcos vikingos podían navegar en aguas poco profundas, lo que los hacía muy prácticos para remontar ríos o navegar cerca de la costa. Eran lo bastante ligeros como para ser cargados o arrastrados por tierra cuando ello era necesario. Los ar-

DERECHA: Reconstrucción de una casa vikinga. Este tipo de viviendas consistía en una habitación única y comunal en donde vivían juntas varias familias. Por lo general se construía de madera y la techumbre era de tejas, paja o estaba cubierta de turba.

Las exploraciones vikingas

Los vikingos eran expertos navegantes y marineros, por lo que no es sorprendente que fueran responsables de algunos de los mayores logros exploratorios del mundo antiguo.

Uno de los grandes exploradores vikingos fue Erik *el Rojo*. En torno al año 980 fue exiliado de su hogar en Islandia y decidió navegar hacia el oeste. Tomó tierra en un lugar helado e inhóspito al que llamo Groenlandia («Tierra verde», con la esperanza de alentar a otros a seguirlo). Se asentó en ella y, cuando terminó su exilio, regresó a Islandia y convenció a un grupo de aventureros para que volvieran con él y crearan una gran colonia. Los asentamientos vikingos en Groenlandia duraron varios siglos.

Quizá el mayor explorador vikingo sea el segundo hijo de Erik, Leif Eriksson, conocido también como Erik *el Afortunado*. Algún tiempo después del año 1000 partió desde Groenlandia hacia el oeste, cruzando el océano Atlántico. Desembarcó en un lugar al que llamó Helluland, que significa «tierra de piedras planas». Probablemente fuera la isla de Baffin, en el actual Canadá. Los exploradores navegaron seguidamente hasta Markland («tierra de bosques»), que probablemente fuera El Labrador, en la zona continental del Canadá.

Finamente, los vikingos alcanzaron Vinland («tierra de vino»), en donde crecían uvas silvestres. Puede que se tratara de la isla de Terranova, donde se han encontrado restos vikingos, aunque algunos historiadores creen que Vinland era la actual Maine. Este gran viaje de descubrimiento tuvo lugar 400 años antes de que Cristóbal Colón cruzara el Atlántico.

Los restos de Brattahlid, el asentamiento que Erik el Rojo creó en Groenlandia en el siglo x d.C. Fue desde Groenlandia de donde partió su hijo, Leif Eriksson, para cruzar el Atlántico en uno de los más grandes viajes de descubrimiento de todos los tiempos.

queólogos modernos saben mucho sobre drakkars porque en ocasiones los vikingos los enterraban con famosos guerreros.

La mayoría de los vikingos eran hombres libres y muchos de ellos campesinos, que cultivaban cereales, fruta y verduras, además de criar reses, cerdos, ovejas y cabras. Los mercaderes creaban asentamientos cerca de la costa, tanto en Escandinavia como cuando viajaban. Las casas de madera tenían techos cubiertos de turba. Las primeras ciudades tenía mercados, en donde

DERECHA: Esta hebilla vikinga procedente de Noruega está hecha de oro, con incrustaciones de piedras preciosas. Los vikingos eran expertos trabajadores del metal.

la gente comerciaba con pieles, hierro y telas. Los hombres libres también comerciaban con esclavos, que por lo general eran prisioneros que habían sido capturados en incursiones. Los esclavos trabajaban a menudo como peones o sirvientes en las granjas y talleres. Tenían pocos derechos y sus hijos nacían esclavos. Por encima de los hombres libres y los oprimidos esclavos

Los dioses vikingos

Los vikingos creían en un gran número de dioses. El más importante de ellos era Odín. Era el rey de todos los dioses escandinavos y se creía que vivía en un lugar llamado Asgard, la casa de los dioses. Era el dios de la guerra y la muerte, además de inspiración para los feroces guerreros vikingos conocidos como bersekers, que se juntaban para generar juntos una frenética rabia antes de lanzarse al combate desprovistos de armadura.

El hijo mayor y más poderosos de Odín era Thor, de barba pelirroja, el dios del trueno, los rayos y el viento. Era el dios

vikingo más popular debido a su supuesto poder sobre el clima, que tenía un importante efecto en la vida diaria de las personas. En inglés el jueves, «Thursday», se llama así en honor a Thor, mientras que el viernes, «Friday», recibe su nombre de Frigg, su madre[4].

A finales del siglo X el contacto con los cristianos europeos había terminado con la mayoría de las creencias escandinavas. En torno al año 960, el rey Haroldo Dienteazul se había convertido al cristianismo y los colonos de Islandia no tardaron en votar a favor de hacer lo mismo.

La imagen de esta piedra grabada se cree que representa la historia de un mito escandinavo en el que Odín, el rey de los dioses, engaña al rey Ermaneric para que mate a su hijo.

estaban los vikingos nobles. Entre ellos se contaban quienes tenían una gran riqueza o quienes descendían de renombrados guerreros. Los más poderosos eran jefes que controlaban grandes zonas de la región. En torno al año 890, Haroldo Pelobonito se convirtió en el rey de Noruega tras haber derrotado a muchos reyes y jefes locales.

En el siglo IX, los vikingos noruegos habían comenzado a asentarse en Islandia, donde llevaban una vida más independiente y podían escapar del creciente poder del rey. La Islandia vikinga era una especie de república, donde las leyes eran aprobadas por una asamblea, llamada *althing*, que se reunía en una rocosa llanura cada solsticio de verano. En otros lugares del mundo vikingo, las comunidades contaban con un consejo de gobierno llamado *thing*. Estaba compuesto únicamente por hombres libres; ni las mujeres ni los esclavos tenían derecho a hablar en él. El *thing* tenía tanto poder que podía decidir, incluso, quién debería ser el rey. Hacía las leyes, organizaba juicios para juzgar a los criminales y decidía si la comunidad debía ir a la guerra.

LAS CASAS VIKINGAS

Los vikingos construían diferentes tipos de casas, dependiendo de los materiales disponibles en la región. La mayoría de ellas eran estructuras de una sola planta y una sola habitación. Los muros eran por lo general de madera, con una única puerta y sin ventanas, para mantener el calor del hogar. El tejado de doble vertiente podía tener tejas de madera o de paja. Las casas de Islandia y otros lugares tenían los tejados formados por una gruesa capa de turba.

En los asentamientos agrícolas había a menudo una gran casa en el centro, en donde la familia y sus trabajadores vivían juntos. Dentro de la oscura y ahumada casa había bancos de madera a lo largo de los muros, donde la gente se sentaba durante el día y dormía durante la noche. Las mujeres eran las encargadas de la casa y también de la granja, si sus esposos estaban participando en una incursión o comerciando.

Durante más de 300 años, los vikingos tuvieron una gran influencia en toda Europa, sobre todo en Inglaterra y Francia. Su última invasión de Inglaterra tuvo lugar en 1066, justo unas semanas antes de que fuera conquistada por los normandos, que eran descendientes de colonos vikingos asentados en el norte de Francia. Guillermo *el Conquistador*, que se convirtió en rey de Inglaterra tras derrotar al rey Haroldo en la batalla de Hastings, era descendiente del jefe vikingo Rollo, que había realizado incursiones por Francia y fundado el ducado de Normadía en el año 911.

Los asentamientos vikingos también tuvieron una influencia duradera en Islandia y en la actualidad esta septentrional isla todavía conserva algunos elementos de cultura vikinga. En Escandinavia, los tres reinos vikingos acabaron por convertirse en las actuales naciones de Dinamarca, Noruega y Suecia.

La India y el Lejano Oriente

Al igual que en el Oriente Medio, las primeras civilizaciones de la India y el Lejano Oriente

se desarrollaron en los valles de grandes ríos: el Indo y el Ganges en la India; el río

Amarillo y el Yangtze en China, y el Mekong en el sureste de Asia. Las primeras culturas y

ciudades de estas regiones crecieron a partir de las comunidades agrícolas que se habían

asentado en estos fértiles valles para plantar sus cosechas.

DEBAJO: El arroz era el cultivo básico en todo el Lejano Oriente y se cultiva en terrenos inundados como el que se muestra en la fotografía.

La civilización del Indo

Hace miles de años, en el fértil valle del gran río Indo, emergió una civilización en lo que hoy son la India y Pakistán. Se trata de la civilización del Indo, a la cual los arqueólogos llaman también la civilización Harappa, que es el nombre de una de sus mayores ciudades.

Hasta el año 2600 a.C., las gentes de sociedades diferentes, pero relacionadas, vivían en poblados y pequeñas ciudades en distintas zonas de la región del Indo. Aproximadamente por esas fechas, estos grupos acabaron por unirse y crear una sociedad que construyó ciudades grandes y sofisticadas, además de producir una civilización avanzada con una cultura que contaba con una forma de escritura. Esta civilización duró hasta el año 2000 a.C.

El río Indo es unos de los más grandes del mundo; nace en la cordillera del Himalaya, atraviesa Pakistán y desemboca en el mar de Arabia. Tras dejar las montañas del norte, los cinco principales afluentes recorren una llanura llamada el Punjab (que significa «cinco ríos» en la lengua local). Algo más al sur, los cinco se unen al Indo, que continúa hasta el mar. La parte sur de la llanura se conoce como Sind, un antiguo nombre para la India que dio al marino Sindbad su nombre.

RECURSOS NATURALES

La gente de la civilización del Indo vivía en el Punjab y el Sind, dependiendo del río Indo (y de otro río que lleva ya mucho tiempo seco) para conseguir agua con la que irrigar sus granjas. También vivían en la costa del mar de Arabia, donde construyeron puertos para comerciar. Escarpadas colinas y montañas forman la frontera oeste del valle del Indo, y fue allí donde las gentes de esta cultura encontraron muchos materiales útiles, como piedras de vistosos colores, para utilizar como herramientas y adornos. También hallaron sílex (con el que fabricaban herramientas de piedra) en las colinas bajas cercanas a la costa. Para conseguir estos materiales, la gente de la mayor parte del valle del Indo tenía que confiar en los mercaderes, que se los suministraban.

Los agricultores llevaban viviendo en el valle del Indo desde 6.500 años a.C. o puede que antes. Esta gentes habitaba en sencillas casas de pueblo hechas de adobes. Hacían joyas a partir de conchas marinas, lapislázuli y turquesa. Enterraban muchos objetos junto a sus muertos, para que las personas a quienes querían estuvieran bien provistas en la otra vida.

En torno a 5.000 años a.C., estos primeros agricultores comenzaron a fabricar cerámica y no tardaron en desarrollar otros notables habilidades. Los artesanos comenzaron a hacer bellas joyas a partir de piedras raras y conchas, además de herramientas y armas de cobre. Incluso aprendieron a crear materiales artificiales como la

fayenza que, fabricada a partir de una mezcla de arena parcialmente fundida, parece casi cristal. Como la gente comenzó a pasar más tiempo fabricando cosas, tuvieron menos tiempo para cultivar, de modo que comenzaron a intercambiar sus productos por comida. Este intercambio supuso un paso importante hacia un nuevo tipo de sociedad, en la que existían distintas ocupaciones, diferentes jerarquías y diferentes niveles de poder.

En el año 3000 a.C. aproximadamente, el valle del Indo ya estaba ocupado por varias sociedades de este tipo. Los arqueólogos llaman a esta época, entre los años 3200 a.C. y 2600 a.C. el periodo Harappa Inicial. La mayoría de las personas de la sociedad del Harappa Inicial continuó viviendo en poblados agrícolas.

A menudo, los poblados estaban rodeados por un muro o construidos sobre plataformas de arcilla, de modo que la inundación anual del río no se llevara sus casa por delante. También se reunían en poblaciones que tenían hasta 5.000 habitantes. Estos lugares atrajeron a muchos artesanos y las ciudades se convirtieron así

ARRIBA: La parte superior del valle del Indo, con las montañas al fondo. Este fértil valle permitió a los primeros agricultores producir la suficiente comida como para generar un excedente que pudo mantener a la población de las ciudades.

Sellos de piedra

Las gentes de la civilización del Indo fabricaron grandes cantidades de sellos de piedra (se han descubierto más de 2.000). Los sellos son cuadrados, con la parte posterior redondeada y la parte delantera plana y con una imagen grabada. Las imágenes de los sellos eran por lo general de animales; el más frecuente es un toro, pero también podía ser un rinoceronte, un elefante, un búfalo de agua, un unicornio o cualquier otro animal. Una línea escrita, muy probablemente el nombre del propietario, su título o su trabajo, se graba sobre la imagen del animal. Parece que estos sellos eran utilizados como marcas de propiedad. Por ejemplo, un mercader podía marcar sus bienes atando una cuerda alrededor, sujetando el nudo con una pella de barro y presionando su sello sobre la arcilla. Cuando ésta se secara, el único modo de desatar el nudo era rompiendo el sello.

Puesto que los sellos se utilizaban para hacer impresiones, los grabados tenían que ser en negativo (como la escritura en un espejo), de modo que la gente pudiera leer el resultado inverso.

Tres sellos de piedra con inscripciones y animales grabados.

en el lugar de los trabajos especializados. Las ciudades también eran lugares en donde vivían los mercaderes, que se encargaban de transportar los bienes de un lugar a otro por toda la región. Según la gente se fue haciendo más rica, comenzó a rodearse de objetos caros y a construir casas grandes. Algunas ciudades poseen incluso barrios diferenciados, separados por muros, los ricos y poderosos en uno y los pobres en otro. Estos cambios sugieren que las sociedades del Harappa Inicial se estaban convirtiendo en culturas complejas.

DERECHA: Parte de los restos de la ciudad de Harappa, en el Indo. La ciudad estaba distribuida ortogonalmente, con calles anchas para separar los edificios, construidos con ladrillos cocidos de tamaño uniforme.

Durante el siglo que transcurrió entre los años 2600 y 2500 a.C., la sociedad sufrió grandes cambios que produjeron lo que los arqueólogos llaman la cultura Harappa Plena. Esta cultura estaba basada en la vida en la ciudad y los arqueólogos han descubierto cinco ciudades principales en la región del Indo. Mohenjodaro, en Sind, era la mayor, aunque la ciudad de Harappa, en el Punjab, es casi tan grande como ella (cada una cobijaba a 50.000 personas). Las otras tres ciudades tenían aproximadamente la mitad de ese tamaño. En muchas cosas, estas ciudades eran versiones ampliadas de las ciudades del Harappa Inicial. Cada ciudad tenía diferentes secciones –cada una rodeada por un muro– y algunas estaban construidas sobre enormes plataformas de ladrillo. Ciertas secciones contenían barrios residenciales, mientras que otras albergaban los edificios gubernamentales.

Los edificios públicos de Harappa y Mohenjodaro parecen ser de diferentes tipos. El arqueólogo que primero los excavó identificó lo que pensó que eran: enormes graneros para almacenar el suministro público de grano, un gran baño o piscina sagrada y un lugar de reunión. No obstante, los arqueólogos actuales no están tan seguros de la función de estas grandes y bien pensadas estructuras. Al contrario que en otras civilizaciones tempranas, todavía no ha sido posible identificar los palacios de sus gobernantes o los templos principales.

Las zonas residenciales de las ciudades estaban planeadas de un modo muy lógico, con una distribución ortogonal a base de calles de norte a sur que se cruzaban con calles de este a oeste formando manzanas. Las casas de la gente tenían aproximadamente el mismo diseño, con habitaciones en torno a un espacio abierto. Unas escaleras llevaban a los pisos superiores o el tejado, mientras que las ventanas tienen elementos para sujetarles contraventanas. Esta disposición significa que las familias podían vivir y trabajar tanto en el interior como en el exterior, dependiendo del tiempo, y dormir en el tejado durante el calor del verano. Alguna casas eran más grandes que las demás y tenían pequeñas edificaciones anejas, quizá para la servidumbre.

Los gobernantes de estas ciudades se preocuparon mucho del agua potable y del alcantarillado. Cada manzana de la ciudad tenía un pozo (algunas casas tienen pozos privados) y construyeron un elaborado sistema para desaguar las aguas de albañal y el exceso de lluvia.

LA VIDA EN LA CIUDAD

La mayoría de los artesanos vivían y trabajaban en las ciudades. Estos trabajadores especializados fabricaban gran cantidad de bienes muy apreciados, como herramientas y armas de metal, pulseras de concha, cuentas, gres (una cerámica casi tan dura como la roca), brazaletes, telas de algodón, sellos de piedra y cerámica. Algunas de sus habilidades eran tan sofisticadas que todavía no comprendemos muy bien cómo fabricaron esos objetos.

Muchos de estos productos necesitaban una gran cantidad de trabajo. Por ejemplo, un fabricante de cuentas necesitaba trabajar durante dos semanas para producir una única cuenta grande de cornalina (una piedra roja similar al cuarzo). Esas grandes cuentas de cornalina era un objeto muy apreciado y caro durante la época harappa, y la gente rica vestía collares y cinturones que podían necesitar un año de trabajo para fabricarse. La gente menos rica llevaba cuentas de arcilla pintada de

ARRIBA: Esta maqueta de un carro de dos ruedas, bueyes y conductor, es de barro cocido y fue hallada en la ciudad de Harappa. Los trozos de madera son una reconstrucción moderna.

Un drenaje eficiente

Las gentes que edificaron las ciudades de la civilización del Indo comprendieron que era necesario crear un sistema para evacuar las aguas de albañal y el exceso de lluvia. De modo que equiparon las ciudades con un sofisticado sistema de alcantarillas y sumideros, que permitían que esos desechos corrieran por debajo de la ciudad y fueran a parar a la llanura en torno al asentamiento.

Los sumideros de cada casa llevaban las aguas de albañal hasta unas cloacas que corrían junto a las calles residenciales. Muchas de ellas eran abiertas, para poder recoger el exceso de lluvia que, de otro modo, hubiera inundado las calles. Las cloacas desembocaban en alcantarillas que corría por debajo de las calles.

Incluso según estándares modernos, este sistema creado por los arquitectos de la ciudad es una impresionante obra de ingeniería. Las cloacas estaban hechas de ladrillos cocidos, que se conservan durante mucho tiempo, y en varios puntos de su recorrido tenían tanques para que se acumularan los desechos sólidos y no

obturaran las alcantarillas. Los arqueólogos desenterraron en la ciudad de Harappa una alcantarilla que tenía un techo en arco de 1,5 metros de altura. El sistema de drenaje del Indo era muy avanzado –muy pocas civilizaciones poseen algo similar– y no fue igualado hasta la época moderna.

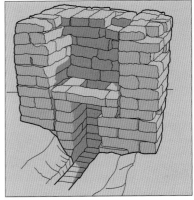

El sistema de drenaje y alcantarillado de la civilización del valle del Indo se adelantó mucho a su tiempo. Muchas casas poseían retretes privados, como éste, conectado mediante una tubería a cloacas cubiertas que corrían bajo las calles de la ciudad y desaguaban fuera de ella.

rojo. Los extranjeros también valoraban estas cuentas de cornalina y los mercaderes las llevaron a Sumer (en lo que la actualidad es el sur de Iraq) y otros lugares.

A pesar del gran nivel de las ciudades de la civilización Harappa Plena, la vida en los campos siguió siendo extremadamente importante. Los arqueólogos conocen más de 1.500 asentamientos del Harappa Pleno y casi todos son poblados. Pero incluso ellos contienen casas sólidamente construidas y sus habitantes disfrutaban de los mismos sistemas de desagüe que los habitantes de la ciudad. Los agricultores dependían de la irrigación para llevar agua a sus campos, donde cultivaban principalmente trigo y cebada, además de legumbres, sésamo y verduras. En algunas zonas los agricultores también cultivaban trigo y algodón. Animales como la oveja, el cebú (una res con joroba) y el búfalo de agua proporcionaban leche y carne. Los vecinos de los pueblos tuvieron que trabajar muy duro no sólo para alimentarse a sí mismos, sino también a los habitantes de las ciudades.

La cultura harappa es una de las que inventaron un tipo de escritura. Esta misteriosa forma de escribir no era un alfabeto, como el actual, sino que utilizaba 40 signos diferentes para representar sílabas (como «ba», «bi», «ta», «ti» etc.) y algunas palabras completas. Otras escrituras tempranas de otros lugares del mundo también utilizaban un complicado sistema que mezclaba sílabas y palabras, pero ninguno de ellos está relacionado con la escritura harappa.

Aunque los arqueólogos han encontrado cientos de inscripciones, todas son muy cortas y todavía no ha sido posible descifrarlas. Las inscripciones aparecen en objetos de cerámica y herramientas de cobre, además de en distintos objetos de piedra, concha o marfil; su intención era informar del nombre del artesano o del dueño de los objetos.

EL FINAL DE UNA ERA

En algún momento en torno a 2000 a.C., la civilización del Indo comenzó a cambiar de nuevo. La gente abandonó las ciudades para irse a vivir al campo y los artesanos dejaron de fabricar sus productos más elaborados y caros, al mismo tiempo que los mercaderes dejaban de emplear los sellos para marcar sus propiedades. La gente del Indo también abandonó la escritura. En vez del estilo Harappa Pleno, en diferentes zonas del Indo aparecieron multitud de estilos distintos de fabricar cerámica y otros objetos. Parece como si la gente hubiera regresado al estilo de vida que había prevalecido siglos antes. Nadie sabe qué pudo ser capaz de generar tal cambio, aunque algunos consideran que un cambio climático pudo haber tenido algo que ver en ello. Es posible que los agricultores dejaran de ser capaces de proporcionar suficientes suministros a las ciudades, por lo que la gente tuvo que emigrar.

Puede que la aparición de un nuevo pueblo, llamado los arios védicos, que llegaron al Indo desde el Asia central, también tuviera que ver en el proceso. Sin embargo, no llegaron como conquistadores destructivos. De hecho, ciertos aspectos de la cultura del Indo cambiaron y se difundieron poco a poco a otras partes del norte de la India. Estas culturas Harappa Tardías formaban parte de la base cultural a partir de la cual, mil años después, nacerían las ciudades de la llanura del Ganges.

Pesos y medidas

El comercio era muy importante para la gente del valle del Indo, por lo que desarrollaron un sistema uniforme de pesos y medidas, utilizado en toda la región para regular el comercio de bienes. La mayoría de los pesos encontrados en Mohenjodaro tienen forma de cubo y están hechos de una piedra llamada calcedonia. El peso estándar era de unos 14 gramos. Había dos sistemas: uno para las cosas pequeñas y otro para las más grandes y de mayor peso.

Al principio se pensó que los pesos pequeños seguían un sistema binario (1, 2, 4, 8, 16, 32, 64) y los otros un sistema decimal; pero hallaazgos posteriores parecen desmontar esta teoría y han dejado a los arqueólogos sin pistas sobre cómo funcionaba el sistema. Los pesos más pequeños se han encontrado en las tiendas de los orfebres; los más grandes necesitaban una cuerda o anillo de metal para levantarlos. Cuerdas con marcas nos indican que también existían medidas estándar para la longitud.

DEBAJO: La civilización del Indo en el 2500 a.C., con sus cinco ciudades principales (señaladas en rojo).

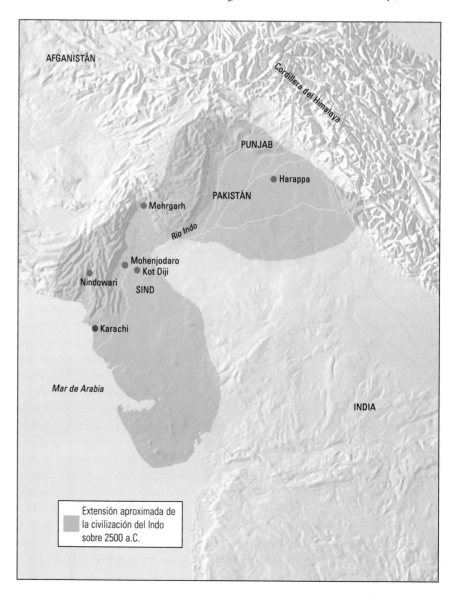

Extensión aproximada de la civilización del Indo sobre 2500 a.C.

Mohenjodaro

Mohenjodaro era la más grande las ciudades de la civilización del valle del Indo. Cuando esas grandes ciudades fueron descubiertas, en la década de 1920, se reconoció que esta civilización era, junto a la mesopotámica y la egipcia, una de las grandes culturas del mundo antiguo. Un equipo de arqueólogos británicos, dirigido por John Marshall, comenzó a excavar Mohenjodaro en 1922. En una década de trabajo desenterró grandes zonas de la ciudad y nos proporcionó una excepcional imagen de lo que había sido la vida en esta ciudad India durante la Antigüedad.

Mohenjodaro se encuentra en la orilla derecha del Indo, en la región conocida como Sind, en lo que en la actualidad es Pakistán. Según los estándares de la Antigüedad, la ciudad era enorme, con una superficie de 2,6 kilómetros cuadrados y 50.000 habitantes. Una ciudad de este tamaño tenía que confiar en sus agricultores y ganaderos para el suministro de alimentos. Algunas de las personas que vivían en ella puede que cultivaran jardines y campos, pero la mayoría tenían otras ocupaciones.

Los artesanos trabajaban en talleres para hacer delicadas cerámicas, cuentas de piedra y de concha, así como otros productos típicos de esta civilización. Otros habitantes de la ciudad regentaban tiendas donde se vendían bienes u organizaban expediciones comerciales por el valle del Indo y más allá. Algunas familias ricas puede que tuvieran propiedades en el campo o que invirtieran en firmas comerciales o talleres. No cabe duda de que en la ciudad vivían funcionarios del gobierno y sacerdotes, pero las excavaciones no han encontrado hasta ahora demasiados restos de su presencia.

La ciudad contenía varios montículos separados por tramos de tierra más bajos. Los montículos se formaron al construir la gente sus casas sobre edificaciones destruidas anteriormente. Excavando cuidadosamente por entre los diferentes niveles de los edificios, los arqueólogos han descubierto cómo cambió la ciudad con el paso de los siglos. Marshall halló unos 500 años de reconstrucciones. También descubrió cómo organizaban su vida los habitantes de la ciudad.

Mohenjodaro tienen todas las trazas de haber sido construida siguiendo un plan predeterminado. El yacimiento tiene dos partes: al oeste un pequeño montículo elevado y al este un grupo mucho mayor de montículos, separados ambos por varios cientos de metros de espacio abierto. La zona oriental, la más grande, contenía las zonas residenciales, en donde vivía y trabajaba la mayor parte de la gente.

Las ruinas de Mohenjodaro, con el gran montículo occidental en la distancia. Estrechas calles entre las casas llegaban a las grandes calles dispuestas ortogonalmente.

En esta sección de la ciudad, amplias avenidas formaban una cuadrícula regular de norte a sur y de este a oeste. Las avenidas estaban conectadas a una red regular de calles más pequeñas y de caminos entre las casas.

Los residentes de Mohenjodaro parecen haber gustado de la privacidad, pues las entradas y las ventanas daban a las calles secundarias, mientras sin aberturas daban a las avenidas. Las casas eran de distintos modelos. Las más pequeñas eran casas sencillas con terrazas, cada una con una única habitación. No obstante, la mayoría de las casas tenía varias habitaciones y un patio en donde la familia podía trabajar al aire libre. Las casas más grandes tenían más habitaciones y varios patios; algunas contaban incluso con habitaciones parcialmente separadas para la servidumbre. A menudo las casas tenían escaleras para subir a los pisos de arriba o al tejado, donde la familia podía dormir en las cálidas noches de verano. Muchas de las viviendas tenía cuartos de baño y retretes, conectados mediante tuberías a un elaborado sistema de alcantarillado que corría por debajo de las casas.

El alto montículo del oeste posee un carácter muy diferente. Este sector de Mohenjodaro era básicamente una gigantesca plataforma de 366 por 183 metros y unos 12 metros de altura. Sobre ella había varios edificios que pueden haber tenido una función religiosa o civil.

Uno de estos edificios tenía un gran contenedor de agua de 2,4 metros de profundidad, casi como una gran piscina, en el centro. El estanque estaba cuidadosamente construido con ladrillos y yeso, además de calafateado con asfalto para hacerlo impermeable. Dos escaleras conducían al interior del estanque desde extremos opuestos. Alrededor del tanque había un porche con columnas que sujetaban una cubierta; toda la estructura estaba rodeada a su vez por varios grupos de habitaciones. El edificio, al que los arqueólogos llamaron «el gran baño», probablemente tuviera una función religiosa y puede que fuera utilizado en rituales que necesitaran los efectos purificadores del agua.

Junto al gran baño se encuentra otro edificio, al que los arqueólogos llamaron el granero. Lo único que se conserva de esta estructura es una serie de bloques cuadrados ligeramente separados, con estrechos conductos de ventilación entre ellos. Es evidente que los bloques sirvieron como cimentación del edificio que en tiempos se alzó en este lugar, pero nadie sabe si realmente fue un granero.

Un tercer edificio, en el otro extremo de la plataforma, fue bautizado como el salón de asambleas. Se trata de un gran salón abierto, con filas de pilares para soportar el tejado, un diseño adecuado para las reuniones de personas.

China

La gente ya vivía en la gran región que en la actualidad llamamos China mucho antes del comienzo de la historia escrita. Los antepasados de los chinos actuales crearon asentamientos agrícolas cerca de dos poderosos ríos, el Huang He (Amarillo) y el Chang Jiang (Yangtze), hace unos 9.000 años.

Cerca del Huang He o río Amarillo, más septentrional, los primeros asentamientos agrícolas consistían en casas de madera enlucidas con barro y techadas con cañas. Los granjeros cultivaban una planta llamada mijo, además de pescar en el río y cazar.

Más al sur, la gente construía casas sobre pilotes en la pantanosa tierra cercana al Chang Jiang o «río Largo». Cultivaban arroz en las anegadas tierras y los arqueólogos han encontrado un temprano asentamiento datado en 6000-5000 a.C. Las excavaciones han demostrado que estos primeros chinos utilizaban herramientas de piedra y criaban búfalos, cerdos y perros.

LA DINASTÍA SHANG

En torno a 3000 a.C., los habitantes de estos asentamientos estaban comenzando a protegerlos con muros de tierra. Las comunidades se hicieron más grandes bajo el liderazgo de gobernantes fuertes, muchos de los cuales aparecen en las leyendas chinas. Los gobernantes pasaban el poder a sus hermanos o hijos. La primera dinastía, o familia gobernante, en dejar pruebas históricas fue la de los Shang.

La dinastía Shang, que gobernó un amplia zona en torno al río Huang He, data de 1766 a.C. Por esas fechas, los chinos aprendieron a hacer bronce y la gente del periodo Shang utilizó este conocimiento para hacer herramientas, armas y recipientes.

La gente del periodo Shang estaba gobernada por un sacerdote-rey que era llamado «Hijo del Cielo». Se adoraba a los espíritus de los antepasados reales y se les consultaban las decisiones más importantes; también había muchos dioses, sobre todo el del sol –considerado una figura paterna– y la tierra, una figura materna. Los reyes Shang y sus nobles cazaban ciervos, jabalíes, tigres y lobos. Se piensa que tuvieron varias capitales, una detrás de otra, y se sabe que en torno a 1400 a.C. hicieron de Anyang su capital.

Anyang creció hasta convertirse en una ciudad simétrica fuera de la ciudad, con palacios y templos para el rey y los nobles, que viajaban con lujo en carros tirados por caballos. Las casas de la gente normal estaban hechas de adobes y cañas, con techos de paja.

En Anyang se han encontrado muchas reliquias Shang, incluidas más de 10.000 piezas de hueso y concha de tortuga cubiertas de escritura. La escritura Shang tiene más de 3.000 signos y era una forma antigua de escritura pictográfica china. Estos huesos y fragmentos de

concha de tortuga reciben el nombre de huesos oraculares, puesto que eran utilizados como medio para ponerse en contacto con los dioses. Se escribían preguntas sobre ellos y luego eran calentados hasta que se rompían. Los sacerdotes examinaban las fragturas y, supuestamente, la forma de las mismas respondía a las preguntas.

Hacia el oeste, el territorio era gobernado por otra dinastía, llamada Chou, a quienes los Shang considera-

ARRIBA: Pintura del siglo XIII con granjeros chinos trillando y aventando arroz. Se piensa que el cultivo del arroz comenzó en China sobre el año 7000 a.C.

IZQUIERDA: Un recipiente de bronce para cocinar del periodo Shang (1766-1100 a.C.). Para fabricar objetos como éste, los chinos utilizaban la técnica de la cera perdida. Un modelo en cera del objeto se recubría de arcilla y luego se cocía; luego la cera líquida se vaciaba y era sustituida en el molde por bronce líquido que se dejaba enfriar. Finalmente, el molde de arcilla era roto para dejar libre el objeto de bronce. Para hacer un objeto como éste se habrían necesitado varios moldes.

ban bárbaros. No obstante, ambos grupos convivieron pacíficamente durante muchos años. Luego, los guerreros tribales Chou guerrearon largo y tendido contra los Schang y terminaron venciéndolos.

LA DINASTÍA CHOU

Los Chou se convirtieron en la dinastía gobernante en torno a 1050 a.C., y el soberano dividió su reino en más de cien estados, cada uno dirigido por un jefe local. Para controlar las nuevas tierras, los gobernantes Chou crearon un sistema feudal unos 2.000 años antes de que algo similar apareciera en Europa. Por debajo del soberano, la clase gobernante Chou estaba formada por cinco categorías de nobles. Cada categoría arrendaba tierras a los nobles de la categoría inmediatamente superior a la suya y toda la tierra era trabajada por plebeyos, que también tenían que cuidar de sus propias tierras, ayudados por la clase más baja de la sociedad Chou, los esclavos.

El soberano residía en la capital, Hao, cerca de la actual Chi'an, próxima a la orilla del río Huang He. Cada soberano Chou era sucedido por su hijo mayor y todos se esforzaron en mantener unidos los estados.

Sin embargo, en el siglo VIII a.C. un débil soberano Chou causó problemas. Se llamaba Yu y no era un buen gobernante. Pasaba gran parte de su tiempo con su amante y su comportamiento enfadó mucho a los nobles,

en especial a los que eran familiares de su esposa. Finalmente, perdieron la paciencia con él y lo derrocaron.

Una leyenda china nos proporciona un colorido relato de la caída de Yu. Según la historia, un día Yu decidió gastar una broma para divertir a su amante. Ordenó que se encendieran fuegos en la cima de las colinas que rodeaban la capital, que era la señal convenida para advertir a los nobles de que ésta corría el riesgo de ser atacada. Los nobles enviaron de inmediato a sus ejércitos, sólo para encontrarse con que no existía tal amenaza y de que todo era una broma. Mientras Yu y su amante encontraban divertido el enfado de los soldados, otros se divirtieron menos. El suegro de Yu estaba particularmente enfadado. Reunió un ejército entre las tribus del oeste y encabezó una invasión de verdad. Yu mandó que se encendieran de nuevo las fogatas, pero esta vez los nobles ignoraron la señal. Yu fue asesinado y su amante secuestrada por los guerreros.

En el año 771 a.C., el hijo de Yu –el nuevo soberano– trasladó la capital Chou más al este, a Luoyang. Los estados individuales del reino Chou comenzaron por entonces a separarse territorialmente, entrando en guerra entre ellos cada vez más a menudo. Ambiciosos señores locales luchaban por el poder, lo que supuso un creciente desorden. En estas inestables condiciones, muchos pensadores intentaron encontrar vías para reunir a la gente en armonía. Entre ellos hubo dos hombres

El descubrimiento de la seda

Según una leyenda china, la seda fue descubierta en torno a 2700 a.C. –mil años antes del comienzo de la dinastía Shang– en los jardines del palacio de un soberano llamado Huangdi. El rey le pidió a su esposa Xilingshi que encontrara qué es lo que estaba dañando las moreras y ella descubrió que unos pequeños gusanos se comían las hojas de las moreras y tejían brillantes capullos blancos. Se llevó algunos de ellos al palacio para estudiarlos y tiró uno en agua caliente. Para su sorpresa, una malla enredada surgió del capullo, comprobando además que estaba formada por un solo hilo, largo y delgado.

Xilingshi estaba tan encantada con el delicado hilo, que reunió más capullos y utilizó su seda para tejer un vestido especial para su esposo. Luego lo convenció para que le diera una arboleda de moreras para tener un suministro constante de capullos y seda. También se dice que Xilingshi inventó el carrete para unir los hilos y el telar para tejer la seda.

No se sabe si la leyenda se basa en un hecho real, pero es indudable que los chinos fueron los primeros en descubrir cómo fabricar seda y que durante 3.000 años fueron los únicos en hacerlo.

Una pintura del siglo XVII que muestra el método tradicional de hacer seda. La seda era una de las principales exportaciones chinas durante la Antigüedad.

cuyas ideas tendrían un impacto duradero en la vida china: Laozi y Confucio.

LA ERA DE LA FILOSOFÍA

Laozi (un nombre que significa «Anciano filósofo») vivió en el siglo VI a.C. Poco es lo que se conoce sobre él aparte de las leyendas, pero sabemos que creía que lo más importante para la gente era vivir sus vidas del modo más sencillo posible y en armonía con la naturaleza. Su Tao o «Camino» contiene patrones de la naturaleza y sus seguidores posteriores, llamados taoístas, intentaban vivir de acuerdo a sus enseñanzas. Según la leyenda, Laozi intentó dejar su estado natal de Honan cuando era un hombre anciano. Pero el guardián de la frontera, que era un gran admirador del Tao, no le dejó salir hasta que no hubo escrito sus enseñanzas, que sólo se conocían por vía oral. Laozi accedió y escribió 81 poemas cortos, que desde entonces no han dejado de estudiarse. Los expertos creen que este libro, titulado *Te Ching* («El clásico del Camino y la Virtud») probablemente fuera escrito por seguidores taoístas cientos de años después.

Confucio (551-479 a.C.) es la versión latina del título chino Kongfuzi, que significa «Gran maestro Kong». Es el título que se le dio a Confucio, nacido Kong Qui, en el Estado Chou de Lu. El padre de Confucio murió cuando él era todavía muy joven y trabajó duro por ayudar a su madre. Pasaba el tiempo estudiando, así como practicando la arquería y la música. Cuando tenía 22 años, Confucio se convirtió en profesor de historia y poesía. Además de estas materias, tam-

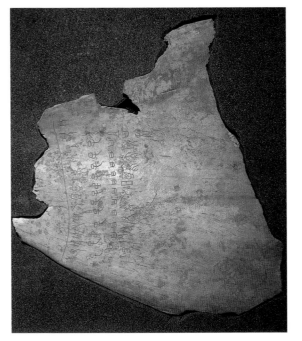

IZQUIERDA: Un hueso oracular fechado en la dinastía Shang (1766-1100 a.C.). Este tipo de huesos era utilizado por los sacerdotes para predecir el futuro y obtener orientación de los dioses. Sobre ellos se escribían preguntas y luego se calentaban hasta que se fracturaban. Luego los sacerdotes examinaban las formas de las grietas cuidadosamente para descubrir la respuesta a sus preguntas.

bién enseñaba a sus alumnos a pensar sobre sus vidas y el modo en que debían vivirlas. Estas enseñanzas son las que hacen que 2.500 años después siga teniendo seguidores.

Confucio tenía miedo de que las peleas y las guerras entre los diferentes estados Chou condujeran a la desaparición de la civilización. Creía que la sociedad podía salvarse si se concentraba en la sinceridad y la honradez. Confucio recibió algunos cargos menores en Lu, pero el gobernador del Estado ignoró sus consejos y Confucio dimitió en torno al año 496 a.C. Se exilió junto a varios

El confucianismo

En los siglos VI y V a.C. el filósofo chino Confucio introdujo un nuevo modo de pensar. Confucio creía que todas las personas tenían que ser sinceras, valientes y corteses para con los demás. Si las familias actuaban así, el gobierno y los soberanos también estarían bien organizados, de modo que el bienestar de todo un reino comienza en los hogares de la gente. Los niños tienen que obedecer a sus padres, exactamente del mismo modo en que la gente normal debe obedecer a sus soberanos. Confucio puso muchas de sus reglas en forma de dichos, como éste, por ejemplo: «Un caballero se preocupa tanto de saber qué es lo correcto como los hombres menos importantes en descubrir qué es lo que merece la pena.»

Una pintura del siglo XVIII que representa a los dos filósofos, Confucio (a la derecha) y Laozi.

No obstante, si bien Confucio creía que la gente tenía la obligación de obedecer a sus soberanos y gobernantes, también creía que estos gobiernos tenían una obligación con sus súbditos. Creía que el buen comportamiento de los soberanos tenían un efecto más beneficioso sobre la gente normal que las leyes y los castigos. Confucio llegó tan lejos como a decir que los gobiernos corruptos tenían que ser derrocados por sus súbditos.

En la actualidad, el confucionismo se considera a menudo una religión, pero no tiene sacerdotes ni propugna la adoración de dioses. El confucianismo es realmente una filosofía, una guía moral y para el buen gobierno. Las enseñanzas de Confucio demostraron ser tremendamente duraderas y tuvieron una enorme influencia en la sociedad china durante gran parte de los siguientes 2.500 años.

ner gran influencia en el modo en que China era gobernada.

Para cuando falleció, Confucio había visto cómo se hacían realidad muchas de las cosas que temía. En el año 479 a.C. la dinastía Chou encontraba difícil controlar su territorio de siete estados enfrentados. Había devastadoras batallas entre enormes ejércitos con carros arrastrados por caballos, armas de bronce y mortales ballestas (recién inventadas en China). Los ejércitos contaban en total con más de seis millones de soldados y en una batalla habida posteriormente, en el año 260 a.C., resultaron muertos más de medio millón de combatientes. El largo reinado de los soberanos Chou terminó cuatro años después, cuando los estados enfrentados comenzaron a luchar.

Entre esas provincias el Estado noroccidental de Ch'in demostró ser el más feroz y mejor disciplinado militarmente. En el año 221 a.C., su gobernador, Cheng, fue capaz de declararse victorioso sobre todos sus rivales y se llamó a sí mismo Ch'in Shihuangdi: «El primer emperador de Ch'in».

EL PRIMER EMPERADOR DE LA CHINA

Shihuangdi se convirtió en el primer emperador de una China unificada (el nombre moderno del país procede de la palabra Ch'in). Shihuangdi estableció un control centralizado para su imperio, quitándoles todo el poder a los jefes locales, que se vieron obligados a trasladarse a la nueva capital, Chanyang. Dividió China en nuevos distritos y los funcionarios que los dirigían respondían directamente ante él. También ordenó la construcción de una red de carreteras, canales y puentes por todo el imperio. Luego envió a enormes cantidades de trabajadores a construir una gran muralla en la parte norte del imperio, para mantener alejados a los posibles ejércitos invasores.

El «Primer emperador» intentó unificar todo lo posible en el imperio. Introdujo pesos y medidas estándar y se aseguró de que los caracteres de la lengua china se escribieran de igual forma en todas partes. Luego ordenó que se crearan grandes hogueras para poder quemar todos los textos conocidos, excepto los de materias útiles como la medicina, la farmacia y la adivinación del futuro. La razón era destruir los libros escritos por personas que criticaban su gobierno y destruir todo conocimiento del pasado. Los eruditos que se oponían eran arrojados a un profundo pozo y murieron a centenares.

Shihuangdi recibió el apodo de «Tigre de Ch'in». Era un duro político y un fuerte general, pero le tenía miedo a la muerte. En su gran palacio había más de 1.000 dormitorios, para que pudiera dormir cada noche en uno diferente, por si acaso alguien quería matarlo. También se construyó una tumba especial, de modo que estuviera protegido tras su fallecimiento. Su tumba contenía un ejército de más de 7.000 soldados, carros y caballos de terracota a tamaño natural. Este

de sus seguidores y durante 13 años recorrió las diferentes cortes del reino.

Hacia el final de su vida, Confucio pasaba su tiempo enseñando y escribiendo, pero no está claro si alguno de sus escritos ha sobrevivido. No obstante, sus discípulos pusieron sus dichos por escrito en un libro titulado *Analectas*. Cuando Confucio murió, no era muy conocido. Sus seguidores difundieron sus ideas y en torno al año 200 a.C. sus enseñanzas comenzaron a te-

La Gran Muralla china

La Gran Muralla china era parte del programa constructivo del primer emperador Ch'in, Shihuangdi. Aunque varios lienzos de la muralla de tierra ya habían sido construidos por algunos estados septentrionales en el año 300 a.C., fue Shihuangdi quien ordenó que esos cortos muros fueran reparados, reforzados y convertidos en una muralla continua de piedra para mantener alejados a los invasores del norte.

Una fuerza de 300.000 campesinos, antiguos soldados y esclavos tardó 20 años en completar la tarea. Trabajaron en unas condiciones duras y crueles, especialmente durante los tremendamente fríos inviernos. Los hombres que caían eran sencillamente tirados dentro de los cimientos del la gran muralla, que se construyó literalmente sobre sus cuerpos.

Cuando estuvo terminada, en torno 200 años a.C., la muralla tenía unos 3.400 kilómetros de largo. Alcanzaba cerca de 9 m de altura y la parte exterior estaba recubierta de losas de piedra. Por encima corría una carretera lo suficientemente ancha como para que la recorrieran carros. Había torres de vigilancia cada 90-180 metros y dentro había soldados apostados. En época de peligro, se encendían una serie de fuegos para avisar a los soldados de la muralla.

Posteriormente otros emperadores chinos reforzaron y ampliaron la muralla de Shihuangdi; la última gran renovación tuvo lugar 1.500 años después. Durante la dinastía Ming, que controló China desde 1368 a 1644, la gran muralla fue reconstruida gradualmente hasta alcanzar una longitud de más de 6.000 kilómetros, desde las montañas del noroeste de China hasta el golfo de Bo Hai. Gran parte de la muralla todavía existe hoy día.

La Gran Muralla china fue construida originalmente por el emperador Ch'in Shihuangdi para mantener alejados a los invasores del norte. Desde entonces ha sido reconstruida en muchas ocasiones.

ejército de barro cocido llevaba armas de bronce de verdad, pero fueron robadas por los saqueadores de tumbas.

EL AUGE DE LOS HAN

Shihuangdi murió en el año 210 a.C., tras haber sido emperador sólo durante 11 años; su hijo demostró ser un líder débil. Hubo rebeliones y una nueva dinastía, la Ha, se hizo con el poder en el año 202 a.C.

El primer emperador Han fue Liu Bang, el hijo de un simple granjero. Liu organizó unas provincias regionales similares a las de la época Chou y firmó la paz con las tribus que habían amenazado con invadir China desde Mongolia. Liu no era un hombre cultivado, pero terminó con las duras leyes del «Primer emperador». La

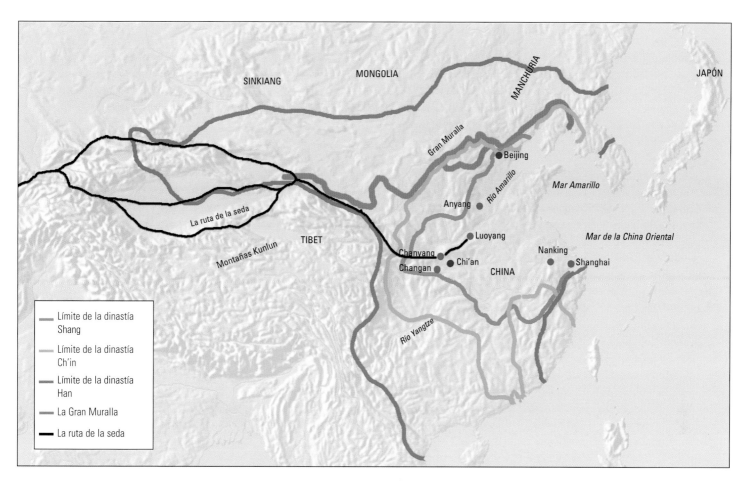

Map labels:
SINKIANG · MONGOLIA · MANCHURIA · JAPÓN · Gran Muralla · Beijing · Río Amarillo · Mar Amarillo · Anyang · Luoyang · Mar de la China Oriental · Nanking · TIBET · Chanyang · Chi'an · Shanghai · Changan · CHINA · Montañas Kunlun · La ruta de la seda · Río Yangtze

— Límite de la dinastía Shang
— Límite de la dinastía Ch'in
— Límite de la dinastía Han
— La Gran Muralla
— La ruta de la seda

ARRIBA: Los límites de las dinastías Shang, Ch'in y Han. Se pueden observar también el recorrido de la Ruta de la Seda y de la Gran Muralla. La Ruta de la Seda era el camino seguido desde el siglo II d.C. para transportar seda y otros bienes hacia Occidente.

dinastía Han gobernó el Imperio chino durante más de 400 años y la mayoría de los chinos actuales todavía se llaman a sí mismos Han.

Los emperadores Han creían en un gobierno fuerte y muy centralizado. El emperador Wu Ti, que gobernó entre los años 140 y 87 a.C. estaba decidido a mejorar la calidad de su burocracia e introdujo las opo-

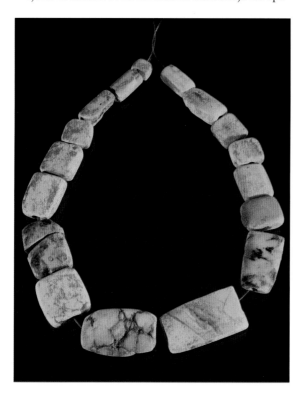

DERECHA: Un collar chino de jade. El jade era considerado por los chinos como el más valioso de todos los materiales y lo llamaban la «piedra del cielo». Es una piedra muy dura y difícil de trabajar, a pesar de lo cual los chinos llevan fabricando joyas de jade desde 3000 a.C.

siciones para elegir a los funcionarios. También fundó una universidad imperial donde los estudiantes aprendían los clásicos del confucianismo, que terminó convirtiéndose en la filosofía del Estado. Durante el gobierno de Wu Ti florecieron las artes. Los poetas Han escribieron en un estilo particularmente claro que todavía es famoso en la literatura china, mientras que los artistas de la época producían bella cerámica vidriada y grabados en piedra. La mayoría de esos artistas, profesores, filósofos y funcionarios vivían en la capital Han, Changan, que, al igual que todas las ciudades chinas antiguas, estaba dispuesta según un estilo simétrico y ordenado.

MEDICINA

En la época de la dinastía Han, la medicina china ya estaba muy avanzada. La antigua medicina china se basaba en la idea de que en una persona sana existía una armonía entre fuerzas opuestas, lo que sería la base de la acupuntura, que todavía se utiliza en la actualidad. Los médicos encontraron vías en el cuerpo que respondían a la estimulación mediante agujas y restauraban el equilibrio entre las dos principales fuerzas de la naturaleza, el yin y el yang. El yin es la fuerza femenina, asociada con la tierra y la oscuridad, mientras que el yang es la fuerza masculina, asociada con el cielo y la luz. Los acupuntores insertan agujas en puntos concretos del cuerpo para poner esas dos fuerzas en equilibrio y de ese modo aliviar el dolor.

La invención del papel

Los eruditos de la antigua China escribían en tiras de bambú (unidas luego para formar libros), sobre madera o sobre seda. Todo eso cambió en el año 105 d.C., cuando Cai Lun, un funcionario de la corte del emperador Hoti, de la dinastía Han, inventó el papel.

El primer papel se hizo con trapos de seda. Luego se utilizaron otros materiales fibrosos, como el bambú, la corteza de morera o el cáñamo. Las materias primas se empapaban con agua para ablandarlas. Luego eran hervidas y machacadas hasta que se formaba una pasta. El papel se creaba introduciendo dentro de la pasta una fina malla de bambú que, al sacarse del recipiente, quedaba cubierta con una delgada película de fibra. La malla se prensaba para extraerle el agua y luego se dejaba secar sobre un muro caliente. Una vez seca, la hoja se separaba de la malla y se pulía sobre una superficie plana y dura.

Más tarde, los fabricantes chinos de papel utilizarían trapos, cuerdas y redes viejas como materia prima. El papel que fabricaban se utilizaba para envolver cosas y para vestidos, así como para escribir. Los chinos consiguieron mantener en secreto ante el mundo el arte de la fabricación de papel durante cientos de años.

En el año 25 d.C., la capital Han fue trasladada a Luoyang. En torno al año 125 d.C., el deseo de los Han de mantener el orden recibió el apoyo de la invención del papel, que hizo que el registro de datos fuera mucho más sencillo. El Imperio Han continuó creciendo durante algún tiempo, pero terminó por derrumbarse debido a las rivalidades entre los generales, los consejeros imperiales y los funcionarios. La dinastía terminó en el año 220 d.C. y durante los siguientes 400 años China estuvo de nuevo dividida entre estados enfrentados.

DERECHA: Dos figuritas de cerámica con forma de princesa del periodo Tang (618-907 d.C.), con las ropas y peinados que estaban de moda entonces.

China fue reunificada durante el corto gobierno de la dinastía Sui, entre los años 581 y 618 d.C. Por esas fechas, el sistema de canales que se había comenzado cientos de años antes fue reconstruido y ampliado. En el año 610 d.C. los ingenieros chinos habían planeado y construido el Gran Canal para unir el Huang He con ríos más meridionales. Este enorme canal hizo que el transporte de arroz y otros alimentos desde el sur al norte del imperio, donde vivía la mayor parte de la población, fuera más sencillo. El gran canal de la dinastía Sui fue llevado todavía más al sur en años posteriores, y todavía se utiliza.

LA DINASTÍA TANG

En el año 618 d.C., una poderosa nueva dinastía se hizo con el control del imperio. La dinastía Tang duraría casi 300 años, en lo que fue una Edad de Oro para China. Durante el gobierno de los emperadores Tang, la capital imperial, Changan, creció hasta convertirse en la ciudad más grande del mundo, en la que vivían más de un millón de personas. Muchos mercaderes y estudiosos del resto de Asia la visitaban. El budismo, que había llegado a China procedente de la India algunos siglos antes, comenzó a florecer.

En esta era de prosperidad, la gente rica llevaba una vida confortable. Vivían en casas de ladrillo y madera de dos o tres pisos de altura, rodeadas de bellos patios y jardines, vestían lujosos trajes de seda y tenían mucho tiempo libre. Les gustaba escuchar música y poesía, así como jugar al ajedrez y las cartas. Compraban bienes de oro, plata y jade, y les gustaban especialmente los cuencos, copas y otros recipientes de porcelana. La porcelana más delicada se destinaba al uso del emperador, la de segunda categoría era utilizada por el emperador para hacer regalos, mientras que la de tercera categoría era de uso corriente.

Durante el periodo Tang, China amplió sus fronteras y comerció con otras tierras. Muchos mercaderes viajaban desde y hasta Asia central, Persia y el mar Mediterráneo por la Ruta de la Seda, un recorrido de más de 6.000 kilómetros. Los bienes que los mercaderes chinos llevaban al oeste eran seda, papel y porcelana, mientras que los mercaderes extranjeros llevaban lana y metales preciosos a China. En los mercados de Changan siempre había mucha actividad y el incremento del comercio llevó más prosperidad a los artesanos y granjeros del imperio. La suerte de la gente normal también mejoró durante el gobierno Tang y aquellos que destacaba por su inteligencia tenían la posibilidad de subir de categoría aprobando exámenes y consiguiendo un puesto entre el funcionariado.

Pero de nuevo un periodo de gran agitación política sacudió China. En el año 868 hubo una rebelión militar contra la dinastía Tang y 13 años después los rebeldes conquistaron Changan. Los gobernadores provinciales declararon su independencia del gobierno central y en 907 el último emperador Tang fue derrocado.

La tumba de Ch'in Shihuangdi

En marzo de 1974, un pequeño grupo de campesinos excavó unos pozos en los campos cercanos a la ciudad de Chi'an, en la parte centro-norte de China. En vez de agua encontraron una extraordinario tesoro: una cámara subterránea que contenía un ejército de terracota.

Cuando los arqueólogos chinos comenzaron a excavar el yacimiento –el cual comenzó a ser conocido como Pozo 1– encontraron más de 6.000 figuras, en formación y listas para la batalla. Los soldados eran de un tamaño mayor al natural y cada uno de ellos tenía un rostro distinto, como si los hubieran modelado a partir de una persona real. Dos años después, en 1976, se reprodujo la emoción del descubrimiento al hallarse cerca dos pozos más pequeños. Ambos contenían más guerreros de arcilla con armas, caballos y carros. ¿Qué explicación tenía este gran ejército escondido bajo tierra?

La respuesta al enigma se encontraba en la colina de suaves laderas de unos 1.400 metros de diámetro que se encontraba a aproximadamente 1,6 kilómetros al oeste del Pozo 1. En realidad se trata de un túmulo funerario que esconde la tumba de Cheng, el rey del estado de Chi'an que gobernó China como Shihuangdi («Primer emperador») entre los años 221 y 210 a.C. Los especialistas creen que los soldados fueron enterrados en los pozos para proporcionar protección mágica o simbólica a la tumba del emperador. Puede que sea significativo que todos miren hacia el este, la dirección de la que procedían los enemigos del emperador cuando estaba vivo.

Los soldados de barro cocido parecen ser una réplica del ejército real de Shihuangdi, por lo que arrojan una fascinante luz sobre el modo en que estaban organizados los antiguos ejércitos chinos. En el Pozo 1, una cámara rectangular de 210 por 60 metros, la infantería está dispuesta en formación de batalla en 11 largas filas. Sus cuerpos están hechos de arcilla local. Parece que los artesanos utilizaron moldes para las formas básicas y

IZQUIERDA: Cada soldado de la tumba tiene rasgos distintos, haciendo que parezca que el ejército es una copia de un ejército real.

luego esculpieron y pintaron los detalles concretos a mano. La cabeza y los brazos se hicieron por separado y fueron unidos después a los cuerpos.

EL EJÉRCITO CHINO

Los soldados están en formación de cuatro en fondo en cada una de las nueve columnas principales, y de dos en fondo en cada una de las columnas laterales. Aunque los pozos fueron saqueados en busca de armas por soldados enemigos en el año 206 a.C., se han conservado un número considerable de puntas de flecha, espadas afiladas como cuchillas, gatillos de ballestas y puñales de bronce, para mostrarnos la amplitud de las armas a disposición del ejército imperial. No obstante, los soldados no llevaban escudos o, exceptuando los oficiales, cascos. Esto sugiere que el ejército confiaba en la agresión y la rapidez. De hecho, los relatos históricos comparan la rapidez del ejército chino con la lentitud de sus enemi-

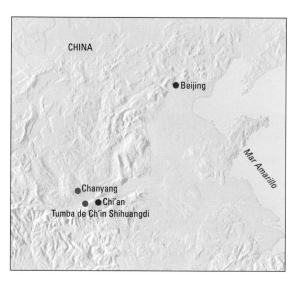

IZQUIERDA: La tumba de Shihuangdi se encuentra situada en la China central-septentrional, cerca de la moderna ciudad de Chi'an.

Los tesoros de la tumba

Mientras que los soldados de terracota que guardan la tumba de Shihuangdi han sido contemplados por millones de turistas, el contenido de su tumba continua oculto a los ojos del mundo moderno. No obstante, a pesar de que todavía no ha sido excavada, es posible imaginar los tesoros que puede contener gracias a las obras del antiguo historiador chino Sima Chian (en torno a 145-90 a.C.)

Por la descripción que Chian hace de la tumba, ésta parece un lugar de maravilla. Bajo un cielo pintado de estrellas, Chian menciona la presencia de una gigantesca maqueta esculpida que representa un paisaje con sus palacios y torres, creado para representar las tierras del emperador. Los ríos y mares están formados por corrientes de mercurio. Las pruebas realizadas por científicos actuales han demostrado la presencia de grandes cantidades de mercurio en la zona de la tumba, respaldando la descripción de Chian.

A pesar de todo, cualquiera que intente penetrar en la tumba para ver estas maravillas hará bien en leer con detenimiento la descripción que hace Chian de sus defensas. Parece que la tumba está protegida por un elaborado sistema de trampas, con ballestas cargadas listas para disparar, colocadas en las entradas.

---

gos, que se veían entorpecidos por una pesada armadura. Esta teoría se ve apoyada por los guerreros de arcilla, la mayoría de los cuales llevan ligeras cotas de malla, a base de pequeñas piezas de metal superpuestas. Las ballesteros y los arqueros vestían ropas todavía más ligeras, hechas de algodón, lo que les proporcionaría la libertad de movimiento necesaria para ponerse rápidamente en posición y maniobrar de forma más efectiva con sus armas.

Además de arqueros, el pozo demostró la presencia en el ejército de lanceros (cada uno de ellos con una amenazadora pica de 2 m de longitud) y seis carros arrastrados cada uno por cuatro caballos de arcilla. Dos de los carros llevaban tambores y campanas, que pueden haber sido tocados por los oficiales para dar órdenes a las tropas por encima del fragor de la batalla.

En el Pozo 2, que se encuentra sólo a 20 metros al norte del Pozo 1, se descubrieron otros 1.410 soldados, junto a caballos y carros. Aunque más pequeño, el Pozo 3 es muy importante, porque contiene la unidad de mando del ejército. Esto ha sido deducido a partir de la presencia de 68 guerreros con armadura, de tamaño mayor que el natural, que rodean a un carro vacío. Los arqueólogos creen que este selecto grupo de guardaespaldas protegía al comandante del ejército, subido al carro, cuya estatua no ha sobrevivido.

EL PRIMER EMPERADOR

Fue con unos hombres feroces, móviles y disciplinados como éstos con los que Cheng derrotó a sus enemigos y se convirtió en el primer emperador de China. Había nacido en torno al año 258 a.C. y fue coronado rey de Ch'in en 246 a.C., a la edad de 12 años. Por esas fechas, los siete estados de China estaban luchando unos contra otros por la supremacía, pero tal y como sugieren los soldados de arcilla, Cheng utilizó sus masivas formaciones de infantería para aplastar a los demás estados. Cheng consiguió destruir a sus enemigos y en el año 221 a.C. había unificado China.

Práctico y enérgico, Cheng –ahora llamado Shihuangdi– no tardó en dejar su sello en el país y sus gentes. Gobernando desde la capital, Chanyang, fortaleció el papel del gobierno central. Mandó construir una red de canales y carreteras y creó una barrera defensiva de 4.800 kilómetros de longitud que llegó a conocerse como la Gran Muralla.

No obstante, mientras que el emperador podía ser progresista en ciertos campos, en otros era despiadado e intolerante. También era muy supersticioso y le tenía pavor a la idea de morir. Su miedo a la muerte le animó a comenzar a construir su tumba nada más convertirse en rey de Ch'in.

Finalmente, Shihuangdi murió de una enfermedad en el año 210 a.C. y, sólo cuatro años después, el imperio que había esperado que durara para siempre fue reemplazado por la dinastía Han. El primer emperador fue adecuadamente enterrado en una tumba junto a alguna de sus esposas y aquellos desgraciados artesanos que conocían sus secretos. Más de 22 siglos después, su tumba continúa intacta bajo la atenta mirada de sus guerreros de terracota, mientras sus secretos todavía aguardan a que alguien los saque a la luz.

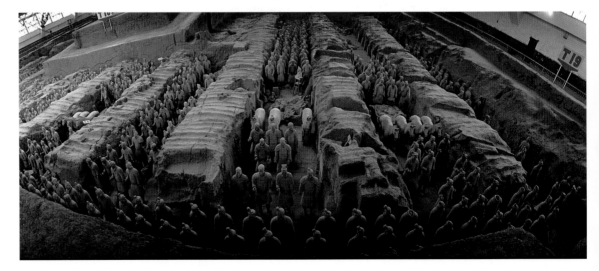

DERECHA: La mayor parte del vasto ejército de soldados de terracota que protegen la tumba de Ch'in Shihuangdi fue descubierta en 1974, en lo que se conoce como el Pozo 1, que se ve en la fotografía.

El sureste de Asia

El territorio continental del sureste de Asia es una vasta región que incluye los países de Camboya, Laos, Myanmar, Tailandia, Camboya y Singapur. A pesar de la diversidad de la región, las lenguas y culturas de estas gentes comparten muchos rasgos comunes.

La historia de la región se ha visto muy influida por tres principales sistemas fluviales, los ríos Chao Phraya, Mekong y Rojo. Cada uno posee un fértil delta y se desborda cada año, lo que produce las condiciones ideales para cultivar arroz, el alimento básico del sureste de Asia antiguo.

Los primeros pueblos del sureste de Asia eran cazadores-recolectores, pero sobre 5.000 años a.C., algunos de estos grupos ya se habían hechos sedentarios y comenzado a cultivar. Los historiadores no tienen demasiada certeza sobre el momento en que el cultivo del arroz llegó a la región, pero es probable que fuera introducido por gente que venía de la cuenca del Yangtze, en el sur de China. Cualesquiera que sean sus orígenes, el cultivo del arroz ya se había difundido para 3.000 años a.C.

El siguiente avance importante fue el descubrimiento de cómo trabajar el metal. La producción de objetos de bronce en el sureste asiático comenzó en torno a 2.000 años a.C., mientras que el trabajo del hierro comenzó después, en torno a 500 a.C. Al principio, los historiadores creyeron que el trabajo del metal había sido introducido desde China, pero ahora se piensa que los habitantes locales desarrollaron sus propios métodos. Un indicio de que se estaban desarrollando sociedades más complejas.

LOS DONG SON

La cultura Dong Son del valle del río Rojo es una de las mejor conocidas de estas primeras civilizaciones, gracias a los delicados bronces que se han encontrado en sus tumbas. Concretamente, hacia el año 500 a.C. los Dong Son ya estaban produciendo unos enormes tambores de bronce decorados con figuras geométricas incisas y modeladas, y con escenas de la vida cotidiana. Uno de estos tambores pesa 70 kilos y para hacerlo necesitaron fundir más de una tonelada de mena de cobre. Los tambores se han encontrado en una amplia zona del sureste de Asia, lo que indica que los Dong Son tenían un floreciente comercio con otras culturas. Poco más se conoce sobre los Dong Son, excepto que eran gobernados por caciques y que su sociedad estaba estructurada en clases. En el año 43 d.C., las zonas controladas por los guerreros Dong Son fueron incorporadas a China.

Hacia el final del primer milenio a.C., muchos reinos del sureste de Asia estaban gobernados por un caci-

que y una clase noble basada en el poder hereditario. Dado que estos reinos no tenían fronteras fijas y su poder político dependía de la habilidad de sus gobernantes para enfrentarse a sus enemigos y formar alianzas, no se trataba de reinos en el sentido habitual del término. En ocasiones los historiadores usan la palabra sánscrita *mandala* para describir un «Estado» semejante. Cada sociedad se centraba en sí misma y su gobernante, mientras que sus fronteras se ampliaban y reducían según los distintos gobernantes fueran firmando alianzas. Los

ARRIBA: El arroz era la cosecha básica del sureste asiático y se cultivaba en campos planos inundados o en terrazas como éstas.

DEBAJO: La Luna de Pejeng, un tambor de bronce fabricado por los Dong Son en torno a 300 a.C.

Vietnam: una colonia rebelde

En el valle del río Rojo existía una fuerte cultura local antes de la ocupación china, en torno a 100 a.C. El poder era ostentado por jefes tribales, que eran grandes terratenientes con muchos granjeros bajo su control. Cuando los chinos ampliaron su gobierno hasta esta región, la dividieron en distritos militares encabezados por gobernadores chinos. Los chinos construyeron carreteras, canales y puertos, introdujeron el arado y animales de carga para arrastrarlo, además de traer nuevas armas y herramientas y avanzados métodos mineros. Durante aproximadamente una centuria, los chinos permitieron que los jefes locales conservaran cierto poder, pero en el siglo I d.C. los señores locales fueron reemplazados por funcionarios chinos y China comenzó a explotar los vastos recursos del Vietnam en madera, metales preciosos, perlas y marfil, además de cobrar impuestos a los campesinos.

La dinastía Han (202 a.C.-220 d.C.) intentó volver más china a la población local suprimiendo las costumbres y creencias locales e imponiendo la enseñanzas del confucianismo, de la lengua china e incluso los ropajes y peinados chinos. Algunos de los cambios fueron beneficiosos y se aceptaron, pero otros enconaron mucho los ánimos. La primera gran rebelión contra los chinos tuvo lugar en el año 40 d.C. y fue encabezada por una noble llamada Trung Trac, cuyo esposo había sido ejecutado por los chinos. Ella, junto a su hermana y los seguidores armados de los jefes locales, consiguieron apoderarse de un cierto número de fortalezas chinas y crearon un reino independiente. Tres años después, éste era aplastado por un gran ejército Han y las dos hermanas ejecutadas. Vietnam fue sometido entonces a renovados intentos por volverlo completamente chino. Las rebeliones siguientes fueron aplastadas con rapidez. No obstante, en el año 939 d.C. fuerzas vietnamitas dirigidas por el general Ngo Quyen consiguieron al fin derribar el gobierno chino y declarar independiente el país.

---

mandalas aparecían en los valles de los ríos y en lugares donde se cruzaban rutas comerciales. Algunas de esas sociedades construyeron asentamientos con murallas y fosos; otros crearon centros de comercio, a menudo comunicados mediante canales.

Durante el primer milenio a.C., las culturas del sureste de Asia estuvieron muy influidas por sus contactos con dos potencias sobresalientes –China y la India–, pero de forma diferente. El contacto con China era sobre todo de tipo político y militar. Algunas zonas de la región, como lo que hoy es el norte de Vietnam, fueron anexionadas y gobernadas como provincias, mientras que otros *mandalas* fueron obligados a pagar tributo a la corte china. India, por el contrario, no intentó ni conquistar ni colonizar el sureste de Asia. Los contactos iniciales probablemente fueran debidos a los mercaderes indios. La demanda romana de productos orientales, como oro, especias y seda, unida a los avances indios en la construcción de barcos, animó a los mercaderes indios a partir con los vientos del monzón hacia las zonas costeras del sureste de Asia para comerciar. Gradualmente fueron surgiendo asentamientos en torno a los puertos. Parece probable que algunos mercaderes se casaran con mujeres locales y que las ideas y creencias indias transformaran lentamente estos puertos en reinos hindúes-budistas.

OC EO Y FUNAN

Las excavaciones en Oc Eo, en el actual Vietnam, han revelado los restos de un gran puerto que floreció entre los siglos I y VI d.C. y que estaba conectado mediante canales con otros asentamientos. Oc Eo obtenía su alimento de los agricultores de arroz del delta del Mekong. Sus ciudadanos hacían joyas de cristal, adornos de estaño y cerámica, e importaban bienes desde tan lejos como Roma. Los chinos llamaban «Funan» (el Puerto de Mil Ríos) a la región en torno a Oc Eo y, según sus datos, los puertos del delta trataban con bronce, plata, oro y especias.

La gente del sureste de Asia parece haber adoptado los aspectos de las culturas india y china que estaban en armonía con sus propias sociedades. Las primeras inscripciones encontradas en la región están en sánscrito, que también influyó en muchas de las lenguas locales. Las religiones hindú y budista, junto a sus propios estilos artísticos y arquitectónicos, también fueron aceptadas con rapidez por la mayoría las personas del sureste asiático.

DEBAJO: Lugares clave en el sureste de Asia.

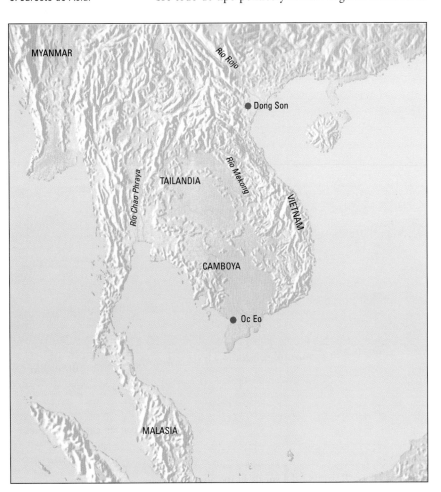

Anuradhapura

Anuradhapura es una vasta ciudad antigua en la isla de Sri Lanka. Sus ruinas, que se cuentan entre las más bellas de todo el sureste asiático, ocupan una superficie de 52 km². Durante 1.400 años, desde el siglo IV a.C. hasta el X d.C. Anuradhapura fue la capital de los reyes de Sri Lanka (la antigua Ceilán).

Anuradhapura se encuentra en la zona norte y seca de Sri Lanka. Durante la Antigüedad, era difícil cultivar en la región, pero las gentes de la isla solucionaron el problema construyendo una red de lagos, estanques y canales que transformaron la zona en un exuberante vergel.

El lugar donde se alza Anuradhapura ha estado ocupado por el hombre desde aproximadamente el año 700 a.C., pero la ciudad cuyas ruinas se pueden ver actualmente no fue comenzada a edificar hasta cerca de 350 a.C. Por esas fechas, una muralla y un enorme foso seco se construyeron en torno al asentamiento existente, formado por casas de cañas forradas con barro. Durante los siguientes 200 años, edificios de ladrillo y tejas fueron reemplazando a las construcciones antiguas. En el milenio siguiente, Anuradhapura cada vez se hizo más rica gracias al comercio y sucesivos reyes construyeron en ella bellos palacios, templos y monasterios. La fama de la ciudad llegó hasta muy lejos, atrayendo a viajeros y peregrinos.

LA LLEGADA DEL BUDISMO

En el siglo III a.C., Devanampiyatissa, rey de Sri Lanka, fue convertido al budismo por el príncipe Mahinda, hijo del emperador Ashoka de la India. Devanampiyatissa construyó varios monastarios budistas en Anuradhapura, además de edificios para conservar las reliquias budistas que le eran enviadas al emperador: la clavícula de Buda y un esqueje del árbol bajo el cual había recibido la iluminación.

En el siglo II a.C., Sri Lanka fue invadida por Elara, un rey del sur de la India que se apoderó de Anaradhapura. El rey Dutugemunu terminó recuperando la ciudad y derrotó a Elara en un duelo celebrado sobre elefantes. Tras su victoria, el rey Dutugemunu construyó varios monasterios en recuerdo de los que habían fallecido en la batalla por recuperar el trono.

Durante el siglo I d.C., la red de canales y acequias de la ciudad se amplió para traer agua de la región circundante. Con la intención de almacenar agua se construyeron muchos lagos grandes y pequeños estanques. Anuradhapura siguió aumentando su prosperidad comerciando con arroz, especias, elefantes y piedras preciosas.

En la India, el hinduismo se impuso al budismo como religión principal y Anuradhapura se convirtió en un centro importante de la fe budista. En la ciudad se construyeron muchos monasterios nuevos, en donde vivían miles de monjes.

Con el paso de los siglos, una serie de grandes reyes gobernó Sri Lanka desde Anuradhapura, pero en el año 993 d.C., el rey Rajaraja I del sur de la India invadió la

ARRIBA: Una de las piedras-guardián talladas que se colocaban junto a escaleras y entradas en Anuradhapura.

isla y se apoderó de la ciudad. Sri Lanka recuperó su independencia en 1070, pero la capital fue trasladada a un lugar más seguro.

LOS *DAGOBAS*

Los edificios más impresionantes de Anuradhapura son sus monumentos con cúpula, llamados *dagobas*. Son los más grandes del mundo y fueron construidos para conservar reliquias sagradas budistas. En una época fueron elementos centrales de bellos monasterios, pero mientras que muchos de éstos se han derrumbado, los *dagobas* fueron construidos con materiales mucho más duraderos y todavía se mantienen en pie. Se construyeron con forma de campana o burbuja, con agujas en la parte superior y cristales de roca justo en el extremo superior. Los cristales brillaban con el sol y hacían visibles los edificios desde kilómetros de distancia.

Anuradhapura está rodeada de estatuas de Buda y piedras talladas. Unas piedras semicirculares «felpudo», llamadas piedras-luna, se colocaban al pie de las escaleras. Estaban talladas con símbolos que representan el camino budista hacia la iluminación. Piedras erguidas llamadas piedras-guardianas flanquean las escaleras y las entradas, decoradas con enanos o reyes serpiente.

El Mahvihara o Gran monasterio se encuentra en el centro de la ciudad. Allí se conserva una de los santuarios budistas más sagrados, el del árbol Bo. Según la tradición budista, Buda consiguió la iluminación mientras estaba sentado bajo el árbol Bo. Un esqueje del este árbol fue llevado a Sri Lanka desde la India y ha sido vigilado día y noche a lo largo de 2.000 años. Cada año sus hojas en forma de corazón dan sombra a más de un millón de peregrinos que se acercan para rezar en el santuario budista.

Frente al árbol Bo se encuentran las ruinas del Palacio Brazen, construido por el rey Dutugemunu en el siglo II d.C. para albergar a los monjes del Gran Monasterio. Este magnífico edificio tenía nueve pisos, con más de 1.000 habitaciones y un tejado de placas de cobre que brillaban al sol. En la actualidad no queda nada de él, excepto sus 1.600 columnas, algunas de ellas decoradas con relieves de enanos.

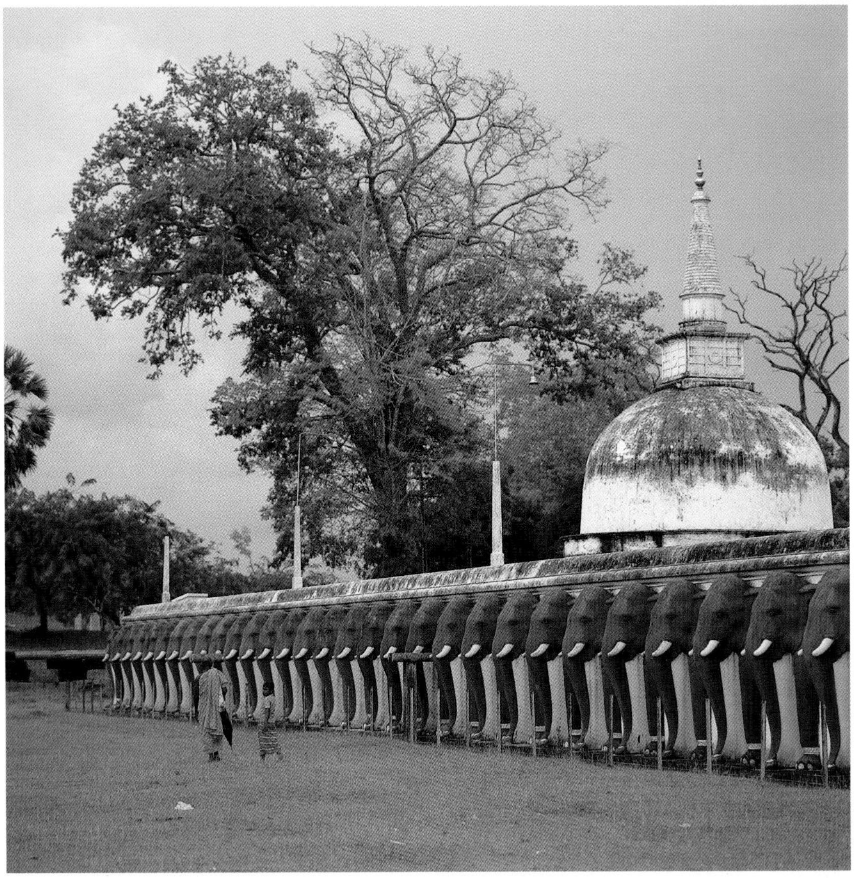

ARRIBA: El *Gran Dagoba* de Anuradhapura, situado sobre una plataforma guardada por 300 elefantes tallados.

Otro de los monumentos del rey Dutugemunu es el Mahathupa o Gran Dagoba, que se encuentra sobre una plataforma que sostienen 338 elefantes tallados. En su extremo superior hay un cristal de 60 cm de altura. Según la leyenda, el rey se puso enfermo antes de que el monumento fuera acabado. El hermano del soberano hizo que lo recubrieran con telas blancas y colocaran una falsa aguja de bambú, de modo que cuando el rey fuera a inspeccionar las obras creyera que había sido terminado. Murió antes de que se completara de verdad.

En las boscosas tierras del norte se encuentra Thruparama, el monumento budista más antiguo de Sri Lanka. Fue construido por el rey Devanampiyatissa en torno al año 244 a.C. para albergar la clavícula de Buda. Una leyenda narra cómo la reliquia producía fuego y corrientes de agua mientras era traída a lomos de un elefante y que un terremoto sacudió la isla cuando fue colocada dentro del monumento.

Al este se encuentran las ruinas del monasterio de Jetavana, fundado en el siglo IV a.C. Se trata de un *dagoba* de 120 metros de altura, es decir, que supera en altura a la mayoría de las pirámides egipcias. En el terreno del monasterio hay un ruinoso comedor con dos gigantescos comederos de piedra, que podían contener suficiente arroz con curry como para alimentar a unos 3.000 monjes.

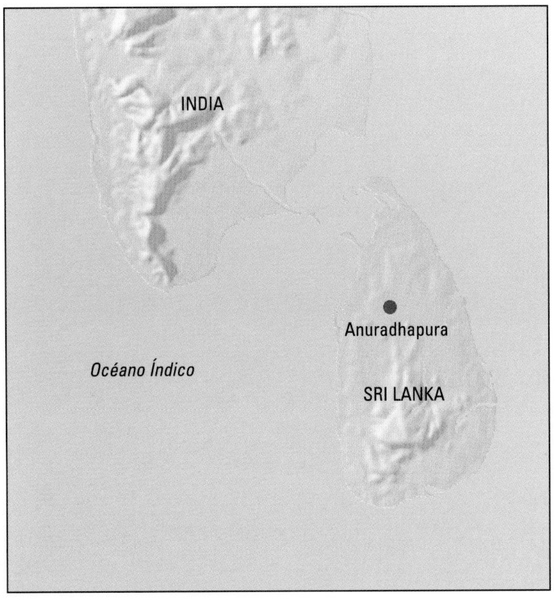

IZQUIERDA: Las ruinas de la antigua ciudad de Anuradhapura se encuentran en el norte de Sri Lanka.

India

Tras la civilización de la Edad del Bronce del valle del Indo, otra gran civilización surgió en la India, convirtiéndose en el primer imperio de esta nación. Al igual que la civilización del Indo estuvo influida por el río del mismo nombre, la civilización india lo estuvo por el poderoso Ganges.

Durante más de mil años tras el final de la civilización del valle del Indo, en torno a 2000 a.C., los antiguos pueblos de la India vivieron en poblados y pequeñas ciudades. Durante esos años tuvieron lugar algunos cambios significativos. Un pueblo nuevo penetró en la India desde el norte, trayendo con él un nuevo modo de vida y un nuevo lenguaje: el sánscrito. Estas tribus védicas (se llamaban a sí mismos arios) eran ganaderos que gradualmente fueron conquistando a los habitantes de las llanuras del Ganges y comenzaron a asentarse en pequeñas ciudades.

Según los *Vedas* (los textos sagrados de donde toman su nombre estos pueblos), la gente de las tribus védicas se dividía en tres clases o castas *(varnas)*: los sacerdotes *(brahmanes)* eran los primeros, luego venían los guerreros, con los terratenientes y los mercaderes en tercer lugar. Los nativos conquistados se convirtieron en la cuarta clase, la de los campesinos. Las tribus védicas luchaban constantemente entre ellas.

Poco a poco, las ciudades comenzaron a formarse de nuevo y alrededor de 600 años a.C. ya había muchas en el norte de la India. A menudo eran el centro de un pequeño reino o república. Kausambi es un típico ejemplo: en ella vivían unas 10.000 personas y más gente lo hacia en pequeñas ciudades y poblados en torno a la ciudad.

La ciudad de Kausambi estaba protegida por un gran muro de tierra que la rodeaba. En el interior de la muralla los kausambios trabajaban en muy diversas ocupaciones. Los alfareros hacían una cerámica especial con una superficie negra y brillante, utilizando una técnica que todavía no se ha descubierto. Los trabajadores del metal fabricaban objetos de cobre o herramientas y armas de hierro. Los orfebres fabricaban elaboradas cuentas de concha y con piedras caras. Los mercaderes comerciaban desde sus tiendas o con mercaderes en otras ciudades. Los funcionarios del gobierno recaudaban los impuestos y supervisaban las obras públicas, mientras que la policía mantenía el orden. La mayoría de los poblados en torno a Kausambi eran de agricultores.

Por esa misma época, mientras las ciudades crecían, los gobiernos locales comenzaron a manufacturar monedas de plata para facilitar las compras y ventas. Esas primeras monedas eran pequeñas barras alargadas con un pequeño ángulo en un extremo.

La escritura probablemente comenzó en el siglo V a.C. Los escritos indios más antiguos proceden de Sri Lanka, el país isleño que se encuentra al sur del extremo de la India. Allí es donde los arqueólogos han encontrado fragmentos de cerámica con letras raspadas sobre ellos que datan de alrededor de 400 años a.C.

IZQUIERDA: Ashoka, rey de Mauryan, erigió pilares tallados en muchos lugares de su reino. Éste se encuentra en Sarnath y con sus cuatro leones que miran hacia el exterior se ha convertido en el símbolo de la India moderna.

El sur de la India

El sur de la India esta separado del norte por la cadena montañosa del Vindhya y el río Narmada, por lo que se desarrolló aislada del norte. Se conoce poco de su primera historia, pero mientras que las civilizaciones del norte se situaban en las cercanías de grandes ríos, el sur estaba influido por el mar. Los textos antiguos hablan del comercio de perlas, oro y piedras preciosas. En el siglo III a.C. se estableció contacto con el Imperio mauryano y las poderosas familias meridionales, o clanes, pudieron ver otros sistemas políticos. Esto influiría en el desarrollo de los primeros estados de los cholas, pandyas y cheras. No obstante, no fue hasta el siglo VI d.C. cuando apareció el primer gran reino meridional.

Aunque no se han encontrado ejemplos, es probable que los mercaderes del norte de la India estuvieran utilizando la misma escritura para llevar sus cuentas y que su uso date de una fecha anterior a la encontrada en Sri Lanka. Parece que la escritura surgió como un sistema para poder registrar los detalles de los negocios. Posteriormente, los funcionarios comenzaron a recoger con ella los asuntos del gobierno, mientras que otras personas ponían por escrito historias y mitos que hasta entonces habían sido memorizados y transmitidos de forma oral.

GUERRAS LOCALES

El periodo védico parece haber sido próspero, pero no pacífico. Los muchos príncipes existentes luchaban entre ellos y los vencedores comenzaron a conquistar a sus

DERECHA: El inmenso Ganges es el río sagrado de la India y representa la fertilidad y el renacimiento. Bañarse en el Ganges está considerado un ritual purificador.

DEBAJO: Límite del Imperio mauryano durante el reinado de Ashoka (a. 273-232 a.C.). La capital del imperio era Pataliputra.

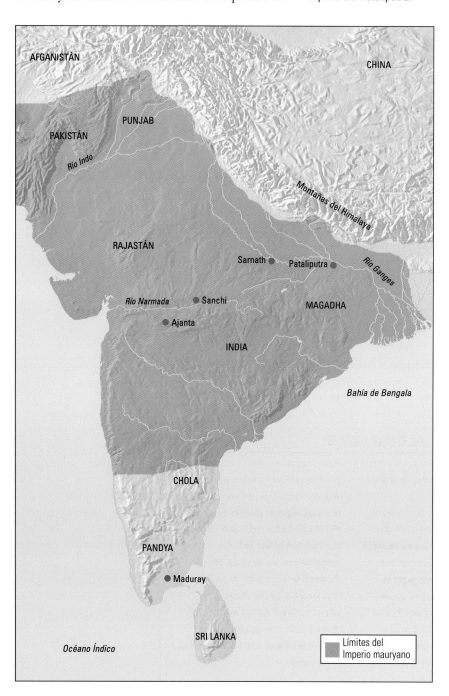

AFGANISTÁN

CHINA

PUNJAB

PAKISTÁN

Río Indo

Montañas del Himalaya

RAJASTÁN

Sarnath ● Pataliputra ●

Río Ganges

Río Narmada ● Sanchi

● Ajanta

MAGADHA

INDIA

Bahía de Bengala

CHOLA

PANDYA

● Maduray

SRI LANKA

Océano Índico

Límites del Imperio mauryano

vecinos. No tardó en haber cuatro reinos que dominaban la India del norte y continuaron luchando entre ellos por la supremacía. En el año 330 a.C. el reino de Magadha se había convertido en el vencedor de esta lucha y comenzó a intentar controlar otras partes de la India.

Además de estas guerras, la sociedad estaba experimentando muchos cambios. Los reyes y los gobiernos se estaban volviendo cada vez más poderosos, al tiempo que algunas personas, como los mercaderes, se volvieron muy ricas a pesar de que la mayoría de la población siguió siendo campesina. Dado que la religión de los *brahmanes* procedía de unos tiempos más sencillos, pronto dejó de ser adecuada para los nuevos modos de vida en las ciudades y los grandes reinos. Algunos pensadores propusieron nuevas religiones que se adaptaran a las nuevas necesidades. Uno de ellos fue Gautama, que creó el modo de vida que se conoce como budismo. Otro fue Mahavira, que creía en la no violencia. Sus seguidores, llamados jainistas, temían tanto matar a un ser vivo que se cubrían la boca con máscaras para evitar tragarse insectos.

Al mismo tiempo que se estaban formando los reinos del Ganges, los persas estaban conquistando casi todo el Oriente Próximo y Medio, desde el moderno Afganistán hasta Egipto y el norte de Grecia. El Imperio persa también incluía parte de la India, una zona que en la actualidad pertenece al norte de Pakistán.

El poderoso Imperio persa fue derribado por el joven rey macedonio Alejandro Magno. En el momento de su muerte, en el año 323 a.C., con sólo 32 años de edad, Alejandro había conquistado todas las tierras persas, llegando hasta el río Indo, habiendo considerado la posibilidad de conquistar el poderoso reino de Magadha. Sin embargo, después de ganar una dura batalla contra Porus, rey del Punjab, cerca del río Jhelum, el ejército de Alejandro regresó a casa. Tras la muerte de Alejandro sus generales pelearon por los pedazos del Imperio macedónico, pero ninguno de ellos fue capaz de conservar el noreste de la India. Fue durante este periodo de confusión cuando se formó el primer imperio indio.

En el año 320 a.C. un joven indio llamado Chandragupta Maurya derrocó al soberano de Magadha y se sentó a sí mismo en el trono. Algunas historias cuentan que Chandragupta ayudó en la lucha contra el ejército de Alejandro cuando los griegos invadieron la India. Si ello es así, puede que la experiencia le diera a Chandragupta la ambición de gobernar su propio imperio. Menos de un año después de la muerte de Alejandro, Chandragupta había arrebatado a los generales griegos Afganistán y el noroeste de la India.

Cuando llegó al trono Bindasura, el hijo de Chandragupta, conquistó grandes zonas al sur del Ganges. En el año 250 a.C., durante el reinado de su hijo Ashoka (sobre 273-232 a.C.), el Imperio mauryano se extendía por la mayor parte del norte de la India. Ashoka fue un rey poderoso y justo, durante cuyo reinado la India disfrutó de paz y prosperidad.

Los soberanos Mauryanos construyeron una inmensa capital en Pataliputra (la moderna Oatna). La ciudad tenía unos 14 kilómetros de largo en su lado paralelo al Ganges y fue una de las ciudades más grandes del mundo antiguo. Un muro de gruesos troncos rodeaba la ciudad, además de un enorme foso seco; en la muralla había 570 torres y 64 puertas. No se ha excavado demasiado de la ciudad, de modo que poco es lo que se conoce de ella. No obstante, sí se han excavado los restos de un palacio: una inmensa plataforma con 80 pilares de piedra para soportar un tejado de seis metros de altura.

Los Mauryanos construyeron otras muchas ciudades. Los arqueólogos han excavado algunas de ellas, con calles ortogonales. La gente vivía en casas espaciosas (algunas con dos pisos) de hasta 15 habitaciones. En medio de la casa había un patio donde la familia podía cocer el pan, cocinar y realizar otras tareas al aire libre. Podemos imaginarnos ventanas con elaboradas contraventanas de madera para mantener fuera la fuerte luz solar del norte de la India, con balcones sobre el patio y, quizá, árboles olorosos y enredaderas floridas.

El sistema de castas

Las *varnas* (clases sociales) de la época védica fueron el comienzo del sistema de castas, en el que las personas nacen dentro de un grupo determinado, llamado *jati*, y tienen que casarse con alguien del mismo grupo. Las *varnas* son grupos de *jatis*. El sistema de castas está estrechamente relacionado con ideas religiosas referentes a la pureza ritual y la suciedad, de modo que las *varnas* y los *jatis* están ordenados según su grado de pureza. No resulta sorprendente saber que los *brahmanes* (sacerdotes) eran los más puros, mientras que los *shudra* (campesinos) era los menos puros. Para impedir que la gente más pura se viera contaminada por la gente que lo era menos había muchas reglas sobre el adecuado comportamiento. Los que estaban fuera del sistema de castas eran considerados parias y, por ello «intocables».

Los reyes Mauryanos también construyeron muchos edificios religiosos fuera de las ciudades. Los budistas construyeron monumentos de varios tipos. Los *stupas* son cúpulas de tierra y ladrillo construidas para proteger objetos sagrados. Al principio los *stupas* eran sencillos túmulos de tierra, pero no tardaron en ampliarse y decorarse. Más tarde los *stupas* contuvieron reliquias (objetos o restos) de gente santa o textos sagrados. Alrededor del *stupa* había un camino para que la gente pudiera pasear y meditar. Los budistas también construyeron grandes salas de adoración con techos abovedados. Algunas eran redondas y otras alargadas, con un extremo redondeado para un pequeño *stupa* de interior. Muchas de estas primeras salas fueron excavadas en la roca, como los monasterios y templos de Ajanta, los primeros de los cuales fueron realizados en los siglos II y I a.C.

Los *brahmanes* también construyeron templos, principalmente para el dios Visnú, aunque conocemos menos sobre ellos. Tanto los *stupas* como los templos eran las primeras manifestaciones de las tradiciones budista e hindú de bellos y espectaculares edificios, que florecieron en los siglos posteriores a los Mauryanos.

Ashoka fue el primer rey indio en escribir sus órdenes y dejar por escritos sus hazañas. Los textos fueron grabados en rocas o en grandes pilares de piedra erigidos en lugares públicos. Los pilares de Ashoka se en-

El cambiante papel de la mujer

Antes de la aparición del Imperio mauryano, la sociedad india era matriarcal; es decir, que las mujeres tenían una categoría elevada y el apellido y la propiedad a menudo se transmitían a través de la línea femenina. No obstante, según se incrementó la influencia védica en el norte, las mujeres pasaron a estar controladas por los hombres de sus familias, aunque todavía poseían algunos derechos de propiedad; las mujeres de categoría elevada recibían una buena educación.

Durante el Imperio mauryano el papel de las mujeres se centró en el matrimonio, pero las mujeres de clase alta siguiendo recibiendo una buena educación. En el periodo gupta la mayor parte de las mujeres quedó completamente restringida a la vida doméstica. De hecho, en algunas partes de la India se esperaba que las viudas de clase alta se arrojaran a la pira funeraria de su esposo muerto para convertirse en *sati* (mujer virtuosa). Algunas mujeres de clase alta recibían educación, pero sólo para que pudieran hablar de forma inteligible con sus esposos. No obstante, la mayoría de las reglas restrictivas contra las mujeres se aplicaban sólo a las familias de alto rango, puesto que las campesinas tenían que trabajar junto a sus familias en los campos.

La literatura védica

Los *Vedas* son la más antigua literatura religiosa india y los textos más antiguos utilizados todavía en la actualidad por una religión. Están escritos en una versión antigua del sánscrito. Los cuatro *Vedas* principales, incluido el famoso *Rigveda* (el texto más antiguo), son colecciones de himnos, instrucciones sobre cómo realizar los rituales, palabras sagradas (*mantras*) para la oración y encantamientos. Los *Vedas* datan aproximadamente del año 1000 a.C. Eran transmitidos como versos memorizados que cada generación de *brahmanes* enseñaba a la siguiente. Los *Vedas* se pusieron por escrito después de que los indios inventaran la escritura, puede que en torno al año 400 a.C.

Los dos principales poemas épicos de la India, el *Mahabharata* y el *Ramayana* están fechados alrededor de los años 800 a.C. y 500 a.C., pero no se escribieron hasta mil años después. Estos poemas épicos mezclan historia y leyenda, proporcionándonos una vívida imagen de las primeras creencias indias, así como claves sobre la primera historia india.

Extracto ilustrado del Mahabharata, un poema épico védico que narra la historia de la lucha entre dos familias de primos, así como otros muchos mitos y leyendas.

DEBAJO: El gran *stupa* de Sanchi, que posee cuatro puertas con leones tallados. Los *stupas* eran grandes túmulos de tierra y ladrillo construidos durante el periodo Mauryano para contener objetos sagrados. Éste fue construido por el rey Ashoka, pero sólo se terminó tras su muerte.

cuentran entre los más famosos de los monumentos de la Antigüedad india. Están hechas de una piedra especial que se encuentra cerca de la moderna Benarés, en la llanura este del Ganges. Cada pilar es un monolito de unos 12 metros de largo, pulido y con un cuidado acabado.

En la parte superior hay una especie de capuchón decorado y la figura de un animal; a menudo es un león, pero en ocasiones se trata de un toro o un caballo. El pilar de Sarnath tiene cuatro leones, una obra de arte que la India moderna ha adoptado como su símbolo.

La mayoría de los pilares de Ashoka fueron erigidos en Magadhan, el corazón del Imperio mauryano, pero otros se colocaron en la India central y muy lejos en dirección noroeste. Esto significa que estas gigantescas piedras tenían que ser transportadas, probablemente mediante elefantes, a lo largo de 1.600 kilómetros, cruzando llanuras y montañas.

Los reyes Mauryanos posteriores se enfrentaron a problemas que no pudieron resolver y el imperio se desintegró cuando el último rey Mauryano murió, en el año 185 a.C. La India se dividió de nuevo en muchos reinos. Extranjeros, incluidos los griegos de Afganistán, gobernaron algunos de los reinos del noreste de la India.

LOS KUSHAN

En torno al año 100 d.C., los kushan, procedentes del Asia central, invadieron la India del norte, creando un imperio que ocupaba desde Asia central hasta la cuenca del Ganges, incluyendo tierras junto a la ruta de la seda, el camino de caravanas que conectaba China con la India y Europa.

Los kushan recuperaron parte de la grandeza del Imperio mauryano y abrazaron el budismo. Con su protección, la religión se difundió por toda Asia y China y se produjeron muchas piezas magníficas de escultura budista. Su imperio perduró unos tres siglos antes de deshacerse de nuevo en pequeños reinos.

A pesar del fracaso político del Imperio mauryano, el comercio marítimo por el océano Índico comenzó a florecer. Barcos romanos cargados con productos de las civilizaciones mediterráneas navegaban por el Índico en busca de bienes indios, como especias, marfil y joyas. También bajaron por la costa oeste de la India y algunos se aventuraron incluso hacia el norte, a lo largo de la costa este. Los reyes que controlaban la India central promocionaron el comercio indio por mar tanto hacia Arabia y África, por el oeste, como hacia el este y el sureste de Asia.

Aunque la India había perdido la unidad política del Imperio mauryano, la gente siguió prosperando bajo los muchos reinos que lo siguieron. Se construyeron ciudades más espaciosas. Artesanos tales como alfareros, carpinteros y herreros formaron gremios que establecieron reglas, inspeccionaban la calidad de los productos y establecían los precios. Los gremios estaban estrechamente ligados al sistema de castas y ayudaron a asegurar que los hijos siguieran los pasos de sus padres y permanecieran dentro de su propia casta. Los gremios se hicieron tan ricos que podían permitirse el lujo de donar dinero para la construcción de monumentos budistas.

Las salas de oración budistas, los *stupas* y los monasterios se hicieron más grandes y su ornamentación se hizo más importante, al ser decorados con esculturas, barandillas de piedra y elegantes pasajes. Algunas cuevas budistas también cuentan con elaboradas imágenes pintadas en sus muros. Los artistas budistas del noroeste de la India tomaron prestadas muchas ideas griegas y crearon un grácil estilo de escultura, que tuvo una perdurable influencia en el arte indio. No obstante, el budismo no era la única religión. Los *brahmanes* continuaron realizando sacrificios a sus dioses. Los dioses de Persia y Grecia contaban con adoradores en la India noroccidental y, según la tradición, el apóstol santo Tomás fundó iglesias en el sur del país.

EL IMPERIO GUPTA

En el año 320 d.C., una familia de ricos terratenientes llamados Gupta se hicieron con el poder en Magadha. El primer rey, Chandragupta I, sólo gobernó sobre la zona oriental del Ganges. No obstante, el segundo rey, Samudra, comenzó a construir un gran imperio conquistando las tierras vecinas. El poder de los Guptas alcanzó su zenit durante el reinado de Chandragupta II (375-413), cuando la familia controlaba todo el norte de

IZQUIERDA: Esta estatua de Buda en arenisca roja es un ejemplo típico de las delicadas esculturas producidas durante el Imperio kushan.

la India, desde la desembocadura del Ganges hasta el río Indo y el norte de Pakistán.

Los reyes Gupta favorecieron la religión hindú y revivieron muchos rituales brahmánicos. Al mismo tiempo, el propio hinduismo estaba cambiando. La gente comenzó a adorar a los dioses de un modo más personal, en vez de limitarse a hacerles sacrificios, y los sacerdotes perdieron importancia. La devoción hindú comenzó a centrarse en las estatuas de los dioses. Las estatuas eran símbolos del dios y muchas de ellas tenían cuatro u ocho brazos, cada uno sujetando un objeto que representaba aspecto distinto del dios. No obstante, los templos hindúes siguieron siendo edificios bastante pequeños; los impresionantes templos con torres y elaboradas esculturas son de una época posterior.

Los filósofos hindúes comenzaron a escribir sus pensamientos y se desarrollaron varias escuelas diferentes de filosofía hindú, que todavía existen en nuestros días. Los filósofos y los sacerdotes del periodo Gupta escribieron muchos de los más sagrados libros del hinduismo.

Los Gupta fueron tolerantes con otras confesiones religiosas y las creencias budistas siguieron estando muy extendidas. Los reyes y otras personas con riqueza daban grandes cantidades de dinero tanto a los templos hindúes como a los templos budistas, pero lentamente el budismo fue perdiendo popularidad. En la actualidad, el budismo no es muy habitual en la India, su lugar de nacimiento, pero sigue siendo la fe de muchas personas en China, Japón y el sureste de Asia.

El periodo Gupta fue la Edad de Oro de la literatura y el arte indio clásicos. Las matemáticas y la astronomía también progresaron mucho. Los científicos dijeron que la Tierra era un globo que giraba y que los eclipses lunares eran causados por la sombra de la Tierra al cubrir la Luna. Una universidad budista era tan famosa que a ella llegaban estudiantes de China y del sureste de Asia para formarse.

Las religiones de la India

En la India ha habido muchas religiones desde la llegada de los pueblos védicos, hace 3.000 años. Los textos sagrados antiguos, los *Vedas*, describen una religión en la cual los *brahmanes,* o sacerdotes, realizaban rituales en diferentes ocasiones y a distintos dioses. Los *brahmanes* eran los guardianes de la tradición y las únicas personas que poseían el derecho a realizar sacrificios y otras actividades para los dioses. El papel de los *brahmanes* le dio a la religión su nombre moderno: brahmanismo.

Con el paso del tiempo el brahmanismo cambió lentamente, hasta convertirse en el hinduismo. Un tipo temprano de hinduismo se formó en los siglos posteriores al Imperio mauryano (después de 200 a.C.). Los distintos dioses fueron combinados en Visnú, Siva y sus esposas. Aunque los hindúes no creen en un dios todopoderoso, creen en la unicidad de la creación.

En la época de los Guptas y sus sucesores (300-700 a.C.), la gente ofrecía su devoción *(bhakti)* a Visnú o Siva y los *brahmanes* fueron perdiendo lentamente su papel como sacerdotes. Las enseñanzas morales enfatizaban la importancia de vivir según las reglas que los *brahmanes* continuaban desarrollando. Los pensadores dieron lugar a seis filosofías de la religión, el mundo y la vida. Todavía en la actualidad, el hinduismo abraza diferentes modos de adoración.

El budismo, sin embargo, es una religión de un tipo muy diferente. Fue fundada por Siddartha Gautama (nacido en torno al año 563 a.C.). Éste procedía de una familia noble y creció en el lujo; pero no era feliz con esa existencia privilegiada y cuando tenía 29 años dejó a su familia para buscar el sentido de la vida. Tras muchos años de vagabundeo, comenzó a predicar. Llegó a ser conocido como el Buda (el iluminado) y enseñaba que el método para que la gente evitara el sufrimiento era dejar de desear cosas materiales. También ofreció ocho reglas para vivir que, de seguirse, traerían paz y calma.

El budismo era popular entre las castas más bajas y en las ciudades, puesto que la nueva religión era un modo que tenía la gente de evitar el rígido control de los *brahmanes*. El budismo se hizo muy popular por toda la India cuando el rey Ashoka se convirtió a él. Luego alcanzó Sri Lanka y el sureste de Asia y, posteriormente, China, Japón y Corea. No obstante, el budismo prácticamente desapareció de la India en el siglo XII, cuando fue invadida por los musulmanes.

Este relieve en piedra del templo de Dasavatara está fechado en torno a 500 d.C. Representa al dios Visnú reclinado en los anillos de una serpiente dormida, mientras espera el comienzo de la siguiente Edad de Oro. Al igual que otros dioses hindúes, Visnú aparece con varios brazos.

Las escuelas hindúes enseñaban sobre todo materias útiles para los debates religiosos, como gramática, redacción, lógica, poesía y oratoria. Las escuelas tenían mucho dinero y la educación era gratuita. No obstante, la mayoría de los niños no asistían a ellas, sino que adquirían una educación práctica en los gremios profesionales de sus padres.

Los reyes Gupta dejaban en que los lugareños resolvieran su problemas locales, de modo que la cámara de comercio y los gremios eran los responsables de la administración de muchas ciudades. La artesanía floreció y la India se hizo famosa por sus delicados vestidos, el marfil tallado, las perlas y otros productos especiales. El comercio con otros países se hizo cada vez más importante. Las ciudades aumentaron su prosperidad, aunque todavía mucha gente pobre siguió viviendo en barrios de chabolas.

LOS HUNOS INVASORES

Este periodo de paz y prosperidad empezó a declinar cuando los hunos, procedentes del Asia central, invadieron la India en torno a 460 a.C. Los indios resistieron durante algún tiempo, pero el comercio se vio interrumpido, lo que redujo los ingresos del Imperio Gupta. Sus reyes se fueron debilitando y diversas zonas del imperio se declararon independientes, momento en que los hunos invadieron de nuevo el país.

En el caos que siguió, la vida en la ciudad desapareció por completo en varias zonas de la India; para los monasterios budistas fueron malos años. Los reyes Gupta continuaron gobernando cinco décadas más, pero sólo en su tierra natal de Magadha.

En torno al año 515, la mayor parte de la India noroccidental había pasado a formar parte del imperio de los hunos del Asia central. Poco es lo que se conoce de su gobierno sobre la India, aparte del hecho de que fueron unos conquistadores crueles que oprimieron a la población autóctona. Afortunadamente, no gobernaron la India durante mucho tiempo, pues su imperio se derrumbó cuando fueron derrotados por los turcos a mediados del siglo VI.

En el año 606, unos años después del último rey Gupta, un jefe brillante y dinámico llamado Harsha se convirtió en el rey de Kanauj, una ciudad de la llanura del Ganges. Harsha creó un imperio en el norte de la India, pero mucho más pequeño que el de los Mauryanos o los Gupta. No consiguió derrotar a los ahora poderosos reinos del sur de la India, de modo que se contentó con gobernar la llanura del Ganges. Al igual que los Gupta antes que él, Harsha fue generoso con el dinero y los regalos que entregaba a las organizaciones hindúes y budistas. También promocionó las artes. Una de las obras maestras de la literatura sánscrita es una biografía de Harsha escrita para glorificar sus hazañas. No obstante, al morir tras 40 años en el trono, su imperio se desintegró. La India tendría que esperar cerca de mil años para que se formara otro imperio.

Corea

Según una popular leyenda coreana, el fundador y primer soberano del antiguo Estado de Corea se llamó Tangun. Por esta razón el actual calendario coreano comienza a contar en el año en que se supone que nació Tangun, es decir, 2333 a.C.

S egún una antigua leyenda, un dios llamado Hwa-nung bajó a la tierra, donde un oso y un tigre le pidieron que los transformara en humanos. Hwanung les dio cabezas de ajo y una hierba llamada *mugwort*, diciéndoles que las comieran y permanecieran encerrados en su cueva durante cien días. El tigre no pasó la prueba, pero el oso salió de la cueva transformado en una joven. Hwanung se casó con ella y dio a luz un hijo: Tangun. los historiadores creen que un líder real llamado Tangun pudo haber gobernado sobre un antiguo Estado tribal llamado Choson desde una ciudad cercana a Pyingyang, la capital de corea del Norte.

Los antiguos habitantes de la península de Corea estuvieron muy influidos por el poderoso Imperio chino. Se dice que un noble y erudito chino llamado Kija se trasladó al Choson en torno a 1028 a.C., después de que la dinastía Shang fuera derrocada. Se sabe con seguridad que en el año 400 a.C. una liga de tribus vivía en la zona de los ríos Taedong y Liao. Sus gentes sabían utilizar el hierro para fabricar herramientas agrícolas, arreos para caballos y armas. Vivían en casas de madera y

desarrollaron un método para calentar el suelo de las casas llamado *ondol*, que consistía en quemar combustible en un horno situado bajo el suelo de arcilla. Motivo por el cual tradicionalmente los coreanos duermen en el suelo sobre todo en invierno, aunque hoy día el *ondol* funciona bombeando agua caliente por las tuberías subterráneas.

ARRIBA: El templo de Pulguk-sa en Kyongju, construido en torno a 751 d.C. Es uno de los más bellos ejemplos de arquitectura budista del reino de Silla.

Corea en la Edad de Piedra

Tribus nómadas procedentes de las llanuras de Mongolia y el norte de la actual China se trasladaron hace unos 5.000 años a la península de Corea, que se encuentra entre el mar Amarillo y el mar del Japón. Esas tribus cazaban y pescaban junto a la costa y los ríos, aunque algunos de ellos penetraron tierra adentro, donde se asentaron y convirtieron en agricultores.

Los arqueólogos han encontrado arpones y puntas de flecha que fueron utilizadas por estas gentes de la Edad de Piedra, así como anzuelos de hueso y pesos de piedra para pescar. Los agricultores fabricaban arados y hoces de piedra. Vivían en refugios subterráneos cubiertos con techos de paja, reunidos en pequeños grupos.

El reino de Paekche también estaba muy influido por China y, a su vez, traspasó una parte de su cultura a Japón.

EL REINO DE SILLA

En el reino de Silla, los nobles que servían al rey estaban estrictamente divididos en diferentes clases sociales, según un sistema llamado *kolpum*, o «rango del hueso». La Hwabaek (conferencia de Estado), compuesta por hombres de «hueso de verdad» (de origen real), tomaba importantes decisiones de Estado. Los hijos de los nobles de Silla se reunían en escuelas especiales, donde les enseñaban a ser soldados y líderes. Una parte muy importante de su entrenamiento eran las artes marciales, especialmente la forma coreana de kickboxing, el taekwondo.

Por esas fechas, cada uno de los tres reinos buscaba continuamente formas de derrotar y anexionar a los otros dos. Finalmente, el rey Muyol de Silla consiguió el apoyo del emperador chino Gaozong, de la dinastía Tang, quien envió un ejército que le ayudó a derrotar a Paekche y Koguryo. Ocho años después, en 676 d.C., Silla expulsó a los chinos hasta su propio imperio. Por primera vez en su historia la península de Corea estaba unificada.

Los reyes de Silla gobernaron desde su capital, Kyongju, construida siguiendo el estilo de la capital china, Changan. Al ir los reyes consiguiendo más poder sobre el pueblo, redujeron drásticamente el poder de la Hwabaek. Para conservar el apoyo de los nobles, les entregaron dinero y tierras; también construyeron lujosos palacios y tumbas.

El budismo continuó aumentando su influencia y gracias a ello se produjeron muchos bellos templos y grandes obras de arte. Al mismo tiempo, se fundó una escuela nacional llamada Kukhak, donde se enseñaba el confucianismo.

Durante el siglo VIII, el estricto sistema coreano de diferenciación social comenzó a deshacerse. Puede que

ARRIBA: Corona de plata, fabricada en el siglo VI d.C., que llevaban los reyes de Silla. Originalmente llevaba incrustadas muchas piedras semipreciosas.

La historia documentada de la antigua Corea comienza con la captura de Choson por parte de un general llamado Wiman, en 194 a.C. Puede que Wiman hubiera venido de China. En el año 108 a.C., Choson fue conquistada por guerreros de la dinastía Han, que gobernaba China por esas fechas. Se crearon cuatro colonias chinas en la mitad septentrional de la península. Las tribus coreanas rápidamente recuperaron tres de ellas, pero la cuarta colonia, llamada Lolang, consiguió sobrevivir durante 400 años. Durante ese periodo, las tribus coreanas se unieron para formar los reinos de Koguryo, Paekche y Silla.

Este periodo de la historia coreana se conoce como de los Tres Reinos. El rey de Koguryo reunió un gran ejército que derrotó o expulsó a los chinos de Lolang, en el norte de Corea, en el año 313 d.C. No obstante, en esta región la influencia china siguió siendo fuerte. Más tarde, en el siglo IV, el budismo alcanzó Koguryo en una forma que animaba a su seguidores a rezar por la protección y el bienestar del reino.

Las enseñanzas del filósofo chino Confucio llegaron poco después. Confucio había enseñado a la gente a seguir su verdadera naturaleza y a desarrollar la sinceridad, la valentía, la compasión y la sabiduría. Los hijos de los nobles del reino estudiaban esta filosofía en escuelas de influencia china.

El taekwondo

El más popular arte marcial de Corea es una antigua forma de lucha coreana llamada taekwondo, «el arte de luchar con los pies y las manos». Combina los movimientos del karate y el kung-fu con sus propios y espectaculares saltos y patadas circulares.

Durante el siglo VI, los jóvenes hijos de los nobles del reino de Silla eran preparados para ser fuertes guerreros y miembros de un grupo llamado *hwarang*. Eran entrenados como líderes militares y el taekwondo era una parte importante del mismo. Cuando las armas se hicieron más habituales, los jóvenes continuaron practicando taekwondo para fortalecerse físicamente y desafiar a los demás. Así fue como las artes marciales, que una vez fueran «artes de la guerra», se convirtieron en deportes disciplinados y en medios de defensa personal.

En la Antigüedad, los practicantes de taekwondo no llevaban ningún tipo de protección. Hoy día llevan protectores en cabeza y pecho; también hay reglas estrictas para evitar las heridas.

Las tumbas coreanas

Durante el periodo de los Tres Reinos, la clase gobernante coreana vivía con gran lujo. Gracias a las impresionantes tumbas que construyeron sus soberanos, tenemos una pequeña imagen del nivel del mismo. Cada uno de los tres reinos –Koguryo, Paekche y Silla– contaba con un cementerio central que contenía muchas y enormes tumbas reales.

El estilo de estas tumbas variaba de un lugar a otro. Las primeras tumbas de Koguryo y Paekche tenían por lo general forma de pirámide de piedra. Medían unos 50 metros de anchura y unos 5 metros de altura. Las tumbas posteriores tuvieron forma de cámaras de piedra cubiertas por túmulos de tierra. Las tumbas de Silla de este periodo consistían a menudo en cámaras de madera recubiertas de tierra.

Cualquiera que fuera su forma, las tumbas reales tendían a cobijar grandes riquezas: adornos de oro y plata, cerámica, objetos lacados y armas adornadas. La llamada Gran Tumba en Hwangnamdong, en Silla, contenía 2.500 de esos objetos. Muchas de estas tumbas de piedra también tenían elaborados murales. Esas obras de arte contenían imágenes tanto de la vida diaria como de los mitos coreanos, imágenes que han ayudado a los historiadores coreanos a recrear el tipo de vida que llevaban los reyes de su país

Uno de los grandes túmulos funerarios coreanos. Este estilo de tumba se originó en China, pero se difundió por toda la península de Corea durante el periodo de los Tres Reinos. Las tumbas no sólo contenían al rey muerto y su familia, sino también un gran tesoro. Sus muros podían estar pintados con escenas de la vida del rey difunto.

IZQUIERDA: Mapa de Corea con los tres antiguos reinos de Koguryo, Silla y Paekche.

el rey de Silla se hubiera vuelto demasiado poderoso a los ojos de sus nobles y sus demás súbditos. En las provincias aparecieron nuevas y poderosas familias, algunas de las cuales construyeron fortalezas militares, supuestamente para luchar contra los piratas chinos. Los líderes de los poblados consiguieron poder y muchos granjeros se encontraron pagando impuestos tanto al señor local como al gobierno central. El resultado fue que muchos abandonaron sus granjas para convertirse en rebeldes o ladrones.

Silla se deshizo cuando el reino perdió el control sobre los antiguos territorios de Koguryo y Paekche a manos de los rebeldes. Wang Kon, un general de Korugyo, unió a los rebeldes y en 918 fundó un nuevo reino, llamado Koryo, con capital en Songak. El reino perduraría durante 450 años.

El Imperio khmer

El río Mekong nace en las montañas del Tíbet y fluye hacia el sureste atravesando Laos, Camboya y Vietnam, hasta formar un delta en el mar de la China Meridional. La fértil tierra de su delta fue el lugar donde se originó una civilización que consiguió controlar una vasta región del sureste asiático.

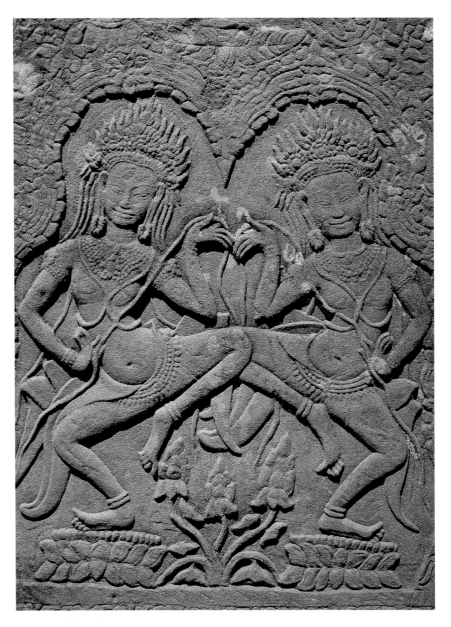

ARRIBA: Un relieve del templo de Bayon, en Angkor Thom, con dos bailarinas. Los templos khmer estaban decorados a menudo con elaborados relieves representando el modo de vida khmer.

La historia del Imperio khmer comienza en el siglo I d.C., cuando en el delta del Mekong se creó un reino llamado Funan. Según la leyenda, un noble extranjero se casó con una reina local llamada Hoja de Sauce y puso a Funan en el camino hacia el éxito. Cualquiera que sea la verdad que se esconde tras la leyenda, Funan estaba situado en un sitio perfecto, pues la región del Mekong se encuentra en la ruta entre China y la India. Todavía se utiliza la expresión Indochina para referirse a esta zona, pues estaba influida tanto por la cultura china como por la india.

Funan alcanzó el zenit de su poder en los siglos IV y V d.C. El rey de Funan vivía en un lujoso palacio, mientras sus nobles llevaban joyas de oro y plata y poseían muchos esclavos. Aproximadamente por esas mismas fechas, 500 kilómetros al norte de la región del delta, en la zona meridional de la actual Laos, otro grupo se asentaba en las orillas del Mekong. Eran los khmer, que comenzaban a trasladarse hacia el sur siguiendo el río. A comienzos del siglo VI las rivalidades y guerras entre los gobernantes de Funan habían comenzado a debilitar su reino. Los khmer siguieron avanzando hacia el sur y no tardaron en conquistar Funan. El poder del rey khmer se extendió enseguida por un amplio territorio que iba desde las montañas en el lejano norte hasta el delta del Mekong, en el sur.

LOS KHMER

Al contrario que los funan, los khmer no tenían grandes deseos de comerciar con el otro lado del mar, por lo que en el siglo VII los contactos con la India eran mucho menos directos. Los khmer era granjeros y su principal cultivo el arroz. En las accidentadas tierras del norte habían desarrollado técnicas para desviar el agua de los grandes ríos hasta pequeños canales artificiales para irrigar la tierra y volverla fértil.

Los khmer llevaron consigo esas técnicas a las llanuras de la actual Camboya. Allí el Mekong inunda la tierra durante la época de lluvias, desde mayo hasta octubre. Los khmer conservaban el agua de la crecida en inmensas albercas. Según transcurrieron los años, aprendieron cuál era el mejor momento para soltar el agua a través de los canales para inundar los arrozales. De este modo conseguían hasta cuatro cosechas anuales, en vez de una, lo que permitió alimentar a su creciente población.

Unos 200 kilómetros al norte de su delta, el Mekong ve su corriente alimentada por un río más pequeño, que nace en un lago llamado Tonle Sap (nombre que significa «gran lago»). En la época de la máxima crecida, las aguas refluyen desde el Mekong y el lago llega a tener cuatro veces lo que es su tamaño normal durante la temporada seca.

A comienzos del siglo IX, el rey Jayavarman II hizo de la región en torno al lago el centro de su reino. La tierra era ideal para cultivar arroz con los sistemas khmer de irrigación, el lago era una gran fuente de pescados, había mucha madera de calidad en los bosques de

bién habían construido muchas carreteras para comunicar la capital con otras partes del imperio, y a lo largo de ellas se podían encontrar albergues para que los viajeros se tomaran un descanso. En Angkor, y a lo largo de las carreteras, se edificaron hospitales. Todas esas construcciones requerían una gran organización y cantidad de mano de obra. La creciente población de casi un millón de almas era alimentada principalmente con las buenas cosechas de arroz que lograba el inteligente sistema de irrigación khmer.

En la sociedad khmer había varias clases estancas, que se consideraban bastante separadas las unas de las otras. Por debajo del rey estaba la clase de los sacerdotes hindúes y los líderes militares, algunos de los cuales eran miembros de la familia real. Aunque sólo el rey podía ordenar la construcción de un templo, en ocasiones estos nobles fundaban sus propios santuarios en pueblos fuera de la capital. Por debajo de los funcionarios se encontraban los terratenientes y los profesores que vivían en las provincias. Luego venían los soldados, los artesanos y los campesinos. Todos ellos eran ciudadanos li-

ARRIBA: Las ruinas de Ta Promh, uno de los 600 templos construidos en torno a Angkor, la capital khmer.

la jungla, y en las montañas de Dangrek, en el norte, se podían conseguir arenisca y otras rocas. El reino de Jayavarman, que duró entre los años 802 y 850, señaló el comienzo de un largo periodo de riqueza y poder para el Imperio khmer.

A finales del siglo IX, el rey Yasovarman creó una nueva capital khmer, justo al norte del Gran Lago. Era Angkor, que significa «ciudad» en lengua khmer, e iba a convertirse en el centro de un imperio en expansión. A lo largo de los siguientes 200 años, el imperio llegó hasta China por el norte y tan al sur como la península malaya, ocupando gran parte de lo que son las actuales Laos, Tailandia, Vietnam y Camboya.

GUERRA Y CONQUISTA

A comienzos del siglo XII, la civilización khmer había alcanzado su zenit. El más poderoso de todos los reyes khmer, Suryavarman II, fue coronado en 1113. Suryavarman organizó guerras contra sus vecinos mon, tailandeses, vietnamitas y chams. Pese a todo, no siempre fueron guerras exitosas; de hecho, en 1177 los chams, que vivían en el reino de Champa, en la costa del mar de la China Meridional, remontaron el Mekong en barcos y destruyeron Angkor. Los khmer no tardaron en reconstruir la ciudad y 26 años después atacaron y conquistaron Champa.

Hacia el año 1200, los khmer ya habían levantado unos 600 templos en torno a la región de Angkor. Tam-

DERECHA: Una figurita tallada khmer que representa a Buda siendo observado por el dios cobra Naga.

Hindúes y budistas

En sus primeros momentos, el Imperio khmer estuvo influido tanto por las ideas budistas como las hindúes, traídas desde la India por los visitantes de ese país. A cambio, muchos peregrinos khmer viajaban a la India para estudiar los textos sagrados. Un peregrino que estudió allí la religión hindú fue el rey Jayavarman II, en quien influyó particularmente la idea del *devaraja*, o buen rey. Cuando regresó a su reino hizo de sí mismo un buen rey en una ceremonia especial. Según esta rama del hinduismo, el poder era entregado al rey directamente por el dios Siva.

Los descendientes de Jayavarman continuaron con la tradición, lo que les confirió un enorme poder sobre sus súbditos. Los ciudadanos khmer creían que su bienestar espiritual dependía del prestigio de su rey; al contribuir a los proyectos comunales, como los grandes templos, se estaban asegurando a sí mismos la felicidad eterna. Las cosas cambiaron con el rey Jayavarman VII, que gobernó entre 1181 y 1219. Aunque compartía la obsesión de sus predecesores por construir templos espectaculares, era un devoto budista, por lo que su templo de Bayon está repleto de imágenes budistas.

A partir de entonces, el budismo se fue haciendo cada vez más popular en el Imperio khmer y seguidores del budismo theravada comenzaron a llegar a Angkor y a extender su filosofía. No creían en adorar a sus reyes como dioses y es posible que esas creencias budistas debilitaran el imperio.

---

bres, por debajo de los cuales se encontraba la clase de los esclavos.

Grupos de unos cien poblados formaban grandes provincias, cada una de ellas controlada por un gobernador. La gente normal vivía en casas de madera, construidas sobre pilotes para evitar las crecidas. Los muros eran de madera, bambú u hojas de palmera, con techos de paja. Cocinaban en recipientes de cerámica sobre fuegos a cielo abierto y servían la comida en cucharones hechos con cáscaras de coco y copas a base de grandes hojas. Por lo general, las casas de los nobles tenían el techo de tejas y estaban ricamente provistas de muebles. Los khmer utilizaban elefantes para llevar cargas y cazar.

Los eruditos khmer eran muy respetados; utilizaban hojas de palmera o pieles de animal para escribir, pero no se ha conservado ningún ejemplo. Todo lo que sabemos de la vida diaria khmer procede de las inscripciones en los muros de los templos, así como de los escritos de un enviado chino del siglo XIII.

UN INFORME CHINO

Ese enviado describe una procesión real a lo largo de la bulliciosa ciudad: el rey khmer monta un elefante y lleva en la mano la preciosa espada de Estado; va descalzo y las plantas de sus pies y las palmas de sus manos están teñidas de rojo. El visitante chino también menciona que el palacio real estaba ricamente decorado y tenía largos corredores y galerías cubiertos. Cuando el rey deseaba conceder una audiencia, aparecía en una ventana dorada.

El rey tenía cinco esposas reales que, del mismo modo que otras mujeres de Angkor, iban con el pecho desnudo y descalzas. La gente importante era transportada en literas por las calles, con sirvientes sujetando un parasol sobre ellas. La gente del común era muy humilde y a la vista de un extranjero se tumbaban boca abajo en el suelo.

Durante los siglos XIII y XIV no se realizó ninguna construcción importante en Angkor, y el Imperio khmer empezó a declinar. Hubo enfrentamientos en el seno de la familia real y puede que los trabajadores encontraran dificultades para mantener los vastos proyectos de irrigación. Cuando Angkor fue atacada por las fuerzas tailandesas del norte, albercas vitales resultaron dañadas.

En 1431, las familias tailandesas conquistaron al fin la ciudad tras un largo asedio. La debilitada corte khmer se vio obligada a trasladarse al sur, a Phon Penh, motivo por el cual muchos de los habitantes de esta ciudad, la capital de la actual Camboya, descienden de ellos.

DEBAJO: A finales del siglo XI, el Imperio khmer ocupaba una vasta región del sureste asiático.

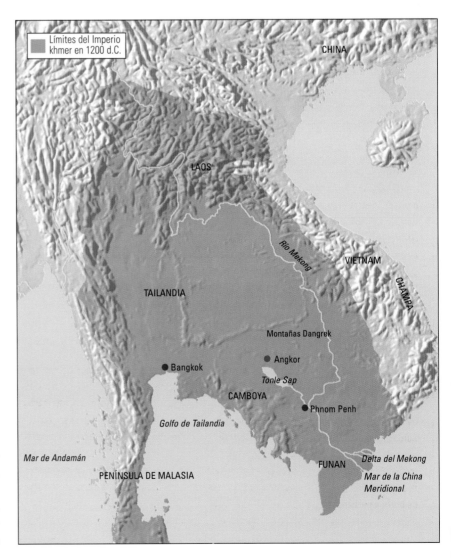

Límites del Imperio khmer en 1200 d.C.

CHINA
LAOS
Río Mekong
VIETNAM
CHAMPA
TAILANDIA
Montañas Dangrek
Bangkok
Angkor
Tonle Sap
CAMBOYA
Phnom Penh
Golfo de Tailandia
Mar de Andamán
PENÍNSULA DE MALASIA
FUNAN
Delta del Mekong
Mar de la China Meridional

Angkor Wat

En noviembre de 1859 un científico francés llamado Henri Mouhot se abría paso por entre la densa jungla de Camboya (en el sureste de Asia) buscando nuevas plantas cuando, de repente, se encontró frente a las ruinas de unas inmensas terrazas y torres de piedra. Había tropezado con la largo tiempo abandonada ciudad de Angkor y el magnífico templo hindú de Angkor Wat.

Mouhot estaba sorprendido por el tamaño y esplendor de la ciudad, y escribió en su diario: «Lo que sorprende al observador es el inmenso tamaño y el prodigioso número de bloques de piedra de los que están hechos los edificios [...] ¡Qué sistemas de transporte, qué multitud de trabajadores tienen que haber sido necesarios, teniendo en cuenta que la montaña desde donde se traía la piedra está situada a 50 kilómetros de distancia!»

Angkor había sido construida por una sucesión de reyes del antiguo Imperio khmer. La primera ciudad de Angkor fue edificada en el siglo IX por el rey Yasovarman. Cuando Suryavarman II se convirtió en rey, en 1113, se embarcó en un ambicioso programa constructivo que incluía la edificación más espectacular de Angkor, un gigantesco templo que tardó 30 años en terminarse. Se trataba de Angkor Wat, que significa «templo de la capital».

Angkor Wat fue construido según un plan concreto. Los khmer habían adoptado el hinduismo, una religión procedente de la India y que contaba con muchos dioses. Los templos khmer fueron diseñados para expresar aspectos de la religión hindú y cada parte de los mismos pretendía simbolizar el mundo de sus dioses.

El conjunto del templo cubre un área de 1.500 por 1.300 metros y consiste en una pirámide de terrazas de piedra en tres pisos que van disminuyendo de tamaño. En la terraza superior hay cinco torres en forma de loto que representan los cinco picos del monte Meru, que, según la creencia hindú, es el hogar de sus dioses. Las propias terrazas representan las montañas que los hindúes creen que rodean el mundo. Alrededor de todo el templo hay un foso de 180 metros de anchura, que representa el océano que se encuentra más allá de las montañas, en el límite del mundo.

A lo largo de los muros del templo hay más de 1.212 metros de relieves de arenisca. Estas esculturas contienen escenas de la vida de Suryavarman II, el rey-sol. Algunas lo muestran pasando revista a los soldados y concediendo audiencias. Otras contienen guerreros luchando desde carros o montados sobre elefantes, y flotas de barcos partiendo hacia la guerra. También hay ejércitos de monos y desfiles de la victoria con

Las cinco torres con forma de loto en lo más alto del templo de Angkor Wat, que representan a los cinco picos del monte Meru, el hogar de los dioses hindúes. El foso alrededor del templo representa el océano que hay en el extremo del mundo.

banderas y estandartes. En relieves repartidos a lo largo de cientos de metros de muros, galerías y pilares se pueden ver más de 200 bailarinas del templo, desnudas hasta el pecho y con hileras de perlas en el cuello.

La ciudad de Ankgor fue construida en la llanura inundable de Camboya, una vasta zona de tierra fértil. Para mejorar todavía más la tierra para las cosechas, los khmer construyeron canales y sistemas de irrigación para desviar el agua desde los ríos. También construyeron lagos para que hicieran las veces de presas desde donde el agua pudiera ser transferida a los canales. Se trató de un proyecto de obras públicas a escala masiva, diseñado para conseguir un suministro constante de agua. Como resultado, la tierra era muy productiva. La cosecha principal era el arroz, que se cultivaba en terrenos inundados.

LA SOCIEDAD KHMER

El Imperio khmer estaba muy bien organizado. En lo alto de la sociedad khmer se encontraba el rey, al que se creía poseedor poderes mágicos. En raras ocasiones salía del palacio y, cuando lo hacía, llevaba una espada sagrada y montaba un elefante con las defensas incrustadas de oro, acompañado por muchos cortesanos. El rey se rodeaba de sus familiares y otras familias aristocráticas. Controlaban toda la tierra y mantenían ejércitos preparados para mantener el orden. Miles de

servidores y esclavos trabajaban para construir los muros defensivos, los templos, los canales y los estanques.

Para poder mantener al rey y la espléndida corte, los poblados del campo tenían que pagar impuestos. Dado que los khmer no utilizaban dinero, los impuestos se pagaban en especie, que traían a la ciudad ellos mismos, ya cargándolos a la espalda, ya en carros. Por lo general los impuestos se pagaban en arroz, pero la gente también podía entregar telas que hubiera tejido, animales, cuernos de rinoceronte, sal, miel o cera.

Angkor alcanzó su mayor extensión hace unos 800 años, cuando sus edificios ocupaban un área de unos 104 kilómetros cuadrados. Era uno de los centros urbanos más grandes del mundo, con una población que quizá alcanzara el millón de personas. El monumental tamaño de Angkor Wat puede que fuera el responsable de la caída del Imperio khmer. Los gastos y el esfuerzo necesarios para mantener el complejo templario eran tan grandes que los canales que llevaban vida a Angkor fueron descuidados. Según fueron declinando la riqueza de la ciudad y el templo, los agresivos vecinos de Angkor la atacaron.

Fue el comienzo de la caída de Angkor. En el siglo XV los khmer abandonaron la ciudad y se trasladaron a una nueva capital en el sur. Angkor fue abandonada a la jungla. Sus canales se llenaron de barro y sus templos desaparecieron bajo una densa maleza.

Japón

Japón está formado por un grupo de islas situadas frente a las costas de Corea, en el norte del océano Pacífico. Su historia escrita no es muy antigua, pues lo primero de lo que se tiene constancia es el llamado *Kojiki*, o «Registro de cuestiones antiguas», que fue redactada en el año 712 d.C.

IZQUIERDA: El templo Todai-ji, en Nara, es un impresionante ejemplo de templo budista japonés. Fue construido originalmente en el siglo VIII d.C. y desde entonces ha sufrido varias reconstrucciones.

El *Kojiki* es una recopilación de mitos y leyendas transmitidos por los seguidores de la antigua religión japonesa del sinto. Las leyendas remontan el origen de las islas japonesas hasta unos seres divinos, y en especial la diosa sol Amaterasu. Según el *Kojiki*, un descendiente de Amaterasu llamado Jimmu fundó el Imperio japonés en el año 660 a.C. Los japoneses creían que Jimmu y todos los emperadores que vinieron detrás de él eran seres divinos. En siglos posteriores, cuando un emperador se mostraba fuera de los muros del palacio, la gente se inclinaba y no osaba mirarle la cara. Si el divino emperador pasaba por la calle, la gente cerraba las puertas y ventanas.

Los primeros japoneses vivieron de la caza y la pesca. En el año 200 a.C. muchos se habían convertido en agricultores, viviendo en poblados y cultivando arroz y otras plantas. En años posteriores los impuestos se pagaban en arroz, medidos en *koku* (la cantidad de arroz consumida por adulto y año).

Las distintas regiones estaban controladas por clanes que guerreaban entre sí constantemente. Uno de los más importantes era el clan Yamato, formado por descendientes del emperador Jimmu. Vivían en una zona cercana a la actual Nara. La familia Yamato se volvió tan poderosa que se apoderó de las demás regio-nes del país y a partir del año 400 d.C. los emperadores japoneses gobernaron desde la zona de Nara. Por esas fechas, los japoneses comenzaron a construir túmulos para cubrir las tumbas y en época moderna se han encontrado más de 10.000. Las laderas de los túmulos estaban cubiertas con filas de maquetas de guerreros, sacerdotes, bailarines, casas y otros objetos, todos de arcilla. Las figurillas actuaban como guardianes y sirvientes del muerto.

LA INFLUENCIA CHINA

En el año 57 d.C. unos mensajeros japoneses viajaron a China y, durante los siglos siguientes, Japón fue adoptando muchas ideas del poderoso Imperio chino. Los japoneses tomaron el sistema de escritura chino, que utiliza símbolos, y lo adoptaron a su propia lengua. También aprendieron muchas artes y artesanías de China, como la fundición del bronce, fabricar porcelana fina y tejer seda. En el año 552 el budismo llegó a Japón procedente de China y Corea. Como los budistas creen en la obligación de la amabilidad con todos los seres vivos, fueron capaces de convivir con los seguidores de las antiguas creencias del sinto y también demostraron un gran respeto por la naturaleza.

DERECHA: El Gran Buda del templo Todai-ji. Esta estatua del siglo VIII es uno de los monumentos más famosos del Japón antiguo.

En el año 593, la primera emperatriz japonesa, Suiko, le dio el poder a su sobrino, el príncipe Shotoku, que fomentó aún más la difusión de las ideas chinas. Los budistas comenzaron a decorar sus templos con flores y esos sencillos y bellos adornos dieron lugar a una forma de arte propiamente japonesa. El arte de los arreglos florales, llamado *ikebana* (flores vivas), todavía forma parte de la vida japonesa actual. Los chinos también introdujeron el papel en Japón, y los japoneses desarrollaron sistemas para plegarlo de forma artística y con forma de objetos y animales. Llamaron a este arte *origami*, que significa «plegado del papel». En el importante santuario sintoísta de Ise, los dioses están representados por figuras hechas con un tipo especial de papel.

LAS CAPITALES

Heijo (la actual Nara) fue convertida en la capital del Japón en el 710 y la ciudad se convirtió así en el centro del gobierno. También era el centro del budismo japonés y allí se había construido un siglo antes el templo Horyuji. Este famoso templo posiblemente sea la estructura de madera más antigua del mundo todavía en uso. Otro importante templo budista fue dedicado allí en el año 752, el actual templo Todai-ji, que contiene una estatua de bronce del Gran Buda de 16 metros de altura. En 794, muchos miembros de la corte imperial pensaban que los monjes budistas tenían demasiada influencia en los asuntos de Estado, por lo que el emperador trasladó la capital 40 kilómetros al norte, a Heian (la moderna Kyoto).

Al igual que Heijo antes que ella, la ciudad de Heian estaba dispuesta ortogonalmente, pues ambas ciudades seguían el modelo de la por entonces capital de China, Changan. La ciudad de Heian no tardó en crecer hasta alcanzar una población de 100.000 personas, de las que unas 10.000 eran aristócratas o funcionarios.

Los cortesanos que rodeaban al emperador comenzaron a ser conocidos como los «moradores entre las nubes». Vivían rodeados de lujos, ocupando sus días con

DEBAJO: Heijo (la actual Nara) se convirtió en la capital del Japón en el año 710 d.C. Fue sucedida por Heian (la actual Kyoto) 84 años después.

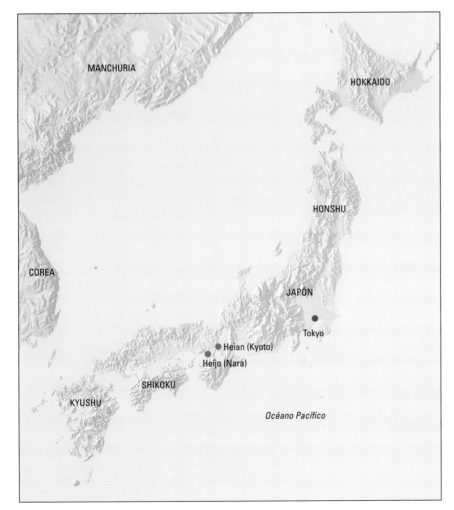

MANCHURIA

HOKKAIDO

HONSHU

COREA

JAPÓN

Tokyo

Heian (Kyoto)

Heijo (Nara)

SHIKOKU

KYUSHU

Océano Pacífico

Los samurais

La clase guerrera de los samurai vivía según un estricto código de honor conocido como *bushido*, o «camino del guerrero», y demostraban una incuestionable lealtad y obediencia a su señor. Los samurais daban más valor al honor que a la salud, la felicidad e incluso la propia vida.

Al comienzo de una batalla, los samurais gritaban orgullosos su nombre y los de sus antepasados, desafiando a sus oponentes para que fueran a luchar con ellos. Ser derrotado en la batalla era considerado el mayor deshonor y, antes que sufrir semejante desgracia, en ocasiones un samurai prefería suicidarse siguiendo un ritual llamado *seppuku*. El método de morir era el *harakiri*, o «corte del vientre»: el guerrero se abría el abdomen con un cuchillo y entonces otro guerrero podía cortarle la cabeza para aliviar su sufrimiento.

El arco y las flechas eran el arma principal de los primeros samurais, que por lo general luchaban a caballo. Más tarde llevarían dos grandes y curvas espadas. Vestían una armadura formada a base de pesadas tiras de cuero y placas de metal unidas mediante hilos de seda.

Los samurais recibían un riguroso entrenamiento militar y sus métodos de combate se transmitían de generación en generación. Artes marciales como el kendo comenzaron siendo técnicas de combate samurai. En el kendo, los combatientes consiguen puntos diciendo y golpeando una zona concreta de su adversario con una espada de bambú que se sujeta con las dos manos. Reglas y una vestimenta especial previenen las heridas y todas las acciones defensivas se realizan de modo formal y tradicional.

IZQUIERDA: Figurilla de terracota de un soldado japonés de aproximadamente 500 d.C. Nos muestra el tipo de armadura y armas utilizadas por entonces.

paseos por jardines bellamente diseñados, escribiendo cartas y poemas y asistiendo a las ceremonias de la corte. En ellas los nobles vestían una toga sobre unos amplios pantalones, con un trozo de tela que arrastraba, y un gorro. Las damas de la corte de Heian llevaban un kimono de seda, con 12 capas de tela de diferentes colores que arrastraban. En la corte tenía lugar un baile formal, llamado *bugaku*, para el emperador y sus cortesanos. Todos los danzantes eran hombres. Vestían trajes ceremoniales y a menudo máscaras. Bailaban una música especial llamada *gagaku*, que se tocaba con flautas, oboes, cítaras, tambores y gongos. Los que pasaban toda su vida en la corte de Heian consideraban bárbaras a las demás personas.

Durante este periodo, los emperadores entregaron gran cantidad de tierra a las familias nobles, por lo que algunos de los clanes se volvieron muy poderosos. El clan Fujiwara se hizo con el control efectivo del país, aunque siguieron respetando la importancia del divino emperador. Los emperadores se casaron con hijas de la familia Fujiwara, lo que dio a ésta todavía más influencia.

Por esas fechas se interrumpieron los contactos con China y florecieron las tradiciones japonesas. Aparecieron nuevas formas artísticas: las nobles inventaron una bella forma de escritura, llamada caligrafía, utilizando pinceles y tinta sobre un papel delicado. Los japoneses también contribuyeron a la historia de la literatura. En torno al año 1000 d.C., una dama de la corte llamada Shikibu escribió una larga historia titulada *El cuento de Genji*, considerada por muchos especialistas como la primera novela del mundo. El protagonista de la historia, Genji (el Príncipe Luminoso), es un bello noble de quien se narran sus aventuras en la corte.

LA ERA DE LOS SAMURAIS

Los Fujiwara y otras grandes familias crearon inmensos estados privados. Los señores que controlaban los estados eran llamados *daimyo*; muchos de ellos eran lo suficientemente ricos y poderosos como para mantener y pagar sus propios ejércitos. Contrataban guerreros para proteger sus tierras y a los campesinos que las cultivaban para ellos. Los guerreros eran conocidos como samurais («los que sirven») y seguían un estricto código de honor llamado *bushido*.

A mediados del siglo XII, dos de las familias más poderosas del Japón, los Taira y los Minamoto, comenzaron a luchar por hacerse con el control de la corte imperial Fujiwara, en Heian. El clan Taira se hizo con el poder en 1160, pero su supremacía sólo duró 25 años. Pasados los cuales fueron derrotados en una batalla naval por el clan Minamoto, que quedó como la familia más poderosa del Japón. Yoritomo, el jefe de los Minamoto, se proclamó protector del emperador y gobernó en su nombre. En 1192, el emperador dio a Yoritomo el título de *shugun*, o «gran general». Yorimoto creó una forma de gobierno militar que gobernaría en nombre del emperador durante los siguientes 700 años.

El continente americano

La cultura americana más antigua que se conoce es la de los olmecas, que se desarrolló en Mesoamérica en torno a 1200 a.C. Tras ella, sobre 900 a.C. aproximadamente, vino la cultura sudamericana nacida en torno al poblado andino de Chavín de Huantar. En Norteamérica, la cultura hohokam hizo su aparición en 300 a.C. aproximadamente, casi al mismo tiempo que los mayas comenzaron a construir sus templos en Mesoamérica. Les siguieron otras culturas, que culminaron en el gran imperio mesoamericano de los aztecas y de los incas, en los Andes.

DEBAJO: La antigua ciudad de Teotihuacán, en México, que se supone construida antes del año 100 d.C. La avenida principal está alineada con el punto del horizonte por el que aparece la estrella Sirio.

Los olmecas

La civilización olmeca fue la primera de Mesoamérica y nació a partir de las comunidades agrícolas de la región del golfo de México en torno a 1200 a.C. Se conservan pocos asentamientos olmecas y la mayor parte de lo que conocemos sobre esta civilización se ha sabido a partir de sus centros ceremoniales.

Había tres centros ceremoniales principales: San Lorenzo, La Venta y Tres Zapotes. El primero de ellos, San Lorenzo, fue construido en el siglo XII a.C. Es un vasto túmulo construido sobre una meseta natural, aparentemente con forma de enorme pájaro volando. En él se construyeron pirámides y patios salpicados de estanques y canales, que proporcionaban agua para los baños rituales. En el complejo también hay ocho cabezas gigantes. Son de basalto, traído desde las montañas Tuxtla, a unos 80 kilómetros de distancia. Se piensa que las cabezas son retratos de los soberanos olmecas. Ellos y la elite de la sociedad olmeca vivían aquí, dirigiendo los esfuerzos de la vasta fuerza campesina que construyó los monumentos.

El complejo de San Lorenzo fue sistemáticamente destruido en torno al año 900 a.C. y reemplazado por La Venta, que se encuentra al noreste. La Venta está situado en una gran isla rodeada por marismas. El inmenso complejo central fue distribuido siguiendo una línea recta que tiene aproximadamente dirección norte-sur. Incluye cabezas colosales y grandes estelas grabadas, así como pirámides y patios. En ellos se construían suelos de mosaico que eran inmediatamente cubiertos con tierra. Objetos preciosos como figurillas de jade y espejos de mena de hierro se enterraban también a modo de ofrendas. Una colección de objetos preciosos incluía 16 figuras humanas talladas en jade y dispuestas en círculo, junto a seis hachas de piedra pulida (es posible que las hachas fueran incluidas en representación de las piedras erguidas que aparecen dentro del complejo). La Venta fue el mayor de los centros religiosos olmecas hasta que fue destruido y reemplazado por Tres Zapotes en torno al año 400 a.C., cuando los olmecas estaban en declive.

ARRIBA: Una de las ocho cabezas gigantes encontradas en el centro ceremonial de San Lorenzo. La esculturas están talladas en basalto y tienen 3 m de alto.

IZQUIERDA: Este grupo de 16 figuras de jade y seis hachas de piedra fue encontrado enterrado en La Venta, como una ofrenda para los dioses. Las figuras tienen 18 cm de alto y están dispuestas para representar una escena ritual.

LA VASTA RED COMERCIAL

Los olmecas parecen haber dominado, o al menos influenciado tremendamente, durante siglos la mayor parte de Mesoamérica. No se sabe si conquistaron y gobernaron las tierras circundantes o si sólo fueron los más exitosos y organizados mercaderes de la época. No obstante, es cierto que los olmecas construyeron una vasta red comercial. Ello se debió sobre todo a su necesidad de ciertas materias primas. La mena de hierro se necesitaba para hacer los espejos que la elite llevaba para mostrar su categoría, mientras que el jade y las espinas de raya venenosa se utilizaban para fabricar las agujas ceremoniales utilizadas en rituales donde se derramaba sangre. La mena de hierro era traída desde Oaxaca, el jade desde Guerrero y las espinas de raya venenosa desde las aguas del golfo de México.

Para consolidar esta amplia red comercial, los olmecas crearon un sistema de puestos avanzados. Un ejemplo es Teopantecuanitlan, en Guerrero. Aquí los arqueólogos han encontrado edificios monumentales de estilo olmeca y los típicos grabados de esta cultura. Este tipo de puestos controlaban el flujo de materias primas desde su origen, y los olmecas que los habitaban se encargaban de que las redes comerciales funcionaran sin problemas. Los olmecas también controlaban o influían en otros centros clave, como Tlatilco, en el valle de México, y Chiapa de Corzo, en la región de Chiapas.

La arquitectura de estilo olmeca y los objetos característicos de esta cultura, como la cerámica y las figurillas, aparecen allí junto a estructuras y objetos locales. La cerámica y los grabados olmecas también eran colocados como ofrendas en tumbas locales. La cerámica olmeca antigua posee muchos motivos recurrentes: un animal mítico que aparece frecuentemente en el arte olmeca es el llamado «hombre jaguar», una criatura que era medio humana medio jaguar. Imágenes de esta criatura aparecerán después también en el arte maya.

Aparte de la escritura, casi todos los rasgos de las posteriores culturas mesoamericanas se puede ver ya entre los olmecas y los grupos que dominaban. Los centros ceremoniales olmecas como La Venta y San Lorenzo estaban formados a base de pirámides dispuestas en torno a plazas. Se trata de los antecedentes de los complejos ceremoniales mayas, toltecas y aztecas, cuyos templos estaban construidos por lo general en la cima de diferentes tipos de pirámides.

ARRIBA: Los principales centros olmecas se encuentran en el norte, cerca del golfo de México, pero el imperio comercial olmeca se extendía hacia el sur, hasta Guerrero y Oaxaca.

La religión olmeca

Las prácticas religiosas olmecas contienen muchos elementos que aparecen después en otras civilizaciones mesoamericanas. Por ejemplo, los sacrificios humanos representaban un papel importante en la religión olmeca, como lo tendrían posteriormente en la de los aztecas. Muchos relieves olmecas muestras cautivos desnudos siendo sacrificados, mientras que los huesos humanos carbonizados y con marcas de haber sido sacrificados sugieren que los olmecas practicaban el canibalismo. Entre las ofrendas rituales y otros hallazgos de los yacimientos olmecas han aparecido muchas espinas de raya venenosa y agujas del muy apreciado jade. Los olmecas las utilizaban para realizar ofrendas de su propia sangre, una práctica que también se realizaría en otras civilizaciones mesoamericanas.

Los olmecas también compartieron con las subsiguientes culturas de la región un gran interés por la astronomía; de hecho, sus centros ceremoniales estaban alineados con las constelaciones y otros elementos del firmamento.

Un altar olmeca encontrado en La Venta, sobre el cual se habrían celebrado sacrificios rituales. La figura sentada lleva una máscara de jaguar, un motivo frecuente en el arte olmeca.

La cultura chavín

Chavín de Huantar fue un poblado de los Andes que floreció entre los años 900 y 200 a.C. En su momento de máximo esplendor, entre 2.000 y 3.000 personas vivieron en Chavín de Huantar, siendo la civilización más importante que había existido en Sudamérica hasta ese momento.

Chavín de Huantar está situado en un valle de los Andes a gran altitud, a más de 3.100 metros sobre el nivel del mar. Incluso a esa altura, la tierra que rodeaba el poblado era buena para el cultivo y la cría de animales. Los chavín cultivaron los productos típicos de la región de los Andes: tubérculos como la patata y cereales como la quinoa. Criaban animales en las montañosas tierras circundantes.

Rebaños de los camélidos sudamericanos –llamas y alpacas– proporcionaban carne a los chavín; la llama también era importante para el comercio. Aunque ninguno de los animales nativos de Sudamérica es apto para ser montado, la llama era empleada como animal de carga y probablemente largas caravanas de estos animales traían a Chavín productos que no era posible encontrar en la región, como fruta, chile, cacao y pescado.

Chavín de Huantar se convirtió en un centro vital para el comercio, lo que ayudó a convertirlo en un poblado poderoso. Estaba situado en el cruce entre los ríos Huachesa y Mosna, junto a una importante grupo de rutas comerciales que recorrían las empinadas y duras montañas del Perú. Posiblemente fuera este emplazamiento el que permitió a los chavín comerciar y controlar el comercio de muchos productos que procedían de diferentes zonas de los Andes: los desiertos junto a la costa, las empinadas montañas de los Andes y las junglas al este.

Muchos de los productos agrícolas, minerales y materias primas que se encuentran en una zona concreta no se encuentran en otra. Gracias a su emplazamiento, los chavin pudieron acumular productos exóticos procedentes de otras regiones, como conchas marinas y cerámica.

ARRIBA: Este patio rectangular rehundido se encuentra en el centro del complejo templario de Chavín de Huantar. El templo atraía a muchos peregrinos de las ciudades y pueblos de los alrededores.

El arte de Chavín

El arte de Chavín estaba fuertemente influido por el entorno natural, sobre todo las espesas junglas al este de las montañas. Los animales de la jungla son habituales como motivos decorativos, y los jaguares, serpientes y caimanes (un tipo de aligátor) son frecuentes. Estos animales se combinaban a menudo con figuras humanas para crear extrañas criaturas medio humanas, medio animales.

Una de las esculturas más conocidas de Chavín es el monolito llamado Lanzón. Está esculpido en granito blanco y va desde el suelo hasta el techo del templo de Chavín de Huantar, representando a una criatura salvaje con boca de gato con colmillos, ojos grandísimos y la cabeza repleta de serpientes. Algunos creen que la figura unía el cielo con el inframundo.

EL TEMPLO DE CHAVÍN

En torno al año 900 a.C., los chavín comenzaron a construir un templo de piedra en Chavín de Huantar. Se iba a convertir en el más importante templo pirámide de la zona de los Andes. Los dioses de aterrador aspecto de los chavín iban a ser adorados a lo largo de cientos de kilómetros. Desde los poblados costeros y desde ciudades en lo alto de los Andes, peregrinos llegados desde kilómetros de distancia se acercaban al templo para adorar a los dioses. Éstos, junto a otros muchos aspectos de la cultura de Chavín, tendrían una duradera influencia en el arte y la religión de la región circundante.

Cuando Chavín de Huantar fue excavado, los arqueólogos encontraron restos de un templo monumental que rodeaba un patio rectangular. También descubrieron, debajo del templo, una extraordinaria red de galerías y habitaciones subterráneas.

La arquitectura del templo era elaborada. Fue construido con grandes sillares de piedra y piedras de distintos tamaños, todas ellas cuidadosamente aparejadas. Los muros estaban decorados con grandes cabezas de piedra esculpidas, incrustadas dentro de ellos.

También había espectaculares frisos de piedra con varias figuras de aspecto sobrenatural. Se trata de imágenes que parecen medio humanas, medio animales: poseen rasgos animales como colmillos y garras, pero se mantienen erguidos como los hombres. Algunas de estas criaturas se parecen a pájaros o gatos. Los grabados sugieren que los chavín adoraban a un extraño grupo de brutales dioses.

La guerra –cuando menos la guerra ritual– parece haber sido extremadamente importante para los chavín. Algunas de las figuras dibujadas o grabadas halladas en el templo presentan armas, entre las que encuentran lanzas, escudos, cuchillos y garrotes. Unos pocos grabados nos hacen pensar que algunas personas –probablemente los derrotados en la guerra– sufrían un horripilante final, pues muestran criaturas que cargan con cabezas decapitadas.

En torno a 200 años a.C., la importancia de Chavín había comenzado a disminuir y ya no se construyeron más edificios. La influencia de la cultura Chavín, no obstante, pervivió. Nuevas civilizaciones, incluidas las cultura nazca y moche, producirían motivos decorativos que poseen claras semejanzas con los de Chavín. Éstas y posteriores civilizaciones andinas también desarrollaron las extensas redes comerciales que habían sido los cimientos de la prosperidad de Chavín de Huantar y de la cultura chavín.

IZQUIERDA: Mapa con la localización de Chavín de Huantar, en los Andes, perfectamente emplazada para convertirse en un importante centro comercial.

DEBAJO: El monolito conocido como Lanzón, en una de las galerías excavadas bajo el templo.

Los pueblos del noroeste de Norteamérica

La región suroccidental de Norteamérica incluye los actuales estados estadounidenses de Arizona, Nuevo México, Colorado y el sur de Utah. Entre los siglos III a.C. y XV d.C., allí se desarrollaron tres culturas agrícolas diferentes: los hohokam, los mogollón y los anasazi.

IZQUIERDA: Las ruinas de Cliff Palace, en Mesa Verde, una espectacular ciudad construida en los acantilados de Colorado por los anasazi. Cliff Palace posee alrededor de 220 habitaciones y 23 estancias ceremoniales (*kivas*). Es una de las estructuras más complejas del suroeste.

Aunque gran parte de la región suroccidental es desierto, se producen en ella las suficientes lluvias como para poder cultivar en algunas zonas; las culturas hohokam, mogollón y anasazi se basaban en el cultivo del maíz.

Las tres culturas prosperaron y se expendieron entre los años 700 y 1200 d.C., coincidiendo con un periodo de buenas lluvias en toda la región. No obstante, en el siglo XIV la mayoría de sus poblados y ciudades habían sido abandonados. La explicación más probable es que se trató de una combinación de sequía prolongada, malas cosechas y enfrentamiento por los escasos recursos. Si bien esas culturas prehistóricas desaparecieron, sus descendientes –la cultura Pueblo– continúan viviendo en la región en número de 50.000.

LOS HOHOKAM

La cultura hohokam apareció por primera vez en los valles de los ríos Salt y Gila, en el sur de Arizona, en torno a 300 a.C. Los primeros hohokam (300 a.C.-500 d.C.) vivían en casas de cañas recubiertas de barro, colocadas en cuevas poco profundas excavadas en la arena para mantenerlas frescas. Dado que el desierto era muy seco, excavaron canales desde los ríos para irrigar sus campos. La caza y la recolección les proporcionaban un suplemento alimenticio.

Entre los años 500 y 1100 d.C., los hohokam se extendieron hacia el sur y establecieron lazos con México. Prueba de ello es el descubrimiento de patios para el juego de pelota (similares a los utilizados por los mayas) y de objetos poco habituales como espejos de pirita (un mineral brillante de color amarillento) y conchas. Comenzaron a cultivar algodón y maíz y excavaron una amplia red de canales, lo que requirió una amplia colaboración entre poblados. Esto permitió a los hohokam conseguir dos cosechas anuales –una en primavera y la otra en verano– y mantener a una creciente población.

Entre los años 1100 y 1400, los hohokam comenzaron a incorporar aspectos del estilo anasazi a su arquitectura. Construyeron asentamientos compactos rodeados por gruesos muros de adobes hechos de piedra, arcilla y arena. Dentro de esos recintos construyeron grandes casas comunales de varios pisos. Snaketown, el principal asentamiento hohokam, ocupa más de 120 hectáreas y posee más de 100 kivas (habitaciones subterráneas utilizadas para reuniones y ceremonias religiosas). Cuando los valles fueron finalmente abandonados, los hohokam dejaron atrás una compleja red de canales que testimonian sus habilidades como ingenieros; sólo en el valle del río Salt había más de 240 kilómetros de canales.

LOS MOGOLLÓN

La cultura Mogollón apareció cn las montañas Mogollón de Arizona y Nuevo México (al este de los hohokam) en torno a 200 a.C. Al igual que los hohokam, los mogollón vivían en pequeños poblados de casas semienterradas; pero en vez de irrigar la tierra con canales, dependían en la lluvia y la crecida de los ríos para regar sus tierras. Fueron los primeros en fabricar cerámica en la región, probablemente tras haber importado su conocimiento desde México. Los primeros objetos fueron marrones, pero luego se les añadió una decoración sencilla.

Después de 700 d.C., los mogollón comenzaron a construir casas-cueva rectangulares de piedra, con habitaciones subterráneas separadas. En torno a 1050 d.C., los anasazi se extendieron por la región y comenzaron a convivir pacíficamente con los mogollón. Éstos abandonaron sus casas-cueva en favor de las nuevas construcciones de varios pisos de los recién llegados.

Asentados en la región «Four Corners» («las cuatro esquinas»), en donde se encuentran las modernas fronteras de Arizona, Nuevo México, Colorado y Utah, los anasazi –en ocasiones llamados «los antiguos»– fueron la más avanzada de las tres culturas suroccidentales. Los

arqueólogos dividen la cultura anasazi en varios periodos que van desde el año 100 d.C. hasta el presente.

LOS ANASAZI

Su historia comienza con la cultura basketmaker («fabrica cestas») (100-500 d.C.) del valle del río Grande. Vivían en cuevas y bastos refugios de adobe. Reciben su nombre de las delicadas cestas fabricaban con hojas de yuca, tan fuertemente tejidas que podían contener agua. Calabazas y maíz eran un suplemento a los alimentos conseguidos mediante la caza (ciervos y conejos) y la recolección. La comida se almacenaba en cuevas subterráneas.

En torno al año 600 d.C., los basketmaker se hicieron más sedentarios y comenzaron a cultivar judías y criar pavos. Las cuevas subterráneas de almacenamiento se transformaron en casas rehundidas con habitaciones conectadas y estancias ceremoniales.

ARRIBA: Ejemplos de cerámica anasazi encontrada en Cliff Palace, Mesa Verde. Los dibujos geométricos en blanco y negro son diseños típicos de los anasazi.

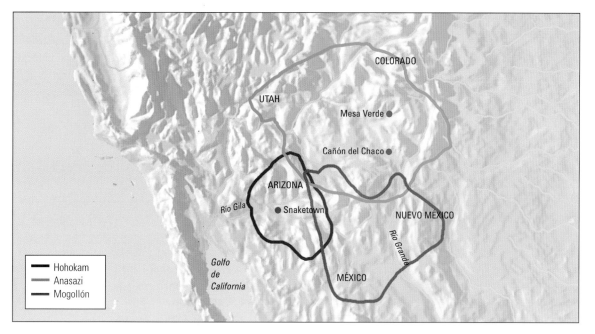

IZQUIERDA: Las culturas hohokam, mogollón y anasazi coexistieron en la misma época en territorios que se superponían ligeramente.

El cambio de la cultura basketmaker a la cultura Pueblo se produjo en torno al año 700 d.C. Por esas fechas los edificios de piedra comenzaron a sustituir a los refugios de adobe, las casas empezaron a construirse sobre el suelo y a hacerse más grandes. Floreció la agricultura y la creciente población no tardó en expandirse hacia el Utah, Colorado y Nuevo México. Los Pueblo vivían en pequeños poblados de unos cien personas. Comenzaron a comerciar con México, intercambiando turquesa por conchas, plumas de guacamayo y campanas de cobre.

EL CAÑÓN DEL CHACO

El periodo Pueblo Clásico (1050-1300 d.C.) vio el zenit y el declive de la cultura anasazi. Los asentamientos del norte fueron abandonados, lo que produjo la concentración de una población de hasta 30.000 personas en vastos pueblos (de ahí su nombre) en terrazas. Entre ellos se encuentran Pueblo Bonito, en el cañón del Chaco, que contaba con una población de 1.200 personas, y Cliff Palace, en Mesa Verde.

Los pueblos del cañón del Chaco controlaban más de 150 poblados anasazi, y todos ellos formaban una red que se extendía a lo largo de cerca de 400 kilómetros de norte a sur. Esta red era importante porque en el cañón del Chaco sólo se podía cultivar alimento para la mitad de esa población, de modo que una gran cantidad de comida había de importarse. Pueblo Bonito (900-1200 d.C.) fue el mayor de los pueblos chaco y probablemente fuera un centro administrativo y religioso. Diseñado con una característica forma de D, con la parte recta pegada a la pared del cañón, tenía tres pisos de terrazas con cerca de 800 habitaciones interconectadas y 40 kivas distribuidas en semicírculo en torno a una amplia plaza central. El tejado de cada piso proporcionaba una terraza para cocinar y para las labores artesanas. No había puertas, de modo que el acceso a las habitaciones se realizaba mediante una escalera desde el tejado.

Una de las características más sorprendentes de la zona del Chaco es su red de «carreteras». Tienen 9 metros de anchura, siguen un recorrido rectilíneo, alcanzan una extensión de más de 320 kilómetros y comunican los pueblos del extrarradio con Pueblo Bonito. Sin vehículos de ruedas o animales de tiro, no parece haber buenas razones para construirlas, pues necesitaron de una gran cantidad de trabajo y organización.

Cuando la cultura del cañón del Chaco se derrumbó, en el año 1150 d.C., los anasazi se trasladaron, agrupándose en pueblos más pequeños. Unos 1.250 pueblos a nivel del suelo fueron abandonados en favor de emplazamientos más fuertemente protegidos, en la cima de acantilados, pues una mala cosecha que afectó a amplias zonas llevó a un enfrentamiento por los recursos que quedaban. Al mismo tiempo, muchos anasazi se trasladaron hacia el este, hacia las montañas Rocosas. Puede que se vieran atraídos por una nueva religión: la religión

kachina, que todavía se practica en los poblados Pueblo actuales y que implica elaboradas danzas rituales. Las ceremonias a gran escala de esta religión proporcionaban un punto focal a la vida comunitaria y pueden haber enseñado a los descendientes de los anasazi a vivir de nuevo juntos en grandes pueblos.

IZQUIERDA: El cañón del Chaco, en Nuevo México, en donde se han encontrado los mayores poblados anasazi. Los restos de las habitaciones subterráneas ceremoniales del poblado de Chetro Ketl son visibles en el primer plano.

Hopewell

Cuando los exploradores europeos cruzaron América del Norte durante los siglos XVI y XVII no encontraron rastros de culturas prehistóricas fuera de México; pero cuando en el siglo XVIII alcanzaron los valles de los ríos Ohio y Misisipí, hallaron señales de una antigua cultura americana.

Las señales eran los miles de túmulos de tierra que salpicaban las zonas boscosas del sureste de Norteamérica. Estos montículos de tierra, que variaban en tamaño, forma y función, fueron construidos a lo largo de un periodo de 2.500 años por tres grupos culturales diferentes: los adcna, los hopewell y los misisipí

Incluso cuando se vieron enfrentados a esta evidencia, muchos colonos siguieron considerando esas estructuras como algo más allá de la capacidad de los nativos norteamericanos. De modo que se inventaron a una raza mítica y largo tiempo extinguida llamada de los Constructores de Túmulos. No obstante, al final los historiadores se dieron cuenta de que los constructores de túmulos no podía haber venido de ningún otro lugar y de que, de hecho, los túmulos habían sido construidos por nativos americanos prehistóricos.

Los pueblos hopewell estuvieron asentados en torno a la cuenca del Misisipí (en los actuales Estados de Illinois, Indiana y Ohio) desde 100 años a.C. en adelante. Sucedieron a los adena (véase el siguiente encarte) y lo hicieron todo a una escala mayor. Los pueblos hopewell adoptaron las técnicas agrícolas y las prácticas funerarias de sus predecesores adena, antes de reemplazarlos y extenderse en todas direcciones por la mitad oriental de Norteamérica.

Hacia el este, la cultura hopewell llegó hasta los montes Apalaches, por el sur hasta el golfo de México, por el oeste alcanzaron la zona orienta de las grandes llanuras (desde Oklahoma hasta Dakota del Norte), y por el norte terminaron en la parte superior de los Grandes Lagos.

Los hopewell combinaban el cultivo del maíz y otros vegetales (como calabazas y girasoles) con la caza y la recolección practicada por sus antepasados. El cultivo de maíz permitía la vida sedentaria en un poblado y un suministro regular de comida, lo que a su vez condujo a un aumento de la población. Los excedentes de comida eran almacenados para las futuras épocas de vacas flacas y eran controlados por los líderes de los grupos. Sin embargo, el almacenamiento de riquezas también creó divisiones sociales, lo que permitió a los líderes hacerse más ricos y mostrar esa diferencia en el modo en que eran enterrados y en la calidad de su ajuar funerario.

En el año 500 d.C., la cultura hopewell estaba en declive y nadie conoce el motivo. Posiblemente se debiera a un cambio climático (que puede haber arrasado las cosechas), a la superpoblación o a una combinación de am-

IZQUIERDA: Pieza de mica trabajada en forma de garra de pájaro. Extraída en los Apalaches, la mica era un material popular en la joyería hopewell.

bos factores que produjo una ruptura en las redes comerciales y la desaparición de los asentamientos.

LOS TÚMULOS FUNERARIOS

Gran parte de lo que sabemos de la vida de los hopewell procede del estudio de sus túmulos funerarios y montículos de tierra. Las tumbas bajo los túmulos eran de dos tipos: sencillos recipientes de arcilla que contenían los restos quemados de la gente corriente y tumbas más grandes y elaboradas, construidas para los ricos, que a menudo era enterrados junto a sus sirvientes y un rico ajuar funerario. Las tumbas eran luego quemadas y cubiertas de tierra o piedras. Los túmulos funerarios se construían a menudo unos sobre otros, en ocasiones hasta una altura de 40 metros.

La más amplia difusión de asentamientos hopewell se encuentra en el vale del Ohio. Se trata de complejos mucho más grandes que los de los adena, y los terraplenes circundantes a menudo tenían kilómetros de longitud y formaban figuras geométricas. Si bien alguno de

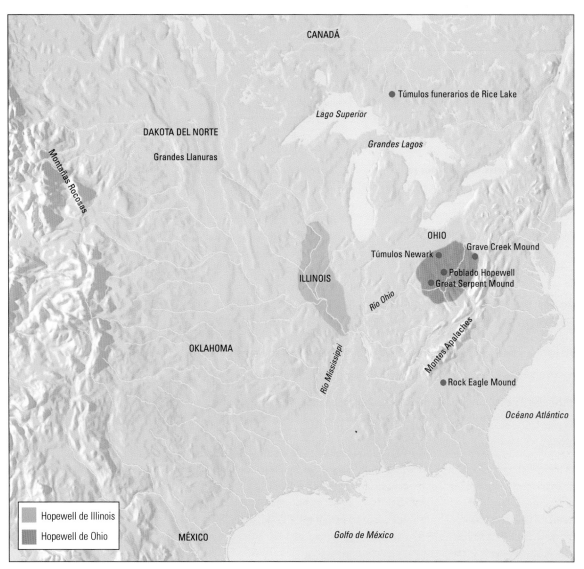

los terraplenes pueden haber sido utilizados para la defensa, los historiadores creen que la mayoría de ellos tuvieron una función ceremonial. Las formas estaban construidas con precisión y conectadas unas con otras mediante calzadas rectas de varias decenas de metros de anchura.

Mientras que los granjeros vivían fuera de esos complejos, en cabañas de barro y paja, los íderes del clan y los sacerdotes pueden haber tenido sus casas en el interior. El tamaño vertical de esos complejos funerarios sugiere la existencia de una poderosa y extremadamente bien organizada clase dirigente, con la autoridad para movilizar a la gran cantidad de personas necesarias para su construcción.

Algunos montículos de tierra tenían forma de grandes efigies, principalmente de humanos con alas, pájaros, reptiles y otros animales. Son únicos del continente americano y sólo pueden verse adecuadamente desde el aire. Lo más probable es que la forma de estos montículos-efigie pretendiera representar a los dioses locales. Entre los más famosos de esos montículos de tierra se encuentran el Rock Eagle Mound, en Georgia, que fue construido con toneladas de rocas partidas y representa a un inmenso pájaro, con una envergadura de unos

37 metros, y el Great Serpent Mound de Brush Creek, Ohio.

AJUAR FUNERARIO Y COMERCIO

La excavación de los túmulos funerarios hopewell ha revelado una sorprendente colección de objetos bellamente manufacturados a partir de materiales poco corrientes en la zona. Estos bienes proporcionan pruebas de la existencia de un sistema de comercio que se extendía por un área inmensa.

El cobre, que se utilizaba para hacer hachas y adornos, era obtenido en torno al lago Superior; la obsidiana volcánica, utilizada para hacer cuchillos y puntas de flecha, procedía de las montañas Rocosas, a más de 1.600 kilómetros hacia el oeste; las conchas marinas y los dientes de tiburón procedían del golfo de México, mientras que la arcilla venía de los montes Apalaches, al este. También de allí procedía la solicitada mica, que puede ser separada en finas y delgadas hojas transparentes y recortada con formas diversas. La piedra de Minnesota llegaba desde el noroeste y el oro y la plata desde el Canadá.

Estas materias primas eran transformadas en joyas, formas recortadas en cobre y mica, pipas talladas, instrumentos musicales, figuritas y collares de conchas talladas. Estos objetos eran enterrados junto a la persona fallecida para dejar reflejada su categoría, mientras que los objetos prácticos como hachas, conchas para beber y perlas (como moneda) suponían que les ayudarían en la otra vida.

Los mercaderes que viajaban desde Ohio hasta lejanos lugares para obtener estas materias primas, seguramente las intercambiaban por cobre, que se obtenía en la zona, o por bienes manufacturados. La rápida difusión de la cultura hopewell ha llevado a algunos historiadores a creer que posiblemente se trataba de un culto religioso, más que de una única cultura. Según esta teoría, cuando los grupos comenzaban a comerciar con los hopewell, adoptaban su culto a los muertos y comenzaban a construir sus propios túmulos funerarios, muchos de los cuales se han encontrado a lo largo de las rutas comerciales naturales de los ríos Ohio, Illinois y Misisipí.

DEBAJO: Ejemplo de joyería hopewell. El collar es de perlas, mientras que los pendientes y los colgantes son de cobre batido.

A partir de los objetos encontrados en las cámaras funerarias sabemos que los hopewell llevaban joyas y adornos que se cosían a la ropa o se colocaban en los tocados. También fumaban tabaco en pipas de piedra. Con sus delicadas tallas de animales y figuras humanas, estas pipas son algunos de los mejores ejemplos de arte antiguo encontradas en la parte norte del continente americano.

Las figuras de las pipas y las figurillas de arcilla fabricadas por los hopewell nos han proporcionado pistas fiables de cómo eran y se comportaban los hopewell. Muestran mujeres con el pecho desnudo, vestidas con faldas con cinturón y también a hombres con «tangas» hechos de delgadas piezas de tela pasadas entre las piernas y atadas a la cintura; además de adornos en el pecho hechos de concha. Los hombres llevaban la coronilla afeitada.

El Great Serpent Mound

El Great Serpent Mound («gran montículo de la serpiente) de Ohio quizá sea el más conocido de todos los montículos de tierra de los nativos norteamericanos. Esta notable construcción tiene unos 2.000 años de antigüedad y domina una estrecha franja de tierra en una bifurcación de Brush Creak, cerca de Cincinati. Los arqueólogos todavía no están seguros de quiénes lo construyeron, si los adena o los hopewell.

Hecho de arcilla amarilla sobre una base de piedras, este montículo con hierba tiene forma de serpiente deslizante que se enrosca en torno a una pequeña colina natural. En un extremo la cola está fuertemente enrollada, mientras que en el otro la boca parece cerrarse sobre un huevo. Tiene 405 metros de largo, siete metros de ancho y cerca de un metro de alto.

Con una pendiente boscosa en un lado y un acantilado vertical en el otro, el lugar domina el paisaje que lo rodea. Fue cuidadosamente elegido para inspirar respeto a quienes lo vieran. Sin embargo, el motivo de su construcción sigue siendo un misterio. En la mitología de algunas tribus nativas norteamericanas, una divinidad conocida como Serpiente Cornuda, o Monstruo del Agua, se considera el guardián de todas las fuentes de vida, en especial el agua. El «huevo» visible entre las mandíbulas de la serpiente contenía originalmente un pequeño círculo de piedras quemadas. Un fuego en ese lugar sería visto desde kilómetros de distancia, demostrando quizá que el espíritu serpiente de las aguas estaba vivo y vigilante. Otra posibilidad es que el montículo fuera construido para celebrar un eclipse solar, con el huevo (a punto de ser tragado) representando al sol.

Visto desde el aire, el Great Serpent Mound, es el más espectacular de los montículos de tierra de Norteamérica. Para preservarlo, en la actualidad está rodeado por un camino pensado para los turistas.

Los moche

La civilización moche (o mochica) fue una de las más grandes culturas andinas antiguas. Se originó en los valles Moche y Chicama, en lo que hoy es Perú, y tuvo su máximo esplendor a lo largo de la costa norte del país entre los siglos I y VIII d.C.

IZQUIERDA: Los moche trabajaban el metal con habilidad y dejaron tras ellos muchos asombrosos ejemplos de su arte. Esta escultura de una cabeza humana es de oro –una especialidad moche– y está decorada con turquesas.

Si bien los moche no dejaron registros escritos, a partir de su cerámica y murales se puede obtener una imagen muy vívida de su cultura. Vastas pirámides, tumbas y representaciones de sacrificios humanos nos dicen mucho sobre los moche y su bien organizada y socialmente estratificada sociedad.

La sociedad moche estaba gobernada por una elite de sacerdotes y guerreros apoyada en el trabajo de artesanos y granjeros. La ciudad más grande de esta civilización también se llamaba Moche. Partiendo de ella, los belicosos moche conquistaron a los débiles grupos que los rodeaban, creando así el primer gran reino de Perú. En su momento de mayor esplendor (entre los años 200 y 600 d.C.), los asentamientos de la civilización moche se extendían a lo largo de 315 kilómetros de cálida y seca costa.

Los moche cultivaban maíz, judías y otros vegetales. Para regar sus campos construyeron acueductos de tie-rra con los que canalizar los arroyos de las montañas circundantes (los Andes). Algunos de ellos todavía se utilizan en la actualidad. Allí donde las empinadas laderas impedían el cultivo o lo hacían escaso, los moche construyeron terrazas para incrementar la cantidad disponible de tierra cultivable. Estos sistemas de cultivo intensivo permitieron a los moche ampliar su territorio a lo largo de la costa. Puesto que no existía un gobierno central, cada valle formaba una unidad social independiente y autogobernada.

Los moche construyeron ciudades con grandes plazas y pirámides de cima plana, Los muros de estas pirámides eran de adobes y estaban construidos en capas. Para fabricar los ladrillos se mezclaba tierra con agua y paja, y se pisoteaba para formar una pasta. La pasta se introducía en moldes de madera y se dejaba secar al sol. Los ladrillos eran transportados luego al lugar adecuado y albañiles especializados los colocaban.

EL TEMPLO DEL SOL

Los templos más impresionantes de la zona moche son el Templo del Sol (Huaca del Sol) y el Templo de la Luna (Huaca de la Luna). El Templo del Sol era la estructura de adobe más grande de toda la América prehispánica. Construido con más de 140 millones de adobes, la base de la pirámide mide en la actualidad 340 por 160 metros, y tiene una altura de 40 metros. Originalmente era mucho mayor, pero sus caras se han visto afectadas por el clima y los buscadores de tesoros. Frente a la pirámide, al pie de una gran colina blanca, se encuentra el Templo de la Luna, más pequeño, y sobre cuya plataforma hubo una vez patios y habitaciones. A lo largo de la costa norte se construyeron pirámides más pequeñas.

Los moche decoraban los edificios públicos importantes, como el Templo del Sol y el de la Luna, con espectaculares murales pintados. Muchos de ellos celebran sus éxitos en la guerra, mostrando truculentas imágenes de prisioneros desnudos siendo capturados y decapitados. Las escenas de las cerámicas moche también contienen prisioneros siendo sacrificados a dioses con colmillos que aparecen sentados en lo alto de las pirámides.

La gran plaza entre los dos templos moche se utilizaba como cementerio y las tumbas encontradas allí, y en otros lugares, proporcionan muchas pruebas de una sociedad estratificada en clases. Uno de los hallazgos arqueológicos más espectaculares realizados en los últimos años fue el de la tumba del Señor de Sipán, en la región de Lambayeque, al norte del Perú. En 1987, los arqueólogos excavaron una tumba de muchas capas datada aproximadamente sobre 300 años d.C. y encontraron un abundante tesoro de ofrendas funerarias que demostraba la enorme riqueza de las clases gobernantes en la sociedad moche.

Dos de las tumbas pertenecían a gobernantes locales. Todos los cuerpos estaban colocados de espaldas, vestidos con elaboradas túnicas y adornados con joyas de oro y plata que incluían tachones para las orejas, adornos para la nariz, brazaletes, collares y pectorales, También se encontraron sirvientes de ambos sexos, sacrificados para la ocasión.

IZQUIERDA: El inmenso Templo del Sol en Moche es uno de los edificios antiguos más grandes encontrados en el continente americano.

Las líneas de Nazca

Las líneas de Nazca cubren unos 520 km² de desierto en el sur del Perú. Se piensa que probablemente fueron construidas por los indios nazca. Los nazca eran contemporáneos de los moche y vivieron al sur de ellos, entre los años 350 y 600 d.C. Las líneas se hicieron quitando las oscuras piedras de la superficie para dejar expuesta la roca de debajo, de color más claro. Hay cerca de 100 dibujos distintos, que incluyen desde inmensas figuras humanas a gigantescas figuras geométricas. Entre ellos hay un colibrí (un dibujo habitual en la cerámica nazca), un mono con la cola en espiral y una orca. Los dibujos varían entre los 500 metros y los 8 kilómetros de longitud. Muchas de las líneas se entrecruzan formando cuadrados y triángulos. Deben su conservación al clima, tremendamente seco.

Los dibujos sólo se pueden ver adecuadamente desde el aire, lo que ha llevado a mucha especulación sobre el cómo y el porqué de su realización. Uno de los misterios es cómo sus constructores pudieron seguir líneas tan rectas, teniendo en cuenta las distancias implicadas. La explicación más aceptada sobre su creación es que forman el libro de astronomía más grande del mundo. Muchas de las figuras predicen la posición de estrellas y constelaciones en diferentes momentos del año; por ejemplo, el pico del colibrí se alinea con la posición en que amanece el sol durante el solsticio de verano. Esto puede haber ayudado a los granjeros a decidir cuándo era el mejor momento para sembrar y recolectar la cosecha.

El colibrí es uno de los más espectaculares de los dibujos de Nazca.

LA CERÁMICA MOCHE

En las tumbas moche también se enterraban vasijas y botellas, lo que nos ha proporcionado claves vitales sobre el modo de vida moche. Producidas en masa mediante moldes, las vasijas rojas y blancas tenían forma de cabeza humana, figuras humanas y demoniacas, animales, peces, pájaros, plantas, escenas religiosas y edificios. Famosa por el realismo de sus detalles, la cerámica moche contiene alguna de las más finas esculturas de la historia de la cerámica. Muchas de las vasijas estaban pintadas con vívidas escenas de la vida diaria y ceremonial, mostrando a guerreros con prisioneros, sacrificios humanos, caza y el tejido de telas. La extraordinaria naturaleza gráfica de estos diseños los hace notables no sólo como arte, sino también como documento de la cultura de la que proceden.

El colapso de la gran cultura moche fue originado probablemente por una serie de desastres naturales. Una prolongada sequía en el siglo VI vino seguida, 100 años después, por un gran terremoto, grandes inundaciones y una serie de tormentas de arena que arruinaron los una vez fértiles campos. Como si esto no fuera poco, los moche fueron finalmente atacados y conquistados por los cercanos y agresivos huari.

IZQUIERDA: Esta elaborada figura de cerámica, típica de la cultura moche, representa a una criatura que es parte ciervo y parte humana. Puede que sea una imagen de un chamán sufriendo un proceso de transformación.

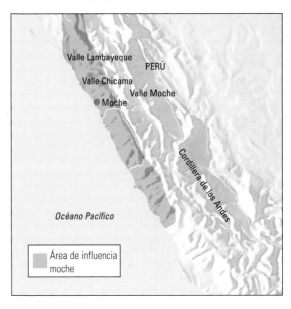

DERECHA: En el año 600 d.C., los moche habían construido un imperio que se extendía a lo largo de 350 kilómetros de la costa del Perú.

Los mayas

Varios siglos antes de la época en que vivieron los aztecas y los incas, un pueblo nativo americano llamado los mayas creó una civilización en el sur de México y América Central. Su cultura perduró 600 años y nos dejó un legado de magníficos edificios y esculturas.

Los mayas descendían de los cazadores-recolectores originales de la región, que se asentaron en la península del Yucatán, en lo que hoy son México y parte de Guatemala, hace unos 3.000 años. Vivían en pequeños poblados a base de casas de paja y cultivaban maíz, judías y cidra.

En torno al año 400 a.C., los mayas comenzaron a construir templos en los que poder adorar a sus muchos dioses. Según aumentaba la población, aparecieron diferentes ciudades-estado, cada una con su propio rey-dios. No existía una capital, ni un rey ni una administración única o centralizada, pero aun así la civilización maya floreció y se convirtió en muy poderosa entre los años 250 y 900 d.C., que los historiadores llaman el Período Clásico. Durante esos años, cada rey maya tuvo control absoluto sobre los poblados y campos de cultivo que rodeaban su ciudad. Cuando un rey moría, el poder pasaba a su hijo mayor.

La mayor parte de los mayas eran granjeros. Vivían en pequeños poblados en el cálido y húmedo bosque tropical, talando y quemando árboles y arbustos para crear claros. Las cenizas que quedaban eran buenas para el suelo y este tipo de cultivos –llamados de tala y rastrojo– todavía se utilizan hoy día en América Central. Los campesinos plantaban sus cosechas en mayo, justo para la época de las lluvias. En ocasiones, en las zonas bajas pantanosas, los agricultores mayas creaban campos elevados que plantaban, rodeados por canales de agua que podían ser utilizados para regar la cosecha. Este sistema de agricultura fue el antecesor del método de las *chinampas*, utilizado ampliamente por la posterior civilización azteca.

COMIDA Y BEBIDA

El maíz era el cultivo principal y formaba parte de la mayor parte de las comidas. Los mayas lo utilizaban

ARRIBA: Las impresionantes ruinas de la pirámide, el palacio, la torre de vigilancia y los templos de la ciudad maya de Palenque.

para hacer una especie de gachas especiadas con pimientos picantes. También comían tamales –hojas de maíz rellenas de una mezcla de carne y masa de maíz– y las tortas planas de maíz que los españoles posteriormente llamaron tortillas. Los mayas solían utilizar el maíz para hacer una bebida alcohólica llamada *balche*, endulzada con miel y especiada con corteza de árbol.

Los mayas no tenían caballos o reses para arrastrar sus grandes cargas, de modo que los campesinos tenían un montón de trabajo pesado que realizar. Muchos granjeros poseían su propio terreno y en cada poblado había unos campos comunales que todos ayudaban a cultivar. Excavaban canales para llevar agua desde los ríos y marismas cercanos y así ayudar al crecimiento de la cosecha. En terrenos empinados construían terrazas planas para sus campos, rodeadas por muros. Los hombres y los hijos mayores hacían la mayoría del trabajo agrícola: limpiar el terreno, plantar las semillas y recoger la cosecha. También iban de caza y pescaban, utilizando el arco y las flechas para matar ciervos, conejos y unos grandes roedores llamados agutíes. Ponía trampas para capturar animales como iguanas y disparaban a los pájaros con cerbatanas. Algunas familias tenían perros para que les ayudaran en la caza, además de tener panales de miel y criar pavos.

VIDA RURAL Y URBANA

Las familias de agricultores (padres, hijos y nietos), vivían todos juntos en casas pequeñas y sencillas cerca de sus campos. La casa familiar estaba hecha de troncos de madera atados juntos. El techo era de paja y por lo general era inclinado para que el agua de lluvia desaguara fácil-

IZQUIERDA: Un vaso de arcilla con una imagen de la deidad maya Vucub Caquix, que tenía forma de guacamayo (loro) gigante. Era el más importante de los dioses mayas.

mente. Una mitad de la casa era utilizada para cocinar y comer, con un fuego en medio del suelo enlucido. La familia dormía en la otra mitad de la casa, sobre unas camas elevadas hechas de madera y corteza tejida. Mientras los hombres estaban en los campos, las mujeres y las hijas mayores cocinaban, vigilaban a los más jóvenes y recogían leña y agua para la casa.

Las mujeres también se encargaban de la ropa de la familia. Dado que por lo general el clima era cálido, llevaban ropas cómodas y sencillas. Los hombres llevaban taparrabos, una pieza de tela enrollada en torno a la cintura y por entre las piernas. Las mujeres llevaban un vestido amplio y largo de manga corta, que tejían con algodón y otras telas. Si el tiempo se volvía frío, hombres y mujeres se ponían encima una capa, que también utilizaban como manta por la noche. Los mayas utilizaban sandalias y mocasines de cuero. Todos los trabajos los

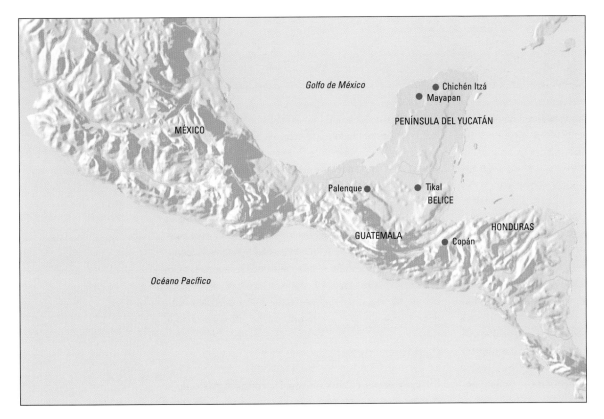

IZQUIERDA: Los mayas estaban asentados en torno a la península del Yucatán, en lo que en la actualidad son México, Belice, Guatemala y Honduras.

Los números mayas

Para escribir números, los mayas utilizaban un sistema de puntos y rayas. Un punto equivale a 1, dos puntos a 2, tres puntos a 3 y cuatro puntos a 4. Una línea horizontal equivale a 5. Los números hasta 19 se escribían combinando puntos y rayas, así:

| 1 | 7 | 13 | 19 |

Los mayas utilizaban un sistema en base 20 (el nuestro es en base 10). Cada vez que un punto o línea sube una fila representa un múltiplo de 20. En nuestro sistema, los números se mueven hacia la izquierda, desde las unidades a las decenas, a las centenas, a los millares.

En el sistema maya, desde la primera las filas son: unidades, veintenas, cuatro centenas y ocho millares. Para hacerlo más sencillo los mayas inventaron el número cero, que por lo general representaban como una concha. Por lo tanto, para escribir el número 20 ponían una concha (cero) en la fila de las unidades (la de más abajo) y un punto en la siguiente hacia arriba, que era la fila de las veintenas.

Debajo aparecen algunos ejemplos de números más grandes.

Este sistema de cuentas era utilizado por mercaderes y comerciantes. Los mayas utilizaban un sistema ligeramente distinto cuando se trataba de fechas, aunque los principios son los mismos. Para representar fechas, los números de la tercera fila desde abajo representaban múltiplos de 360 (el número de días del año maya). Los números de la fila superior representaban unidades de 7.200 (360 × 20) y así.

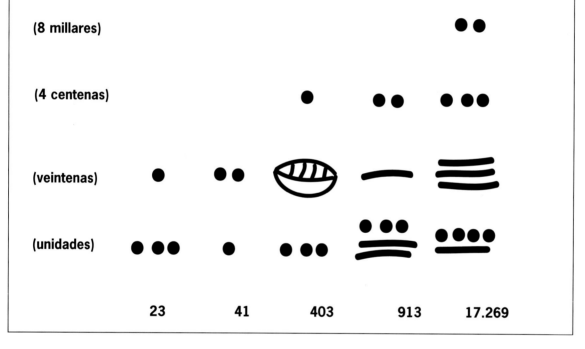

(8 millares)

(4 centenas)

(veintenas)

(unidades)

| 23 | 41 | 403 | 913 | 17.269 |

realizaban con herramientas de piedra y madera, pues no descubrieron cómo utilizar los metales.

La vida en las ciudades mayas era muy diferente a la vida en los poblados. En el centro de cada reino había una ciudad que contenía magníficos palacios de piedra, templos y pirámides, todos ellos agrupados en torno a una gran plaza central. Son unas hazañas arquitectónicas sorprendentes, sobre todo porque fueron construidas sin herramientas de metal. Los trabajadores mayas utilizaban cortadores hechos con obsidiana para tallar los bloques de caliza utilizados en los edificios. Algunas de las construcciones estaban recubiertas de revoque blanco hecho a base de caliza machacada, mientras que otros estaban pintados de rojo brillante o de azul.

El rey y sus familiares vivían en un palacio de piedra en el centro de la ciudad. Estaban rodeados de servidores. Los nobles y sacerdotes también vivían en la ciudad,

la mayor de las cuales pudo haber tenido una población de unas 100.000 personas. Mucho sobre la vida en las ciudades se ha aprendido de las excavaciones arqueológicas de las ruinas de Palenque (México), Copán (Honduras) y Tikal (Guatemala).

La religión representaba un papel importante en la vida diaria maya. Adoraban a más de 160 dioses, la mayoría de los cuales estaban identificados con las fuerzas naturales, como el viento, la lluvia o los rayos. Creían que los cuatro dioses de la lluvia, todos llamados Chac, la controlaban, de modo que les rezaban constantemente para que enviaran lluvia suficiente para sus cultivos, pero no como para que sus granjas y poblados resultaran arrasados.

El dios sol era llamado Kinich Ahua y la diosa de la Luna, identificada también con la medicina y el tejido, Ix Chel. Los mayas creían que cada mañana el dios sol,

El juego de pelota

Un elemento muy importante del centro ceremonial de una ciudad maya era el patio del juego de pelota. Tenía forma de I mayúscula y estaba rodeado por unos muros altos e inclinados. El patio de juego de pelota más grande que se ha encontrado, el de Chichén Itzá en México, tiene unos 146 metros de largo y 36 metros de anchura (mucho más grande que la mayoría). El juego tenía lugar entre dos equipos de jugadores, que intentaban golpear una pelota maciza de caucho de 20 centímetros de diámetro para hacerla pasar por entre un anillo de piedra situado en lo alto del muro. En Chichén Itzá, los muros tienen ocho metros de altura. Los jugadores llevaban almohadillas protectoras, incluido un ancho cinturón, probablemente de cuero, y tenían prohibido utilizar las manos o los pies para dar a la pelota. Tiene que haber sido muy difícil impulsar la pesada pelota con el antebrazo, el codo o la cadera, y los juegos deben de haber durado mucho tiempo. Los historiadores creen que el «juego» era más bien un acontecimiento religioso o ritual sagrado, practicado como parte de una compleja ceremonia. Después de algunos juegos, los perdedores eran decapitados por los sacerdotes y su sangre y sus cuerpos ofrendados a los dioses. Algunos patios de juego de pelota están rodeados de filas de cráneos y algunas pelotas tienen cráneos humanos en el interior.

El patio del juego de pelota en Copán, el mejor conservado en la actualidad. Los patios del juego de pelota aparecen en casi todos los grandes yacimientos mayas, aunque varían enormemente en cuanto a su tamaño.

tras cruzar el cielo, descendía al inframundo, la tierra de la muerte. Cuando amanecía de nuevo era como un esqueleto.

SANGRE Y SACRIFICIOS

Los mayas oraban y realizaban sacrificios a sus dioses para mantener en equilibrio las fuerzas de la tierra. Fiestas religiosas en honor de ciertos dioses tenían lugar en días especiales a lo largo de todo el año. Para obtener la ayuda de sus dioses, los mayas realizaban ceremonias, ayunaban, sacrificaban animales y ofrendaban regalos.

Hacían ofrendas de piedras preciosas, cuentas y preciosas plumas arrojándolas a pozos.

Los mayas también practicaban los sacrificios humanos. Lo hacían porque creían que los dioses les darían lo que querían a cambio de comida y sangre, que los dioses necesitaban para alimentarse. Por ejemplo, el dios sol necesitaba sangre humana para ayudarlo en su viaje diario por el cielo. Las víctimas sacrificadas a menudo eran enemigos capturados en la guerra. A muchos de ellos les arrancaban el corazón con un cuchillo de sílex. Algunos eran atados a postes y acribillados a flechazos, mientras que otros eran lanzados escaleras abajo por las fachadas

DERECHA: Esta figura humana de cerámica tiene casi 60 centímetros de altura y era la parte superior de un incensario. Los mayas eran expertos artesanos y producían complejos objetos de cerámica.

DERECHA: Un relieve maya que muestra al señor maya y a su esposa realizando el ritual del derramamiento de sangre. El hombre sujeta una antorcha encendida, mientras que la mujer se hace sangrar pasándose una cuerda con espinas a través de la lengua.

de las pirámides o arrojados desde grandes altura sobre una pila de piedras.

Los mayas realizaban ceremonias en las que ofrecían su propia sangre para fortalecer a los dioses. En ocasiones importantes, como la consagración de nuevos edificios, la siembra de la cosecha o el comienzo o final de una guerra, el rey de la ciudad llevaba a cabo un ritual especial de derramamiento de sangre. La multitud se reunía en la plaza central para ver a los bailarines danzando al son de flautas, trompetas de madera y tambores de conchas de tortuga. Entonces llegaban los reyes y se atravesaban a sí mismos con espinas u hojas de obsidiana. La sangre real se derramaba sobre hojas de corteza, que luego eran quemadas en un fuego ceremonial. Los sacerdotes que realizaban estas ceremonias religiosas eran tan importantes que se sentaban junto a un grupo de nobles en el Consejo de Estado de la ciudad, que aconsejaba al rey y le ayudaba a gobernar su ciudad-estado.

En los funerales también tenían lugar ceremonias especiales. Los cuerpos de los difuntos se pintaban de rojo y luego eran envueltos en esteras de caña con unas pocas pertenencias. Los campesinos y la gente corriente eran enterrados bajo el suelo de sus casas. Al rey y a algunos nobles se les dejaba descansar con sus mejores ropas en tumbas dentro de las pirámides de la ciudad. En ocasiones se sacrificaban algunos servidores para ser enterrados con ellos, junto con joyas y otros objetos preciosos, para que pudieran utilizarlos en el otro mundo.

En Palenque, por ejemplo, el rey Pacal fue enterrado en el año 683 d.C. en una tumba dentro de la base de la pirámide llamada Templo de las Inscripciones. Un estrecho pozo lleva desde la tumba hasta la cima de la pirámide de nueve escalones, donde había un templo rectangular. El pozo fue taponado tras el enterramiento de Pacal.

LEER Y ESCRIBIR

Sabemos un montón de cosas sobre los mayas porque desarrollaron su propio sistema de escritura. Es unas de las pocas civilizaciones antiguas que creó su propio y original sistema, en vez de adoptar el de otra cultura. El sistema maya es a base de símbolos pictográficos, llamados jeroglíficos. Algunos representan palabras solas, mientras que otros representan sonidos. Es probable que sólo los escribas, sacerdotes y nobles supieran leer todos los jeroglíficos; a los escribas se les tenía en muy alta consideración.

Los escribas utilizaban plumas de pavo para escribir sobre corteza de higuera. En ocasiones escribían una larga tira de corteza y luego la plegaban para hacer páginas; estos libros mayas se llaman códices. Desgraciadamente, sólo se conservaban cuatro de ellos. Los mayas cubrieron sus ciudades con los jeroglíficos tallados en la piedra de los edificios. También conservan información en grandes estelas. Utilizaban las estelas para registrar fechas importantes y grandes acontecimientos en las vidas de personas relevantes. A menudo recogían la vida del rey, así como los acontecimientos de su reinado.

Los sacerdotes mayas también actuaban como astrónomos. Observaban las posiciones del Sol, la Luna y las estrellas en el cielo nocturno y calcularon exactamente cuánto tardaba la Luna en rodear la tierra y la Tierra en dar la vuelta al Sol. Compilaron exactas tablas de eclipses, de modo que pudieran predecirlos en el futuro. Los sacerdotes también realizaron detallados estudios de los movimientos del planeta Venus, al que consideraban muy importante. Los observatorios y ordenadores modernos han confirmado que las tablas astronómicas mayas sólo tenían un error de un día en 6.000 años.

COMERCIO Y GUERRA

Durante el Período Clásico maya, las ciudades mayas comerciaban unas con otras. La gente de las tierras bajas vendían artesanía y pieles de jaguar a los habitantes de las tierras altas, que a cambio entregaban jade, obsidiana y semillas de cacao, utilizadas para hacer chocolate. Las ciudades también se hacían la guerra unas a otras, quizá para conseguir prisioneros que poder sacrificar a los dioses.

Algunos historiadores creen que esas guerras ayudaron a debilitar a las ciudades-estado mayas. Puede que también hubiera una serie de malas cosechas. Durante el siglo XI, tras más de 600 años de lo que se llama el Período Clásico, los mayas abandonaros sus centros en las tierras bajas de la península del Yucatán; algunos se trasladaron al norte, a las ciudades de las tierras bajas de la península del Yucatán, mientras que otros se dirigieron a las tierras altas de la parte sur de Guatemala. Los reyes y sacerdotes mayas perdieron su poder y la mayor de las ciudades mayas que seguía activa, Chicén Itzá, pasó a ser gobernada por un consejo de nobles.

Tras varios siglos de declive, la civilización maya terminó por completo cuando los conquistadores españoles invadieron Guatemala, en 1525, y la península del Yucatán, en 1541.

IZQUIERDA: Palacio maya de Kabah. Impresionantes edificios de piedra como éste se encuentran no sólo en los principales centros mayas, sino también en las ciudades pequeñas.

Tikal

La civilización maya estaba formada por una serie de ciudades-estado diferentes diseminadas a lo largo de una amplia área de América Central. Tikal, en las cenagosas aguas de las tierras bajas de Guatemala, era no sólo una de las más importantes ciudades mayas, sino posiblemente la mayor de todas ellas.

Tikal floreció durante más de 1.000 años y en su zenit contaba con una población de más de 60.000 personas, con una extensión que cubría 130 km². Una serie de 29 reyes de una única familia gobernaron en Tikal desde antes del año 300 d.C. hasta el siglo XI.

Tikal fue abandonada por los mayas en torno a 900 d.C., cientos de años antes de que, a su llegada, los conquistadores españoles se apoderaran de la región que la rodea. Las ruinas de Tikal permanecieron siglos sin ser holladas, hasta que los exploradores y arqueólogos del siglo XIX comenzaron a redescubrir y estudiar los emplazamientos mayas de Guatemala, Honduras y México.

Cuando los exploradores llegaron por primera vez a esos lugares, las ruinas estaban cubiertas de lianas, árboles y sumergidas en la jungla. Es fácil comprender la sorpresa que sufrieron al abrirse paso por entre la jungla y encontrar una inmensa pirámide de piedra grabada con imágenes y jeroglíficos.

Tikal comenzó como un pequeño poblado agrícola en torno a 800 años a.C. Unos 500 después, los mayas comenzaron a construir un centro ceremonial en donde la gente pudiera adorar a sus muchos dioses. Los edificios estaban situados alrededor de una Gran Plaza de unos 120 metros de largo por 75 metros de ancho.

LA GRAN PLAZA

Como casi todos los edificios ceremoniales mayas del periodo, la plaza estaba construida de caliza, disponible en grandes cantidades en las cercanías. En su apogeo, esta enorme plaza era el lugar para realizar grandes procesiones.

En uno de los lados de la plaza, la Acrópolis Norte se convirtió en el lugar de enterramiento de los reyes que gobernaron Tikal. Gracias a estas tumbas sabemos mucho sobre la ciudad y las personas que vivían en ella, pues a menudo estaban decoradas con pinturas murales elaboradas y muy detalladas. Gracias a la riqueza que contenían, podemos saber que los reyes de Tikal llevaban una vida de gran lujo. Para conmemorar sus logros, los reyes erigían estelas, que son una fuente de información extremadamente importante, pues estaban decoradas con relieves que no sólo contenían imágenes de los propios reyes, sino también las fechas de sus reinados. La estela más antigua encontrada en Tikal data del 292 año d.C.

En Tikal se estaban construyendo continuamente nuevos edificios de caliza, algunos de ellos encima de los ya existentes. Los que generan más interés en la actualidad fueron construidos en el siglo VIII, cuando la ciudad estaba en la cima de su poder. En torno al año 727, un rey llamado Ah Cacao fue enterrado en la pirámide conocida como Templo I, en el extremo este de la Gran Plaza. Esta magnífica estructura se construyó sobre la tumba real después de que se introdujera en ella el cuerpo del rey. Es una pirámide con nueve escalones. Los mayas creían que el inframundo contenía nueve niveles, que son los que representa la pirámide. Un único tramo de escaleras conduce al templo que hay en la cima de la pirámide, que tiene 47 metros de altura.

Al oeste de la plaza se encuentra el Templo II, construido probablemente para la esposa de Ah Cacao; pero la mayor estructura de Tikal es el Templo IV, que se alza hasta los 65 metros de altura y se puede ver desde una distancia de 20 kilómetros. Durante el siglo VIII se construyeron otras pirámides más pequeñas. Algunas en parejas y los expertos creen que se construyeron para celebrar el fin de los periodos de tiempo que los mayas llamaban *katuns*. Un *katun* estaba formado por 20 *tuns*, o años. Al final de cada periodo de 20 años se erigía un complejo piramidal doble para honrar el paso del tiempo. Estas estructuras son algo único de Tikal.

En Tikal se han encontrado más de 3.000 estructuras distintas y bajo ellas hay muchos edificios más. Resulta extraño que la ciudad no estuviera rodeada por ningún tipo de muralla o fortificación, aparte del foso del norte.

El poder de Tikal comenzó a declinar en el siglo IX, probablemente como resultado de las guerras destructivas con otras ciudades-estado, combinadas con una época de malas cosechas en los campos circundantes. Finalmente, los soberanos, los nobles y el pueblo de Tikal abandonarón su ciudad ceremonial a la jungla.

Las ruinas de la ciudad maya de Tikal, en la actual Guatemala. Es probable que Tikal fuera la mayor de las ciudades mayas; sus templos y pirámides son algunos de los más espectaculares encontrados en América Central.

Los misisipí

La cultura misisipí fue la última gran cultura prehistórica en desarrollarse en América del Norte. Perduró desde aproximadamente 700 años d.C., hasta la llegada del conquistador español Hernando de Soto y los primeros exploradores europeos en 1540, habiendo alcanzado su punto álgido en los siglos XIII y XIV.

Los misisipí probablemente quizá sean más conocidos por sus túmulos en forma de pirámide. No obstante, la joya de la corona de sus logros fue, sin duda, la ciudad de Cahokia, del siglo XII, que fue la primera gran metrópoli de América al norte del río Grande.

Las muy desarrolladas ciudades de los misisipí y su agricultura intensiva significaron un importante avance cultural sobre las anteriores tribus de los bosques (como los hopewell) e igualan el crecimiento y expansión de la cultura ansazi en el suroeste, que tuvo lugar entre los años 700 y 1200 d.C.

Durante 300 años tras el declive de la cultura hopewell (sobre 400 a.C.) no existía una tradición unificadora alternativa, de modo que diferentes grupos de los bosques orientales siguieron sus propios estilos de vida. Entonces, en torno al año 700, un poderoso grupo nuevo apareció desde el norte de México y se asentó en el sureste.

Trajeron con ellos las judías, ricas en proteínas, y un nuevo tipo de maíz que resultó un tremendo éxito. En algunas zonas, el nuevo maíz podía plantarse y cosecharse dos veces en la misma temporada, incrementando así el rendimiento de los campos. Este importante aumento en el suministro de alimento ayudó a estimular el crecimiento inicial de la cultura misisipí entre las actuales San Luis y Vicksbourg, siendo sin duda el principal factor en la expansión de la cultura. En el año 1000 d.C. ya había grandes concentraciones de gente en ciudades por toda la zona sur y central del valle del Misisipí.

La ciudades aparecieron primero a orillas del Misisipí y sus principales afluentes, los ríos Tennessee y Cumberland. Las ciudades posteriores aparecieron también en las fértiles tierras circundantes. Se han encontrado asentamientos misisipí en los actuales estados de Misisipí, Alabama, Georgia, Arkansas, Missouri, Kentucky, Illinois, Indiana y Ohio, con algunos asentamientos dispersos extendiéndose hacia el norte, hasta Wisconsin y Minnesota, y hacia el oeste, por las Grandes Llanuras.

Los asentamientos misisipí eran mayores que cualquiera de los construidos antes en Norteamérica. Con miles de habitantes, fueron las primeras ciudades de verdad de Norteamérica. Un ciudad típica consistía en hasta 20 grandes túmulos de cima plana agrupados en torno a una plaza ceremonial. Los túmulos eran de tierra, con una rampa o escalera de troncos que llevaba hasta la cima. El tamaño de las plazas variaba entre las 4

IZQUIERDA: Un vaso de cerámica (sobre 1000 d.C.) con forma de figura humana llorando. Los ojos llorosos son un motivo recurrente en el arte misisipí y se cree que poseen un significado simbólico.

y las 40 hectáreas. Encima de los túmulos se construían templos, depósitos de cadáveres, una casa para reuniones y las casas de los líderes religiosos y políticos. Así dominaban a los habitantes de la ciudad, que vivían en grandes casas de barro, ramas entrelazadas y con el techo de paja.

Una empalizada defensiva separaba la ciudad de los poblados agrícolas repartidos por la fértil llanura fluvial. Cada ciudad o poblado grande dominaba a un grupo de poblados satélite menores, con el gobierno en manos de los jefes y sacerdotes. Es sistema fue importado desde México, en donde había estado siendo utilizado desde 850 a.C. en adelante.

CAHOKIA

La mayor y más poderosa de las ciudades misisipí es la de Cahokia, fundada en el emplazamiento de la actual San Luis este (Illinois) en torno a 700 años d.C. La ciudad muestra claras evidencias de que en ella habitó un sofisticada cultura en torno a 1100 ó 1200, al menos 300 años antes del descubrimiento europeo de Norteamérica. Hoy día, el Monk Mound («túmulo del monje») es lo único que sobrevive de una ciudad que en su día cobijó a 10.000 personas, con una extensión de 13 km² en el zenit de su prosperidad, entre 1050 y 1250 d.C.

El propio túmulo tiene una base rectangular de seis hectáreas, mayor que la de la Gran Pirámide de Guiza. Mide 300 metros de largo y 700 metros de ancho, con una altura de 30 metros. Al contrario que sus homólogos de otras culturas, los constructores del túmulo no contaban con animales de tiro para ayudarlos, de modo que tuvieron que cargar ellos mismos con la tierra en cestas.

Hasta 100 túmulos más, que servían de base a las residencias oficiales, templos y como residencia de los muertos, fueron visibles un día desde la cima del Monk Mound. Los lugares menos importantes estaban más alejados del centro. A menudo, la gente importante era enterrada bajo el suelo de los templos, mientras que otros eran enterrados en cementerios fuera de las ciudades. En torno a los muertos se colocaba el ajuar funerario, consistente en cerámica y gargantillas de concha o cobre.

El tamaño de estas obras públicas sugiere que los misisipí contaban con un culto religioso dominante, dotado de un cuerpo de sacerdotes-gobernantes que podían demandar los servicios de una población amplia, estable y dócil, así como de varios gremios de artesanos.

Hasta su declive, en torno a 1450 d.C, Cahokia probablemente fuera la sede del gobierno de toda la zona circundante. También era un importante centro mercantil para ajuares funerarios, incluido el cobre de los Grandes Lagos y la mica obtenida en los Apalaches.

Otra ciudad importante, Emeral Mound («túmulo esmeralda») se encuentra en el valle bajo del Misisipí, cerca de la actual ciudad de Nachez y fue una de las al menos nueve ciudades habitadas por la tribu nachez. Todavía vivían allí cuando en el siglo XVIII llegaron los exploradores franceses. Éstos proporcionaron valiosas descripciones del modo de vida de la tribu. Eran gobernados por un poderoso jefe llamado Gran Sol, que llevaba elaboradas capas y tocados de plumas, y siempre era transportado en litera. Todo aquel que no le gustara era muerto de inmediato. Cuando Gran Sol murió, su esposa, sus sirvientes y el portador de su pipa fueron muertos y enterrados con él. Fumar en pipa ocupaba un lugar importante en muchas ceremonias y el portador de la pipa de Gran Sol era uno de sus más importantes servidores.

LA ORGANIZACIÓN SOCIAL

Los asentamientos misisipí estaban organizados en jerarquías sociales especializadas, con jefes de paz, jefes de guerra, sacerdotes funerarios y jefes de clan. Esos líderes supervisaban la producción, recolección y distribución de la comida y los materiales. Los jefes de guerra ten-

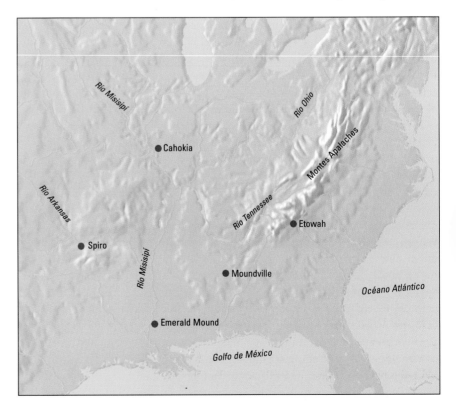

DEBAJO: Los asentamientos misisipí aparecen en todos los estados orientales.

dían a ser más activos y al menos una generación más joven que los jefes de paz.

Mientras que el jefe de paz permanecía en el poblado, el jefe de guerra se encargaba de las zonas situadas en el exterior del mismo, excepto cuando el poblado corría el riesgo de ser atacado de inmediato. El grado de poder y la autoridad de los jefes variaba enormemente por toda la región. Mientras que jefes como Gran Sol, de los nachez, eran considerados dioses, los líderes de otras tribus como los choctaws, creeks y cherokees, eran tratados simplemente como respetados miembros ancianos de la comunidad.

La guerra era bastante habitual y a menudo conllevaba a la creación de alianzas entre los diferentes grupos. Estas alianzas se transformaron después en confederaciones tribales. La lucha tenía lugar por lo general para conseguir prestigio o vengar una injuria, más que por lograr una expansión territorial o conseguir control económico.

ARTE Y ARTESANÍA

Además de ajuares funerarios y adornos corporales (como pendientes y brazaletes), los misisipí producían muchos objetos de uso doméstico diario, como cestas, recipientes de cerámica y vestidos (de piel de animal). Los alfareros misisipí fabricaban unas cerámicas muy decorativas, que se caracterizan por utilizar conchas machacadas como desgrasante de la pasta.

La mayor parte de la artesanía de los misisipí se realizaba en cobre, concha, piedra y madera, que se utilizaban para elaborar tocados, armas rituales, pipas esculpidas y máscaras de madera recubiertas de cobre. Los dibujos se grababan, repujaban, tallaban o moldeaban e incluían serpientes emplumadas, pájaros, cráneos y arañas, además de figuras humanas y motivos geométricos.

A mediados del siglo XV, Cahokia y las demás ciudades de la región central del Misisipí estaban en declive. Puede que se debiera a la difusión de enfermedades como la tuberculosis o porque los agricultores ya no podían producir cosechas suficientes para alimentar a toda la población. Cualquiera que sea el motivo, muchos habitantes de las ciudades se trasladaron y construyeron poblados más pequeños. Algunos continuaron cultivando, pero muchos regresaron al antiguo sistema de caza y recolección.

Entre 1500 y 1700, las Grandes Llanuras fueron siendo ocupadas gradualmente por grupos de semiagricultores, como los apaches y los comanches, que ahora utilizaban el caballo, introducido por los españoles. Estos grupos llegaron a dominar a los misisipí, que para entonces se habían transformado en tribus como los pawnee y los crow. Más al sur, los primeros exploradores europeos encontraron una floreciente cultura misisipí, pero no durante mucho tiempo. Los últimos restos de esta antigua cultura terminaron por disgregarse y ser obligados por los franceses a mezclarse con las otras tribus a comienzos del siglo XVIII.

El culto meridional

Las ceremonias religiosas eran muy importantes para los misisipí. Se realizaban ritos en honor de los ancestros, para acompañar el entierro de líderes importantes y cuando se celebraban buenas cosechas, cazas y batallas ganadas. En gran parte de la región dominada por los misisipí, la gente seguía una religión conocida como Culto Meridional. La religión se concentraba principalmente en tres ciudades: Moundville (Alabama), Etowah (Georgia) y Spiro (Oklahoma), pero la distribución de los objetos cultuales va más allá de los límites de cualquier ciudad misisipí.

Los detalles exactos del culto se desconocen, pero la muerte y el enterramiento representaban un papel importante en sus rituales. Se han descubierto muchos objetos del Culto Meridional, incluidas conchas y hojas de cobre grabadas con diseños simbólicos como ojos llorosos y manos sujetando un ojo. Algunas ciudades se especializaron en la producción de vestidos y adornos ceremoniales.

Un adorno para el cuello realizado en concha, con un chamán alado sujetando una cabeza humana cortada; es uno de los muchos objetos de culto encontrados en Etowah, Georgia.

DERECHA: Una pipa de esteatita con un guerrero decapitando a un enemigo. Fumar poseía un significado religioso para los misisipí y las pipas como ésta sólo se usaban con motivos ceremoniales.

Los toltecas

Durante los siglos VI y VII d.C., las zonas montañosas del centro y el norte de México estuvieron pobladas por tribus nómadas. En el año 700 d.C., algunos de ellos se habían sedentarizado en torno a un poblado a unos 70 kilómetros al norte de la moderna Ciudad de México. Se les conoce como toltecas.

El poblado creció hasta convertirse en una ciudad pequeña y luego en una grande llamada Tollan, que significa «Lugar de cañas». Hoy día la ciudad se conoce más como Tula y, entre los años 900 y 1200, fue la capital del Imperio tolteca.

El Imperio tolteca está envuelto en el misterio y todavía hoy se conoce relativamente poco sobre su tamaño y organización. No obstante, sabemos que los toltecas eran agricultores y que, al igual que otros pueblos de América Central, regaban sus campos con agua traída de los ríos y arroyos locales para cultivar maíz y judías. La gente de Tula también fabricaba y comerciaba con un elevado número de bienes, sobre todo herramientas de obsidiana, que conseguían en las minas cercanas a la ciudad de Pachuca, a unos 60 kilómetros de distancia. El control de las minas atrajo a nuevos colonos y ayudó al crecimiento de Tula. En su momento de mayor esplendor, en el siglo XI, la ciudad probablemente tenía 50.000 habitantes.

LA ARQUITECTURA TOLTECA

Una gran parte de Tula ha sido desenterrada por los arqueólogos en los últimos 60 años, de modo que sabemos bastante sobre ella. La mayor parte de las casas se agrupan en torno a un patio central y tienen un solo piso, con muchas habitaciones distintas. Poseen tejados planos y gruesos muros de adobes cementados con barro, lo que mantenía a sus ocupantes frescos durante el día y calientes durante la noche.

La ciudad está distribuida según un tosco patrón ortogonal y tiene en el centro un centro ceremonial que incluye una gran plaza, pirámides, un complejo palacial, templos y dos patios para el juego de pelota, similares a los encontrados en las ciudades mayas. Los historiadores creen que por toda América Central se celebraba el mismo tipo de juego de pelota ceremonial.

Una de las dos pirámides principales de Tula, que los arqueólogos llaman Pirámide B, posee cuatro niveles, una única escalera y filas de columnas en la cima. Las columnas están talladas en basalto y tienen forma de gigantescos guerreros toltecas de casi 15 metros de altura. Las columnas sujetaron en tiempos el tejado del templo que había en la cima de la pirámide. El grupo de guerreros de piedra tenía que ser una visión espeluznante para la gente que subía las escaleras del monumento hace 1.000 años. Junto a la pirámide hay varias filas de pilares más pequeños, que una vez sujetaron el techo de una

zona cubierta, que los arqueólogos consideran posiblemente la residencia real.

LA GUERRA

Los toltecas eran un pueblo extremadamente guerrero. Los templos y palacios de Tula están cubiertos de graba-

ARRIBA: Estas cuatro estatuas de guerreros toltecas todavía se alzan en la cima de la Pirámide B. Fueron los pilares del tejado del templo.

El gran dios Quetzalcoatl («la serpiente con plumas del pájaro quetzal») era honrado por los toltecas como el hijo de la diosa Tierra; también estaba asociado a la estrella matutina. Muchos soberanos toltecas se identificaron con él y su imagen aparece con frecuencia en Tula, como sucedería después en Teotihuacán y otros lugares aztecas posteriores. Un rey tolteca especialmente cercano al dios fue Topiltzin.

Según una leyenda, hacia el final del siglo X el rey Topiltzin adoptó el nombre de Quetzcoatl. Fue un buen rey que no alentó la práctica de los sacrificios humanos, pero que fue perseguido por Tezcatlipoca, el dios del cielo nocturno. Tezcatlipoca insultó y humilló tanto a Toplitzin-Quetzalcoatl, que al final éste abandonó avergonzado la capital, Tula. Mientras se dirigía hacia la costa, todavía perseguido por el dios de la noche, la mayor parte

de sus acompañantes murieron. Cuando alcanzó el mar, según la leyenda Toplitzin-Quetzalcoatl construyó una almadía de serpientes y navegó hacia un lugar más seguro.

Varios mitos mayas hablan de la llegada de Quetzalcoatl (al que llaman Kukulkan) a Chichén Itzá aproximadamente por esas fechas. Los historiadores creen que ciertamente algunas de estas leyendas pueden estar basadas en hechos reales.

dos con escenas de guerra en las que participan soldados toltecas. El hecho de que estas escenas superen muy ampliamente en número a las demás nos indica la tremenda importancia de la guerra en la sociedad tolteca. Una imagen que se repite una y otra vez es la de un guerrero tolteca que lleva un elaborado tocado de plumas y sujeta un puñado de lanzas. Coyotes, jaguares y águilas también aparecen a menudo y de modo que es probable que los guerreros toltecas llamaran a sus órdenes militares según estos animales, del mismo modo que harían posteriormente los aztecas.

Invasores toltecas pueden haber sido los responsables de la destrucción de la gran ciudad de Teotihuacán, que se encuentra no muy lejos hacia el sur. La influencia tolteca alcanzó cuando menos la ciudad maya de Chichén Itzá, situada a más de 1.100 kilómetros, en la península del Yucatán. Muchos de los edificios de esta ciudad poseen un reconocible estilo tolteca y están decorados con esculturas y grabados que representan a guerreros toltecas. Los historiadores no se ponen de acuerdo sobre si los toltecas conquistaron Chichén Itzá o si únicamente comerciaban con la ciudad. Sea como fuere, lo cierto es que los toltecas influyeron mucho en el desarrollo de la ciudad.

LA CAÍDA DE LOS TOLTECAS

El último soberano tolteca fue un rey llamado Huemac, que gobernó en el siglo XII. Por entonces los toltecas estaban perdiendo su poder e influencia. Ello pudo deberse a desacuerdos entre las gentes principales de la ciudad de Tula o a una época de sequía y malas cosechas en la región, o a la amenaza de ataques desde el exterior. Cualquiera que sea el motivo, Huemac fue obligado a dejar su capital y trasladarse al sur, al valle de México. La propia Tula fue invadida y no tardó en encontrarse en ruinas (los invasores tiraron las columnas desde el templo de la cima de la pirámide y luego las enterraron). También excavaron en la pirámide en busca de un tesoro.

A pesar de ello, la aterradora reputación de Tula y sus belicosos habitantes continuó; los posteriores aztecas se mostraban orgullosos de considerarse los descendientes espirituales de los toltecas.

IZQUIERDA: Una columna de basalto tallada en forma de guerrero tolteca. Lo militar es una constante en el arte tolteca, lo que refleja su carácter agresivo.

DEBAJO: La capital de los toltecas, Tula, se encuentra en las montañas de México, al norte de Ciudad de México. No obstante, la influencia de los toltecas se dejó sentir hasta Chichén Itzá, en la península del Yucatán.

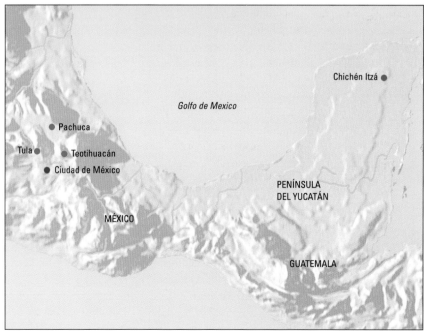

Los aztecas

El Imperio azteca floreció en Mesoamérica entre los siglos XIV y XVI. Las costumbres del pueblo azteca pueden parecernos brutales actualmente, ya que crearon su amplio imperio mediante la guerra. Capturaban muchos prisioneros que luego sacrificaban a sus dioses en una truculenta ceremonia.

A pesar de su extremada brutalidad, en otros aspectos los aztecas eran un pueblo muy civilizado, con impresionantes ciudades, obras de arte y una forma especial de escritura pictográfica.

Un pueblo azteca primigenio vivió en la región septentrional del país que hoy conocemos como México. Eran cazadores nómadas que hablaban una lengua llamada *nauatl* y que se llamaban a sí mismos los *mexica*. En la década de 1100 d.C., esos nómadas se trasladaron hacia el sur, hacia el valle de México, pero parece que no fueron bien recibidos por los pueblos que ya vivían en la región. Los pueblos sedentarios deben haber considerado a los belicosos nómadas como bárbaros. No obstante, los *mexica* eran unos guerreros muy hábiles, por lo que varias de las ciudades-estado contrataron los servicios de los aztecas para luchar por ellos como mercenarios.

Los aztecas demostraban poco respeto por los demás pueblos y no eran muy queridos. En torno al año 1300 le pidieron a la gente de Culhuacán, que vivía cerca de las costas meridionales de lago Texoco, una novia especial para poder empezar su propia familia real. El

ARRIBA: Santa Cecilia Acatitlán, la única pirámide azteca de este tipo que ha sido completamente restaurada. Un edificio pequeño, comparativamente hablando, la pirámide probablemente fuera utilizada sólo por la comunidad local.

soberano de Culhuacán les entregó como obsequio a su propia hija, pero en vez de desposarla, los aztecas la golpearon hasta matarla. Un sacerdote azteca vistió la piel de la chica en una ceremonia y los ultrajados culhuacaños expulsaron a los aztecas de su territorio. Éstos huyeron a una isla deshabitada en el lago y allí fundaron su primer asentamiento.

Las leyendas aztecas cuentan su llegada allí de otro modo. Cuando todavía estaban errando en torno a un lugar mítico llamado Atzlán, en el noroeste de México, sin un hogar permanente, Huitzilopochtli, el dios del sol y la guerra, les dijo a los aztecas que buscaran una señal especial y se asentaran allí donde la encontraran. El signo era un águila sobre un cactus sujetando una serpiente entre sus garras. Según la leyenda, en torno a 1325 la tribu errante encontró lo que estaban buscando en una isla pantanosa en el lago Texcoco. Se asentaron allí y construyeron un nuevo poblado, al que llamaron Tenochtitlán, que traducido significa «el lugar de la chumbera».

La vida no fue fácil para los aztecas en las pantanosas islas que habían escogido como hogar. Los primeros habitantes pescaban en el lago y atrapaban aves con redes, pero tenían que pagars tributo a los tepañecs, que controlaban las orillas del lago. Los aztecas tenían que cultivar más comida y eso significaba conseguir más terreno. Lo lograron construyendo en el propio lago lo que llamaban *chinampas*, o «jardines flotantes». Para hacerlo iban hundiendo almadías de cañas rellenas de barro, las unas sobre las otras, hasta que alcanzaban el fondo del lago y la tierra lograba sobresalir de la superficie del agua.

Poco a poco, los aztecas rellenaron los huecos entre sus jardines flotantes para conseguir sitio para las casas. Construyeron sistemas de drenaje y mediante tuberías enviaban agua potable de una zona a otra. Para crear una superficie nivelada para la creciente ciudad de Tenochtitlán, transportaron tierras y rocas hasta la isla principal. Seguidamente construyeron un dique de 16 kilómetros de longitud dentro del lago para prevenir que el agua salada de la zona norte contaminara el agua dulce que rodeaba sus granjas y casas. Finalmente, construyeron calzadas para conectar la ciudad, que creía con rapidez, con tierra firme y con las otras islas.

En el año 1400 Tenochtitlán se había convertido en una ciudad importante y poderosa y los aztecas estaban listos para extenderse por tierra firme. Su líder, Itzcoatl («Serpiente de Obsidiana»), firmó una alianza con otras dos ciudades-estado, Texcoco y Tlacopán, y juntas lucharon y derrotaron a los tepañecs en 1428. Los guerreros de Tenochtitlán era temidos en toda la región y la ciudad se convirtió rápidamente en el miembro más poderoso de la triple alianza. Los aztecas y sus aliados no tardaron en conquistar otras ciudades-estado del valle de México. Durante el mandato de Moctezuma I, que reinó desde 1440 hasta 1469, el imperio se expandió considerablemente y conquistó amplias zonas hacia el este y el sur, incluida la tierra de los mixtecas. Las ciudades conquistadas eran obligadas a pagar fuertes impuestos a sus señores aztecas.

El líder, o emperador, de los aztecas era llamado el *huey tlatoani*, o «gran portavoz». Era escogido entre los miembros de la familia real por un consejo de nobles. El emperador poseía un gran poder, pero consultaba al consejo de nobles antes de tomar decisiones importantes. Raras veces aparecía en público y era tratado como un dios.

LA GUERRA

Uno de los principales papeles desempeñados por el emperador era actuar como comandante del ejército. Al

ARRIBA: Una escena de un códice azteca con una imagen de dos de los muchos dioses de esta civilización: el dios agrícola Xipe Totec (izquierda) y Quetzalcoatl («la serpiente», dios de la tormenta).

DEBAJO: A comienzos del siglo XVI, los aztecas habían conquistado un amplio imperio.

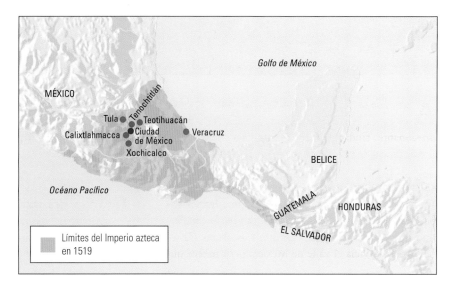

Los sacrificios humanos

Los aztecas necesitaban un suministro continuo de prisioneros para ser sacrificados. no sacrificaban a la gente como castigo o para celebrar una victoria, sino como parte de un ritual para alimentar y complacer a sus dioses. Los sacrificios humanos tenían un papel importante en todas las grandes ceremonias religiosas. Los aztecas adoraban a centenares de dioses y creían que estas deidades necesitaban sangre humana para permanecer fuertes.

Los sacrificios tenían lugar en los templos, el más importante de los cuales era el centro ceremonial de Tenochtitlán. La Gran Pirámide de la ciudad era un edificio escalonado con una altura de 60 metros. En la cima de la pirámide había dos templos, a cada uno de los cuales se llegaba mediante un tramo de escaleras. A la izquierda estaba el templo de Tlaloc, el dios de la lluvia y la fertilidad, y a la derecha el templo de Huitzilopochtli, el dios del sol y la guerra, además de un guardián especial de la gente de la ciudad. Los aztecas creían que, si no alimentaban a sus dioses, éstos destruirían el mundo. Según la tradición, los aztecas de la época estaban viviendo en el quinto mundo, que se acabaría finalmente mediante un gran terremoto.

Las víctimas, tanto hombres como mujeres, eran alineadas en los escalones de la pirámide y arrastrados hasta arriba, hasta que llegaban a los altares. Allí los sacerdotes los cogían y los tumbaban sobre una piedra de sacrificios. Seguidamente, un sacerdote abría en canal el pecho de la víctima con un cuchillo y le arrancaba el corazón, que era lo más precioso que podía ser ofrendado a los dioses. El corazón era colocado en un cuenco y el cuerpo sin vida de la víctima arrojado escaleras abajo. En ocasiones, partes del cuerpo eran entregadas como recompensa a quien lo había capturado y partes eran comidas como ritual.

DEBAJO: Una imagen de piedra de Ometecuhtli («Dos Señor»), que era el dios supremo de los aztecas.

contrario que la mayoría de los conquistadores de imperios, los aztecas no contaban con un ejército permanente, sino que se esperaba que todos los ciudadanos varones dejaran sus campos y lucharan cuando era necesario.

Los chicos eran entrenados en el uso de las armas y, a partir de los 15 años, se les llevaba a la guerra. Los guerreros con más éxito eran recompensados con abundantes regalos, generalmente en forma de tierras o esclavos, y los heridos en la guerra eran muy admirados y obtenían derecho a una larga capa de honor para ocultar sus cicatrices. Los aztecas no tenían hierro, de modo que la mayoría de sus armas estaban hechas de madera. Utilizaban la obsidiana para hacer pinchos y hojas. Disponían de hondas, arcos, flechas y lanzas que eran arrojadas con un lanzador llamado *atlatl*. Para el cuerpo a cuerpo llevaban espadas de madera con forma de garrote con pichos de obsidiana. Los guerreros llevaban vestidos de algodón acolchado, mojados con agua salada para que se acartonara y actuara de armadura. También llevaban tocados y cargaban con escudos de mimbre cubierto de cuero.

EL CALENDARIO AZTECA

Los sacerdotes aztecas utilizaban un calendario sagrado para averiguar cuáles eran los días más adecuados en los que realizar las ceremonias sagradas, ir a la guerra o sembrar las cosechas. El calendario tenía 260 días a base de 20 días diferentes, cada uno con su nombre, combinados con números del 1 al 13. Los aztecas también utilizaban un calendario solar formado por 28 «meses» de 20 días cada uno más cinco días extra, considerados nefastos, al final del año (con lo que conseguían un total de 365 días). Los dos calendarios se utilizaban simultáneamente, y el primer día de ambos sólo coincidía cada

52 años. El final de cada uno de esos periodos de 52 años era considerado como un momento muy peligroso. Las mujeres y niños se quedaban dentro de casa por miedo a convertirse en animales si permanecían fuera. En una ceremonia especial, un sacerdote encendía un fuego con un trozo de madera sobre el pecho de una víctima del sacrificio y le arrancaba el corazón. A partir de esta llama se encendían antorchas que encenderían nuevos fuegos que protegerían a los aztecas durante los siguientes 52 años.

LA SOCIEDAD AZTECA

La sociedad azteca estaba formada por cuatro clases: nobles, plebeyos, siervos y esclavos. Las familias de nobles y plebeyos pertenecían a clanes más grandes. Cada clan poseía una zona de tierra que estaba dividida entre las familias según sus necesidades. Los plebeyos cultivaban sus propias tierras, mientras que las de los nobles eran trabajadas por los siervos. Muchos esclavos eran personas caídas en desgracia en malos tiempos (la gente podía ser vendida como esclava si no podía pagar sus deudas).

Los nobles vivían en grandes casas de dos pisos hechas de piedra o adobes. Las casas tenían el tejado plano, algunas con jardines encima, y se construían en torno a un patio. Había dormitorios, salones, cocinas y una zona para los sirvientes. Las casas de los plebeyos eran mucho más sencillas y a menudo estaban construidas de cañas enlucidas con arcilla.

Si bien las casas de los nobles eran muy sofisticadas, los ejemplos más sorprendentes de la arquitectura azteca son las pirámides que construyeron en honor a sus dioses. La mayor de todas es la Gran Pirámide de Tenochtitlán, situada en un espectacular centro ritual de monumentos de piedra, plazas y escaleras.

Los hombres aztecas vestían por lo general un taparrabos y una capa anudada sobre un hombro. Las mujeres llevaban una blusa sin mangas y una falda cruzada. Las ropas de los nobles estaban hechas de algodón bordado, mientras que las de los plebeyos eran lisas y tejidas con una fibra llamada agave.

El principal alimento de los aztecas consistía en una delgada torta de maíz llamada *tlaxcalli* y que los españoles llamaron tortillas. Eran muy parecidas a las que todavía se comen en México. Los aztecas utilizaban las tortillas para recoger con ella otros alimentos o para envolver carne o verduras muy especiadas. Sus salsas estaban sazonadas con pimientos picantes, o chiles. Aunque el maíz era la principal cosecha, los granjeros también cultivaban judías, aguacate y tomates. Los aztecas aplastaban semillas de chocolate y lo batían para hacer una bebida fría y espumosa sazonada con vainilla o especias. También utilizaban las semillas de cacao como calderilla cuando realizaban trueques en la plaza del mercado.

Los aztecas utilizaban una escritura pictográfica, a base principalmente de pequeños dibujos. Algunos representaban ideas, mientras que otros simbolizaban sonidos y sílabas. La escritura se utilizaba sobre todo para llevar las cuentas de los negocios, los impuestos, el censo y en los documentos religiosos. El papel se hacía a partir de la corteza de higueras silvestres, y las hojas se unían para crear un largo y plegado libro llamado códice. Nos llama la atención, n obstante, que sólo existiera un número muy pequeño de escribas, por lo general sacerdotes, que supiera leer y escribir. Los sacerdotes también actuaban como astrónomos y conservaban detallados registros de los movimientos de las estrellas y los planetas.

A finales del siglo XV, el Imperio azteca se encontraba en el zenit de su poder. Lo componían 15 millones de

ARRIBA: El calendario azteca, que pudo formar parte de la Gran Pirámide de Tenochtitlán. En el centro se ve la cara del dios sol Tonatiuh. Está rodeado de símbolos que representan los días del año azteca.

DEBAJO: Las patas de este cuenco azteca, en forma de cabeza de águila, sugieren que su dueño era miembro de la clase guerrera.

personas repartidas en 38 provincias más la capital, Tenochtitlán, que tuvo una población de hasta 250.000 personas. En 1502, Moctezuma II se convirtió en su emperador y continuó ampliando el imperio por la zona central-meridional de México. Muchas de las ciudades-estado conquistadas por los aztecas odiaban a sus señores y no les gustaba nada tener que pagar unos impuestos tan grandes.

En 1519, Moctezuma II estaba seriamente preocupado por varios malos presagios que amenazaban con hacer de ese año –llamado «Uno Caña» en el calendario azteca– algo desastroso. Anteriormente, un cometa había aparecido en el cielo y el templo de Huitzilopochtli había ardido. Pero, lo que parecía más importante, Uno Caña era el año en que las leyendas predecían el regreso desde el este del dios-rey Quetzalcoatl, con la intención de vengarse por haber sido expulsado, cientos de años antes, de la capital tolteca, Tula. Los sacerdotes aztecas pidieron miles de sacrificios humanos para contrarrestar los malos presagios y ello no tardó en disgustar a las ciudades que tuvieron que aportar las víctimas. Cuando a Moctezuma se le dijo que unos extraños de cara blanca y barba habían llegado a la costa este, pensó que uno de ellos podría ser el propio dios-rey Quetzalcoatl. Si luchaba contra el dios-rey, los dioses podían enfadarse tanto que destruirían todo el imperio, de modo que Moctezuma decidió dar la bienvenida a los extranjeros.

LA CAÍDA DEL IMPERIO

En realidad, los extranjeros eran un grupo de conquistadores españoles dirigidos por Hernán Cortés. Según el pequeño ejército de 500 soldados penetraba en tierra conquistada por los aztecas, muchos de los pueblos sojuzgados se unían a ellos dispuestos a luchar contra los odiados gobernantes aztecas. Cuando Cortés alcanzó Tenochtitlán, él y sus soldados se quedaron sorprendidos por el tamaño y belleza de la ciudad. Si bien con mucha desconfianza, Moctezuma recibió a los españoles como amigos.

No obstante, cuando el comandante español mató a algunos de los nobles aztecas que estaban realizando una ceremonia religiosa, los aztecas se rebelaron y lucharon contra los españoles. Lapidaron a Moctezuma como un traidor y obligaron a los españoles a salir de Tenochtitlán; pero Cortés no tardó en conseguir más aliados locales, reagrupó a sus fuerzas y atacó la ciudad de nuevo con más brío. Los aztecas aguantaron durante diez semanas antes de rendirse el 13 de agosto de 1521. Con la caída de Tenochtitlán finalizó toda resistencia azteca. Su gran imperio había terminado.

Los aztecas restantes se convirtieron en esclavos de los conquistadores españoles. Tenochtitlán fue completamente destruida y Ciudad de México fue construida después sobre sus ruinas. Cuando los arqueólogos excavaron el emplazamiento del Gran Templo, encontraron cerca de 6.000 objetos aztecas.

IZQUIERDA: Parte de una tira de un códice azteca con escenas de la vida diaria. La imagen superior muestra a unos nobles aztecas jugando al *patolli*, un juego con dados. Las otras imágenes representan animales, prisioneros siendo castigados y una banda de música. Gran parte de lo que sabemos sobre la vida diaria azteca procede de los códices –o libros de imágenes– dejados por los escribas.

Teotihuacán

El emplazamiento de una de las mayores ciudades antiguas de América se encuentra unos 50 kilómetros al noreste de Ciudad de México. Pese a que fue construida muchos siglos antes de que los aztecas la vieran, todavía utilizamos el nombre que ellos le dieron, Teotihuacán, que en su lengua significa «lugar de los dioses».

Cuando los aztecas encontraron la ciudad, en el siglo XIV, estaba cubierta de maleza y en ruinas. No obstante, se dieron cuenta de que había sido una gran ciudad y comenzaron a creer que había sido construida por los dioses. Teotihuacán se convirtió para ellos en un lugar de peregrinación.

Tras las conquista española de México, en 1521, las ruinas de Teotihuacán volvieron a quedar olvidadas. Luego, a finales del siglo XIX, exploradores y arqueólogos comenzaron a investigar antiguos yacimientos mexicanos y, hasta el día de hoy, la excavación de Teotihuacán continúa. Gran parte de la ciudad sigue aún sin explorar y todavía tenemos mucho que aprender sobre la gente que la construyó y vivió en ella. No conocemos la lengua que hablaban ni cómo se llamaban a sí mismos. Los arqueólogos, sin embargo, gustan llamar teotihuacanos a sus habitantes.

La ciudad fue fundada como un pequeño asentamiento en algún momento alrededor del año 200 a.C. Los expertos todavía no conocen la fecha exacta, pero por entonces vivían en ella unas 2.000 personas; trescientos años después, la población había crecido hasta los 60.000 habitantes. Aunque no hay pruebas de que Teotihuacán fuera el centro de un imperio en el sentido convencional del término, sabemos que sí era el centro de una inmensa red comercial. Por lo tanto, la ciudad tenía una gran influencia cultural sobre una muy amplia zona de los actuales México y Guatemala.

LA CALLE DE LOS MUERTOS

En el año 100 d.C. ya había muchos bellos edificios en la ciudad, distribuidos según un patrón ortogonal. Un amplia avenida recorría la ciudad aproximadamente de norte a sur. Los aztecas la llamaban la Calle de los Muertos. Probablemente pensaron que muchos de los edificios que la flanqueaban eran tumbas, aunque no lo son en realidad.

En el extremo sur de la Calle de los Muertos hay dos grandes áreas. Una era un complejo de importantes edificios religiosos y de otros tipos que los arqueólogos llaman la Ciudadela. Incluye un templo llamado la Pirámide de la Serpiente

La Pirámide del Sol, el mayor de los edificios de Teotihuacán. Una amplia escalera conduce hacia la cima de la pirámide, donde originalmente se alzaba un pequeño templo de madera.

Emplumada, que contiene imágenes del dios mesoamericano Quetzatcoatl. La otra zona rectangular es llamada el Gran Complejo, probablemente el principal mercado de la ciudad.

Al este de la Calle de los Muertos se encuentra el mayor y más famosos edificio de Teotihuacán: la Pirámide del Sol. En el extremo superior de la avenida, a unos dos kilómetros de la Ciudadela, se encuentra la Pirámide de la Luna. Es más pequeña que la Pirámide del Sol, pero se encuentra sobre un terreno más alto y por ello alcanza su misma altura. En la actualidad tiene 43 metros de altura y originalmente tenía un templo en la cima. Mirando desde la Calle de los Muertos, esta pirámide está perfectamente alineada con Cerro Gordo, que era considerada una montaña sagrada. Al recorrer la Calle de los Muertos, los adoradores de Teotihuacán habrían visto cómo la pirámide ocultaba lentamente la montaña, como si ocupara su lugar. Parece que el edificio pudiera representar la montaña sagrada.

VIVIENDAS URBANAS

La Calle de los Muertos y las grandes pirámides, templos y mercados estaban rodeados por las zonas residenciales de la ciudad. En el año 50 d.C., unas 200.000 personas vivían en Teotihuacán, haciendo de ella la mayor de las ciudades mesoamericanas. Contaba con un barrio para los artesanos y otro para los visitantes extranjeros. Hay

unos 2.000 complejos de apartamentos, en donde vivían los habitantes de la ciudad. Se trata de edificios de un solo piso con muchas habitaciones, pero que probablemente únicamente tuviera una entrada, de modo que la gente pudiera tener tranquilidad y privacidad. Es probable que familias relacionadas vivieran juntas en cada complejo, el mayor de los cuales contiene habitaciones para unas cien personas. Los complejos tenían tejados planos hechos de delgados postes entrecruzados con las vigas; estrechos callejones comunicaban los edificios. En su momento de mayor extensión, en el siglo VI d.C., la ciudad ocupaba una superficie de unos 20 km².

Teotihuacán floreció entre los años 200 d.C. —momento en que se construyeron todos los grandes edificios— y 600 d.C. A partir de ese momento la ciudad empieza a declinar en riqueza e influencia. Es posible que hubiera luchas por el poder en el seno de la ciudad, o quizá problemas agrícolas originados por una sobreexplotación de los campos circundantes, o incluso malas cosechas. En torno a 650-700, gran parte de la ciudad estaba quemada hasta los cimentos, lo que ha llevado a los arqueólogos a pensar que pudo haber sido atacada, bien por invasores de la cercana ciudad de Cholula, hacia el sur, o por toltecas, desde el norte. Sea lo que fuera lo que pasara, la ciudad fue abandonada y permaneció en ruinas hasta que fue descubierta por los aztecas cientos de años después.

Los incas

El Imperio inca fue la más grande y poderosa civilización de la Sudamérica antigua. Los incas gobernaron gran parte de lo que hoy son Ecuador, Perú y Bolivia, además de partes de Chile y Argentina, un territorio que comprendía zonas de desierto costero, montañas, llanuras barridas por el viento, bosques y junglas.

IZQUIERDA: Los incas construyeron su imperio en el montañoso terreno de los Andes, aterrazando laderas para poder cultivar en ellas.

Hasta comienzos del siglo XV, los incas no fueron sino una más de las pequeñas tribus enfrentadas que vivían en las montañas de lo que hoy es el sur del Perú. Fue entonces cuando un habilidoso general inca, llamado Inka Yupanki, ganó una batalla decisiva contra la tribu vecina de los chanka. Adoptando el nombre de Pachutec, Yupanki se sentó en el trono inca y comenzó a ejercer su autoridad sobre las tierras circundantes. Según los historiadores incas, Pachutec comenzó su reinado en 1438, que se considera la fecha del comienzo del Imperio inca.

Según fue aumentado su poder, los incas comenzaron a ampliar su territorio. Firmaron tratados con jefes locales cooperativos y atacaron y sometieron a los jefes que se negaban a cooperar por las buenas. Los incas utilizaron varias estrategias para gobernar las nuevas tierras. En aquellos casos en que los jefes locales aceptaban la dominación inca, éstos los dejaban en el poder y se limitaban a imponer nuevas reglas e impuestos a la población. No obstante, también se llevaban a los hijos de los gobernantes locales a la capital, Cuzco, para que fueran al colegio y aprendieran a ser incas. Servían como rehenes para impedir que sus padres se rebelaran. Cuando los jefes locales eran díscolos o incapaces de cumplir con sus obligaciones, los incas nombraban a sus propios gobernadores para supervisar los territorios recién conquistados. Los gobernadores eran hombres leales al emperador inca y se les concedían muchos privilegios. Recaudaban los impuestos (pagados en forma de bienes), controlaban la tierra y grandes rebaños de animales, llevaban las ropas especiales reservadas a la elite y vivían en lujosos palacios.

EL MANTENIMIENTO DE LA PAZ

En las zonas donde los habitantes demostraban ser especialmente revoltosos, los incas recurrían a grandes traslados de población. Llevaban a comunidades enteras que cooperaban a las zonas donde había problemas con la población. También cogían a algunos de los alborotadores y los llevaban a otras partes del imperio. Dado que las gentes de puntos distintos del imperio hablaban lenguas diferentes, a menudo desconfiaban y no se gustaban mutuamente. Los incas aprovecharon esa desconfianza, fiando en los miembros de cada grupo para que espiaran a los otros grupos e informaran al gobernador inca de cualquier intento de rebelión.

RELIGIÓN

La religión de los incas se basaba en la adoración de muchos dioses. El más importante de los dioses incas era el dios sol, Inti, a quien el soberano inca consideraba su padre. El Coricancha, el principal templo dedicado a la adoración de Inti, era uno de los edificios más imponentes de todo el imperio. Construido con los mejores sillares, sus muros estaban cubiertos de pan de oro. Bellas terrazas rodeaban el templo y en ellas se colocaban pequeñas imágenes de maíz y otras plantas hechas de oro y plata.

Otros dioses incas estaban asociados generalmente con cuerpos celestes, como la Luna, los planetas o las estrellas, o fenómenos naturales, como el trueno o el mar. Los incas adoraban unos santuarios locales llamados *huacas*. Los *huacas* eran poderes sobrenaturales localizados en lugares especiales, como las cimas de las montañas o en arroyos, o en objetos como grandes rocas o estatuas. Se creía que los dioses tenían poderes universales, mientras que los *huacas* tenían sobre todo relevancia local. Se necesitaba la buena voluntad tanto de los dioses como de los *huacas* para conseguir el éxito en cualquier cosa, desde la cosecha hasta la guerra.

Los incas no impedían que la gente adorara los *huacas* locales. No obstante, siempre que era posible trasladaban los principales de ellos a Cuzco, de modo que la gente se veía obligada a peregrinar a la capital para adorarlos, reforzando así su papel de centro del imperio.

Algunas actividades religiosas eran dirigidas por el emperador inca o por sacerdotes de ambos sexos. La adoración de los dioses y *huacas* incas a menudo implicaba la realización de ofrendas. Era tradicional ofrecer el primer sorbo de un vaso de *chicha* –una bebida parecida a la cerveza hecha a base de maíz u otras plantas– a Pachamama, la diosa tierra-madre. La gente también enterraba pequeñas ofrendas en o cerca de los santuarios. Podía tratarse de pequeñas imágenes talladas de llamas o paquetes con piedras, coca, comida y otros objetos envueltos juntos antes de ser enterrados. Las ofrendas también incluían porciones de animales y a veces animales enteros eran sacrificados a dioses concretos. Sólo en raras ocasiones tenía lugar un sacrificio humano.

El centro del Imperio inca era la ciudad de Cuzco. En ella se encontraba el más importante de los templos incas, el Coricancha, conocido hoy día como el Templo del Sol. En Cuzco también estaban los principales edificios administrativos y el kilómetro cero de toda la red viaria inca. Realmente, todos los caminos llevaban a Cuzco y los incas hicieron todo lo posible para asegurarse de que Cuzco fuera el punto más importante del imperio.

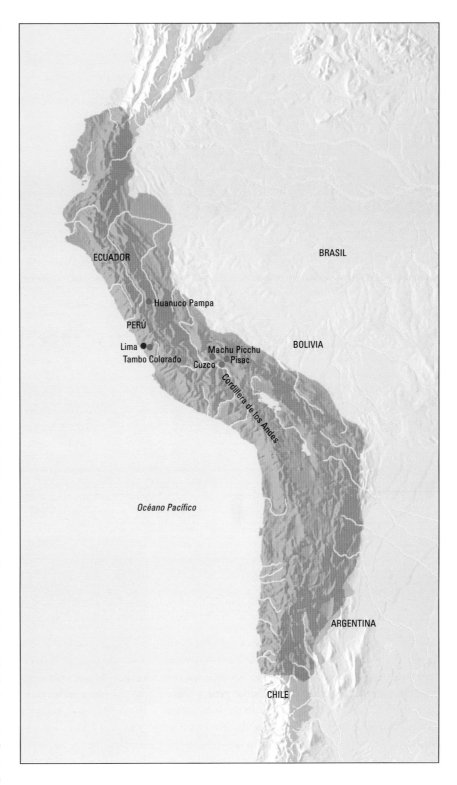

El Imperio inca era llamado *Tawantinsuyo*, la «Tierra de los cuatro cuartos». El imperio estaba dividido en cuatro regiones mediante líneas que nacían en el centro de Cuzco, de modo que la propia ciudad estaba dividida en cuatro cuartos. Por lo que respecta a la Administración, cada uno de los cuatro cuartos del imperio era considerado igual que los otros tres, aunque los mapas modernos demuestran que ocupaban áreas de diferente tamaño.

Muchos historiadores se han quedado desconcertados por el hecho de que los incas pudieran dirigir su inmenso imperio sin los beneficios de la rueda o de algún

ARRIBA: Los incas construyeron un inmenso imperio que se extendía a lo largo de una vasta zona de Sudamérica. El mapa muestra los límites del imperio en su momento de máxima extensión, así como la localización de las ciudades claves (señaladas con puntos rojos).

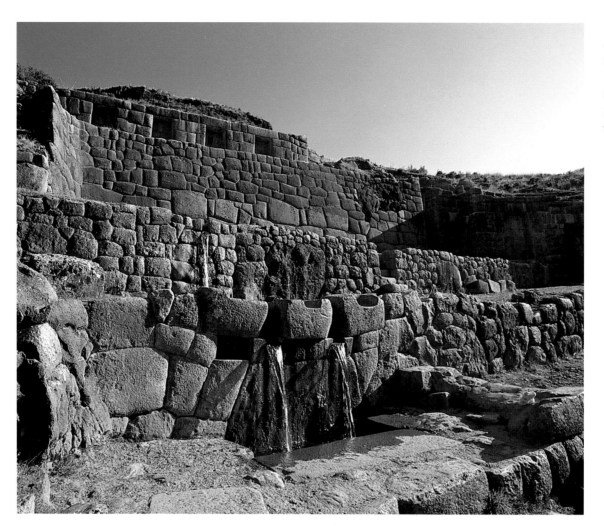

animal capaz de cargar grandes pesos o arrastrar grandes cargas. Los animales más grandes que se podían domesticar en los Andes eran los miembros sudamericanos de la familia de los camélidos: la llama y la alpaca. Fueron animales importantes para la comida, la lana y el transporte, pero eran demasiado pequeños para ser montados. Una llama no puede cargar más de 20 kilos. Esto significa que para transportar bienes por todo el imperio se necesitaban grandes cantidades de estos animales.

No obstante, el transporte durante la época inca no se basó únicamente en la llama. Caravanas de llamas transportaban algunos alimentos y otros bienes a largas distancias, allí donde los necesitaban los incas, pero eran los hombres las que transportaban la mayor parte de las cargas. Los hombres también cargaban las literas que utilizaban los gobernantes incas para desplazarse y, durante la época de la cosecha, los haces en los que quedaba recogida la producción eran llevados a los almacenes sobre sus espaldas. Del mismo modo, los niños pequeños eran llevados a todas partes a espaldas de sus madres o hermanas mayores. Era el trabajo humano lo que impulsaba el Imperio inca y puede que fuera una cada vez mayor necesidad de mano de obra lo que espoleó el constante deseo de los incas de expandir su imperio.

El Imperio inca cubría una basta extensión de tierra que iba desde yermos desiertos a empinadas montañas,

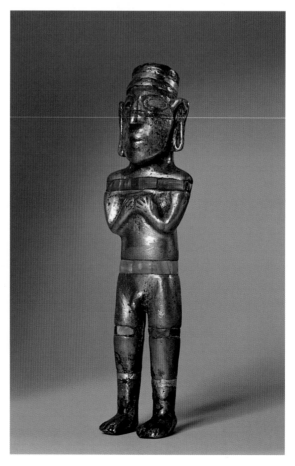

En el momento de máximo esplendor del Imperio inca, unos corredores llamados *chaski* llevaban mensajes y pequeños bienes recorriendo el sistema de carreteras que cruzaba los Andes. A lo largo de los caminos había corredores apostados a distancias que variaban entre 1,6 y 8 kilómetros, dependiendo del terreno y la altitud. Los corredores se pasaban mensajes orales de uno a otro como si fueran los testigos de una carrera de relevos. Un cronista español menciona que podían llevar cartas desde Lima hasta Cuzco –una distancia de 650 kilómetros– en tres días, un recorrido que a caballo necesitaba 12 días. Los *chaski* eran un sistema increíblemente rápido y efectivo de enviar mensajes y las carreteras que recorrían eran las arterias que mantenían los bienes, la información y los servicios recorriendo el reino.

DEBAJO: Un puente tradicional de cuerda, hecha a base de hierbas de las montañas. Con sus 45 metros de longitud, la versión inca original de este puente sobre el río Apurimac era el más largo del imperio.

pasando por espesas junglas. El transporte y la comunicación a lo largo de las inmensas distancias y los diferentes terrenos suponía todo un desafío. No obstante, los incas desarrollaron una impresionante red de carreteras y eficientes métodos de transmisión de información, comida y otros bienes, que no fueron mejorados hasta la segunda mitad del siglo XX.

Los caminos incas estaban construidos sobre todo tipo de terreno. A lo largo de los desiertos costeros corrían amplias carreteras con muros laterales de barro, mientras que las regiones más montañosas eran recorridas por escaleras de piedra. Muros de piedra flanqueaban enormes carreteras en las altas llanuras, mientras que los terrenos pantanosos eran atravesados por caminos elevados de tierra. Otro tipo de caminos eran utilizados para adecuarse a los diferentes tipos de terreno.

LOS PUENTES INCAS

En las regiones montañosas se necesitaban buenos puentes para cruzar las gargantas de los ríos. Los pasos estrechos podían ser salvados con puentes sencillos a base de troncos o tablas sobre cimientos de piedra. Los cañones más grandes y profundos de los ríos importantes requerían una ingeniería más elaborada. Los incas construyeron fuertes puentes colgantes de cuerda sobre esos cañones, permitiendo el paso ininterrumpido de personas y bienes a lo largo de las carreteras del imperio.

Los incas eran famosos por su arquitectura. Los canteros y constructores incas cortaban piedras que encajaban con exactitud para construir majestuosas estructuras de palacios, templos y edificios públicos. Muchos edificios incas de las montañas del Perú todavía están en pie, mientras que edificios modernos han sido destruidos por los frecuentes y fuertes terremotos que sacuden la zona de los Andes.

Lo más destacado de la arquitectura inca es que se asienta perfectamente en el paisaje, sus bloques de piedra bien tallados y cuidadosamente aparejados, además del ingenioso y eficiente uso del trabajo humano, junto a palancas y cuerdas, para colocar las gigantescas piedras en su lugar. Los edificios incas no sólo son conocidos por su belleza, sino por las notables dotes de ingeniería de quienes los construyeron.

Los edificios domésticos eran mucho más sencillos. Al menos los del ciudadano medio del Imperio inca, que

era un granjero que vivía en una casa pequeña de piedra o barro, con sólo una o dos habitaciones. Los hombres trabajaban sus propias tierras y estaban obligados a contribuir con su trabajo a los proyectos comunitarios, incluidos la construcción y el mantenimiento de los canales de irrigación. Las mujeres ayudaban en los cultivos, se ocupaban de los niños pequeños, hilaban lana y tejían, además de cocinar y fabricar *chicha*. Los niños también trabajaban en tareas menores, cuidando los rebaños de llamas y alpacas, así como aprendiendo las habilidades de sus padres. Las personas que no trabajaban la tierra podían ser pescadores o ganaderos. Todos participaban en la vida religiosa, en los trabajos comunales y en cualquier labor especial requerida por el emperador o los líderes religiosos.

EL SISTEMA IMPOSITIVO

La tierra y los demás bienes se dividían en dos grupos, los que poseía el propio emperador, los reservados para los dioses y las tierras y productos que podía utilizar la gente común. Todas las familias y ciudades le debían una parte de su trabajo al emperador. A menudo tenían que pagar tributos en forma de telas y comida. En el Imperio inca no había dinero y el valor de las cosas se medía en bienes y unidades de trabajo. La gente y las cosas que producían eran lo que el emperador valoraba, y trabajo y productos era lo que se le debía como impuestos.

A menudo se dice que los incas no tenían un sistema real de escritura, es decir, que nunca utilizaron ningún sistema de símbolos para representar su lengua. No obstante, sí poseían un muy importante y poderoso sistema para conservar datos, llamado *quipu*. Los quipus eran grupos de cuerdas con nudos utilizados para conservar importante información oficial. Escribas entrenados y lectores de *quipus* apuntaban cosas como el número de bienes y soldados enviados con un ejército y, quizá, también acontecimientos históricos. Ningún español aprendió nunca a leer o comprender los quipus y el sistema murió cuando el español comenzó a utilizarse para conservar registros tras la conquista. No obstante, está claro que los *quipus* eran una herramienta efectiva e importante para llevar los registros.

EL FINAL DE IMPERIO

El Imperio inca fue una de las grandes civilizaciones aparecidas en el mundo, pero terminó de un modo bastante rápido. A finales de la década de 1520 y comienzos de la década de 1530, el imperio cayó en la confusión debido a una despiadada guerra civil entre dos hermanastros, Huascar y Ataualpa. Atahuapa ganó al fin en 1532, pero fue rápidamente capturado por un aventurero español llamado Francisco Pizarro. A pesar de que Pizarro contaba sólo con 168 hombres, consiguió con engaños el control del imperio, matando a Atahualpa y colocando en su lugar a un emperador fiel a los españoles.

No obstante, cientos de años después, la influencia de los incas en sus antepasados todavía es visible en Perú, y algunos de los logros del imperio aún no se han igualado.

Las armas y armaduras incas

Los soldados incas que conquistaron grandes extensiones de Sudamérica poseían una amplia panoplia de armas a su disposición. Las principales armas de mano eran la maza, el garrote y el hacha. Para atacar desde lejos, los incas utilizaban hondas, dardos, arcos y flechas. También empleaban las boleadoras, cuerdas con pesos en el extremo que se lanzaban para enrollarlas en el cuello del enemigo. El propio emperador llevaba un gran garrote con una cabeza en forma de estrella hecha de piedra, cobre, oro o plata.

La armadura inca era adecuada para el combate cuerpo a cuerpo. La cabeza quedaba protegida por cascos de tela, madera o caña. Para cubrirse el cuerpo, los guerreros incas se envolvían con tela, o vestían camisas o túnicas de algodón acolchado. Los soldados llevaban escudos a base de un marco de madera cubierto con piel de ciervo, tela o incluso plumas. También podían envolverse los brazos con tela para protegerlos de las mazas. Los ejércitos incas eran una visión colorista, pero también estaban bien alimentados y eran disciplinados, por lo que eran una fuerza de combate muy eficiente.

Machu Picchu

La ciudad inca de Machu Picchu fue aparentemente abandonada por sus habitantes en el siglo XVI. Lo que la hace única es que nunca llegó a ser descubierta por los españoles y no fue destruida, por lo que nos proporciona una magnífica imagen de lo que era una ciudad inca.

IZQUIERDA: Las espectaculares ruinas de Machu Picchu. La ciudad fue construida alrededor de un amplio espacio abierto, llamado Gran Plaza, donde tenían lugar las reuniones públicas. En primer plano se puede ver la gran escalera de piedra.

En julio de 1911, un explorador y arqueólogo norteamericano llamado Hiram Bingham partió de la ciudad de Cuzco con una expedición para encontrar la ciudad inca de Vilcabamba. Bingham sabía que la ciudad sucumbió ante los invasores españoles de Perú en 1572. Sin embargo, no se sabía realmente dónde se encontraba la ciudad y Bingham estaba decidido a encontrarla. Con varias mulas cargando su equipaje, Bingham y su equipo se dirigieron hacia el noroeste, siguiendo el río Urubamba. Cinco días y unos 100 kilómetros después, Bingham se encontró con un campesino que afirmaba que había ruinas antiguas en una montaña cercana. Al trepar por ella, Bingham y sus compañeros encontraron algunos muros de piedra cubiertos de enredaderas y musgo. Luego vieron edificios de granito blanco, parcialmente ocultos por la vegetación. Bingham había encontrado los restos de una ciudad inca que eran, como escribió después, «unas ruinas tan maravillosas como no se habían encontrado nunca en Perú».

No obstante, Bingham no había encontrado Vilcabamba, sino los restos de una pequeña ciudad inca fortificada que una vez tuvo unos 1.000 habitantes. Está situada en una escarpadura entre dos montañas, una llamada Huayna Picchu y la otra Machu Picchu, de la última de las cuales recibió su nombre.

UNA CIUDAD BIEN PLANIFICADA

Machu Picchu fue construida en el siglo XV. Probablemente formaba parte de las posesiones reales del rey Pachacutec (quien gobernó entre 1438 y 1471). Entre los edificios de la ciudad hay casas tanto para la clase dirigente local como para los trabajadores residentes, que se encargaban de los terrenos cultivados de los alrededores. La ciudad estaba cuidadosamente planeada y es probable que los arquitectos incas que la diseñaron utilizaran maquetas de arcilla o piedra para guiarlos. Los edificios están dispuestos a distintos niveles y se llega a ellos mediante escaleras. El centro de la ciudad es la Gran Plaza. Se trata de un vasto espacio abierto en donde tenían lugar amplias reuniones y se realizaban anuncios públicos. La plaza está flanqueada en todos sus lados por grandes y bien construidos edificios de piedra, en los que vivían los nobles.

En torno a la ciudad, para conseguir terrenos de cultivo, se cortaron terrazas en la montaña, colocando como contención muros de piedra para evitar que el agua se llevara la tierra. Numerosos canales proporcionaban el agua necesaria para cultivar.

Los artesanos y trabajadores tenían casas pequeñas situadas lejos del centro de la ciudad. Estos humildes hogares tenía tejados forrados con hierba y generalmente una única habitación para albergar a toda la familia. Las familias emparentadas vivían en grupos de entre dos y ocho casas pequeñas agrupadas en torno a un patio. En este espacio abierto común, las mujeres cocinaban sobre pequeñas estufas de arcilla.

Bingham también descubrió dos templos. Son pequeños, sencillos y probablemente no tenían tejado, para que los incas pudieran observar el Sol, las estrellas y la Luna, a los que creían dioses. El Sol era el dios más importante y se pensaba que era el padre divino de los reyes incas. Parece que en Machu Picchu el Sol era adorado en una pequeña colina cerca de los dos templos. Allí hay una pequeña plataforma de piedra que soporta un corto pilar. Recibe el nombre de Intihuatana, el «poste para atar el Sol». En invierno, en uno de los días más cortos del año, los sacerdotes incas «ataban» simbólicamente el Sol al pilar para asegurarse de que al año siguiente regresaría para calentar la tierra y hacer germinar las cosechas.

ARTESANÍA Y METALURGIA

Los hallazgos arqueológicos en Machu Picchu demuestran que los incas eran hábiles trabajando el metal y la piedra. Mezclando cobre con estaño crearon bronce, con el que hicieron hachas, cinceles y cuchillos. También fabricaron martillos y cuchillos de diorita, una roca muy dura. Con esquisto fabricaban hilos de cuentas. No obstante, para gran desilusión suya, Bingham no encontró grandes tesoros artísticos ni oro. Algo sorprendente, pues los incas eran famosos por su trabajo del oro.

Muchos de los objetos que encontró Bingham aparecieron enterrados en tumbas. En total se encontraron más de cien enterramientos, con 173 esqueletos, la mayoría de ellos de mujeres. El enterramiento más interesante es el de una mujer de mediana edad. Tras estudiar

ARRIBA: Machu Picchu se encuentra en una escarpadura entre dos picos a 610 metros de altura sobre el valle del río, lo que lo convierte en uno de los yacimientos arqueológicos más espectaculares del mundo.

sus huesos se ha podido saber que murió por enfermedad. Junto a ella había un espejo de bronce, un cuchillo con mango en forma de pájaro volando y unas pocas fibras de lana procedentes de algún tipo de tela. En otros enterramientos Bingham encontró cuencos para beber, alfileres para sujetar la ropa, pinzas de bronce y cuchillos ornamentales.

No se sabe por qué abandonaron Machu Picchu. Es posible que debido a una epidemia o a la guerra civil, pero ya que la ciudad estaba tan bien escondida, sus ruinas han sobrevivo para contarnos su historia.

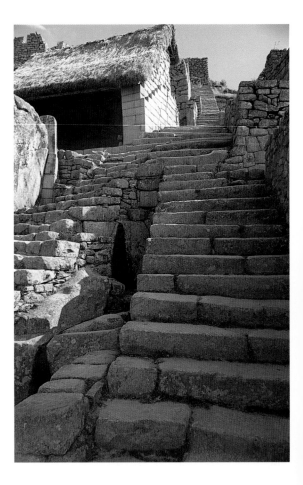

DERECHA: Una de las muchas y largas escaleras de piedra utilizadas como calles en Macchu Pichu.

Oceanía

La colonización de Australia, las islas del Pacífico y Nueva Zelanda es uno de los logros más extraordinarios de los hombres del mundo antiguo. Los aborígenes llegaron por mar a Australia desde el sureste de Asia hace más de 40.000 años. Miles de años después, en torno a 1500 a.C., los antiguos polinesios comenzaron su propia migración desde el sureste asiático, navegando en canoas de dos cascos, para colonizar una miríada de islas desperdigadas por el vasto océano Pacífico. Uno de los últimos lugares en los que desembarcaron fue Nueva Zelanda, en torno al año 1000 d.C. Fueron unos viajes épicos, sin mapas ni ayudas a la navegación, realizados por algunos de los mayores navegantes de la historia del mundo.

DEBAJO: Una ilustración del siglo XVIII de varias canoas polinesias de dos cascos, el tipo de navío con el que los antiguos polinesios realizaron sus épicos viajes cruzando el océano Pacífico.

Los aborígenes australianos

Durante al menos 40.000 años, los aborígenes australianos vivieron como cazadores-recolectores casi completamente aislados del resto del mundo. Desarrollaron una sociedad con un complejo sistema de creencias y relaciones sociales.

Los antepasados de los actuales aborígenes llegaron a Australia desde el sureste de Asia hace más de 40.000 años, durante la última Edad del Hielo. En ese momento el nivel del mar era inferior al actual, de modo que Australia, Tasmania y Nueva Guinea formaban un único territorio continental. No obstante, el agua seguía separándolo del sureste asiático, de modo que los primeros australianos tuvieron que llegar cruzando el mar. La navegación hasta Australia es uno de los primeros ejemplos del uso de barcos. A finales de la Edad del Hielo –hace unos 10.000 años–, el hielo se fundió y subió el nivel del mar, separando a Australia de Nueva Guinea y dejando a los aborígenes aislados en el continente australiano.

Los antiguos aborígenes llevaban una vida nómada, cazando animales y recolectando cualquier cosa que pudieran encontrar. No obstante sus vagabundeos no eran una búsqueda errabunda de alimentos, sino que tenían lugar dentro de territorios tribales claramente definidos. También sabían dónde crecerían ciertas plantas y cuándo estarían listas para ser recolectadas, de modo que visitaban esos lugares regularmente en el momento adecuado para encontrar comida.

Los aborígenes cazaban grandes animales terrestres como canguros, wallabies y emúes, además de mamíferos marinos como focas, tortugas y dugongos (o vaca marina). También comían pequeñas criaturas como zarigüellas, ratas marsupiales, lagartos y serpientes. Las larvas de witchetty eran una comida muy apreciada, pues eran una de sus escasas fuentes de grasa. Los aborígenes arponeaban peces o los atrapaban con redes. En ocasiones construían trampas para pescar peces o anguilas.

Por lo general, los aborígenes vivían en pequeños grupos de pocas familias. Ocasionalmente, toda la tribu,

ARRIBA: Un aborigen contemporáneo haciendo una lanza tradicional para cazar. Por lo general las lanzas tenían puntas de sílex y los aborígenes antiguos las utilizaban para cazar canguros, wallabies y otros animales.

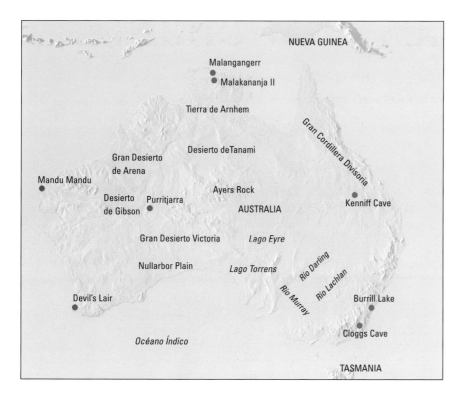

Mapa de Australia con ubicaciones: NUEVA GUINEA, Malangangerr, Malakananja II, Tierra de Arnhem, Gran Cordillera Divisoria, Desierto de Tanami, Gran Desierto de Arena, Mandu Mandu, Desierto de Gibson, Purritjarra, Ayers Rock, AUSTRALIA, Kenniff Cave, Gran Desierto Victoria, Lago Eyre, Nullarbor Plain, Lago Torrens, Río Darling, Río Lachlan, Río Murray, Devil's Lair, Burrill Lake, Océano Índico, Cloggs Cave, TASMANIA

e incuso varias tribus, se reunían en un lugar. Ello podía deberse a que allí se podía encontrar mucha comida de un tipo concreto en ese momento dado. La gente aprovechaba ese tipo de reuniones para realizar ceremonias, intercambiar bienes, disponer matrimonios y arreglar disputas.

Dado que estaban en constante movimiento, por lo general los aborígenes construían refugios temporales de madera o corteza de árbol. En ocasiones no eran más que un cortavientos de arbustos. Al suroeste de lo que hoy es el Estado de Victoria, las cabañas de invierno eran importantes estructuras de madera con techos de turba. A menudo eran reutilizadas cada año.

El móvil estilo de vida de los aborígenes implicaba que sus armas y herramientas tenían que ser fáciles de transportar. La mayor parte de ellas eran de madera y piedra. Un conjunto típico de herramientas, aunque podía variar de región en región, incluía generalmente lanzas, escudos, mazas, cuchillos, hachuelas, palos de cavar y piedras de moler. El equipo era llevado en una bolsa de cestería o de piel de animal. Los aborígenes también utilizaban platos de madera o corteza. En las regiones más frías llevaban capas de piel de canguro o zarigüella.

Muchas herramientas eran multiusos; el lanzador que se utilizaba en Australia occidental es un buen ejemplo. Se usaba para propulsar las lanzas más lejos y con más fuerza, pero también tenía una hoja de piedra fijada en el mango para tallar madera. En la Australia del norte, algunos grupo construían canoas marítimas, mientras que en el sureste las canoas de corteza eran fluviales.

EL TIEMPO DE SOÑAR

Aunque había unos 500 grupos tribales diferentes, que hablaban al menos 250 lenguas distintas, todos los abo-

ARRIBA: Los puntos rojos del mapa señalan el emplazamiento de algunas de las cuevas y refugios rocosos utilizados por los aborígenes hace entre 40.000 y 17.000 años.

rígenes compartían las mismas creencias. Creían en algo que llamaban el Tiempo de Soñar –el momento de la Creación–, cuando sus antepasados crearon tanto la tierra como el orden social. Esto significa que los aborígenes estaban convencidos de poseer una relación espiritual con su territorio y que la tierra, los animales, las plantas, les seres humanos y los antepasados espirituales eran uno solo. Creían que los antepasados no sólo habían creado el mundo en la antigüedad, sino que seguían presentes en la tierra, llenándola con poderes creadores dadores de vida. Muchos antepasados del Tiempo de Soñar se habían transformado en rasgos del paisaje: rocas, ríos y pozos de agua, que eran considerados lugares sagrados.

La estrecha relación que los aborígenes mantenían con el territorio conllevaba la obligación de cuidarlo. Algo que hacían llevando a cabo ceremonias y tomando parte activa en su explotación. La principal herramienta que utilizaban para ello era el fuego. Algunas plantas australianas crecen mejor después de que la tierra se haya quemado, porque así existe menos competencia por parte de otras plantas. Al quemar la tierra para limpiarla, los aborígenes favorecían el crecimiento en la zona de las plantas que necesitaban como alimento.

La sociedad aborigen se basaba en un complejo sistema de parentesco, en el que unas también complejas reglas sobre las relaciones determinaban la responsabilidad de las personas y cómo debían comportarse con los demás. El intercambio de regalos era importante a la hora de estrechar las relaciones sociales. Como resultado, se crearon redes de intercambio entre las tribus y, así, los bienes valiosos podían recorrer distancias de cientos de kilómetros.

Arte aborigen

Los aborígenes han estado decorando la superficie de las rocas durante miles de años, bien pintándolas, bien grabando en ellas, y en ocasiones incluso utilizando plantillas. Algunas de las pinturas rupestres tienen al menos 20.000 años de antigüedad y puede que muchos más. Los aborígenes también decoraban sus armas y herramientas, haciendo dibujos en las capas de piel o en cortezas de árbol. Para las ceremonias, realizaban complejas esculturas de tierra y arena y se pintaban el cuerpo.

El arte rupestre era parte de la vida espiritual de los aborígenes. A menudo, el significado de las imágenes queda oculto para los extraños que no habían sido

iniciados. Con la llegada de los europeos y la ruptura de la sociedad aborigen, el significado de muchas de estas pinturas y decoraciones se ha perdido.

Esta pintura rupestre reciente en Kakadu, en el norte de Australia, es parte de la tradición artística aborigen, que se remonta a 20.000 años.

Los polinesios

Los antiguos polinesios fueron los primeros en cruzar el Pacífico desde las costas del sureste de Asia aproximadamente en 1500 a.C. y poco a poco se extendieron por las islas de este océano. Esos viajes de colonización fueron un logro espectacular de un pueblo de la Antigüedad que navegaba en canoas.

IZQUIERDA: Estas estatuas de madera se encontraron en un templo de la costa oeste de Hawaii y representan a dioses polinesios tradicionales. Las islas Hawaii fueron colonizadas en algún momento en torno a 400 d.C.

Hoy día, los polinesios están extendidos por un área que forma un inmenso triángulo, con las islas Hawaii, Nueva Zelanda y la Isla de Pascua como vértices. A pesar de estar difundidos por una zona tan extensa, genéticamente los polinesios forman un único grupo. Hablan dialectos de la misma lengua y comparten muchos rasgos culturales.

El origen exacto de los polinesios es incierto. La expansión de la colonización humana por el remoto Pacífico comenzó en torno a 1600 a.C., con la aparición de una cultura característica llamada lapita. Pruebas de ella se encuentran en la cerámica de los yacimientos lapita, por lo general elaboradamente decorada con diseños estampados. Hay muchos yacimientos de este tipo diseminados desde Melanesia hasta la Polinesia occidental, y desde Nueva Guinea hasta Samoa. Algunos arqueólogos creen que la cultura lapita se originó en el sureste de Asia, mientras que otros consideran que se desarrolló localmente en Melanesia. No obstante, coinciden en considerar a los lapita como los antepasados de los polinesios.

El modo de vida lapita parece haberse centrado mucho en el mar. La mayoría de los yacimientos lapita son poblados costeros y en algunos casos la gente parece ha-

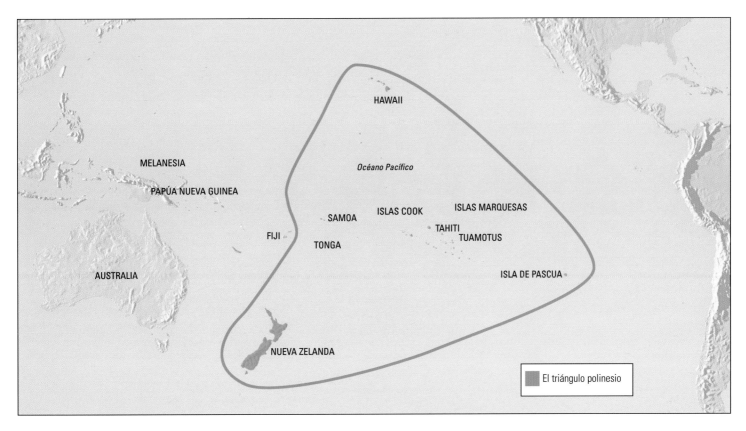

ARRIBA: El llamado
triángulo polinesio, formado
por Hawaii, Nueva Zelanda
y la Isla de Pascua.

Viajes increíbles

La colonización de las remotas islas del Pacífico es tanto más impresionante cuanto que fue lograda sin cartas marinas ni instrumentos de navegación. Las canoas polinesias de doble casco eran grandes y rápidas, capaces de viajar miles de kilómetros. Las canoas eran manejadas por hábiles marinos, que utilizaban un detallado conocimiento de las estrellas, los patrones de las nubes, los vientos y las olas, además de los hábitos de los pájaros marinos para saber cuál había sido su recorrido y encontrar tierra. En 1976, la habilidad de esos navegantes quedó demostrada cuando *Hokulea*, una réplica de una canoa tradicional polinesia, navegó desde Tahití hasta Hawaii utilizando únicamente técnicas de navegación antiguas.

Un constructor de barcos moderno fabricando una canoa con técnicas tradicionales a partir de un tronco de árbol vaciado.

ber construidos sus casas sobre pilotes en el agua. El mar proporcionaba una buena cantidad de comida –peces y moluscos– y las conchas eran utilizadas para hacer anzuelos y azuelas, además de adornos como brazaletes, cuentas y otros objetos decorativos y valiosos. Los colonos lapita también llevaron consigo a las islas donde se asentaron animales domésticos y plantas.

La expansión de los lapita parece haber sido rápida, lo que sugiere que poseían sofisticadas técnicas navales y de navegación. Parece probable que la aparición de la gran canoa de doble casco fuera un elemento clave de su éxito. Las migraciones lapita pueden haber sido deliberadas, pues llevaron con ellos suficiente equipo, plantas y animales, además de suficiente gente como para crear asentamientos que arraigaran. Ciertamente, sus viajes no fueron sólo de ida, pues existen pruebas de la existencia de redes comerciales a larga distancia para conseguir obsidiana y otros objetos que mantenían unidas constantemente a las comunidades lapita. La cultura lapita parece haberse mantenido durante unos 1.000 años.

LA COLONIZACIÓN DEL PACÍFICO

Los rasgos principales de la cultura polinesia parecen haberse desarrollado en las islas de Samoa y Tonga. Al igual que sus antepasados lapita, los polinesios parecen haber sido marineros. En torno a 300 años a.C. viajeros de Samoa y Tonga comenzaron otra emigración hacia el este. Descubrieron y colonizaron las Islas Cook, Tahití, las Islas Tuamotus y las Islas Marquesas. 400 años d.C., tanto Hawaii como la Isla de Pascua estaban colonizadas –dos de los vértices del triángulo polinesio–. Nueva Ze-

La isla de Pascua

Estas estatuas de piedra (moais) fueron erigidas en Ahu Nau Nau, donde desembarcaron originalmente los primeros isleños. Más de 800 de estas estatuas se han encontrado en la isla.

Uno de los logros más sorprendentes de los navegantes polinesios fue alcanzar y colonizar Rapa Nui, o Isla de Pascua. Este pequeño fragmento de tierra, de sólo 168 km² de superficie, es una de las más remotas islas polinesias. La dificultad del viaje probablemente significa que sólo un grupo de colonos pudo alcanzarla, en los primeros siglos de la era cristiana. Luego esta gente se desarrolló aislada, construyendo grandes plataformas *(ahu)* por toda la línea de costa y esculpiendo cientos de enormes estatuas de piedra *(moai)* de sus antepasados, muchas de las cuales eran situadas en esas plataformas de espaldas al mar.

Los isleños pueden haber sido los responsables de su propia caída al destruir el bosque de inmensas palmeras que cubría la isla, por más que esos árboles fueran el cimiento de su sociedad. La resultante falta de madera detuvo la producción de estatuas, pues ya no había más rodillos, ni palancas ni cuerdas. Los isleños tampoco pudieron seguir construyendo canoas, por lo que dejaron de pescarse peces de aguas profundas. Se terminó el combustible para las cremaciones y las inhumaciones pasaron a ser el nuevo sistema de tratar a los difuntos. La comida se volvió escasa y, tras siglos de paz, estalló la violencia. Los clanes realizaban incursiones unos contra otros, derribando las estatuas de los rivales.

El culto a los antepasados fue sustituido por un nuevo sistema social basado en una elite guerrera. Cada año, un nuevo líder, u «Hombre pájaro», era elegido mediante una carrera de resistencia. El representante de cada candidato tenía que bajar un acantilado, nadar hasta un islote y traer de vuelta, intacto, el primer huevo de charrán sombrío. Cuando los primeros europeos llegaron a la isla, el domingo de Pascua de 1722, la población había declinado de forma catastrófica y no quedaba virtualmente ni un sólo árbol en la isla.

Tonga y Tahití. Los polinesios compartían un grupo muy similar de creencias religiosas. Los recintos ceremoniales, llamados *marae*, eran un rasgo destacado de los asentamientos y proporcionaban un punto de encuentro para las ceremonias y las reuniones comunales.

TÉCNICAS AGRÍCOLAS

La agricultura polinesia se basaba en una serie de cultivos, que incluían ñames, batatas, taro, árbol del pan, plátanos y caña de azúcar. Los polinesios practicaban una agricultura itinerante, lo que significa que desbrozaban un pedazo de tierra, quemaban la vegetación y luego plantaban los cultivos. Después se dejaba que esta zona cultivada quedara en barbecho para que la vegetación natural regresara lentamente.

En algunas islas se utilizaban sistemas de irrigación muy complejos para llevar agua a los campos. El taro, en concreto, era cultivado en terrenos inundados. Cerdos, perros y gallinas eran los principales animales domésticos, aunque no todos fueron llevados a todas las islas. La mayor parte de las plantas domesticadas que utilizaron los colonos eran originarias del sureste asiático. La batata, sin embargo, procedía de América, lo que indica que en un momento dado los polinesios alcanzaron Sudamérica, de donde la trajeron.

Con el paso del tiempo, la tradición de la fabricación de cerámica, que los polinesios heredaron de la cultura lapita, parece haber declinado y la decoración compleja fue simplificada o abandonada. Por último, parece que los polinesios dejaron por completo de hacer cerámica.

landa, el tercer vértice, y el más difícil de alcanzar, fue colonizada en torno al año 1000 d.C.

Es indudable que los viajes colonizadores de los polinesios fueron deliberados y que anteriormente a ellos hubo viajes de exploración para encontrar nuevas islas. Al igual que sus antepasados lapita, llevaron con ellos todo lo necesario para crear asentamientos con éxito. Sólo en unos pocos casos las colonias no prosperaron y fueron abandonadas.

Las sociedades polinesias estaban organizadas en tribus y clanes. Normalmente, existía otra división más, la que había entre quienes eran jefes y quienes no lo eran; también existía una forma de esclavitud. Las jerarquías sociales más elaboradas se desarrollaron en Hawaii,

DERECHA: Un recinto ceremonial con paredes de piedra en Tahití. Este tipo de recintos, que eran utilizados para las reuniones y los rituales religiosos, se encuentran por toda la Polinesia. Durante su visita de 1769, el explorador británico James Cook vio cómo se celebraban aquí sacrificios humanos.

Los maoríes

La llegada de los maoríes a Nueva Zelanda, en torno al año 1000 d.C., fue uno de los últimos viajes exploratorios polinesios a las islas del Pacífico. El archipiélago de Nueva Zelanda fue uno de los lugares más remotos a los que llegaron los polinesios y supuso un arriesgado viaje hacia lo desconocido.

No conocemos con exactitud de dónde llegaron los maoríes o por qué abandonaron su lugar de origen. Culturalmente, se asemejan a los pueblos que vivían en el noreste, en zonas como Tahití. Los vientos y corrientes del Pacífico sur hacen más fácil la navegación desde esa región, aunque las islas Fiji, Tonga y Samoa estén en realidad más próximas. Los viajes de regreso debieron ser extremadamente dificultosos, por lo que no resulta sorprendente que hubiera poco contacto entre los maoríes y el resto de Polinesia tras la llegada de los primeros colonos a Nueva Zelanda.

Las tradiciones orales maoríes hablan de la llegada de canoas de doble casco (*pahi*) a varios lugares distintos de la Isla Norte. Las canoas pudieron haber transportado todo lo que los nuevos colonos necesitaban para sobrevivir, incluidos animales y semillas. Los colonos procedían de pequeñas islas tropicales y Nueva Ze-

landa –o Aoteoroa, «La tierra de la gran nube blanca», como la llamaban– era bastante distinta a cualquier lugar que conocieran. Era muy grande –más que todas las demás islas polinesias juntas– y tenía un clima frío moderado. Había grandes bosques en los que crecían plantas que no habían visto nunca antes, muchas especies desconocidas de pájaros, además de volcanes y altas montañas cubiertas de nieve en invierno. Para sobrevivir en este entorno que les era extraño, los recién llegados tuvieron que mostrarse a la vez flexibles y llenos de recursos.

LOS PRIMEROS ASENTAMIENTOS

Los colonos se extendieron rápidamente por las dos islas. Los primeros asentamientos eran pequeños, principalmente costeros y se ocupaban de forma estacional.

ARRIBA: Maoríes contemporáneos con trajes tradicionales. El pueblo maorí llegó a Nueva Zelanda hace 1.000 años y no tardó en colonizar ambas islas.

Una importante fuente de alimento para estos primeros colonos fueron las criaturas marinas –como focas, delfines y ballenas–, las aves marinas y los moluscos. Muchas de las plantas tropicales que los maoríes habían traído con ellos no podían crecer en el templado clima de su nuevo país. La única que podía cultivarse era la batata, que sin embargo no crecía en la Isla Sur. No obstante, no tardaron en descubrir nuevas plantas comestibles locales, incluidos los helechos y el repollo. Las fibras de las plantas de lino nativa se utilizaban para confeccionar vestidos. En la Isla Sur, donde el clima era mucho más frío y la batata no podía crecer, la gente vivía de la caza, la pesca y la recolección de alimentos.

Las herramientas y las armas se hacían de piedra. La nefrita (una especie de jade) era uno de los nuevos tipos de piedra descubiertos por los colonos maoríes. Se encuentra principalmente en la Isla Sur y el comercio la llevaba a la Isla Norte. La nefrita era utilizada para hacer armas, adornos personales y otros objetos valiosos y bellos.

Al igual que otras sociedades polinesias, la maorí estaba dividida en clases: plebeyos y familiares del jefe. La gente también estaba organizada en tribus (llamadas *iwi*) y subtribus, o clanes *(hapu)*. Un grupo de *iwi* afirmaba descender de la tripulación de una única canoa fundadora. La vida diaria estaba organizada en torno a poblados en los que vivían los miembros de un único *hapu*.

En el centro de cada poblado se encontraban el *marae* (un espacio abierto ceremonial) y la casa de reuniones. A menudo, ésta estaba ricamente decorada con dibujos grabados y todavía son lugares importantes para

Los tatuajes maoríes

En el Pacífico, el tatuaje estaba muy difundido como forma de decoración del cuerpo y la palabra misma es de origen polinesio. Los tatuajes maoríes, concretamente, poseían un estilo muy elaborado y característico. Sus adornados diseños curvos son similares a los utilizados en la talla de la madera. Tanto hombres como mujeres llevaban tatuajes, pero los de los varones cubrían más el cuerpo. El color se aplicaba mojando pequeñas agujas de tatuar, hechas de hueso, en la tinta y luego pinchando con ellas la piel. El proceso era doloroso y un tatuaje complejo podía tardar años en completarse. El tatuaje era un arte practicado por especialistas muy respetados en la sociedad maorí.

Un dibujo del siglo XIX de los complejos tatuajes en espiral de un jefe maorí.

las comunidades maoríes contemporáneas. Las casas eran principalmente rectangulares y de madera. El calor y la luz procedían de fuegos encendidos sobre hogares rodeados de piedra, mientras que se cocinaba al aire libre, en hogares de tierra. Para conservar las batatas se utilizaban pozos subterráneos de almacenamiento. Si bien la gente vivía de forma más o menos permanente en los poblados, se trasladaban de forma estacional a cam-

La extinción de los moas

Cuando los primeros colonos maoríes llegaron a Nueva Zelanda, encontraron muchas especies nuevas de aves. Entre ellas había ocho especies de pájaros no voladores llamados moa, relacionados con los emúes y los avestruces. Los moas más grandes eran más altos que una persona. Dado que nunca habían sido presa de ningún animal de Nueva Zelanda, los moas no le temían a los recién llegados, por lo que éstos podían matarlos con facilidad. En el siglo XVII d.C., los moas y otras especies de aves se habían extinguido.

Probablemente la caza contribuyó a la extinción de los moa, pero posiblemente otra razón fuera la pérdida de su hábitat natural, originada por la costumbre maorí de limpiar grandes zonas de bosque con fuego. Los cambios climáticos y la introducción de perros y ratas en las islas, llegados con los maoríes, pueden haber tenido su parte en la desaparición de estas aves.

DERECHA: Un pectoral de nefrita. Este tipo de objetos eran preciosos y se transmitían de generación en generación.

DEBAJO: Mapa de Nueva Zelanda con el emplazamiento de los *pa*, o asentamientos fortificados, más grandes.

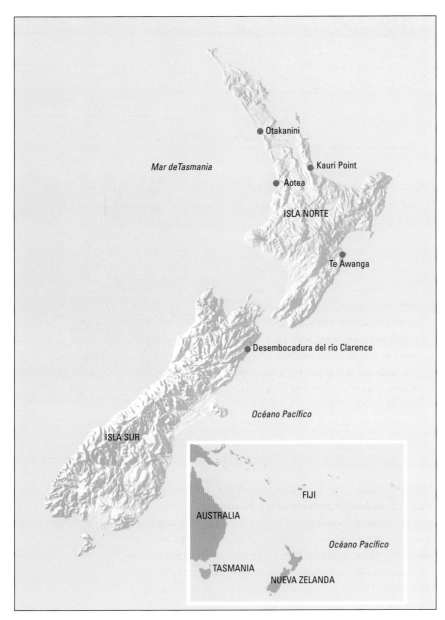

pamentos temporales para cazar, pescar u ocuparse de las cosechas.

LOS ENFRENTAMIENTOS DE LOS *HAPU*

A partir de aproximadamente el año 1300 d.C., parece haberse producido un marcado incremento en el número de guerras en la sociedad maorí. La gente comenzó a construir numerosos asentamientos fortificados, llamados *pa*. La mayoría de ellos se encuentran en la Isla Norte, donde se han encontrado más de 5.000. Los *pa* se construían de tierra apisonada y madera, con complicados diseños de montículos, zanjas y empalizadas. Algunos *pa* se excavaban en colinas, mientras que otros se construían en farallones, promontorios o cráteres de volcanes apagados, fácilmente defendibles. Los *pa* también se construían al borde de lagos y marismas. Algunos de ellos se utilizaban sobre todo en tiempo de guerra, mientras que otros eran más permanentes y actuaba como importantes centros tribales.

El incremento del número de asentamientos fortificados señala un aumento en las hostilidades entre los *hapu*. Puede que fuera debido a que repentinamente los maoríes se encontraron compitiendo por unos recursos que menguaban. Un clima que se hacía más frío, la tala de bosques y la sobreexplotación de la caza hicieron la vida menos sencilla. Ciertamente, la población de la Isla Sur parece haber disminuido por esas fechas. Para cuando llegaron los europeos, en el siglo XIX, los conflictos entre los *hapu* se habían vuelto muy intensos.

Por entre las distintas culturas

Aunque las culturas antiguas pueden estar separadas entre sí por grandes distancias y los medios de transporte de la época eran primitivos, en el lejano pasado hubo un gran intercambio de ideas e información. Los mercaderes eran el Internet del mundo antiguo. Llevaban bienes de una ciudad a otra, pero también difundían noticias y, sin ser conscientes de ello, actuaban como proveedores de ideas y conocimientos de otras culturas. Este capítulo estudia algunos aspectos de la vida antigua y examina las diferencias y similitudes existentes entre varias sociedades.

DEBAJO: Caravanas de camellos como ésta transportaban bienes a lo largo de las antiguas rutas comerciales del desierto, como la Ruta de la Seda, proporcionando contactos entre pueblos muy lejanos entre sí.

La agricultura

El cambio desde la caza y recolección hasta la agricultura comenzó en torno a 9.000 años a.C. en el Creciente Fértil, un arco de tierra que va desde el golfo Pérsico hasta el mar Mediterráneo. Este profundo cambio en el modo de vida llevó a la creación de los primeros asentamientos y, finalmente, a la aparición de las ciudades.

IZQUIERDA: La agricultura comenzó en Oriente Medio hace unos 11.000 años. Como los primeros agricultores no disponían de animales domésticos, tenían que transportar ellos mismos el producto de las cosechas, como hacen estos campesinos contemporáneos en Afganistán.

El final de la Edad del Hielo creó un clima inusualmente húmedo en el que florecieron los cereales silvestres. Éstos eran recolectados por los pueblos nómadas, que lentamente comenzaron a experimentar esparciendo el grano para que volviera a crecer. De esto modo acabaron transplantando los cereales silvestres desde su hábitat natural –las montañas que limitan la región– hasta los fértiles valles de los ríos Tigris y Éufrates. Cuando la gente comenzó a plantar deliberadamente en un lugar concreto, tuvieron que permanecer en él (o regresar a él) para recoger la cosecha. De modo que con el tiempo los cazadores-recolectores nómadas se convirtieron en sedentarios.

Estos primeros agricultores comenzaron a intentar mejorar sus cosechas seleccionando y cultivando las mejores plantas. De este modo fueron capaces de adaptar ciertos cereales en beneficio de los humanos, un proceso llamado domesticación. Sobre 7.000 años a.C., el trigo y la cebada ya estaban siendo cultivados en una amplia zona que iba desde Anatolia (la actual Turquía) hasta el actual Pakistán.

La práctica de criar animales –principalmente cabras y ovejas– en beneficio de los humanos comenzó por esas mismas fechas. En torno a 4.500 años a.C., los granjeros de Mesopotamia utilizaban animales para arrastrar sencillos arados. Los agricultores de los dos grandes valles, del Tigris y del Éufrates, comenzaron también a experimentar con la irrigación, excavando canales que llevaban agua desde los ríos a los campos cercanos. Estas dos innovaciones –el arado y la irrigación– ayudaron a incrementar el rendimiento de las cosechas.

En el valle del río Amarillo, en China, fue otra de las zonas donde la agricultura apareció de forma independiente. En China el mijo se cultivaba ya 6.000 años a.C. Se trata de una planta resistente a la sequía, por lo que era ideal para ser cultivada en la región, que cuenta con un suelo rico, pero muy seco. En el clima más húmedo del sur de China, el cultivo del arroz comenzó en torno a 5.000 años a.C. La gente empezó también a cultivar otro tipo de plantas acuáticas, como las castañas de agua, los ñames y otros tubérculos. El arroz, que se iba a convertir en cereal más cultivado del mundo, no tardó en ser plantado en una inmensa área, desde el valle del Ganges, en la India, hasta las Islas Filipinas, en el Pacífico.

Según la agricultura se fue convirtiendo en el principal modo de vida, la gente comenzó a producir cosechas más grandes de las que necesitaba. Los excedentes se guardaban en almacenes para los tiempos en que se producía poco, lo que significó que había personas que no tenían que pasar todo su tiempo buscando comida. Por primera vez, la gente podía vivir en poblaciones grandes y sedentarias. Ahora podía desarrollar sus habilidades como artesanos y tomar parte en el comercio a larga distancia. Esto condujo a nuevas actividades, como la creación de nuevas herramientas, la fabricación de cerámica y el trabajo de metales como el oro y el cobre.

EL VALLE DEL NILO

El valle del Nilo fue el centro de unos de las primeras civilizaciones urbanas del mundo. El poder del antiguo Egipto se basaba en su agricultura, que floreció desde 4.500 años a.C. Cada año, el Nilo se desbordaba y, cuando las aguas de la crecida retrocedían, dejaban una capa de limo fértil sobre los campos, que de inmediato eran plantados con trigo y cebada. Los agricultores egipcios también cultivaban cebollas, lentejas, lechugas, pepinos, dátiles, higos, melones y uvas. Los recaudadores de impuestos del gobierno inspeccionaban anualmente el nivel de la crecida y, a partir de ese dato, establecían las cuotas de producción que los campesinos tenían que conseguir.

La prosperidad de Egipto dependía del Nilo y cuando la crecida era inusualmente baja las consecuencias eran desastrosas. En torno a 2150 a.C. una serie de bajas crecidas supusieron varios años de malas cosechas que llevaron una hambruna al país.

Todos las civilizaciones urbanas primitivas se basaban en la agricultura. Las ciudades que se desarrollaron en torno a 2500 a.C. en el valle del Indo, en el actual Pakistán, contaban con una región muy rica agrícolamente hablando. El Indo se desbordaba cada año en invierno y cuando en primavera las aguas de la crecida desaparecían, los agricultores plantaban trigo y cebada en un terreno fertilizado por la inundación. En la antigua ciudad de Mohenjo Daro, en Pakistán, se ha encontrado un fragmento de algodón tejido, la prueba más antigua que poseemos del cultivo de esta planta.

Según se iban colonizando nuevas regiones del mundo, nuevas plantas comenzaron a cultivarse. A partir de 1500 a.C., en las islas del sureste asiático tuvo lugar un extraordinario movimiento de población. Para el año 1000 d.C. estos colonos polinesios ya habían cruzado la vasta extensión del océano Pacífico, asentándose en comunidades isleñas diseminadas que iban desde Nueva Zelanda hasta la Isla de Pascua. Cultivaban las plantas locales, como ñames, taro, frutos del árbol del pan, plátanos y cocos. Debido a la limitada tierra disponible, se vieron obligados a aterrazar las laderas de las colinas, una práctica habitual en las regiones montañosas, como Grecia, Sudamérica y el sureste de Asia.

A partir del quinto milenio a.C., la agricultura comenzó a aparecer en el este de América del Norte. El maíz no tardó en convertirse en el producto básico y co-

menzaron surgir asentamientos. Las primeras ciudades norteamericanas aparecieron en el valle medio del Misisipí en torno al año 700 d.C. Se trataba de ciudades con grandes poblaciones, hasta 10.000 habitantes, por lo que dependían de que los agricultores cultivaran mucha comida.

Hasta entonces el maíz sólo podía cultivarse en la zona sur de esta región, porque necesitaba cerca de 200 días sin heladas para madurar. Cuando se desarrolló un nuevo tipo de maíz que maduraba en sólo 120 días, su cultivo se difundió rápidamente. En las ricas tierras de los ríos Ohio, Tennessee, Arkansas, Rojo y Misisipí, cada año se obtenían dos cosechas de maíz, además de girasoles, judías y calabazas. Esta producción pudo alimentar a grandes poblaciones urbanas.

ARRIBA: Los chinos fueron el primer pueblo en cultivar arroz, a partir de 5.000 años a.C. El arroz necesita mucha agua para crecer y los campesinos chinos no tardaron en encontrar sistemas para regar sus campos, como muestra este dibujo chino.

DEBAJO: El Creciente Fértil (en verde) del Oriente Próximo y Medio, donde comenzó la agricultura.

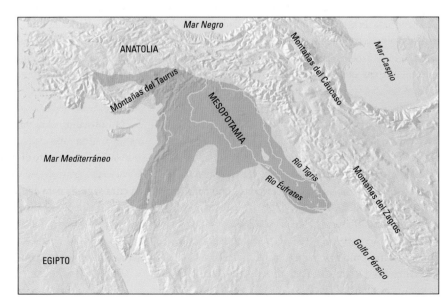

Calendarios y relojes

Cuando los cazadores-recolectores se convirtieron en agricultores, en el Neolítico, se dieron cuenta de que necesitaban llevar un registro del cambio de las estaciones, de modo que pudieran saber cuándo plantar y cuándo recoger sus cosechas. Para ello tuvieron que inventar los calendarios.

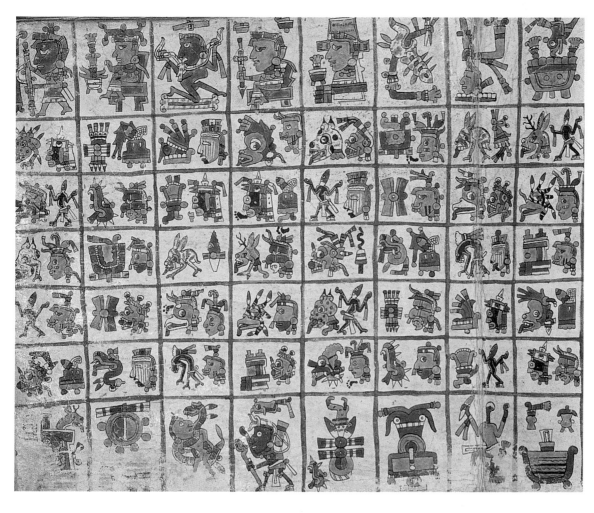

IZQUIERDA: Los aztecas utilizaban un calendario solar y un calendario ritual de 260 días, en el que cada día estaba asociado a un dios concreto. En esta imagen de un códice azteca, cada casilla representa un día distinto del calendario ritual y contiene una imagen del dios asociado al mismo.

Es posible que el primer calendario fuera un hueso con una lista de puntos y rayas talladas en él. El Hueso Blanchard, encontrado en el suroeste de Francia, data de hace 30.000 años y algunos arqueólogos creen que las marcas que contiene muestran las fases de la Luna a lo largo de un periodo de dos meses.

Los antiguos egipcios fueron los primeros en utilizar un sistema de fechas, en torno a 3.000 años a.C. Usaban un calendario solar y otro lunar. Para mantener la exactitud del calendario lunar, también seguían el movimiento de las estrellas. La estrella concreta que estudiaban era Sirio, la más brillante del cielo, que cada año reaparece en el cielo nocturno justo antes del amanecer. Los astrónomos egipcios fueron capaces de calcular que la estrella reaparecía cada 365 días. Los egipcios utilizaron esta cifra como base para su calendario. Hoy día sabemos que la Tierra tarda 365 y cuarto en dar una vuelta completa al Sol.

El calendario solar egipcio dividía el año en 12 meses de 30 días cada uno. Al final de cada año había un mes especial de 5 días, para así sumar los 365 de un año completo. Como no tenían años bisiestos, la aparición de Sirio y el comienzo del año civil sólo coincidían en Egipto una vez cada 1.460 años. En Mesopotamia se desarrolló un sistema similar al egipcio.

No obstante, el sistema babilónico era ligeramente distinto. Alternaban los meses de 29 y de 30 días y dividían la semana en siete días, probablemente porque sólo se conocían siete planetas y porque el número siete era un cifra sagrada para ellos.

Los antiguos chinos utilizaban un calendario lunar muy complejo. Sus cálculos estaban relacionados con el lugar por donde aparecía el sol en el horizonte. El sistema se basa en un ciclo de 19 años y los emperadores decidían cuándo había que añadir un mes al año en curso. En cada ciclo de 19 años tenían que añadir siete meses,

Años solares y lunares

Los meses se miden por el tiempo que transcurre entre una luna llena y la siguiente (en otras palabras, el tiempo que tarda la Luna en dar una vuelta en torno a la Tierra). Los años, por otro lado, se miden por el tiempo que tarda la Tierra en dar una vuelta completa alrededor del Sol. La Luna mantiene un ciclo muy regular de 29 días y medio entre una luna llena y la siguiente. No obstante, en un año solar de 365 días sólo hay doce ciclos lunares completos entre un solsticio de invierno y el siguiente. Esto significa que un calendario lunar se queda corto por 11 días con respecto al año solar. Por lo tanto, para mantener un calendario que está desfasado con respecto a las estaciones y los ciclos de la luna, hay que añadirle días extras al mes lunar.

ARRIBA: El recipiente que hay a la derecha de la fotografía es parte de un reloj de agua egipcio (llamados clepsidras) fechado en torno al 1515 a.C. Su contenido de agua se derramaba en otro recipiente, representado por el moderno contenedor de cristal de la izquierda. Al contrario que los relojes de sol, los relojes de agua permitían medir el tiempo tanto durante la noche como durante el día.

restando un día cada cuatro años del ciclo de 19. El nuevo mes se añadía aproximadamente a medio camino entre el día más corto del año y el primer día de la primavera. Era un calendario lunar muy exacto, pero complejo de manejar.

El calendario de la Roma republicana estaba formado por 12 meses y 355 días. Como el calendario se basaba en el año lunar, se quedaba corto en 11 días; de modo que parece ser que se le añadía un mes entre el 24 y el 25 de febrero cuando ello era necesario. Esto se hacía raras veces, puesto que en ese caso se consideraba que los funcionarios estatales, que podían ser contrarios a los políticos en el poder, podían permanecer en sus puestos un mes más. En el año 46 a.C. el calendario estaba tan desajustado que el día de Año Nuevo caía en la fecha solar del 14 de octubre, es decir 77 días antes de lo debido.

Éste fue el motivo por el cual Julio César, que se había convertido en el político que dominaba Roma, añadió 90 días extras al año 46 a.C. e introdujo el calendario juliano, basado en el que se utilizaba en Egipto. El egipcio era un calendario lunar que tenía cuatro meses de 31 días, un mes de 28 días y los restantes siete meses de 29 días cada uno. César ordenó que cuatro meses pasaran a tener 30 día y tres meses 31 días, con febrero manteniendo sus 28 días. Cada cuatro años se le añadía un día al calendario. Con pequeños ajustes, éste es el calendario que seguimos utilizando en la actualidad.

Los habitantes de la Mesoamérica antigua veían el tiempo como algo cíclico. Utilizaban un calendario ritual, llamado *tzolkin*, de 260 días. Consistía en una combinación de 20 clases de días, cada uno con un nombre distinto, y 13 números. Cada combinación, o día, tenía su propio dios. Para calcular las estaciones y los asuntos de Estado se utilizaba un calendario solar de 365 días, llamado *haab*. Los dos calendarios estaban interconectados y cada 52 años coincidían los ciclos completos de ambos.

RELOJES

Además de seguir el paso de los meses y los días, los pueblos de la Antigüedad intentaron encontrar métodos para medir la duración de los días. Los babilonios y los griegos medían los días de atardecer en atardecer, mientras que los antiguos egipcios de amanecer en amanecer, y los romanos de medianoche a medianoche.

Fueron los babilonios los que introdujeron el día de 24 horas. Su sistema numérico era en base 12, de modo que dividieron los periodos de luz y oscuridad en 12 secciones cada uno. Uno de los primeros sistemas para medir estas unidades fue clavar un palo o piedra en el suelo o en un muro y seguir el recorrido de la sombra que proyectaba.

Hacia finales del siglo IV a.C., un mesopotámicos llamado Berosos mejoró el sistema al situar el palo, llamado gnomon, inclinado. Esto produce una sombra más exacta con el paso de las estaciones que un palo vertical.

Para medir el tiempo por la noche o en días nublados, se desarrollaron los relojes de agua. En ellos se permite que el agua salga lentamente de un recipiente para caer en otro; la gente puede conocer la hora mirando el nivel del segundo recipiente.

Pero este sistema tenía un inconveniente, ya que parecía imposible conseguir que el nivel de agua que sale fuera constante: cuanta más agua hay en el recipiente, más rápido sale. Un griego llamado Ctesibio, que vivió en el siglo III a.C., inventó un sistema para mantener el flujo constante. Utilizó tres contenedores. Uno de ellos, siempre lleno, se vaciaba en un segundo contenedor. El segundo tenía dos agujeros, uno a media altura y el otro en el fondo; el agujero a media altura permitía que el nivel del agua en el segundo contenedor permaneciera más o menos constante. El tercer contenedor tenía un flotador con un poste central. En lo alto del poste había una estatua con un puntero, que al señalar a un pilar con las horas marcadas, permitía saber la hora.

La joyería

La joyería es una de las artesanías más antiguas y el talento de los joyeros de la Antigüedad nos sorprende a menudo porque estaba muy desarrollado. Cuando vemos algunas de las bellas e intrincadas joyas de las primeras civilizaciones, es difícil creer que se crearan hace tanto tiempo.

Sabemos bastante sobre la joyería del pasado, porque las personas a menudo se enterraban con sus joyas más preciadas para poder lucirlas en la otra vida. Las joyas más antiguas quizá fueran amuletos que se llevaban como protección. No obstante, pronto pasaron a ser lucidas como puros adornos personales. Joyas caras y elaboradas eran símbolo de categoría, que indicaban que su dueño era una persona rica o disfrutaba de un puesto importante. Por ese motivo, en algunas sociedades las joyas sólo podían llevarlas las clases dominantes.

En la Antigüedad, exactamente igual que hoy en día, las joyas se hacían a partir de una amplia gama de materiales, como metales, gemas, ámbar, colmillos de animal, huesos, cristal, cerámica y conchas. Los diseños de las joyas de las distintas culturas dependen de los materiales disponibles para ellos y de las creencias y costumbres de la cultura de que se trate.

LA JOYERÍA SUMERIA

Algunas de las más espectaculares piezas de joyería del mundo antiguo proceden de Sumer, en la región meridional de Mesopotamia (el actual Iraq). En las décadas de 1920 y 1930, el arqueólogo británico Leonard Woolley excavó la ciudad sumeria de Ur. Descubrió una extraordinaria cantidad de joyas fechadas en torno a 2500 años a.C. En un vasto cementerio de más de 2.000 tumbas de personas corrientes, Woolley encontró enterramientos de la familia real. Los reyes, reinas y nobles habían sido enterrados con objetos cotidianos, necesarios en el Más Allá, y vestidos con todas sus ropas cortesanas. Tanto hombres como mujeres estaban adornados con suntuosas joyas (como pendientes, tocados y brazaletes), hecho de metales preciosos y joyas exóticas.

Los joyeros sumerios eran muy hábiles. Trabajaban con cuatro materiales principales, cada uno de los cuales llegaba a Sumer desde muy lejos. El oro y la plata procedían de las regiones que hoy son Turquía e Irán, el lapislázuli procedía de Afganistán, y de la India llegaba la roja cornalina.

Los sumerios fueron los primeros en utilizar dos de las técnicas decorativas más importantes de la historia de la joyería: la filigrana y el granulado. La filigrana es un dibujo a base de hilos que son soldados (utilizando metal fundido como sujeción) a una base o que se deja como calado. El granulado consiste en pequeñas bolas o granos decorativos unidos a una joya. Los sumerios también sabían cómo soldar metales,

IZQUIERDA: Estos pendientes, collares y adornos para el pelo datan del 2500 a.C. Fueron encontrados en Ur, en la tumba de una reina sumeria.

hacer aleaciones (mezclas de metales) y esmaltes, además de cortar piedras.

Los egipcios también eran hábiles orfebres y produjeron muchas piezas bonitas y elaboradas. Ya llevaban joyas antes de que reinara en Egipto el primer faraón. Desde 5.500 años a.C. la gente ya llevaba collares de cuentas de piedra, y brazaletes y amuletos de concha y marfil. Los faraones, no obstante, necesitaban unas joyas más suntuosas para proclamar su categoría. La fabricación de joyas en Egipto alcanzó su zenit en los 400 años que duró el Reino Medio (2040-1650 a.C.), cuando los joyeros trabajaban el oro y la plata con una serie de técnicas decorativas que incluían el repujado y el granulado. También trabajaban con gemas como la amatista, la cornalina, el lapislázuli, el granate, el feldespato y la turquesa. Las piedras eran cortadas, horadadas y pulidas a mano para hacer cuentas redondas, ovaladas, cónicas o tubulares para los brazaletes y los collares.

Las habilidades de los orfebres eran demandadas sobre todo para la fabricación de joyas funerarias de oro.

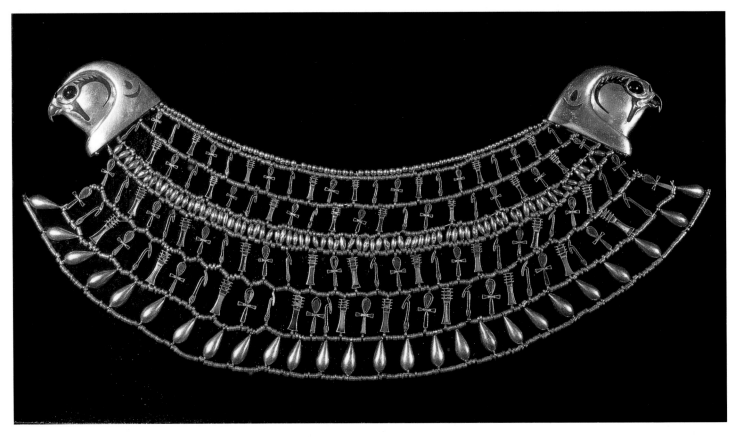

Los cuerpos de los faraones muertos recibían un peso suplementario en forma de grandes cantidades de oro: máscaras que cubrían sus rostros, pectorales sobre el pecho y puntas doradas para sus dedos (en manos y pies). Todos ellos estaban bellamente trabajados y a menudo estaban incrustados con lapislázuli y otras piedras semipreciosas.

Los egipcios creían que la carne de los dioses era de oro y por eso les gustaban las joyas de este metal. No obstante, sólo algunas personas podían permitírselo, por lo que las personas con menos recursos llevaban gemas de calidad inferior y de un material llamado fayenza, una imitación barata del lapislázuli y la turquesa.

ARRIBA: Collar ornamental de oro y turquesa perteneciente a una princesa egipcia (sobre 1900 a.C.) El oro era relativamente abundante en Egipto y era el material favorito para hacer joyas.

Relativamente pocas joyas han sobrevivido de las antiguas culturas indias. No obstante, se han encontrado esculturas que nos permiten hacernos una idea de cómo eran las que llevaban las mujeres. El brazo izquierdo de la estatua de bronce de una bailarina de la civilización del valle del Indo (sobre 2500 a.C.), por ejemplo, demuestra que las mujeres indias llevaban montones de brazaletes y pulseras. Otras estatuas de mujeres las representan espléndidamente adornadas con joyas –adornos en el pelo, pendientes, collares, cadenas, cinturones, brazaletes y tobilleras–, pero vestidas con poco más, lo que sugiere que las joyas servían como una forma de ropa.

EL JADE CHINO

Jade, el nombre dado a la nefrita, poseía un significado especial para las culturas de la antigua China. No era valorado sólo como una piedra preciosa y bonita, sino que se creía que poseía propiedades mágicas y espirituales. A partir de aproximadamente 1.000 años a.C., los chinos tallaron colgantes de jade con forma de criaturas como búfalos, peces, insectos, pájaros y ciervos. Los colgantes se cosían a la ropa para que actuaran como amuletos que protegieran a su poseedor del mal.

Una de las principales joyas femeninas, utilizadas ya desde la dinastía Shang (sobre 1500 a.C.), eran las horquillas para los moños. Al principio eran de hueso o jade, con los extremos tallados en forma de pájaros o figuras abstractas, pero después se hicieron de oro. La joya principal de los hombres eran las placas-cinturón. La placas se hacían con piedras duras, como el jade o el

IZQUIERDA: Brazalete celta de bronce, fechado en el siglo I d.C. Está decorado con discos de cristal y esmalte coloreados, además de con las recurvadas líneas tan características del arte celta.

ágata, para luego coserlas a un cinturón de cuero o seda. Las placas-cinturón más decorativas estaban grabadas con figuras o escenas.

Los celtas eran un grupo de tribus que vivieron en la Europa central y occidental entre los siglos VIII a.C. y I d.C. Tanto sus hombres como sus mujeres llevaban joyas. El bronce (una mezcla de cobre y estaño) se transformaba en brazaletes, tobilleras y fíbulas (agujas para unir la ropa). La pizarra y el cristal también eran materiales populares para las joyas.

La joya principal que llevaban los celtas era el torques, o gargantilla. Se trataba de un amplio rizo de bronce, hierro u oro, que podía estar decorado o no. Se trata de una joya muy destacada que no podía dejar de verse, por lo que era un signo dc la riqueza, categoría y posición social de su portador. Los torques también pueden haber tenido algo que ver con la religión, pues por lo general los dioses celtas son representados llevando uno; eso sin contar con que ciertos torques eran arrojados a los ríos, lagos y ciénagas como ofrenda a los dioses celtas del agua. Los romanos, que conquistaron muchas de las tierras celtas, se quedaron tan impresionados con el torques celta que lo copiaron. Los romanos entregaban torques a los soldados como recompensa por actos de valentía.

En la antigua Grecia, el oro era difícil de conseguir, por lo que los primeros griegos no lucían muchas joyas. No obstante, durante el reinado de Alejandro Magno (356-232 a.C.) el arte de la fabricación de joyas floreció. Los joyeros griegos crearon algunos de los primeros camafeos (una piedra o concha tallada en relieve a base de capas). También hicieron pendientes con colgantes que eran maravillosas miniaturas. Una de las más conocidas es un pendiente que representa a una figura femenina alada conduciendo un carro de dos caballos; a pesar de su reducido tamaño el detalle es perfecto.

La antigua Roma se convirtió en un renombrado centro de orfebrería. En un principio sus estilos estuvieron influidos por los griegos y etruscos, pero lentamente fueron desarrollando el suyo propio. Entre los objetos más populares estaban unos anillos de oro de gran tamaño. Reservados originalmente para patricios y senadores, poco a poco comenzaron a aparecer en los dedos de personas de menor categoría, hasta terminar llevándolos incluso los soldados. Los romanos fueron los primeros en comenzar a utilizar gemas más duras como esmeraldas (procedentes de las recién descubiertas minas egipcias), zafiros y diamantes. Las gemas se pulían, pero no se cortaban.

EL CONTINENTE AMERICANO

En Sudamérica, el oro era abundante cerca de la zona septentrional de la cordillera de los Andes y los habitantes de esta parte del continente se volvieron muy hábiles trabajándolo. Concretamente, los moche del Perú antiguo era unos metalúrgicos muy dotados que descubrieron cómo recubrir objetos de cobre con oro o pla-

ta; una técnica que utilizaron para darle mejor aspecto a sus joyas.

Los incas describían el oro como «el sudor del Sol». Se creía que tenía poderes mágicos y que representaba la fuerza dadora de vida del Sol. El oro era martilleado para formar delgadas hojas que luego recibían forma de máscara, colgantes, brazaletes y discos para los agujereados lóbulos de las orejas. Maquetas de personas y animales, como la llama, se hacían de oro macizo. El oro también se utilizaba para hacer objetos religiosos, como el cuchillo en forma de creciente lunar, llamado *tumi*, utilizado en los sacrificios. Las joyas de la gente corriente estaban hechas de metales como el cobre. Pocas joyas incas han sobrevivido, porque muchas de ellas fueron saqueadas y fundidas por los conquistadores españoles en el siglo XVI.

ARRIBA: Colgante chino de jade del periodo Tang (618-907 d.C.).

DEBAJO: Un par de pendientes de oro y turquesa realizados en torno al año 400 d.C. por los indios moche del Perú. Éstos utilizaban el oro para hacer muchas joyas y objetos ceremoniales.

Los códigos legales

Las primeras civilizaciones no tardaron en descubrir que cuando la gente vive junta en una comunidad, es necesario contar con una serie de reglas que digan qué se puede hacer y qué está prohibido. Para cuando la gente rompía estas reglas era necesario contar con una serie de castigos.

IZQUIERDA: Las autoridades egipcias se tomaban muy en serio la evasión de impuestos, pues con lo que pagaban los campesinos se mantenía al resto del país. Este mural del siglo XIV a.C. muestra a un campesino siendo arrestado y luego castigado.

En las primeras sociedades, que eran de pequeño tamaño, las reglas y castigos podían hacerse respetar por parte de la sociedad como un todo o mediante una representación de la misma, como los ancianos de la tribu. No obstante, según fueron creciendo las sociedades, la tarea de administrar las reglas y castigos se volvió mucho más complicada.

La necesidad de un sistema legal más complejo surgió por primera vez en Mesopotamia y Egipto hace unos 5.000 años. Los primeros reyes mesopotámicos comenzaron a recoger y registrar las leyes y castigos surgidos en su sociedad, reuniéndolos para formar con ellos códigos legales oficiales. El más antiguo de los que se han conservado es el del rey Shulgi de Ur, que gobernó entre los años 2094 y 2047 a.C.

Los reyes mesopotámicos se tomaban muy en serio la administración de la justicia y reformaban las leyes que ya no eran adecuadas. Tres siglos después de Shulgi, el rey babilonio Hammurabi (1792-1750 a.C.) hizo que una nueva versión de las leyes se inscribiera en una enorme estela de basalto, para «hacer que prevalezca la justicia en la tierra, destruir al infame y al malvado, que el fuerte no pueda oprimir al débil».

El rey tenía la última palabra en cualquier disputa, pero la mayor parte de los problemas legales quedaba en manos de los jueces y tribunales locales. Muchos casos tenían que ver con la propiedad o con disputas familiares, pero también había robos y asesinatos que juzgar. Los jueces encargados del caso llamaban a testigos de cada bando y decidía cuál de los dos tenía razón. Testigos, acusado y acusador tenían que jurar decir la verdad sobre un objeto sagrado. Un soldado del tribunal se encargaba de los castigos impuestos; en su mayor parte consistían en el pago de cantidades como compensación, pero en ocasiones podían implicar mutilaciones y, en casos extremos, la muerte. Las cárceles no existían. El principio, familiar para nosotros a través de la Biblia, del «ojo por ojo, diente por diente», era común en muchas culturas antiguas, incluida la mesopotámica.

En el antiguo Egipto, las tumbas de los reyes y los nobles, repletas de oro y otros objetos preciosos, eran una gran tentación para los ladrones y muchas fueron saqueadas. Los egipcios pensaban que si una tumba era robada, entonces el difunto quedaría desprovisto de las cosas que necesitaba para la otra vida. Por lo tanto, el robo de tumbas era un crimen muy serio. Las transcripciones de los juicios demuestran que los acusados eran golpeados para obtener sus confesiones. Éstas son extremadamente francas y detalladas, lo que nos ofrece una fascinante imagen de las actividades de estos ladrones. Algunos eran absueltos, pero los que eran condenados podían ser ejecutados, muriendo empalados, ahogados, quemados o decapitados. Para crímenes menos serios, la gente podía terminar con las orejas, la nariz o la lengua cortados, exiliados o condenados a trabajos forzados en las minas. La gente que marchaba al exilio se llevaba a su familia con ellos.

El faraón era la mayor autoridad legal y judicial del país. Por debajo de él había muchos niveles de funcionarios que actuaban como jueces. Las transcripciones de los juicios eran depositadas en archivos como referencia para futuros casos. Los funcionarios decidían los castigos, pero podían enviar los casos difíciles a autoridades más altas que ellos y, finalmente, éstos podían llegar hasta el faraón, que era la última instancia.

LA JUSTICIA GRIEGA

En cambio, la administración de justicia en Atenas era una cuestión pública relacionada con el mantenimiento del sistema democrático de gobierno de la *polis*. Los casos podían ser llevados ante el tribunal por cualquier ciudadano que quisiera presentar una acusación. Si el acusado era hallado culpable, el acusador podía recibir una parte de la multa que se le impusiera, pero si el caso no se sostenía podía ser él quien tuviera que pagar una cantidad. Un gran número de ciudadanos (entre 200 y 2.000) actuaban a la vez como jurado. Tenían que escuchar los discursos de la acusación y la defensa, decidir sobre el caso y dictar sentencia. Para ayudarles en su tarea, Atenas, al igual que otras ciudades griegas, poseía un sistema de leyes codificadas. Las de Atenas fueron escritas entre el siglo VII y comienzos del siglo VI a.C. y expuestas en tablillas de madera en la plaza del mercado. Parte del código legal de la ciudad de Gortina, grabado en bloques de piedra en torno a 450 a.C., todavía se conserva.

En Roma, las leyes las hacían el Senado, varias asambleas legales y los magistrados. Cuando el Estado romano se convirtió en un imperio, era el emperador quien hacía las leyes. El emperador Teodosio recogió las leyes en un código legal que fue publicado en el año 438 d.C. Fue reemplazado por un código muy estudiado publicado por el emperador Justiniano en el año 534, que vino acompañado de un compendio donde se reflejaban todas las fuentes utilizadas para compilarlo.

La pena de muerte era utilizada en muchas sociedades antiguas para castigar a aquellos que habían cometido crímenes importantes, como sacrilegios, asesinatos, traición, robos o incendios provocados. Los romanos tenían sus propios medios de tratar con los criminales importantes. Algunos eran crucificados y otros muertos en los anfiteatros, como entretenimiento para el público.

China y el legalismo

En algunas sociedades antiguas se permitía a los jueces usar su propio juicio a la hora de juzgar y sentenciar a las personas. Si un juez consideraba que había circunstancias que merecían tratar el caso con indulgencia, podía reducir la sentencia o sobreseer el caso. Otras sociedades poseían códigos legales muy estrictos en los que cada crimen tenía su propio y característico castigo, sin que se permitieran excepciones. Este sistema de impartir justicia se conoce como legalista, según un sistema utilizado en el periodo Ch'in de la antigua China (221-207 a.C.). El legalismo chino ejercía un estricto control sobre todas las actividades de los ciudadanos con un grupo fijo de castigos para los malhechores. El sistema era administrado por los magistrados provinciales. Aunque estos sistemas eran duros, se consideraban justos y prevenían la corrupción, dado que un juez no podía cambiar la sentencia una vez que el criminal había sido condenado.

Los magistrados provinciales de la antigua China tenían que aprobar un examen antes de poder dedicarse a la práctica de la justicia. Esta pintura del siglo XVIII muestra a los candidatos haciendo el examen en un recinto amurallado.

Durante la primera parte del día, antes de la atracción principal, algunos criminales eran arrojados a las fieras, mientras que otros tomaban parte en luchas a muerte. En ellas sólo una persona podía estar armada. Cuando el que portaba las armas había acabado con su oponente, se convertía en el combatiente desarmado del siguiente combate.

La literatura

Desde las épocas más antiguas se han contado o cantado historias para una audiencia. Con la llegada de la escritura esas historias se pusieron por escrito. La literatura escrita más antigua data de aproximadamente 2.600 años a.C., cuando los sumerios comenzaron a escribir sus largos poemas épicos.

El significado moderno de la palabra literatura es el de un corpus de escritos realizados por personas que utilizan el mismo lenguaje. Para algunos, esto implica todo lo que se escribe, mientras que otros consideran que sólo debe incluirse en la definición de literatura la escritura creativa, como la poesía, novelas, obras de teatro e historias cortas, dejando fuera textos como los periodísticos.

La forma más antigua de literatura en las sociedades antiguas fue una larga historia épica cantada por un bardo o un juglar, a menudo con acompañamiento musical, ante una asamblea reunida. Las historias tenían por lo general forma de poema, lo que las hacía más fáciles de recordar. Contaban cuentos sobre los dioses y héroes y de este modo la historia y la mitología de un pueblo iba siendo transmitida de una generación a otra. Posteriormente, cuando se inventó la escritura, muchos de esos largos poemas épicos se pusieron por escrito y gracias a ello han logrado sobrevivir hasta nuestros días.

Las primeras historias épicas en ser puestas por escrito fueron las mesopotámicas, donde la escritura comenzó antes de 3.300 años a.C. Al principio, la escritura se utilizaba sólo para conservar registros de las cosas, pero a partir de 2600 a.C. los sumerios comenzaron a escribir poemas épicos. Estos primeros trabajos están escritos con un lenguaje oscuro que es difícil de comprender, aunque las versiones posteriores tienen una lengua y una escritura más sencillas. Uno de esos primeros poemas épicos fue *La epopeya de Gilgamesh*, que nos cuenta la historia de la creación del mundo, la leyenda del primer pueblo y su destrucción debido a una gran inundación. El poema se centra en la historia de Gilgamesh, un antiguo rey de Uruk, que puede haber sido una persona real.

Gilgamesh era medio humano-medio dios, pero quería vivir para siempre. Un dios al que Gilgamesh no le caía bien creó un hombre salvaje, llamado Enkidu, para que desafiara a Gilgamesh. Lucharon, éste lo venció y se hicieron amigos. Los dos hombres partieron y tuvieron varias aventuras. Finalmente, Enkidu muere y Gilgamesh marcha en busca de la planta que le dará la vida eterna. No obstante, cuando encuentra la planta, una serpiente se la arrebata y Gilgamesh regresa triste a casa.

En Egipto, tras las narraciones autobiográficas del Reino Antiguo, la Edad de Oro de la literatura se produjo en el Reino Medio, cuando se pusieron por escrito obras como *Sinuhé*. También se desarrolló un tipo espe-

ARRIBA: Este relieve de piedra del siglo IX a.C, representa una escena de la *Epopeya de Gilgamesh*. En ella el héroe del poema aparece rodeado por dos semidioses.

cial de literatura basada en nociones de la vida en el más allá y en cómo asegurar el bienestar del alma. En el Reino Nuevo la gente era enterrada a menudo con una copia de *El libro de los muertos* (una evolución de los *Textos de los sarcófagos*, que a su vez procedían de los *Textos de las pirámides*) junto a ellos. Se trata de una especie de guía que les indica con detalle qué les sucederá en la otra vida y cómo superar las pruebas que tendrán que sufrir allí. Otro tipo de obra muy popular entre los egipcios eran los llamados textos sapienciales, donde se recogen consejos sobre el modo de comportarse adecuadamente, ser un funcionario ejemplar, etc.

Los chinos también desarrollaron la escritura de forma temprana. Los primeros registros históricos detallados datan de 2000 a.C., pero la primera poesía que ha sobrevivido es el *Shih Ching* (Libro de las canciones), que data de aproximadamente de 500 años a.C. y que contiene más de 300 canciones populares y salmos rituales. Estas obras probablemente se hayan conservado porque en el año 26 a.C., el emperador chino Han ordenó que los textos de toda la literatura antigua tenían que recogerse y guardarse con fines educativos. La poesía era considerada uno de los logros supremos de los eruditos chinos. La primera antología de poemas que se conserva es *Ch'u Tzu* (Canciones del sur), que contiene

IZQUIERDA: Una escena del *Libro de los muertos* egipcio, donde se ve cómo se pesa el corazón de Ani contra la pluma de la verdad. Osiris, dios de los muertos, observa el proceso desde su trono, a la derecha.

poemas de Ch'u Yuan y sus seguidores (en torno a 340-278 a.C.).

Los primeros textos que se conservan de la India (aparte de inscripciones de la civilización del vale del Indo, que todavía no se comprenden) son los *Vedas*, una literatura religiosa que incluía rituales, himnos, filosofía y mitos. Redactados en torno a 1000 a.C., eran memorizados y transmitidos palabra por palabra de una generación a otra. No se pusieron por escrito hasta 400 años a.C. Los más grandes poemas épicos son el *Mahabharata* y el *Ramayana*, compuestos probablemente en torno a 800-500 a.C., pero que no se pusieron por escrito hasta mil años después. El *Mahabharata* contiene 106.000 versos y describe la lucha entre unos primos: los Pandavas y los Kauravas. Termina con una sangriente guerra entre dioses y demonios y todos los héroes de la época. Los Pandavas sobreviven a ella y crean un próspero reino.

LA LITERATURA GRIEGA

En la antigua Grecia, la música y la poesía estaban estrechamente relacionadas. Por lo general, la poesía se declamaba en público y las palabra se cantaban o salmodiaban. Unos hombres llamados *rapsodas* recitaban poesía en las fiestas o festivales. Las primeras piezas literarias que se conservan son dos grandes poemas épicos, la *Ilíada* y la *Odisea*. Se cree que fueron escritas por un poeta ciego del siglo IX a.C. llamado Homero. A pesar de que Homero puede haber sido el primer autor de los textos, en la actualidad los especialistas consideran que varios poetas le añadieron cosas a los poemas según se fueron contando y volviendo a contar con los siglos. Los poemas no se pusieron por escrito hasta el siglo VII a.C.

La *Ilíada* narra las últimas semanas de la guerra entre los griegos y la ciudad de Troya, en Anatolia. La *Odisea* cuenta las aventuras de Odiseo durante su viaje de regreso al hogar tras el final de la Guerra de Troya. Se piensa que la *Epopeya de Gilgamesh* pudo haber influido en Homero, porque entre este texto y la *Odisea* hay similitudes.

Durante la Edad de Oro del arte y la literatura griegos, en el siglo V a.C., en Atenas floreció todo tipo de li-

teratura, incluidos el drama, la oratoria, la filosofía, la historia y los trabajos médicos. Tres hombres en concreto fueron importantes en su época y para las generaciones posteriores: Sócrates (filósofo), Heródoto (historiador) e Hipócrates (médico y escritor).

La gran obra épica del mundo romano fue la *Eneida*, escrita por Virgilio (70-19 a.C.). Estaba muy influida por Homero, pues narra la historia del viaje del príncipe troyano Eneas hasta Italia, donde funda la ciudad de Roma; en el texto se ven muchas similitudes con la *Ilíada* y la *Odisea*. Virgilio tardó 11 años en escribir su obra y murió algunos antes de poder realizar las últimas revisiones.

Entre otros famosos poetas romanos se cuentan: Catulo, que adaptó al latín las formas de la poesía griega para escribir elegías, poemas de amor y agudas descripciones de la vida diaria; Horacio, que escribió las *Odas* (poemas cortos sobre muchos temas, desde la comida hasta el vino pasando por la vida campestre), y Ovidio, que escribió *Las metamofosis* (quince libros de poemas, la mayoría sobre mitos y leyendas).

La novela apareció en una época mucho más tardía. La primera que se conoce procede del Japón. *El cuento de Genji* fue escrita por la dama Murasaki Shikibu a comienzos del siglo XI y narra la vida y amores del príncipe Genji.

IZQUIERDA: Este vaso griego del siglo V a.C. contiene una escena de la *Ilíada*: el rey troyano, Príamo, le pide al héroe griego Aquiles que le devuelva el cuerpo de su hijo, Héctor.

Los metales

El descubrimiento de cómo extraer y trabajar el metal fue una de las claves del desarrollo de la civilización humana. De hecho, el descubrimiento de los metales fue tan importante que los historiadores utilizan expresiones como «Edad del Bronce» y «Edad del Hierro» para referirse a épocas concretas de la historia.

En torno a 8000 a.C. ya se había aprendido lo suficiente en varios lugares del mundo sobre esos extraños materiales como para convertir las pepitas en objetos de metal martilleándolas. Los primeros metales en ser utilizados de este modo fueron el cobre y el oro, y los primeros objetos en fabricarse fueron sencillos, como adornos personales. Algunos pueblos del Norte de América produjeron cuchillos, anzuelos y adornos golpeando en frío las pepitas de cobre puro que encontraban en torno al lago Superior, entre 3000 y el 1000 a.C.

Dado que la cantidad de metal disponible en estado puro era limitada, hasta que no se descubrió el proceso del fundido no se fabricaron objetos de metal en grandes cantidades. El fundido consiste en la extracción del metal puro de su mena mediante el calor. Por ejemplo, el cobre es extraído de menas como la malaquita y la cuprita. Los historiadores creen que el fundido fue descubierto por primera vez en torno a 6.000 años a.C., en el oeste de Asia y en el sureste de Europa.

Para poder fundir menas metálicas, los primeros metalúrgicos utilizaron el mismo tipo de hornos que se utilizaban para cocer la cerámica. Aunque eran muy primitivos, alcanzaban temperaturas cercanas a los 1.100 °C, lo bastante altas como para extraer cobre fundido de su mena. El metal fundido se vertía luego en un molde para producir sencillos adornos.

Finalmente, en algún momento del tercer milenio se descubrieron medios más sofisticados de calentar las menas. Fuelles de piel de animal se utilizaron para introducir aire en el interior del horno a través de pitorros de arcilla. Este técnica permitió alcanzar temperaturas mucho más elevadas.

LA MINERÍA

El sílex llevaba siendo extraído de las minas desde los tiempos más remotos, cuando los seres humanos se dieron cuenta de que los metales también podían encontrarse muy profundamente en el seno de la tierra. El cobre se extrae de las minas desde aproximadamente 4.500 años a.C., en los Balcanes, en el este de Europa. Las vetas de mena de cobre no son horizontales, por lo que los túneles van hacia arriba o hacia abajo mientras las siguen. La profundidad de los pozos depende del nivel al que se encuentre la mena.

La práctica de la minería del cobre se difundió gradualmente hacia el oeste desde los Balcanes, y algunas regiones comenzaron a especializarse en esta actividad.

E l cambio desde las herramientas de piedra hasta las de metal, bronce o hierro, tuvo un impacto enorme en actividades como la agricultura, pues las herramientas de metal son mucho más eficientes.

Por lo general, metales como el oro, la plata o el cobre se encuentran en forma de mena: rocas y minerales que contienen partículas de metal puro. No obstante, en ocasiones se encuentra en una forma pura («nativa»): las pepitas. Cuando la gente de la prehistoria trabajaba la piedra para hacer sus herramientas, debieron ocasionalmente tropezar con esas pepitas, que para ellos no eran sino unas piedras que reaccionaban de un modo peculiar, pues en vez de romperse al ser golpeadas cambiaban su forma.

ARRIBA: Un casco sumerio de oro fechado en torno a 2600 a.C. Dado que el oro es un metal blando, el casco tenía poco uso práctico, por lo que sólo se luciría en ocasiones ceremoniales.

Por ejemplo, en la región de Mitterburg (Austria) se han encontrado unas 100 minas de cobre. Se calcula que para el año 800 a.C. ya se habían extraído de la región unas 13.000 toneladas de cobre.

LA EDAD DEL BRONCE

El cobre y el oro son metales blandos. Son adecuados para hacer adornos, pero no para fabricar herramientas, porque pierden el filo y se doblan. Por esta razón, el uso de estos metales sólo tuvo un impacto limitado sobre el modo de vida de la gente. No obstante, el descubrimiento de la aleación del bronce tuvo un impacto mayor en el desarrollo humano. Las aleaciones son combinaciones de dos o más metales. El bronce se hace mezclando cobre y estaño y la aleación producida era fuerte y duradera, de modo que se utilizó mucho para hacer herramientas y armas, además de recipientes y joyas.

El bronce se fabricó por primera vez en Oriente Medio en torno a 3500 a.C., y el conocimiento de cómo hacerlo se difundió lentamente por Europa y Asia. Utilizando varios tipos de moldes, los metalúrgicos de la antigua China eran capaces de conseguir recipientes rituales de bronce de formas muy diversas, de intrincadas decoraciones. Como los detalles estaban en el molde, no se necesitaba mucho trabajo para terminar las piezas. No obstante, en Oriente Medio, Europa y Sudamérica, mediante el uso de buriles y martillos se les añadían detalles a los objetos decorativos.

En algunas zonas, el bronce se utilizaba también para hacer utensilios agrícolas y ello tuvo una gran impacto en el modo en que la gente cultivaba. No obstante, hay pocas regiones del mundo donde el cobre y el estaño sean lo suficientemente abundantes. De hecho, el estaño es bastante escaso, motivo por el cual nacieron amplias redes comerciales, para llevarlo allí donde el cobre era extraído y trabajado.

Los metalúrgicos de la Antigüedad también usaban otras aleaciones. En el Egeo y otras regiones de Europa se utilizaba el electro, una aleación de oro y plata, para hacer joyas. En las primeras culturas andinas de Sudamérica, algunas máscaras, figurillas y cuchillos rituales elaborados se hicieron de *tumbaga*, una aleación de cobre y oro. Los moche, en el antiguo Perú, descubrieron cómo

Los primeros moldes utilizados para la fundición de metales eran muy sencillos: una forma tallada en una piedra y en el interior de la cual se vertía el metal fundido. Así se podían producir hachas planas, puñales y otras formas simples.

En torno a 3000 a.C. empezaron a utilizarse moldes más complejos. Primero se realizaba en madera un modelo del objeto. Entonces, una mitad del modelo se recubría de arcilla y se dejaba secar; proceso que se repetía con la otra mitad. Cuando estaban secas, ambas mitades se quitaban y se cocían. Al juntarlas después, formaban un molde de cerámica dentro del cual se vertía el metal. Cuando éste se había enfriado, se retiraban las partes de cerámica y quedaba un objeto de metal con la forma del molde de madera original.

Los moldes de dos piezas se utilizaban para crear objetos de muy diversas formas. Formas más complejas se creaban con moldes de muchas piezas o mediante la técnica de la cera perdida.

La cera perdida implicaba fabricar un modelo en cera del objeto que se quería fundir, en ocasiones con un núcleo de arcilla, para ahorrar metal. El modelo de cera se recubría seguidamente de arcilla y se calentaba. Esto derretía la cera, que se vaciaba dejando un molde de cerámica. Una vez enfriado el metal fundido vertido en su interior, el molde se rompía para revelar el objeto terminado.

---

recubrir objetos de cobre con una fina y lisa capa de oro utilizando el calor y minerales corrosivos disueltos.

EL HIERRO

Al contrario que el cobre y el estaño, la mena de hierro es abundante en el mundo, de modo que una vez que la metalurgia del hierro comenzó, en torno a 2000-1500 a.C., muchos pueblos pudieron disponer de herramientas y armas de este metal. Dado que el hierro puro sólo aparece en cantidades muy pequeñas, hay que calentar las menas de este mineral para conseguir el metal. Entre los primeros pueblos en conseguirlo estuvieron los hititas de Anatolia, puesto que en diversas cartas de la época se mencionan objetos de hierro como presentes diplomáticos entre los reyes hititas y otros soberanos.

Para fundir la mena del hierro se necesitan temperaturas muy elevadas, superiores a los 1.540 °C. Como no se podían conseguir con la tecnología conocida en Occidente, la mena de hierro era calentada para reducirla a una mezcla esponjosa y dura. Después, la mezcla era golpeada mientras estaba al rojo vivo para extraer el metal. Este método (el forjado) se convirtió en habitual para la fabricación de herramientas en Europa, Oriente Próximo y Medio y el sureste de Asia, durante el primer milenio a.C.

Los chinos comenzaron a trabajar el hierro por esas mismas fechas. Dado que la mena de hierro disponible en China poseía un punto de fusión más bajo que la occidental, y dado que los chinos poseían una tecnología de hornos más sofisticada, fueron capaces de extraer el hierro de ella como metal fundido. Por lo tanto, desde el principio los objetos de hierro chinos fueron fundidos en moldes, una evolución que no tuvo lugar sino hasta mucho más tarde en Oriente Próximo y Medio, Europa y Asia.

IZQUIERDA: Detalle de la pintura de una tumba egipcia fechada sobre el año 1400 a.C., donde se ve a un grupo de artesanos trabajando con vasos de metal. Los egipcios eran unos habilidosos metalúrgicos, conocidos por su trabajo con el oro.

Los números y la contabilidad

La habilidad de contar, calcular y llevar archivos numéricos probablemente fuera más importante para los pueblos antiguos que la de escribir. Los impuestos y el comercio eran dos aspectos fundamentales de la vida durante la Antigüedad y ambos necesitaban archivos precisos de números y cantidades de bienes.

Las distintas civilizaciones crearon distintos medios de contar y registrar los números. Para manejar cifras grandes, la gente utiliza un sistema base. Actualmente en Occidente se utiliza la base 10. Esto significa que cuando empezamos a contar por encima de nueve, en la columna de la izquierda colocamos un «1» o un «2» para señalar que estamos hablando de un «10» o un «20», de modo que cuando vemos la cifra «15», sabemos que se trata de «10» objetos más otros «5» objetos.

En diferentes momentos y en distintas partes del mundo se han utilizado otros sistemas. Por ejemplo, los babilonios utilizaban un sistema de base 60 para sus cuentas, mientras que el de los mayas era en base 20. Hoy día aún conservamos algunos elementos del sistema babilónico en el modo que tenemos de llevar el re-

cuento del tiempo (60 segundos en cada minuto y 60 minutos en cada hora) y las medidas de ángulos (un círculo tiene 360 grados).

LOS DEDOS

Durante la Prehistoria, cuando los seres humanos vivían como sencillos cazadores-recolectores, probablemente utilizaban sus dedos para contar. En esos días la capacidad para contar hasta 20 podía ser suficiente. El uso de cifras mayores sólo comenzó a ser necesario cuando la gente empezó a tener muchas cosas que medir y contar, probablemente cuando aparecieron las primeras ciudades y civilizaciones. En concreto, la habilidad para medir la superficie de tierra se volvió muy importante.

ARRIBA: Una estela egipcia con un relieve pintado, donde se ve a una princesa sentada delante de una mesa de ofrendas. Los jeroglíficos señalan la cantidad que hay de cada objeto en la ofrenda.

El sistema babilónico del valor de la posición

Los babilonios desarrollaron un sistema numérico altamente sofisticado conocido como el valor de la posición (llamado también notación posicional). Fue un avance vital sobre los sistemas anteriores, pues permite utilizar el mismo símbolo numérico para representar la cantidad de cada potencia de tu unidad de base.

Por ejemplo, en el sistema que utiliza el mundo occidental, la misma cifra, 5, se utiliza en la cifra 555 para representar las centenas, la decenas y las unidades, dependiendo su valor del lugar en el que esté situada.

Los babilonios trabajaban en base 60, de modo que:

- La columna de las unidades representaba números del 1 al 59 (según nuestro sistema)
- La columna siguiente representaba a las cifras de los 60.
- La tercera columna representaba a las cifras de los 3.600.

El símbolo babilónico para el 1 era de modo que el 3 se escribía

El mismo símbolo de lado era el 10, de modo que 11 se escribía

Utilizando la notación posicional, el 191 se escribía (3 × 60 más 11 unidades)

Los números del último ejemplo también pueden leerse como el número 11.460 (3 × 3.600 más 11 × 60) e incluso el número 3,18 (tres unidades más 1/60 de 11), pero por lo general se sabía a qué cifra se refería en función del contexto.

Muchos de los primeros problemas de matemáticas que sus profesores les ponían a los escolares mesopotámicos tenían que ver con la medición de la superficie de tierra. También se les pedía que calcularan el número de raciones necesarias para un equipo que estaba excavando un canal de una profundidad y longitud determinadas, un detalle importante para las autoridades que encargaban el trabajo. El templo y los empleados reales también recibían raciones. Había que calcular y registrar los impuestos. La guerra también era importante: algunos ejercicios escolares mesopotámicos tienen que ver con la creación de rampas sobre las cuales poder arrastrar armas de asedio para bombardear las ciudades enemigas. Todas esas actividades necesitaban el uso de los números –a menudo cifras elevadas–, por lo que fue necesario desarrollar sistemas de contabilidad avanzados.

El sistema más elemental para escribir cifras es el de utilizar signos con valores numéricos determinados, que luego eran sumados. Los antiguos griegos utilizaban

DEBAJO: Una antigua máquina de contar, el ábaco, todavía se utiliza actualmente en muchos países.

para ello letras modificadas de su alfabeto, mientras que en Roma se empleaba una selección de letras mayúsculas. Todavía utilizamos la numeración romana para ciertas cosas, como los números de las esferas de los relojes.

En números romanos, la letra I representaba el «1», la V el «5», la X el «10», la C el «100», la D el «500» y la M el «1.000». Los números se escribían con un máximo de tres cifras iguales juntas (III para 3, CCC para 300). El extraño grupo formado por cuatro símbolos numéricos iguales (IIII, por ejemplo) era sustituido por una combinación en la que el siguiente número mayor iba precedido por uno de los símbolos numéricos inferiores, que se le restaba. Así, por ejemplo, IV significa «4» (V menos I, 5 - 1) y XC significa «90» (C menos X, 100 - 10). los números que se sumaban se colocaban a la derecha del símbolo numérico mayor, de modo que IX es «9», pero XI es «11».

Otras muchas sociedades escribieron sus números de formas similares; por ejemplo, los egipcios tenían signos especiales para los números 1, 10, 100, 1.000, 10.000, 100.000 y 1.000.000. Escribían tantos signos numéricos como para se necesitaran para conseguir la cifra; por ejemplo, el 9 eran nueve rayas, dispuestas en dos filas para leerlas con mayor facilidad. Los cálculos con este tipo de notación numérica eran bastante pesados y lentos.

Los números utilizados en Europa y el mundo occidental se conocen generalmente como «números arábigos». No obstante, los propios árabes aprendieron el sistema de los indios, que fueron quienes lo inventaron, junto a otras complejas ideas matemáticas, en los primeros siglos de nuestra era.

APARATOS PARA CONTAR

Muchos pueblos antiguos utilizaron un aparato llamado ábaco como ayuda para realizar cálculos matemáticos. Probablemente fuera originario de Babilonia y por lo general consistía en un tablero sobre el que se colocaban guijarros formando columnas. Cada guijarro representaba un número diferente según la columna en la

El uso del cero

Un concepto vital, desarrollado de forma independiente en la India, China y el Imperio maya mesoamericano, fue el uso de un símbolo –el cero– para señalar la ausencia de un valor en la notación posicional. El uso del cero permite, por ejemplo, distinguir entre los número 14, 104 y 140.

El sistema maya utilizaba sólo tres símbolos: un punto para el 1, una raya para el 5 y una concha para el 0. De modo que el número cuatro se representaba con cuatro rayas, el nueve mediante una raya y cuatro puntos y el 19 por tres barras y cuatro puntos.

El sistema maya era en base 20 y las cifras se escribían unas encima de otras. Por lo tanto, el número 20 se escribía con un punto sobre una concha (una veintena, ninguna unidad). La combinación de cuatro puntos y una barra sobre una concha sería 180 (nueve veintenas, ninguna unidad), mientras que dos barras y tres puntos sobre una barra con dos puntos equivale a 267 (13 veintenas, 7 unidades).

Estos son ejemplos de números mayas, algunos de los cuales utilizan la concha (el cero):

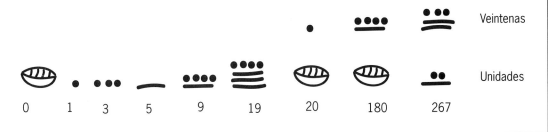

que estaba colocado; por ejemplo, los de la columna de la derecha representan las unidades, mientras que las de la columna inmediatamente siguiente por la izquierda son las decenas. El ábaco actuaba como un sistema nemotécnico que ayudaba a la gente a realizar cálculos con cifras elevadas. El ábaco tuvo formas distintas según la cultura de que se trate. El que más familiar nos es hoy en día es el ábaco chino, en el que los guijarros están ensartado en alambres dentro de un marco rectangular. En vez del ábaco, para calcular y registrar números los incas sudamericanos utilizaron una compleja disposición de cuerdas de colores con nudos, llamada *quipu*.

Los *quipus* funcionaban de un modo muy similar al del ábaco y consistían en una larga cuerda con una serie de pequeñas cuerdas atadas a ella. En las cuerdas pequeñas los nudos representaban cantidades y números diferentes.

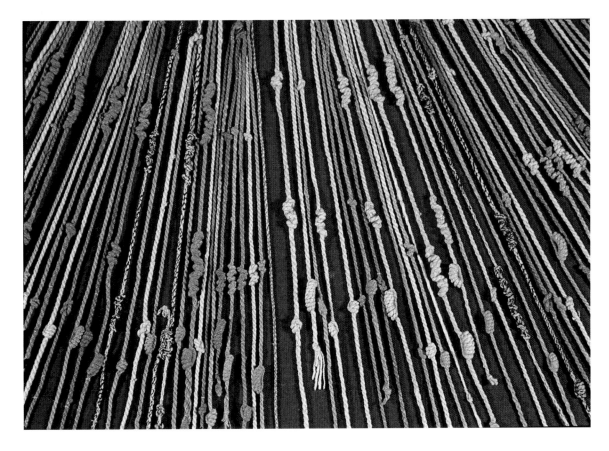

IZQUIERDA: Los incas del Perú utilizaban un elaborado sistema de cuerdas con nudos, como éstas, para escribir números. Se llamaba *quipu* y era utilizado por los mercaderes para llevar la cuenta de los bienes vendidos y comprados.

La cerámica

Una de las primeras habilidades aprendidas por lo seres humanos fue la de fabricar cerámica.
Utilizando arcilla también recrearon e hicieron figuras de dioses y animales. Asimismo,
aprendieron técnicas para decorar sus cacharros y figuras, creando algunas cerámicas exquisitas
que todavía no se han superado.

Cuando los grupos de cazadores-recolectores comenzaron a asentarse, se dieron cuenta de que necesitaban recipientes para cocinar y servir la comida. Las cerámicas más antiguas que se conocen fueron encontradas en Shimomouchi (Japón) y datan de hace 12.000 años. Las vasijas se utilizaron probablemente para cocer bellotas, pues algunas de ellas todavía conservan sobre ellas ceniza de los antiguos hogares. En China se han encontrado recipientes de aproximadamente la misma época y se cree que sirvieron para cocinar semillas.

En Çatal Höyük (Anatolia) la cerámica que se ha encontrado tiene 8.000 años de antigüedad, lo que la convierte en la más antigua de Oriente Próximo y Medio. Los alfareros de Çatal Höyük utilizaban arcilla para hacer figuras de personas y animales, sellos y colgantes, además de recipientes de cerámica. Para hacer una vasija, primero mezclaban la arcilla con una sustancia desgrasante, para hacerla más fuerte; seguidamente cogían la mezcla y la usaban para crear barritas de diferente longitud que luego colocaban unas sobre otras alrededor de una base redonda de arcilla, hasta conseguir la forma deseada (lo que se conoce como la técnica del

ARRIBA: Esta poderosa imagen de una diosa tierra grande y embarazada, sentada sobre un trono de leopardos, procede de Çatal Höyük, en Anatolia. La arcilla fue moldeada a mano en torno a 6000 a.C.

DERECHA: Una copa micénica encontrada en la isla de Rodas. Los micénicos produjeron grandes cantidades de elegante cerámica decorada, como esta copa con un dibujo abstracto.

amorcillado). Una paleta y un yunque (una piedra redonda) se utilizaban después para unir las barritas en una masa continua y darle la forma definitiva al recipiente. Unos días después, cuando la cerámica estaba completamente seca, el alfarero utilizaba un hueso o una piedra para pulir la superficie antes de meter el cacharro en un horno.

Los primeros alfareros utilizaban técnicas muy sencillas para decorar sus cacharros. Una era la impresión, donde se utilizaban diferentes objetos, como los dedos, para dejar marcas sobre la arcilla húmeda; en algunos ejemplos de cerámica antigua japonesa, el objeto es una cuerda. Otra técnica era la incisión, mediante la cual los dibujos se grababan en la arcilla con la uña o un palo afilado. Éste es el tipo de técnica utilizada con la cerámica lineal, producida en la Europa neolítica del sexto milenio a.C.

Posteriormente, para dar color a la cerámica se utilizaron engobes (mezcla de agua y arcilla) y vidriados. Las primeras formas de decoración en Egipto, por ejemplo, consistían en estilizados animales y escenas de la vida diaria pintados con engobe blanco sobre un fondo de arcilla roja.

El torno de alfarero fue inventado a comienzos del cuarto milenio a.C. en Mesopotamia y comenzó a ser utilizado por los alfareros egipcios 2.500 años a.C. aproximadamente. Los alfareros americanos nunca utilizaron el torno y la mayoría de sus objetos estaban fabricados con moldes (como una piedra o una cesta). Los primeros tornos de alfarero probablemente se hacían girar a mano, pero finalmente se inventó el torno con pedales, que hacía girar la rueda mucho más deprisa.

En la zona del mar Egeo parece haber florecido el arte de la cerámica, pues en ella se crearon notables

ejemplos de cerámica desde la época del Neolítico hasta las cerámicas áticas griegas de los siglos VI-IV a.C. La cerámica neolítica de la isla de Creta es particularmente notable por sus dibujos incisos y la superficie cuidadosamente pulida.

Durante la civilización minoica de la Edad del Bronce (2500-1700 a.C.), los alfareros que trabajaron en el palacio de Knossos, en Creta, produjeron algunas

DERECHA: Un alfarero egipcio contemporáneo dándole forma a un recipiente en un torno tradicional, donde la rueda gira mediante un pedal.

La cerámica y el gres

Las primeras vasijas se fabricaron de barro. La gente descubrió que dándole forma a la arcilla y dejando que se secara al sol, podían fabricarse recipientes para contener bienes secos. No obstante, esos recipientes no podían utilizarse para contener líquidos, puesto que la arcilla los absorbía y finalmente se deshacía. Cacharros mucho más resistentes podían crearse cociendo la arcilla para que se endureciera. Al principio, las vasijas de cerámica eran colocadas en un agujero en el suelo, se cubrían de madera y a ésta se le prendía fuego. Posteriormente, los alfareros inventaron el horno, donde se apilaban las piezas, que eran cocidas con el fuego que estaba situado debajo de ellas. La cerámica cocida era más fuerte que la secada al sol, pero aun así seguía siendo ligeramente porosa y dejaba que los líquidos se filtraran lentamente.

Tras el descubrimiento del cristal, se utilizó el vidriado para hacer impermeable la cerámica. El vidriado es un engobe hecho a base de cristal en polvo disuelto agua, con el que se pintaba la cerámica cocida. Seguidamente el cacharro se cocía una segunda vez y el calor fundía las partículas de cristal, creando una fina capa que hacía impermeables y fáciles de limpiar los objetos así tratados. El vidriado podía utilizarse para decorar y dar color a las cerámicas.

En torno a 1400 a.C., se descubrió cómo hacer gres. Se trata de una cerámica cocida a una temperatura tan alta que se vitrifica (tiene lugar un cambio químico y los cacharros adquieren un aspecto como de cristal y se vuelven completamente impermeables). Dado que el gres no es poroso, no necesita vidriado, si no es por motivos decorativos. El primer gres fue fabricado durante la dinastía Shang y continuó siendo fabricado en Corea durante la dinastía Silla (57 a.C.-918 d.C.). El gres no se produjo en Europa hasta mucho después, en el siglo XVI d.C.

Un recipiente de cerámica china datado entre 5000-3000 a.C. El dibujo fue realizado con un pincel.

de las cerámicas más bellas fabricadas jamás. Recibe el nombre de cerámica de Kamares, pues allí fue donde se descubrió por primera vez. La cerámica utilizada era escogida con mucho cuidado, tras lo cual era humedecida y amasada durante muchos meses antes de ser utilizada. En un momento dado, los alfareros minoicos descubrieron el torno y comenzaron a hacer sus cacharros con unas paredes tan finas que una fuente antigua griega los describe como «ligeros como el viento, delgados como la piel».

Uno de los diseños más bonitos de estas delicadas cerámicas era la decoración floral, pintada sobre las pequeñas copas con un asa; de hecho, la pintura fortalecía estos recipientes con paredes delgadas como una cáscara de huevo. Los dibujos rojos y amarillos incluían dibujos de plantas, peces, pulpos y ranas. Los talleres del palacio de Faestos, en Creta, utilizaban una gran variedad de dibujos, con profusión de espirales, rosetas y cuadrículas. Estos recipientes tenían gran demanda y los expertos los han encontrado en la Grecia continental y tan alejados hacia el sur como Egipto.

Los micénicos (1600-1100 a.C.) también produjeron una bella cerámica, muy influenciada por el estilo de los minoicos. Los vasos micénicos se exportaban a Egipto, la zona del Mediterráneo oriental y tan alejadas hacia el oeste como Italia y Sicilia. Con el final de la Edad Oscura (en torno a 1100-800 a.C.) y el auge de las ciudades-estado griegas, los sencillos dibujos geométricos fueron reemplazados lentamente por bandas decorativas de animales y personas.

La cultura campaniforme

En torno a 2800 a.C., un pueblo al que los arqueólogos llaman «cultura campaniforme», se extendió por toda Europa central y occidental, posiblemente a partir de España. Son conocidos por sus túmulos funerarios circulares, que contenían armas y unas vasijas de cerámica muy características por su forma de campana y decoración en bandas horizontales de líneas incisas. La gente de la cultura campaniforme era guerrera y llevaba arcos, puñales y lanzas. Se cree que se dispersaron por Europa en su búsqueda de cobre y oro. La cerámica campaniforme parece haber sido utilizada como recipiente para beber, probablemente en ocasiones sociales más que ceremoniales. En Europa central, la cultura campaniforme entró en contacto con la «cultura del hacha de guerra», que también producía vasos campaniformes, pero de otro estilo. Las dos culturas se fundieron, se mezclaron lentamente y terminaron en el este de Inglaterra.

Un vaso campaniforme con un dibujo geométrico de líneas incisas.

LA CERÁMICA ÁTICA

Aproximadamente entre los años 550 y 300 a.C., la cerámica fabricada en Atenas dominó el mercado. Estas piezas, conocidas como de «figuras negras» y de «figuras rojas», estaban bella y proporcionalmente decoradas. Primero se mezclaba la arcilla con ocre rojo para darle un acabado rojo-anaranjado. En la cerámica de figuras negras, éstas se pintaban sobre arcilla roja utilizando un brillante pigmento negro. En la cerámica de figuras rojas, el artista perfilaba las figuras en negro sobre el fondo rojo; fondo que después rellenaba de negro, dejando las figuras de color rojo.

Los artistas que pintaban la cerámica eran muy hábiles y producían vívidas escenas de la vida diaria y episodios de los mitos y leyendas. Los alfareros áticos no utilizaban vidriados o barniz; de hecho, el sistema que utilizaron para conseguir semejante brillo en su cerámica es un misterio total. La cerámica ática era muy apreciada y se comerció ampliamente con ella.

LA *TERRA SIGILATA*

Los romanos hacían un tipo de cerámica, llamada *sigilata*, presionando la arcilla contra moldes con diseños grabados. Muchos alfareros ponían su propio nombre en los moldes, de modo que conocemos exactamente de qué fábrica proceden las piezas. Las primeras se moldearon en Arezzo (Italia), pero según se fue extendiendo el imperio, los fabricantes también se desplazaron y situaron sus moldes y hornos en Francia, en Lezoux. Los arqueólogos que excavaban Arikamedu, en la India, se quedaron sorprendidos al encontrar allí un fragmento de *terra sigilata*, lo que demuestra la amplitud del comercio romano.

A los legionarios romanos también les gustaba el buen vino, por lo que los alfareros hacían un recipiente especial para conservarlo, las ánforas. Llenas de vino, las ánforas eran enviadas por barco a todos los puntos del imperio romano. En ocasiones los barcos naufragaban y los arqueólogos han encontrado en el fondo del mar las ánforas almacenadas en la cubierta de carga.

Según fueron creciendo las sociedades y más y más gente vivía en un mismo sitio, se comprobó que la cerámica tenía otros muchos usos, además del de servir para cocinar.

LA CERÁMICA CHINA

En China, Japón y el sureste de Asia, por ejemplo, se hicieron bellos recipientes para contener comida y bebida para el difunto. Estaban decorados con escenas pintadas

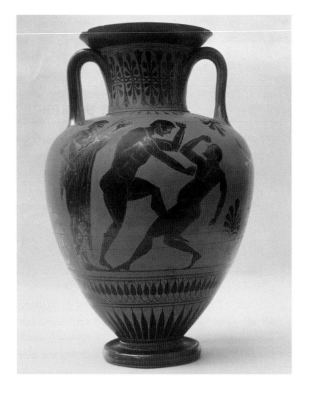

IZQUIERDA: Un ánfora ática de figuras negras del siglo VI a.C. Las figuras negras se pintaban con un pigmento brillante negro sobre la superficie pulida rojo anaranjado. Los detalles se añadían con líneas incisas o mediante pequeños toques de blanco. Atenas fue el principal centro productor de cerámica en Grecia. Los espectaculares vasos áticos llegaron muy lejos gracias al comercio.

DERECHA: Originalmente, este silbato maya de cerámica, con forma de figura humana, habría estado pintado con brillantes colores. Se trata de un ejemplo típico de las habilidades como ceramistas de los mayas, con sus expresivos rasgos, sus grandes pendientes y el vestido decorado.

y tenían formas muy diferentes. Algunos de los mejores ejemplos proceden de un cementerio de Tailandia llamado Ban Lum Khao, de 3.000 años de antigüedad. Los niños muertos eran colocados dentro de inmensas vasijas de cerámica, junto a cerámicas en miniatura y joyas, después se colocaba la tapa del recipiente. Tanto hombres como mujeres eran enterrados con hasta 50 recipientes cerámicos de formas atractivas y poco habituales.

Durante la dinastía Tang (618-907 d.C.), los chinos inventaron un tercer tipo de cerámica, la porcelana. La porcelana es una cerámica delgada, fuerte y translúcida fabricada con caolín (arcilla blanca) y cuarzo (una roca feldespática). Los primeros ejemplos son bastante primitivos, pero en el año 851 d.C. un relato islámico de

viajes al Lejano Oriente ya habla de «recipientes de cerámica tan transparentes como el cristal».

NORTEAMÉRICA

La más importante cerámica primitiva de América del Norte se fabricó en el suroeste. Todas las vasijas se hicieron mediante amorcillado o moldeado. En la técnica del amorcillado, rollos delgados de arcilla se colocan unos sobre otros alrededor de una base y luego se pellizcan para formar una masa única; mientras que en el moldeado, una pella de arcilla se extiende sobre un objeto que hace de molde. La primera cerámica fue fabricada por los mogollón y los anasazi, en torno al año 50 d.C. Sobre 700 d.C. aparecieron unos sorprendentes recipientes de cerámica anasazi con decoración geométrica en blanco y negro, en lo que sería la base del estilo cerámico de los indios Pueblo. Los misisipí (700-1540 d.C.) modelaban cabezas, mujeres jorobadas y animales de cerámica, a menudo como cazoletas de pipas para tabaco.

Las culturas de América Central pueden haber fabricado cerámica antes, en el segundo milenio a.C. Entre los años 600 a.C. y 1000 d.C. los mayas fabricaron sencillos cacharros de cerámica con dibujos en rojo y blanco, pintados sobre un engobe crema o naranja. También fabricaban figuras complejas de barro para unir luego a sus vasijas; uno de ellas posee un dibujo abstracto en la tapa, del centro de la cual emerge la figura en barro de un feroz jaguar con la mandíbula abierta y llena de afilados dientes.

Los mayas utilizaban moldes para producir en masa sus figurillas de dioses y sacerdotes guerreros. Estas figuras nos ofrecen una buena imagen de cómo eran los mayas, el tipo de ropa que llevaban y los adornos que preferían.

Los mayas también crearon maravillas cerámicas que combinaban secciones moldeadas con detalles modelados a mano, pintados con rojo, ocre, azul y blanco después de la cocción.

La cerámica y la arqueología

Los objetos de barro cocido no se descomponen, lo que significa que, a pesar de haber transcurrido miles de años, la cerámica se encuentra a menudo virtualmente intacta, lo que proporciona a los arqueólogos una información vital sobre el pasado.

Por ejemplo, si dos cacharos de cerámica de estilos muy semejantes se encuentran a mucha distancia el uno del otro, parece probable que haya algunas conexión entre ambos. Puede que ello se deba a que la gente se

trasladó, pero también a que las vasijas fueron intercambiadas como bienes comerciales. La cerámica ática de figuras negras y de figuras rojas se reconoce fácilmente y se han encontrado ejemplos de ella repartidos por muchos lugares. Esto ha permitido a los arqueólogos hacerse una idea de los lazos comerciales de la época.

En los últimos años se han desarrollado nuevos métodos de estudiar la cerámica antigua. Una es la técnica que mide la cantidad de luz que

emite la cerámica calentada. Esto puede decir a los arqueólogos en qué fecha se fabricó la vasija. Otra técnica implica cortar una fracción minúscula, tan delgada que casi puede verse a través de ella, de la cerámica. Examinada la muestra con un microscopio especial, se pueden ver los minerales o rocas presentes en ella. Gracias a ello, en muchos casos es posible determinar dónde se hizo el cacharro, lo que a su vez nos proporciona información sobre las redes comerciales.

La ciencia

La ciencia es el estudio de las leyes que gobiernan el mundo físico. La ciencia práctica comenzó hace más de dos millones de años, cuando los seres humanos comenzaron a hacer herramientas de piedra, demostrando con ello que comprendían el hecho de que golpear la piedra de cierta manera, haría que se desprendieran de ella fragmentos que tendrían un borde cortante afilado.

Una de las primeras ciencias en ser estudiada sistemáticamente fue la astronomía. Como se pensaba que el movimiento del Sol, la Luna y las estrellas eran un reflejo de las acciones de los reyes, y para predecir futuros acontecimientos importantes en la Tierra, realizar observaciones precisas era esencial. Esta combinación de astronomía y religión fue la base de la ciencia en Mesopotamia, Egipto, China y Mesoamérica, que condujo al estudio de las matemáticas y al desarrollo de calendarios como el maya y chino.

El conocimiento matemático permitió a las civilizaciones antiguas llevar a cabo ambiciosos proyectos de ingeniería. Stonehenge, el gran círculo megalítico construido entre el tercer y el segundo milenio a.C., fue un gran logro de ingeniería que implicó el transporte de inmensas piedras desde grandes distancias y su erección en el lugar adecuado. Esa misma capacidad fue necesaria para construir las grandes pirámides del antiguo Egipto.

La guerra produjo un flujo constante de inventos en forma de mejores armas y defensas. Los chinos inventaron la ballesta, armaduras a base de placas de bronce montadas sobre cuero y de un papel acolchado tan grueso que las flechas no podían atravesarlo, además de la pólvora y las lanzas de fuego (un tipo primitivo de escopeta), todo ello antes del año 1000 d.C. Los asirios se destacaron inventando armas de asedio, mientras que griegos y cartagineses perfeccionaron los barcos de guerra.

La necesidad de comerciar entre grupos de gentes muy alejados entre sí estimuló las mejoras en la construcción naval, los vehículos y las carreteras. Los puentes –como los puentes colgantes construidos por los incas en los Andes– eran a menudo obras maestras de ingeniería. El estudio de la astronomía, las matemáticas y el calendario tuvo muchas veces como consecuencia una mejora en los sistemas de navegación marítima.

Resulta sorprendente que la energía hidráulica no fuera utilizada hasta los siglos inmediatamente anteriores al nacimiento de Cristo, cuando los molinos aparecieron en varios puntos del globo. El mayor de todos los conocidos fue construido por los romanos en Barbégal (Francia). Una serie de 16 norias de agua proporcionaban energía a un inmenso molino que podía triturar 27 toneladas (25 toneladas métricas) de grano al día.

Algunos de los elementos básicos de la ciencia moderna eran conocidos, pero no comprendidos, por las civilizaciones antiguas. Las propiedades magnéticas de la magnetita (óxido de hierro magnético) eran conocidas

IZQUIERDA: Los griegos utilizaron sus conocimientos científicos para construir armas muy destructivas. Esta catapulta de aproximadamente 300 años a.C. era capaz de lanzar rocas de 82 kilos de peso. Su capacidad procede de la enorme cantidad de energía que puede almacenarse en los resortes de cuerda retorcida que tensan los brazos del arco.

tanto por China como por las civilizaciones occidentales. La tumba del emperador chino Ch'in Shihuangdi (258-210 a.C.) se dice que está protegida por puertas magnéticas que atraparán cualquier herramienta de hierro utilizada contra ellas. Los chinos también hicieron brújulas de bronce utilizando una pieza de magnetita, mientras que los sacerdotes romanos y griegos utilizaron los imanes (la magnetita) para hacer que las estatuas de los dioses flotaran en el aire.

LA ELECTRICIDAD

También habían observado la electricidad natural. Los griegos, romanos y chinos conocían que una fuerza atractiva (la electricidad estática) podía crearse frotando una pieza de ámbar contra un pedazo de piel de animal. Se dice que los mesopotámicos utilizaban anguilas eléctricas para anestesiar a los pacientes. Algunos objetos descubiertos en las ciudades partas (los partos son un pueblo que habitó en Oriente Medio) pueden haber sido pilas eléctricas; se trata de jarras de 2.000 años de antigüedad que contenían un cilindro de cobre sellado con asfalto y dentro de las cuales se había insertado un vástago de hierro.

En el siglo VI a.C. aproximadamente, algunos filósofos griegos desarrollaron una gran curiosidad sobre el

El sorprendente Arquímedes

Arquímedes (sobre 287-212 a.C.) fue uno de los grandes matemáticos e inventores griegos. Estudió en el Museo de Alejandría y luego vivió en Siracusa, en la costa de Sicilia. Una aplicación práctica de su trabajo fue el tornillo que lleva su nombre, un mecanismo en forma de espiral que sirve para subir agua y que todavía se utiliza hoy día en Egipto para sacar agua del Nilo.

Un día, al meterse en una bañera llena de agua, vio que cierta cantidad de ésta se derramaba. Había descubierto que un objeto desplaza su propio volumen de agua cuando es sumergido en ella; se supone que entonces salió corriendo desnudo a la calle gritando: «¡Eureka! ¡Eureka!» («¡Lo he encontrado!, ¡Lo he encontrado!»). Descubrió también que casi cualquier peso puede ser desplazado con poco esfuerzo utilizando una palanca y un punto de apoyo, el fulcro. Se dice que botó el navío Siracusa –de tres mástiles y 20 filas de remos, capaz de llevar una carga de 1.800 toneladas (1.633 toneladas métricas)– con una sola mano, utilizando un sistema de palancas y poleas.

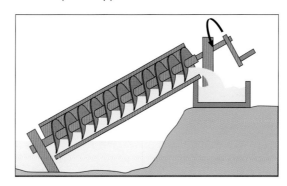

El tornillo de Arquímedes, un artefacto para elevar el agua. Cuando se gira la manivela, el agua se ve forzada a subir por la espiral del tornillo

---

modo en que funcionaba el mundo y por qué. Aristarcos propuso que la Tierra se movía alrededor del Sol (en vez de al revés); Arquímedes descubrió que un objeto sumergido siempre desplaza su propio volumen de agua; Pitágoras, por su parte, encontró muchas reglas básicas de las matemáticas.

ATENAS Y ALEJANDRÍA

Aristóteles (384-322 a.C.) fundó en Atenas una escuela que se llamó el Liceo y que se convirtió en el centro de la investigación científica de su época. Fue aquí donde Estratón, un estudioso del siglo III a.C., realizó numerosos experimentos con los gases, algunos de los cuales todavía se utilizan para demostrar que el aire ocupa espacio. Posteriormente, el centro de la investigación científica se trasladó a Alejandría, en Egipto. Su soberano, Ptolomeo II (308-246 a.C.), discípulo de Estratón, fue un gran promotor de los estudios científicos y de ingeniería.

En Alejandría los eruditos realizaban experimentos de ciencia pura y entre ellos se contaban Tesebio, Filón y Herón. Algunos de sus inventos tuvieron un gran valor práctico, como la bomba de agua diseñada por Tesebio y el dioptra de Herón, un sofisticado instrumento de visión. No obstante, aunque los científicos de Alejandría tuvieron contacto con muchos objetos mecánicos y principios científicos: palancas, poleas, tornillos, sifones, muelles, piñones y válvulas, el conocimiento de que el aire se expande, el uso de la energía eólica y del vapor, por lo general los utilizaron para construir bromas y juguetes. Herón, por ejemplo, creó un mecanismo que abría las puertas del templo, como si la magia tuviera algo que ver en ello, cuando un sacerdote encendía un fuego en el altar exterior. De hecho, el fuego calentaba el aire en el interior de un globo metálico oculto, obligando al agua a salir del mismo por un sifón hasta una cubeta. Según se iba llenando, su peso movía la polea que abría la puerta.

Más tarde, los romanos utilizaron de forma práctica muchos de estos mecanismos, como palancas, poleas y grúas. Los científicos modernos, no obstante, se han preguntado por qué la ciencia no pasó de este punto en ese momento. Un motivo puede haber sido que había tantos esclavos que los mecanismos que ahorraban trabajo no eran considerados importantes.

IZQUIERDA: Un sismógrafo decorativo, un artefacto para detectar el origen de un terremoto, fabricado por el científico chino Zhang Heng en el año 132 a.C. Consiste en un jarrón panzudo con ocho cabezas de dragón, cada una de ellas con una bola de latón en el interior de la boca. Bajo cada dragón hay un sapo de metal con la boca abierta. Cuando se producía un terremoto, un péndulo interno oscilaba en la dirección adecuada, haciendo que el dragón de ese lado abriera la boca y dejara caer la bola de latón dentro de la del sapo.

Diezmos e impuestos

Tan pronto como los pueblos comenzaron a vivir en comunidad, con soberanos y una elite no productiva, fue necesario inventar un sistema para desviar ciertos recursos de los agricultores y artesanos con los que mantener a las clases ociosas. La solución universal fue imponer diezmos e impuestos.

Todas las civilizaciones antiguas dependían de los recursos que producían, como las cosechas y el ganado, los metales valiosos y los bienes artesanales. La gente de común, que era la que generaba esos recursos, se mantenía a sí misma con su trabajo; pero el soberano y la clase dirigente no trabajaban y necesitaban unos «inmerecidos» ingresos para mantenerse. Un medio de conseguirlos era gravar con impuestos a la gente que producía los bienes.

Para mantener a sus ejércitos, alimentar a sus esclavos y a los demáss habitantes de sus grandes palacios, así como vivir rodeados de gran lujo, los gobernantes de todas la civilizaciones antiguas gravaron a sus poblaciones de un modo u otro y, a menudo, de muchos modos a la vez. Los impuestos directos eran recaudados entre todos según la riqueza de cada uno. La gente rica se supone que tenía que pagar más impuestos que la gente menos adinerada, entregando cada uno de ellos una parte proporcional de sus impuestos. Los impuestos indirectos se aplicaban durante la compra y venta de bienes. Los gobernantes también podía gravar impuestos sobre los bienes importados, haciendo así que fueran más caros de adquirir, pedir «tributos» a los poblados y pueblos conquistados y grabar con impuestos bienes básicos como la sal.

EL PAGO EN ESPECIE

Los impuestos no se solían pagar con dinero, excepto en el caso de los mercaderes o comerciantes, a quienes se pedía que entregaran parte de su oro o plata. A la pobla-

ción en general, la mayoría de la cual trabajaba en los campos y atendía al ganado, lo que sus gobernantes les pedían era un diezmo. Un diezmo era un pago en especie: parte de la cosecha del granjero o de los animales del ganadero. Existen textos que nos hablan de reyes impacientes por recibir esos bienes y que amenazaban con multas si se producían retrasos en el pago.

Muchos soberanos y estados de la Antigüedad poseían un sistema altamente organizado para calcular los impuestos. En civilizaciones donde la escritura se había desarrollado –como Egipto, Grecia, Roma y China– se conservaban registros muy detallados. En ellos se indi-

ARRIBA: Este antiguo mural egipcio, procedente de la tumba de un noble de Tebas, muestra a los recaudadores de impuestos llevando a cabo el censo anual del ganado. El número de reses, ocas y otros animales de granja era realizado anualmente para saber cuántos impuestos tenían que pagar los granjeros.

Impuestos y corrupción

Los sistemas impositivos de la Antigüedad eran a menudo caprichosos y podían cambiar rápidamente. Por ejemplo, una mala cosecha podía reducir la cantidad de impuestos que reclamaba el soberano, pero éste también podía imponer más impuestos para financiar una guerra o un gran proyecto constructivo. Del mismo modo, lo que un faraón podía recibir como impuestos podía ser una cantidad muy inferior a lo pagado por sus súbditos.

Esto se debía sobre todo a la corrupción imperante entre los cobradores de impuestos, que exigían de más a la desafortunada población y luego se quedaban con la cantidad ilegalmente cobrada. La mayoría de los soberanos estaban más que contentos con recibir a tiempo la cantidad que habían solicitado y no preguntaban demasiado respecto al modo en que era recaudada.

Documentos mesopotámicos de 2.400 años a.C. nos hablan de la

corrupción de los recaudadores de impuestos. Cuando Urakagina se convirtió por esas fechas en gobernador de la ciudad de Lagash, decidió que tenía que acabar con esa terrible opresión sobre los campesinos, que se veían obligados a entregar casi todo lo que producían. Los recaudadores de Lagash habían estado cobrando a los campesinos muchísimo más de lo que exigía la ley y quedándose con la diferencia.

caba quién cultivaba qué tierra, el tamaño de la cosecha y el número de mercaderes o comerciantes, de modo que se podían fijar los impuestos que tenía que pagar cada persona. Cuando esos registros se han conservado, proporcionan al historiador una inmensa cantidad de información sobre la estructura social de las culturas concernidas.

EGIPTO, ROMA Y GRECIA

Uno de los sistemas impositivos más sencillos y efectivos era el del Egipto de los faraones. Todo el país del valle del Nilo era considerado propiedad del soberano, quien a su vez era considerado un dios. Todo lo que se producía le pertenecía a él y no a los particulares que lo producían. De modo que cada año un ejército de recaudadores recogían los impuestos del faraón. Los granjeros y comerciantes podían quedarse con una parte para alimentarse y vestirse.

Los romanos también tenían recaudadores de impuestos, pero éstos se encargaron de poner en práctica un sistema por completo diferente del de los egipcios. Había varios tipos de «impuestos de riqueza», que las personas pagaban según cuantos esclavos y animales tuvieran, el valor de sus tierras y casas, y los muebles y otras propiedades que poseyeran. Según los estándares modernos, se trataba de una tasa muy baja, aproximadamente el 0,3 por ciento de la riqueza de cada persona. A pesar de ello, con frecuencia se realizaban investigaciones para calcular lo ricos que eran los particulares y lo que tenían que pagar. Según fue extendiéndose el Imperio romano, las ciudades y pueblos que se convertían en colonias eran obligadas a pagar diezmos, no como individuos, sino como comunidades.

La cantidad que tenía que pagar una colonia se fijaba de modo local y los recaudadores de impuestos tenían la responsabilidad de reunir el tributo. Pagaban adelantada al Tesoro la cantidad que tenían que recaudar como derecho a realizar el cobro de los impuestos y, aunque a menudo los impuestos se pagaban en especie –cabras, ovejas o grano–, los recaudadores tenían obligación de convertirlos en moneda. A menudo el sistema era corrupto. Para los publicanos (así se llamaban los recaudadores romanos) no era difícil llegar a un acuerdo con los cabecillas de la comunidad, que exigían más de los debido, se quedaban una parte para ellos y le daban el resto a los recaudadores. El peso de esos impuestos y de la corrupción terminaron cuando Augusto, el primer emperador romano, que gobernó entre los años 27 a.C y 14 d.C. se libró de los recaudadores e impuso un impuesto directo a las colonias basado en el uno por ciento de su riqueza calculada y una suma por cada habitante.

Desde las fechas más remotas, los agricultores chinos entregaban un porcentaje de su producción a su soberano; porcentaje que variaba dramáticamente de una dinastía a otra. Otra fuente importante de dinero para el gobierno era el impuesto sobre la sal. Era fácil contro-

lar la cantidad de sal que se producía y, de ese modo, gravar con un fuerte impuesto algo que todos necesitaban. Los chinos gravaban la producción de hierro de modo similar.

EL IMPERIO INCA

El sistema impositivo de los incas sólo era ligeramente menos opresivo que el egipcio. En el Imperio inca, algunas tierras y bienes estaban reservados para el uso de la gente corriente, pero la mayoría de ellos pertenecían al emperador y a los dioses. Como no existía el dinero, la gente pagaba tanto en diezmos como en horas de trabajo.

ARRIBA: Un relieve romano del siglo III d.C. que muestra a un comerciante de telas. Los comerciantes romanos tenían que pagar al Estado una parte de sus ingresos como impuesto.

DEBAJO: Un antiguo manuscrito mesoamericano con la cantidad de tributo pagado por diferentes ciudades a sus gobernantes aztecas.

Herramientas y tecnología

La capacidad de los primeros homínidos para utilizar herramientas es una de las características que más los distinguían de otros animales. Según fueron evolucionando los seres humanos, así lo hizo su habilidad para crear ayudas técnicas que les facilitaran la vida.

IZQUIERDA: Las herramientas de hierro eran más fuertes que las de bronce. Esta colección de herramientas agrícolas celtas de hierro, del siglo I a.C., incluye una azada, una hoz y un hacha. Todas ellas debieron haber estado unidas a mangos de madera.

Hace unos 2,5 millones de años, nuestros antepasados comenzaron a fabricar herramientas afiladas a partir de piedras, para ayudarlos a cortar el cuero de los animales muertos que carroñeaban. Los homínidos que hacían herramientas de piedra necesitaban capacidad para realizar planes, es decir, que tenían que poder pensar en el uso de una hoja afilada, imaginar cómo hacer la herramienta golpeando el borde de una roca y luego hacerlo, golpeando a la roca del modo exacto para que las piezas se produjeran como querían.

Las herramientas de piedra se hacían desgajando lascas de una piedra. Al principio, los fabricantes de herramientas golpeaban la piedra con otra que hacía las veces de «martillo». Con el paso del tiempo, sin embargo, descubrieron que utilizar un martillo más blando, hecho de madera o hueso, les proporcionaba un mayor control sobre el modo en que conseguían las lascas, permitiéndoles darles forma de un modo más preciso.

Un control aún mayor podía conseguirse utilizando un movimiento de raspado sobre la piedra en vez de la mera fuerza bruta de un golpe. Estas técnicas permitieron crear herramientas eficientes utilizando piezas de piedra cada vez más pequeñas. Las lascas grandes dieron

paso a las hojas más pequeñas, a partir de las cuales se fabricaban una serie de herramientas distintas. Los cuchillos y hachas de piedra se utilizaban para matar animales que comer. Algunas hachas se agarraban con la mano, mientras que otras se unían a mangos de madera. Los punzones se empleaban para horadar el cuero, los raspadores para limpiar las pieles y los cinceles para trabajar la madera.

Sobre 8.000 años a.C. la gente de muchas partes del globo ya estaba utilizando microlitos: pequeñas piezas de piedra afilada como partes de diferentes herramientas. Por ejemplo, una fila de microlitos incrustada en una pieza de hueso o madera formaba una hoz para cortar cañas, hierbas y los tallos de los cereales. Los microlitos también se utilizaban para ponerles puntas a las flechas de madera, que asimismo servían como berbiquíes para hacer agujeros en la piedra.

EL TRABAJO DE LOS METALES

El descubrimiento de cómo extraer metal de su mena fue un avance capital en la historia de la fabricación de herramientas. El primer metal en ser obtenido de su

La energía hidráulica

Si bien la fuerza muscular humana era la fuente de energía más habitual del mundo antiguo, no fue la única disponible entonces. Se sabe que chinos y romanos utilizaron máquinas impulsadas por corrientes de agua en el siglo I a.C. Los chinos disponían de una máquina muy compleja en la que una noria era utilizada para mover un grupo de fuelles. Según los documentos, fue inventada por un hombre llamado Tu Shin en el año 31 a.C., pero parece probable que desde mucho antes se hubieran utilizado versiones más sencillas.

Los molinos de agua estaban muy difundidos por el Imperio romano. El ejemplo más conocido es el de Barbégal, en lo que hoy es Francia. El molino fue construido en un terreno en pendiente y el agua era llevada hasta la parte superior mediante un acueducto. Desde allí corría hacia abajo, moviendo dos grupos de ocho norias, conectadas mediante una serie de engranajes a máquinas que molían el trigo. Se ha calculado que cada día se molían unas 27 toneladas (25 toneladas métricas) de grano.

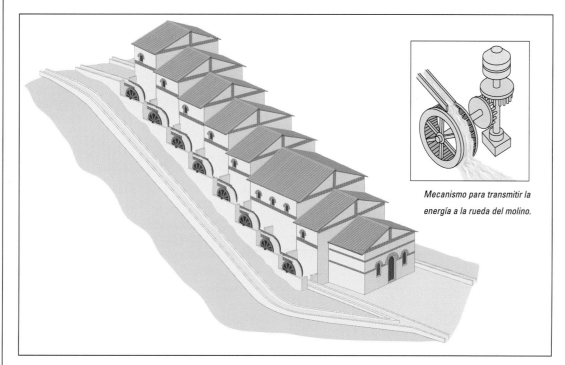

Mecanismo para transmitir la energía a la rueda del molino.

Dibujo del molino de agua de Barbégal, construido en torno a 300 d.C. A cada lado del molino corría una corriente de agua que al pasar movía una serie de ocho norias, haciéndolas girar para desplazar las ruedas de molino, que trituraban el grano.

mena mediante el calor fue el cobre. El descubrimiento fue realizado en torno a 6.000 años a.C. en el occidente de Asia y el suroeste de Europa. No obstante, el cobre era un metal demasiado blando como para hacer con él herramientas efectivas; no fue hasta que se le mezcló estaño para hacer bronce cuando se pudo disponer de herramientas realmente útiles. El bronce fue producido por primera vez en Oriente Medio en torno a 3.500 años a.C. y se empleó para hacer tanto herramientas como armas.

El bronce tenía un gran inconveniente: el estaño necesario para fabricarlo no se encontraba en todas partes. Otra mena, la del hierro, estaba mucho más difundida. No obstante, era un metal más difícil de separar de su mena. Una vez que la gente aprendió cómo hacerlo, en torno a 1200 a.C., el hierro sustituyó al bronce como el metal más habitual en la fabricación de herramientas. Era más fuerte que el bronce y podía ser convertido en una hoja cortante con más facilidad que aquél.

LA TECNOLOGÍA AGRÍCOLA

Cuando las primeras civilizaciones comenzaron a evolucionar, empezaron a aparecer sencillas piezas de maquinaria. Esencialmente servían para el mismo propósito que las herramientas manuales, permitiendo a la gente cultivar, cazar y construir casas de un modo más eficiente. La principal preocupación de todos los pueblos de la Antigüedad era producir suficiente comida para alimentarse, de modo que no resulta sorprendente que muchos de esos avances técnicos tuvieran lugar en el campo de la agricultura.

Uno de los más importantes avances técnicos fue la introducción del arado tirado por bueyes. Este utensilio apareció por primera vez en torno a 4.000 años a.C. y no tardó en reemplazar a las azadas manuales, que llevaban siglos siendo utilizadas. El arado consistía en un armazón de madera en forma de V unido a un larguero de madera. Los bueyes eran uncidos al larguero y utilizados para tirar del arado revolviendo la tierra. El invento permitió que se cultivaran muchas más hectáreas y su diseño era tan efectivo que siguió siendo utilizado hasta el siglo XIV d.C.

Otro avance muy importante fue la introducción de las técnicas de irrigación. En fecha tan temprana como 5.000 años a.C. ya se excavaban canales de irrigación en el valle del Nilo y en los ríos Tigris y Éufrates de Mesopotamia para utilizar sus crecidas. No tardaron en construirse presas donde almacenar el agua para los meses secos. Para subir el agua desde los canales y depósitos, se inventó un utensilio conocido como *shaduf*. Consiste en una percha en equilibrio sobre un poste vertical que en un extremo tiene un cubo y en el otro un contrapeso. En la actualidad se sigue utilizando en muchas partes del mundo.

La necesidad de llevar el agua de un lugar a otro se hizo cada vez mayor cuando las grandes ciudades comenzaron a aparecer. Los romanos hicieron un uso intensivo de los acueductos para satisfacer las necesidades de la creciente población urbana de sus ciudades. Los acueductos solían traer el agua desde una fuente natural a mucha altura, como un arroyo, ladera abajo hasta el lugar donde era necesaria, utilizando la fuerza de la gravedad como propulsora. Uno de los acueductos más famosos, el de Aqua Marcia, tenía 91 kilómetros de largo.

Ocasionalmente el agua tenía que ser impulsada hacia arriba, para lo cual los romanos utilizaron sifones. Los sifones son tuberías cerradas que no contienen bolsas de agua. Dado que la corriente de agua aumentaba la presión, podían ser utilizados para hacer subir el agua en pequeñas distancias. Tanto los acueductos como los sifones fueron utilizados ya por los griegos, pero fueron los romanos quienes los desarrollaron por completo.

PALANCAS Y POLEAS

Para poder construir grandes estructuras, los constructores del mundo antiguo tuvieron a menudo que transportar inmensos bloques de piedra. Lo consiguieron utilizando la mano de obra esclava o mediante dispositivos y máquinas que incrementaban la fuerza natural de los seres humanos. Probablemente, el más antiguo de esos dispositivos sea la palanca. La más sencilla de las palancas es un plancha de madera que se apoya sobre un

ARRIBA: Una reconstrucción de una grúa romana, basada en los escritos del ingeniero Vitruvio, que vivió en el siglo I a.C. La grúa aparece elevando bloques de piedra y está impulsada por un cabestrante manejado por esclavos y una rueda de andar.

punto fijo conocido como fulcro. Empujando hacia abajo un extremo de la palanca, la gente era capaz de levantar los pesos que descansaban en el otro extremo. No se tardó en comprender que cuanto más cerca estuviera el fulcro del peso, mayores pesos podían moverse con el mismo esfuerzo. Los antiguos egipcios utilizaron palancas para ayudarse a construir las pirámides.

Otro dispositivo que ayudó a levantar objetos pesados fue la polea, que consiste en una cuerda colocada en torno al borde de una rueda. La polea permitía elevar un objeto tirando de la cuerda hacia abajo en vez de hacia arriba. Sistemas de poleas, con ruedas de diferentes tamaños, permitían alzar grandes pesos con un esfuerzo relativamente pequeño. Se sabe que el científico griego Arquímedes, con una sola mano, puso un barco en el mar utilizando un sistema de palancas y poleas.

Los constructores romanos utilizaron la polea como una parte básica de una máquina que ha sobrevivido hasta el presente: la grúa. En las grúas romanas la polea estaba unida al extremo de un largo mástil. El extremo de la cuerda estaba atado a una barra que se giraba utilizando un utensilio llamado cabestrante. Al igual que la polea, el cabestrante reduce la cantidad de esfuerzo necesario para mover el peso. Ocasionalmente, las grúas se conectaban a ruedas de andar: grandes ruedas impulsadas por esclavos que caminaban por su interior.

La brújula

La invención de la brújula magnética revolucionó el arte de la navegación. Funciona señalando el campo magnético de la Tierra, cuyo norte y sur se corresponden aproximadamente con los polos geográficos. Su invención se basó en la descubrimiento de la magnetita (el imán), una piedra naturalmente magnetizada. El primer uso de la magnetita está registrado en China en torno a 400 años a.C. Cuando un trozo de magnetita en forma de cucharilla se coloca en medio de un tablero cuadrado, el extremo siempre apunta hacia el norte magnético. La brújula no se utilizó en principio para navegar, sino para la geomancia —el antiguo arte de construir edificios alineados con las fuerzas naturales de la tierra—. Este instrumento fue adaptado para su uso en los barcos en torno a 900 d.C., cuando una aguja de hierro imantada (es decir, frotada con magnetita) se colocó sobre una paja para que flotara dentro de un cuenco lleno de agua. La aguja siempre señalaba hacia el norte, con lo que el navegante siempre contaba con un punto de referencia. La brújula marinera no llegó a Occidente hasta el siglo XII d.C.

El transporte

Transportar personas y bienes de un lugar a otro fue uno de los principales problemas a los que se enfrentaron las gentes del mundo antiguo. Antes de la invención de la rueda, el agua era el mejor medio de transportar grandes pesos y los barcos el primer medio de transporte conocido.

Durante decenas de miles de años, caminar y correr fueron los únicos medios de transporte accesibles a la gente en tierra. No obstante, según comenzaron a aparecer las primeras civilizaciones, la gente comenzó a desarrollar nuevos medios para trasladarse de un sitio a otro. Los barcos para viajar por ríos y mares, cabalgar a lomos de caballo en tierra y, finalmente, el invento de la rueda, hicieron que la gente pudiera recorrer más distancia con mayor rapidez y facilidad. Estas mejoras permitieron el transporte de bienes y abrieron la posibilidad del comercio a grandes distancias.

Los primeros vehículos de transporte en ser desarrollados fueron la almadía, sobre el agua, y el trineo, sobre la tierra. El transporte acuático probablemente fuera el primer avance más allá de caminar, según se fue sacando provecho de las corrientes fluviales y del mar.

No sabemos cuándo comenzaron a construirse los primeros barcos, pero es probable que la gente comenzaran a flotar sobre trocos muchos miles de años atrás. Por ejemplo, está claro que algún tipo de transporte acuático, aunque sólo fuera una larga almadía, fue necesario para que la gente atravesara la barrera de agua que separaba Australia del continente asiático hace 40.000 años o más. Hace 8.000 años, en Europa y Norteamérica se utilizaban piraguas. Una canoa de este periodo, encontrada en Tybrind Vig, en Dinamarca, tiene 9,5 metros de largo y puede llevar entre seis y ocho personas.

Barcos mayores se llevan utilizando desde al menos 4.000 años a.C. Los antiguos egipcios utilizaban este tipo de barcos para transportar obeliscos de piedra y otros bienes voluminosos por el Nilo. Además de velas, estos barcos también tenían bancos de remos, de modo

ARRIBA: Relieve del palacio del rey asirio Sargón II, donde se ven barcos cargados de madera de cedro importada. La aparición de los barcos para la navegación de altura permitió a los pueblos de la Antigüedad construir y difundir sus redes comerciales.

que podían navegar aunque los vientos fueran contrarios. Los egipcios no tardaron en navegar por las aguas del Mediterráneo y comerciar con las islas cercanas, como Creta. Los fenicios fueron otro pueblo de la Antigüedad que domino rápidamente las técnicas de la navegación en alta mar. Entre los años 1100 y 800 a.C., utilizaron sus conocimientos para crear ampias redes comerciales, navegando nada menos que hasta Cornualles, en las Islas Británicas.

VIAJAR POR TIERRA

Los primero vehículos terrestres probablemente fueron los trineos utilizados por los cazadores-recolectores en las zonas nevadas para llevar sus posesiones. Los trineos pueden haber sido arrastrados por personas con esquíes. En Vis, Rusia, los arqueólogos han encontrado fragmentos de esquíes que tienen 7.000 años de antigüedad.

Hasta la invención de la rueda no aparecieron los primeros vehículos realmente prácticos. La rueda fue inventada hace unos 6.000 años en Oriente Medio y Europa. Casi a la vez, la gente se dio cuenta de que los animales, sobre todo las reses, podían ser utilizados para arrastrar grandes pesos. Arados y carros son dos de los inventos de la época. Es probable que los primeros carros sólo fueran utilizados cerca de los asentamientos para cargar la cosecha, troncos, leñas y cuerpos de animales muertos. Entre los distintos campamentos el terreno era tan desigual que posiblemente fuera más rápido caminar.

No obstante, el uso de la rueda durante la Antigüedad se limitó a una parte del mundo relativamente pequeña. Se conocen vehículos con ruedas en América y en África, al sur del desierto del Sahara. Incluso en Egipto y China este tipo de vehículos sólo aparecieron después de 2.000 años a.C.

La domesticación del caballo, ocurrida en las estepas del sur de Rusia 3.000 años a.C., trajo nuevas posibilidades al transporte impulsado por animales. En torno a 2000 a.C., el carro tirado por caballos se hizo más habitual, mientras se inventaban los carros de dos ruedas como arma de guerra, sobre todo en las llanuras de Mesopotamia. Las mejoras en las ruedas, incluido el uso de los radios, llevó al empleo de carros más ligeros y rápidos como medios de lucha y transporte personal en el sureste de Europa, Egipto y Oriente Próximo y Medio.

En las grandes estepas del sur de Rusia y Asia, cabalgar a lomos de caballo fue el medio habitual de transporte entre los pueblos nómadas. A lo largo de los desiertos del norte de África, Asia central, Irán y la península Arábiga, los camellos se utilizaron como animales de carga después de que la gente comenzara a criarlos, en torno al 2.500 años a.C. Como los camellos toleran las regiones áridas y caminan grandes distancia sin agua, eran el medio de transporte ideal a lo largo de las rutas comerciales que recorrían esos desiertos. En la cordillera andina sudamericana, las llamas y las alpacas se domesticaron y utilizaron para el transporte.

Aprovechar la energía animal para el transporte no resolvió un problema fundamental del mismo: ¿cómo podían atravesar esos animales, los vehículos que arrastraban y sus jinetes los terrenos boscosos, las marismas y los pantanos? Los ríos suponían otro problema, pues sólo podían cruzarse en las partes menos profundas –los vados– o con la ayuda de barcos. Las nuevas oportunidades proporcionadas por los animales y los vehículos eran muy limitadas, a menos que se hiciera algo para proporcionarles caminos lisos.

Las primeras carreteras del mundo fueron los senderos creados por la gente que seguía recorridos comunes. Hace mucho que han desaparecido. Las primeras carreteras que pueden identificarse arqueológicamente son las pasarelas de madera construidas por los pueblos del norte de Europa para cruzar marismas. Una de estas pasarelas se encontró en el sur de Inglaterra. Conocida actualmente como Sweet Track, fue construida para cruzar una larga marisma y tenía cerca de 1,6 kilómetros de largo. El estudio de los anillos de crecimiento de los tablones de madera con los que se construyó ha permitido fechar la construcción de la pasarela en el invierno de 3807-3806 a.C.

Una de las primeras grandes carreteras pavimentadas fue el Camino Real persa. Durante la dinastía Aqueménida (559-330 a.C.) el camino llevaba desde la capital del imperio, Susa, cerca del golfo Pérsico, hasta Sardes, en Lidia (la actual Turquía), una distancia de unos 2.500 kilómetros.

Los mayores constructores de caminos de la Antigüedad fueron los romanos. Como todos los imperios de la Antigüedad, el romano necesitaba buenas carreteras para comunicar la capital con las zonas del extrarradio. Los emperadores romanos tenían que ser capaces de alimentar y reforzar sus ejércitos con rapidez, mientras que los administradores del imperio necesitaban ser capaces de ir y venir de la capital a las provincias. Al mis-

DEBAJO: Esta maqueta china, en bronce, de un caballo y un carro data del siglo II a.C. Sólo los muy ricos podían permitirse viajar de este modo; por lo tanto, la figura del conductor probablemente represente a un poderoso funcionario de la corte.

Carreteras a lo largo de los Andes

Cuando los españoles llegaron en 1532, el Imperio inca tenía 4.000 kilómetros de extensión a lo largo de la costa oeste de Sudamérica. Un sistema de carreteras de unos 40.000 kilómetros de longitud permitía a los peatones y las caravanas de llamas viajar a cualquier parte del imperio. Dado que no estaban pensadas para el tráfico rodado, las carreteras incas pudieron superar notables obstáculos. Largos tramos de escaleras se utilizaron para escalar empinadas laderas. En las zonas montañosas, las carreteras podían tener una anchura de sólo un metro, aunque en terrenos llanos por lo general tenían 4,5, pudiendo alcanzar los 10 metros de anchura según se acercaban a las ciudades. Muros de contención y zanjas de drenaje protegían las carreteras de los desastres naturales, como corrimientos de tierra, asegurándose de que no quedaran cerradas.

Carretera inca que lleva desde la ciudad de Machu Picchu hasta la capital del imperio, Cuzco, todavía es claramente visible después de 500 años.

mo tiempo, una enorme cantidad de bienes y productos, tenía que ser transportada desde los extremos del imperio hasta la propia Roma.

Los romanos comenzaron su red de carreteras para poder comunicar sus asentamientos en Italia. Su primera y más famosa carretera fue la Vía Apia, que se dirige al sur de Roma y que todavía se utiliza en la actualidad. El pavimento de las carreteras fue un avance significativo, pues significó que los vehículos no se quedaran atrapados en el barro cuando el tiempo fuera húmedo. En el año 50 d.C., la red de carreteras romana iba desde el océano Atlántico, en el oeste, hasta el río Éufrates, en el este.

A pesar de que los romanos no dejaron mapa alguno de sus carreteras, en la actualidad sobrevive de ellas lo suficiente como para poder hacerse una idea de la misma. Los romanos también colocaban mojones a lo largo de sus carreteras donde se señalaba la distancia recorrida y la fecha de construcción o reparación. Albergues y puestos para cambiar de caballo aparecían junto a las carreteras para servir a los viajeros.

CANALES

Los primeros canales fueron construidos en Mesopotamia en torno a 5.000 años a.C. para regar los campos. No obstante, no tardaron en ser utilizados también para el transporte. Uno de los canales más impresionantes construidos en el mundo antiguo fue excavado por el rey persa Darío en torno a 500 a.C. Conectaba el Mediterráneo con el mar Rojo y en gran parte seguía la misma ruta que el actual canal de Suez.

Los antiguos chinos también construyeron muchos canales de gran tamaño para el transporte. En el siglo VII d.C., excavaron un canal de 960 kilómetros para ayudar a transportar el arroz desde el delta del Yangtze hasta lejanas ciudades. Fue constantemente reconstruido y ampliado y es la base del sistema acuático de transporte que todavía se usa en la actualidad.

DEBAJO: Una de las más famosas de todas las carreteras romanas, la Vía Apia, que salía del sur de Roma y recorría 660 kilómetros hasta Hidrunto, en el sureste de Italia.

Guerra y armamento

Es probable que las guerras sean tan antiguas como la propia humanidad. Incluso durante la Prehistoria lucharon los seres humanos por comida o tierras, para lo cual utilizaron herramientas de cazar como piedras afiladas y palos de madera. La mayoría de estas primeras guerras serían emboscadas o incursiones que confiaban en la ocultación y la sorpresa.

La primera arma en ser diseñada específicamente para la guerra, en torno a 10.000 años a.C., fue la cachiporra o maza. Una piedra atada a un mango de madera fue utilizada para aplastar el cráneo de un enemigo. En el tercer milenio a.C., la piedra fue sustituida por el cobre y luego, 2.900 años a.C., por el bronce, lo que hizo que la maza fuera mucho más efectiva. Para contrarrestar la maza, los hombres comenzaron a desarrollar las armaduras defensivas, como los cascos. A partir de entonces la guerra se convirtió en una guerra entre unos sistemas cada vez más eficaces a la hora de matar y unos medios de defensa cada vez mejores.

La cabeza de la maza se hizo más ovalada para concentrar el golpe y tener más posibilidades de penetrar dentro el casco. Gradualmente, la maza se transformó en hacha y luego en hacha de combate, que tiene un mango más largo y la hoja recibía el peso añadido de una bola de metal. Requería mucha más fuerza para ser blandido, pero su peso significaba que causaba más daño al enemigo.

El hacha de batalla fue el arma personal de filo más importante hasta aproximadamente 1.200 años a.C., cuando el descubrimiento de la fundición del hierro significó que las espadas podían hacerse de este material. Aunque el diseño de la espada varió según las distintas culturas y con el paso de los siglos, siguió siendo un arma importante hasta finales del siglo XIX d.C.

Cuando aparecieron el bronce y luego el hierro, las lanzas fueron una de las primeras armas en fabricarse con estos nuevo metales. Una mejora en este tipo de

ARRIBA: Relieve de piedra del siglo IX a.C., que muestra al rey asirio Asurnasirpal II y su ejército atacando una ciudad con arcos, flechas y armas de asedio.

arma fue la aparición de la pica: una lanza con punta de metal y un pesado mango de madera que podía medir entre 3 y 6 metros de largo.

La maza, el hacha, el hacha de guerra, la lanza y la espada eran armas de choque, utilizadas en combates cuerpo a cuerpo. Igual de importantes fueron las armas arrojadizas, utilizadas para atacar al enemigo desde lejos. La más sencilla de todas era la honda, que consiste en dos cuerdas atadas a una bolsa que contiene una piedra. La honda se giraba por encima de la cabeza de quien la estaba usando para conseguir la máxima velocidad posible antes de soltar una de las cuerdas y lanzar así la piedra. Lentamente fueron apareciendo lanzas pensadas para ser arrojadas y muchas civilizaciones, desde los aborígenes hasta los mayas, crearon artefactos para darles un mayor alcance.

La más importante de las armas arrojadizas era el arco. Aunque su aspecto se modificó poco desde 10.000 años a.C., dos mejoras incrementaron tremendamente su alcance y capacidad de penetración. En torno a 3.000 años a.C. apareció el arco compuesto, hecho de madera, tendones y asta de animal, lo que proporcionaba mucha mayor energía cuando se tensaba el arco, impulsando la flecha hacia delante con gran fuerza. En el siglo VI a.C., los chinos inventaron la ballesta, que contaba con un mecanismo tensor y un gatillo. En el siglo II a.C. la ballesta ya era el arma principal del ejército chino, pero no llegaría a Europa hasta el siglo XII d.C.

TIPOS DE ARMADURAS

La primera armadura que se conoce aparece representada en el tercer milenio a.C. en una caja conocida como el Estandarte de Ur. Las imágenes que la decoran contienen imágenes de soldados sumerios con cascos y túnicas. En torno a 2.500 años a.C. los sumerios ya llevaban cascos de metal. La primera armadura corporal que se conoce fue encontrada en una tumba micénica fechada a finales del siglo XV a.C. Estaba hecha a base de grandes tiras de bronce que se superponían, lo que sin duda proporcionaba una gran protección, pero era muy pesado. En torno a 1400 a.C., los egipcios y los chinos inventaron unas armaduras más ligeras y flexibles al fijar plaquitas de bronce a un vestido de cuero. Los asirios fueron los primeros en utilizar pequeñas placas de hierro en vez de bronce.

La armadura de cota de malla, formada a partir de pequeñas arandelas de hierro que se superponían, apareció en el siglo III a.C. en Grecia y China; es probable que también la utilizaran los nómadas escitas del sur de Rusia. Los soldados mayas y aztecas llevaban unas gruesas vestiduras de algodón acolchado, que eran efectivas gracias a su fabricación a base de capas.

En torno al 3.500 años a.C. los nómadas de las estepas comenzaron a montar a caballo. Esto dio a sus guerreros velocidad y movilidad, pero es difícil luchar de forma efectiva a lomos de un caballo. Sin sillas ni estribos, los guerreros no tenían mucha estabilidad. Por lo

El ejército de Alejandro

Alejandro Magno fue uno de los más grandes generales del mundo antiguo. Comenzó sus correrías militares con ataques relámpago contra sus enemigos en Grecia, que conquistó fácilmente, dirigiéndose luego a destruir el poderoso imperio persa. El núcleo de su ejército estaba compuesto por la falange macedonia, una unidad de soldados de infantería armados cada uno con una larga pica denominada *sarissa*. Una unidad de caballería fuertemente armada, llamada los Compañeros, era dirigida por el propio Alejandro, mientras que otras unidades de caballería ligera se utilizaban para ir de avanzadilla y realizar ataques rápidos.

Alejandro inspiró a sus hombres mediante su valor y su habilidad como líder.

Poseía la capacidad para improvisar bajo presión y la de saber apreciar cuándo era el momento de atacar. Por ejemplo, consiguió su primera gran victoria contra el ejército persa en Gránico, en el año 324 a.C., al atacarlo nada más encontrarse con ellos; a pesar de que éstos se encontraban en una posición fuerte al otro lado del río Gránico, que ya era tarde y que todos sus generales le aconsejaban que esperara hasta el amanecer.

Además de los combatientes, Alejandro llevaba como parte de su ejército a una serie de técnicos e ingenieros que contribuyeron a sus notables éxitos a la hora de poner sitio a las ciudades que se le oponían

Un dibujo del siglo XIX de un cuerpo de caballería siendo aplastado por la falange macedonia.

tanto, era difícil para ellos blandir armas pesadas y podían ser desmontados con facilidad.

En 1850 a.C., los nómadas de las estepas ya utilizaban caballos para arrastrar ligeros carros de dos ruedas. Una vez que el invento llegó a otros pueblos de la Antigüedad, como los egipcios, hititas y macedonios, tuvo un inmenso impacto en la guerra, puesto que ahora los guerreros podían luchar desde una plataforma estable.

DEBAJO: Relieve de piedra del siglo VII a.C. con un carro de guerra asirio. Las ruedas con radios lo hacían más rápido.

IZQUIERDA: Reconstrucción de una de las más grandes torres de asedio de la Antigüedad, construida en el año 304 a.C. por los macedonios para atacar la ciudad-estado griega de Rodas. Tenía unos 40-43 metros de altura y fue arrastrada sobre ruedas hasta estar a tiro de flecha de las murallas, para que sus grandes catapultas pudieran destruir las defensas de la ciudad.

Los ejércitos con carros disfrutaron de superioridad militar durante los siguientes cinco siglos. No obstante, los avances técnicos, como sillas mejores, poco a poco permitieron a los jinetes luchar de modo más efectivo a caballo. En la época del general griego Alejandro Magno (356-323 a.C.), la caballería ya estaba reemplazando a los carros.

DEFENSA Y ATAQUE

Es probable que en torno a las primeras casas y asentamientos que se construyeron se edificaran muros defensivos. La fortificación más antigua encontrada en torno a una ciudad es la que rodea a Jericó, cerca del mar Muerto, que data de 8.000 años a.C. aproximadamente. Mucha civilizaciones antiguas construyeron fuertes muros defensivos en torno a sus ciudades. Los soberanos micénicos, concretamente, situaron sus ciudades y palacios sobre colinas para que fueran sencillas de defender, rodeándolas de gruesas murallas construidas de piedras enormes.

Las murallas defensivas dieron lugar a que se inventaran medios de asaltar esas fortificaciones. Los asirios utilizaron arietes montados sobre un armazón de madera con seis ruedas. También utilizaron escalas y rampas para hacer subir a su ejército hasta los muros. Los griegos utilizaron un gran número de máquinas de asedio, incluida la *sambuca*, que era una escala que permitía a los hombres subir protegidos por un compartimento cubierto. También tenían arietes y lanzafuegos, que eran largos troncos de madera que llevaban calderos con carbones encendidos, azufre y brea para iniciar fuegos dentro de los muros.

Los asaltantes utilizaban también artillería mecánica para lanzar pesados proyectiles, como piedras y flechas gigantes, contra los defensores de la ciudad que asediaban. Estas máquinas funcionaban, bien tirando de cuerdas (tensión), bien retorciéndolas (torsión).

LOS EJÉRCITO DEL IMPERIO

La mayor parte de los imperios se crearon y mantuvieron mediante el uso de la fuerza militar. Los tres mayores ejércitos del mundo antiguo fueron el de los asirios, el de los macedonios y el de los romanos.

Los asirios fueron un pueblo particularmente agresivo. Dirigidos por una serie de reyes-guerreros, los asirios lucharon y derrotaron a muchos de los pueblos cercanos del Oriente Próximo y Medio, construyendo un imperio que se extendía desde el mar Mediterráneo hasta el golfo Pérsico.

El éxito del ejército macedónico se debió en gran parte a su líder, Alejandro Magno, que creó un imperio que se extendía desde Grecia hasta la India. El ejército macedonio sólo se enfrentó a una fuerza numéricamente superior en el año 197 a.C., en la batalla de Quinoscéfalos, donde venció el ejército romano, que pasó a

ocupar el puesto de la falange macedonia como la más flexible unidad militar del mundo.

El ejército romano era el más disciplinado y organizado del mundo antiguo. Una legión estaba dividida en cohortes y éstas en centurias (100 hombres), dirigidos por un centurión. El arma favorita de los romanos era la espada corta de punta afilada, que los convirtió en maestros del combate cuerpo a cuerpo.

ARRIBA: Cuatro espadas de finales de la Edad del Bronce (sobre 1250-850 a.C.). Las primeras espadas de cobre o bronce poseían hojas largas con empuñaduras que eran una extensión de la hoja. En época de los romanos, la empuñadura se había vuelto independiente de la corta y plana hoja. Las espadas no se convirtieron en un arma por completo efectiva hasta que no se forjaron de hierro.

IZQUIERDA: Este adorno de oro de un peine, fechado en el siglo IV a.C., representa a guerreros escitas en combate. Los escitas eran un pueblo feroz y nómada de las estepas cuya sociedad se basaba en la guerra.

Pesos y medidas

Antiguamente, la gente utilizaba los dedos, manos, brazos y pies como cortas unidades de medida. No obstante, según se fueron desarrollando las sociedades, fue importante contar con un sistema de pesos y medidas más fiable, con vistas al comercio, los impuestos, la construcción y la agrimensura.

Según fueron incrementándose los contactos comerciales, se hizo evidente que un sistema estandarizado y ampliamente aceptado para pesar las mercancías era vital para mantener unas buenas relaciones comerciales. Al principio, las transacciones a pequeña escala se basaban en una sencilla pero efectiva «regla general», pero las trampas estaban extendidas.

Descubrir el sistema de medidas del mundo antiguo puede ser difícil. Algunas sociedades, como el antiguo Egipto, dejaron varas de medir cuidadosamente escritas, pero a menudo las medidas tienen que deducirse a partir de las dimensiones de aquellos edificios y ladrillos que evidentemente fueron construidos utilizando un sistema de medidas.

LAS MEDIDAS EGIPCIAS

El sistema de medidas egipcio se basaba en el codo real, una unidad de medida que equivalía a 52,3 centímetros. A su vez estaba dividido en palmos (7,5 centímetros) y dedos (1,7 centímetros). Restos de este sistema se encontraron en la isla de Filae, donde la crecida anual era medida con el «nilómetro». Dado que la inundación destruía cada año los límites entre las tierras, los agrimensores tenían que medir la tierra utilizando cuerdas con nudos para indicar las subdivisiones de las medidas lineales.

La unidad oficial de áridos, el *hekat*, era de 4,9 litros. Veinte *hekats* equivalían a un *jar* (saco), de 97,8 litros. La paga media de un campesino era de un *jar* y medio de trigo por mes, que podía verse suplementada con una pequeña cantidad de cebada.

Desde aproximadamente 1550 a.C., los metales eran pesados en unas unidades llamadas *deben*, cada una de 91

gramos. Como no existían las monedas, los *debens* se utilizaban como un valor estándar.

MESOPOTAMIA

En Mesopotamia, las dimensiones lineales también se basaban en el codo, de 49.5 centímetros. Estaba dividido en 30 dedos de 1,6 centímetros. Cuando medían la tierra para construir un zigurat o excavar un canal, los mesopotámicos utilizaban unidades mayores: la caña (6 codos) y la cuerda (12 codos). En una estela de caliza de Ur-Nammu, rey de Ur, encontramos pruebas de las habilidades agrimensoras de los mesopotámicos, pues

ARRIBA: Pintura mural egipcia que muestra a unos metalúrgicos usando balanzas para pesar anillos de oro. En gran parte del mundo antiguo se utilizaban pesos estándar de metales preciosos como unidad de valor.

Las medidas chinas

Al igual que otras muchas civilizaciones, la china utilizó las partes del cuerpo como unidades de medida, pero sin seguir un orden concreto y con variaciones entre las distintas regiones. Además, una unidad con el mismo nombre podía tener dimensiones distintas si la utilizaba un carpintero, un albañil o un sastre.

El problema quedó resuelto cuando Ch'in Shihuangdi, convertido en el primer emperador de China, introdujo un sistema estándar de pesos y medidas. La unidad básica de peso se llamaba *shih* o *tan*, y pesaba unos 60 kilos. Las dos unidades básicas de longitud eran el *chih* (25 centímetros) y el *chang* (3 metros). Los chinos también tenían

medidas para el sonido que se escuchaba cuando se golpeaba un recipiente medidor. Si el recipiente tenía una forma y un peso uniformes, daría una tono estándar. Las medidas basadas en la longitud de un tubo de sonido y sus subdivisiones demostraron ser más exactas que las basadas en el cuerpo humano.

en ella vemos una cuerda para medir la tierra (similar a la utilizada por los egipcios) y un par de compases.

El babilónico fue el primer pueblo de la Antigüedad en intentar conseguir un sistema estandarizado de pesos y medidas. En torno a 2.400 años a.C. introdujeron una serie estandarizada de pesas de piedra con forma de pato dormido. El sistema babilónico de pesos reflejaba su sistema numérico sexagesimal (basado en el 60). Sesenta *shekels*, cada uno de 8 gramos, equivalían a una *mina*, que pesaba 480 gramos; 60 *minas* equivalían a un *talento*, que pesaba 28,8 kilos. Los hititas, asirios y fenicios desarrollaron sus propios sistemas de medida a partir del de los egipcios y babilonios.

El sistema de pesos y medidas del valle del Indo se ha podido deducir a partir del hallazgo de pesos en forma de cubos hechos de una piedra llamada calcedonia. La unidad estándar de peso tenía 14 gramos. Los historiadores creen que el más pequeño de los pesos puede haber seguido un sistema binario: 1, 2, 4, 8, 16, 32, 64. Los pesos pequeños podían ser utilizados para pesar alimentos, especias y metales preciosos, quizá en las tiendas de los joyeros. En el otro extremo de la balanza, los pesos quizá aumentaban como sigue: 160, 200, 320, 640, 1.000, 3.200, 6.400, 8.000 y 12.800. Los pesos más grandes tendrían que ser alzados con una cuerda o anillo de metal.

En las excavaciones del valle del Indo se han encontrado diversas varas de medir graduadas. Una de ellas, decimal, pasa de 3,3 centímetros a 33,5 centímetros, el equivalente al pie que estaba ampliamente difundido por el oeste de Asia. Otro hallazgo fue una vara de bronce con marcas cada centímetro, que quizá equivalía a medio dedo. Sesenta medios dedos equivalían a un codo de 56 centímetros. Midiendo con ellas los edificios excavados en el valle del Indo es posible comprobar si estas unidades de medida realmente fueron utilizadas en la construcción. Respecto a los pesos y medidas existe consistencia, incluso en el tamaño de los ladrillos, en los yacimientos de toda la región del Indo. Esto indica que probablemente hubiera una autoridad central que impuso un sistema estándar en una amplia región del valle del Indo.

LAS MEDIDAS ROMANAS

Los romanos, al igual que los griegos antes que ellos, basaron sus unidades de longitud en orden ascendente: la anchura de un dedo *(digitus)*, el palmo y el pie *(pes)*, que equivalía a 29 centímetros. Las unidades mayores reflejan la importancia de la infantería romana: cinco *pedes* equivalen a un *passus* (paso), mientras que 1.000 pasos equivalen a una milla romana, 1,5 kilómetros.

Calcular exactamente las dimensiones de los terrenos era una herramienta vital para la expansión imperial romana. Los agrimensores utilizaban dos instrumentos principales: el *groma* (en forma de cruz) y el *decempeda* (una cuerda de 10 pies de longitud). Con ellos se medían los territorios recién conquistados, se dibujaban en

IZQUIERDA: Relieve romano del siglo II a.C. que muestra a un mercader utilizando una balanza romana para pesar bienes. En el mundo antiguo los sistemas uniformes de pesos y medidas se desarrollaron principalmente para hacer que el comercio fuera más sencillo.

mapas y se repartían, por lo general a exsoldados o civiles privilegiados. Los topógrafos militares eran los responsables de planificar las fortificaciones y carreteras y trabajaban con gran exactitud.

Las amplias redes comerciales romanas a larga distancia están reflejadas en las medidas de capacidad que utilizaban. Para medir un líquido, la unidad más pequeña era la *cochlearia* («cucharilla llena»), mientras que el ánfora equivalía a 26,2 litros. Las ánforas eran los recipientes cerámicos utilizados para transportar vino y aceite por todo el imperio, principalmente por mar. La mayor unidad de medida de áridos era el *modius* –de 98,7 litros–, el nombre dado a los contenedores cilíndricos utilizados para transportar el grano.

DEBAJO: Un grupo de pesas de la civilización del valle del Indo. Peso de piedra con forma de cubo, como las que se pueden ver delante de la balanza, se utilizarían para pesar pequeñas cantidades de comida y metales preciosos.

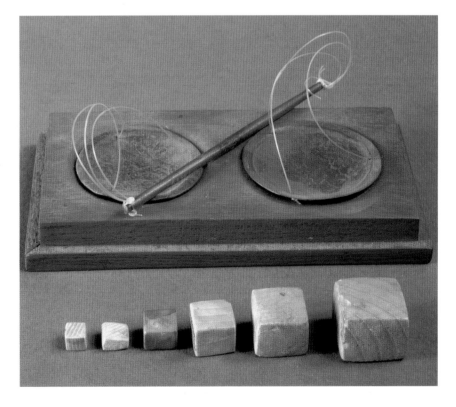

La escritura

La invención de la escritura fue uno de los pasos más importantes dados en el progreso humano. Era una poderosa herramienta para el gobierno, que la utilizaba para recoger las leyes y los decretos de los gobernantes, así como un sistema para conservar acontecimientos históricos y comunicarse con facilidad a través de largas distancias.

D ado que la escritura es un medio de comunicarse de forma fácil y exacta a través de largas distancias, se convirtió en un elemento vital del comercio internacional, la diplomacia y la administración de imperios. También se utilizaba para conservar acontecimientos históricos, mitos y otras tradiciones orales, además de nuevas obras literarias.

Sin la escritura, era difícil para una civilización conservar sus conocimientos pasados y hacerlos llegar a las generaciones futuras. Al principio, sólo un reducido grupo de gente –escribas, funcionarios y sacerdotes– era capaz de leer y escribir; pero en época de griegos y romanos muchas personas del pueblo ya eran capaces de comprender y utilizar la palabra escrita.

El primer sistema de escritura del mundo fue desarrollado por los sumerios en Mesopotamia[5]. Los agricultores que trabajan el rico suelo de los valles del Éufrates y el Tigris comenzaron a producir un excedente que fue almacenado en el templo. No tardó en ser esencial llevar un registro exacto de los suministros. Del mismo modo, según se fueron extendiendo las redes comerciales por todo Oriente Próximo y Medio, cobró importancia llevar registros de las transacciones comerciales. A partir de 8.000 años a.C., pequeños objetos de arcilla se utilizaron para representar cantidades de esos bienes. En el cuarto milenio a.C. estos objetos se encerraban en pelotas huecas de arcilla, con marcas en su exterior que indicaban su contenido. Se trata de los primeros símbolos escritos.

ARRIBA: Este relieve egipcio, fechado sobre 2494-2345 a.C., muestra a un escriba en pleno trabajo, utilizando un rollo de papiro y un cálamo de caña. Al principio, los cálamos de caña se hacían mordisqueando la punta para formar una especie de pincel, pero en el siglo III a.C. el extremo era puntiagudo.

La Piedra Rosetta

En 1798, Napoleón Bonaparte invadió Egipto. Mientras construían unas fortificaciones en la ciudad de Rosetta, en 1799, algunos de sus soldados descubrieron una losa de basalto que iba a transformar el estudio de la civilización egipcia, pues estaba inscrita con el mismo texto en dos lenguas diferentes (egipcio antiguo y griego) y tres sistemas de escritura (jeroglífico, demótico y griego). El texto es conmemorativo del primer aniversario de la coronación de Ptolomeo V, en el año 196 a.C. La escritura griega proporcionaría la clave para comprender el egipcio.

El erudito francés Jean François Champollion (1790-1832) fue la primera persona en darse cuenta de la importancia de los símbolos fonéticos en la interpretación de los jeroglíficos. Fue capaz de traducir por completo la sección jeroglífica de la Piedra Rosetta y, cuando le enviaron una copia de los textos grabados en el templo egipcio de Abu Simbel, se dio cuenta de que también los comprendía. Comenzó a escribir la primera gramática egipcia (completada por su hermano tras su muerte), una obra que permitió abrir el tesoro de los textos egipcios, que pudo al fin ser leído tras milenios de silencio. La Piedra Rosetta lleva expuesta en el Museo Británico, en Londres, desde 1802.

EL PRIMER SISTEMA DE ESCRITURA

Estos signos abstractos se transformaron en el primer sistema de escritura en torno a 3.300 años a.C. La escritura sumeria era pictográfica, es decir, que las imágenes representaban palabras. El sistema era limitado y pesado de utilizar, por lo que poco a poco los símbolos pasaron a representar ideas (ideogramas). Por ejemplo, el pictograma de una boca también podía ser utilizado como un símbolo que representara el verbo «hablar».

El siguiente paso fue crear símbolos que representaran los sonidos de la lengua hablada. Los sumerios se aprovecharon de que muchas palabras sonaban iguales, aunque poseían significados diferentes. Del mismo modo que la palabra española «soldado» puede formarse con «sol» y «dado», las palabras sumerias para «flecha» y «vida» sonaban igual y «vida» se representaba con el pictograma de una flecha. Posteriormente, el sistema incluyó símbolos que representaban de forma diferente las consonantes y vocales. Los escribas escribían con un cálamo de caña sobre tablillas de arcilla húmeda. Las marcas que dejaban tenían forma de cuña y como la palabra latina para cuña es *cuneus*, este tipo de escritura se llama cuneiforme. A finales del segundo milenio a.C., la civilización sumeria dio paso a la de los asirios y luego a la de los babilonios, que adoptaron y desarrollaron el sistema de escritura cuneiforme. Posteriormente, éste se difundió por todo Oriente Próximo y Medio, hasta llegar al Mediterráneo y Persia.

LA ESCRITURA EGIPCIA

Los griegos llamaban a la escritura egipcia jeroglíficos (que significa «grabados sagrados») porque era utilizada para las inscripciones de los templos, tumbas y monumentos. El sistema de escritura egipcio era único. Al igual que el sistema sumerio, implicaba una combinación de pictogramas (signos que representan palabras) y jeroglíficos, que representan consonantes o grupos de consonantes. Las jeroglífica no era la única escritura egipcia, pues ésta evolucionó para dar primero el hierático y luego el demótico, ambos sistemas cursivos que podían escribirse mucho más deprisa que los jeroglíficos con tinta y un pincel de caña. Estos sistemas de escritura se utilizaban para dejar constancia de todos los aspectos de la vida diaria, desde la producción agrícola hasta las mediciones de los terrenos, pasando por los juicios o los decretos reales.

Gran parte de la escritura egipcia se conserva sobre papiro, fabricado a base de las tiras aplastadas del interior del tallo del papiro, una planta que crecía a orillas del Nilo. Los papiros más antiguos que se conservan datan de hace 5.000 años.

Convertirse en escriba en Egipto implicaba un largo aprendizaje. Los estudiantes se aplicaban en conocer el arte de la escritura durante 10 ó 12 años, practicando en pedazos de caliza o piedras lisas (lo que se conoce como *ostraca*), ya que el papiro era demasiado caro para ser utilizado en este tipo de ejercicios. La recompensa a esta larga educación era una privilegiada posición en la sociedad egipcia y la exención de impuestos. La habilidad para escribir era esencial para las carreras de los cargos principales del ejército, el palacio, la medicina o el sacerdocio.

LA ESCRITURA CHINA

Nadie sabe cuándo comenzó la escritura en China; los ejemplos más antiguos datan de la dinastía Shang (1766-

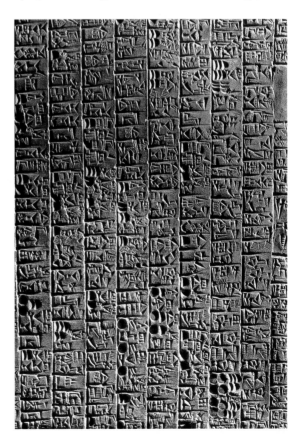

DERECHA: Una de las 20.000 tablillas de arcilla con texto cuneiforme encontradas en los archivos del palacio real de Ebla (en Siria), construido en torno a 2500 a.C.

Los materiales de escritura

Los primeros materiales utilizados para escribir fueron la arcilla (en Oriente Medio), el hueso y la concha (China), las hojas de palmera o la corteza de abedul (India) y algodón (Egipto). Aproximadamente en el año 3000 a.C., los egipcios comenzaron a escribir en hojas o rollos de papiro, que se convirtió en el material de escritura más difundido del mundo antiguo. Cuando en el siglo II a.C. un faraón prohibió la venta de papiro a un país, la escasez llevó a la invención del pergamino en la ciudad de Pérgamo (en la actual Turquía).

El pergamino se hacía a partir de la piel preparada de animales y, lentamente, se hizo más popular que el papiro. Los chinos habían utilizado seda, tiras de bambú y tablillas de madera para escribir, pero en el año 200 d.C. inventaron el papel. Los mayas también lo inventaron en el siglo v, hecho a partir de corteza de higuera; pero el arte de la fabricación del papel no se difundió por Europa hasta el siglo VIII d.C.

Desde la Prehistoria, muchas son las sociedades que han utilizado como tinta jugos de plantas y pigmentos minerales. Las tintas para escribir datan de 2.500 años a.C., tanto en Egipto como en China. A una mezcla de negro de humo (hollín recogido de lámparas) y goma líquida se le daba forma de barritas que se ponían a secar. Antes de ser usadas, las barritas eran humedecidas con agua sobre una piedra. Los sumerios y los egipcios utilizaron cañas afiladas como cálamos, mientras que ya en el primer milenio los chinos escribían con pinceles. Los mayas también utilizaban pinceles o plumas. Las plumas para escribir fueron las antecesoras de las plumas de ganso, que revolucionaron la escritura en el siglo VI d.C.

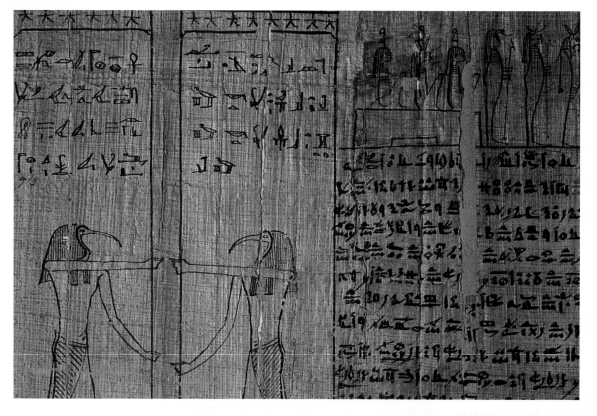

IZQUIERDA: Sección de un *Libro de los muertos* egipcio escrito sobre papiro. El que aparece a la izquierda sobre la ilustración está en jeroglíficos, mientras que el texto de la derecha está escrito en hierático.

DEBAJO: La escritura china era la base de todos los sistemas de escritura orientales y, hasta el siglo XVIII, más de la mitad de todos los libros del mundo estaban escritos en chino. Este texto chino del siglo XVII está escrito con tinta sobre papel.

1100 a.C.). La escritura se encontró sobre huesos oraculares, utilizados para la adivinación. Las preguntas se escribían sobre fragmentos de huesos de animales, que luego se calentaban para producirles fracturas. Éstas eran después estudiadas e interpretadas por los adivinos, del mismo modo en que hoy día se leen los posos del café. Las predicciones se escribían después en los huesos oraculares.

El sistema de escritura chino era una compleja combinación de pictogramas, ideogramas y signos que indicaban sonidos. Existen más de 50.000 signos, o caracteres, chinos. Han cambiado poco a lo largo de los últimos 4.000 años, haciendo que los textos chinos antiguos sean bastante fáciles de comprender, al contrario de lo que sucede con muchos otros sistemas de escritura antiguos. El sistema chino de escritura se difundió por gran parte del este de Asia.

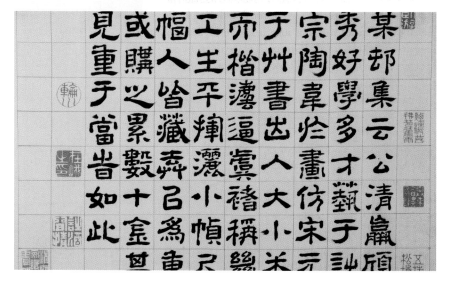

El sistema alfabético es, hoy día, la forma más habitual de escritura en el mundo. Los alfabetos utilizan un número limitado de signos para representar vocales y consonantes, que luego se combinan para formar palabras. Este compacto sistema implica el aprendizaje de sólo 27 letras para poder escribir todas las palabras del español; un sistema mucho más sencillo que los 800 signos cuneiformes o los varios miles de signos chinos.

Es probable que los primeros sistemas alfabéticos surgieran en la costa del Mediterráneo oriental, en torno al año 1400 a.C[6]. Los fenicios, un pueblo marinero y comercial cuyas ciudades se encontraban en la costa de las actuales Siria y Líbano, aproximadamente en 1100 a.C. crearon un sistema de escritura de 22 caracteres, cada uno de los cuales representaba una consonante. Pero fueron los griegos quienes, en el siglo VIII a.C., desarrollaron el primer sistema alfabético de verdad, con letras que representaban tanto vocales como consonantes. Los fenicios y los griegos mantenían estrechos contactos comerciales, especialmente en el Mediterráneo oriental, que fue donde los griegos se encontraron por primera vez con el sistema alfabético fenicio. Adoptaron su alfabeto, pero como poseía demasiados signos consonánticos para su propio lenguaje, utilizaron los signos extra para representar vocales.

Los etruscos, que vivieron en la Italia central occidental en el siglo VII a.C., adaptaron la escritura alfabética griega e introdujeron su alfabeto en la región del Lacio y entre sus habitantes, que hablaban latín. Para acomodarse al latín, el alfabeto tuvo que sufrir algunos cambios, incluido el añadido, en el siglo I a.C., de las letras Y y Z. Al conquistar Italia y luego su gran imperio, la influencia del alfabeto latino se extendió mucho más allá de las fronteras de Italia.

ALFABETOS ALTERNATIVOS

En el siglo II d.C., los celtas de Gran Bretaña e Irlanda habían desarrollado una escritura alfabética llamada ogham, formada por 20 caracteres lineales. Al mismo tiempo, los pueblos germano utilizaban el sistema rúnico, consistente en 24 signos ordenados en un orden alfabético llamado *futhark*, pues sus seis primeras letras son: f, u, th, a, r, k. Sin embargo, según los romanos iban penetrando más profundamente en el norte de Europa, estas escrituras fueron desaparecieron lentamente para dejar paso al latín. La llegada y difusión del cristianismo reforzó la importancia del latín, que se convirtió en la lengua de los monasterios.

Los mayas, que florecieron en Centroamérica en torno a los años 250-900 d.C. desarrollaron su propio sistema de escritura, que todavía no se ha descifrado por completo. Los símbolos mayas, o glifos, combinaban pictogramas con símbolos silábicos. Inscripciones grabadas en la roca recordaban hechos clave sobre la realeza y la guerra. También se han conservado cuatro libros, llamados códices, escritos en papel de corteza de árbol. Otros pueblos mesoamericanos, como los aztecas y mixtecas, también crearon sus propias escrituras.

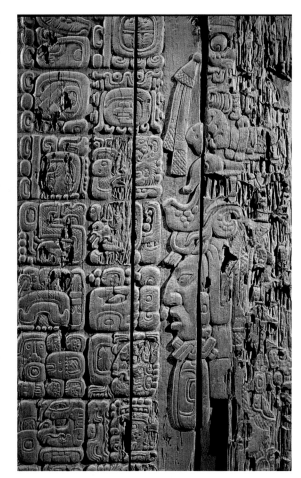

IZQUIERDA: Esta sección tallada de una puerta de madera procede del templo maya de Tikal (en la actual Guatemala). Contiene a un señor maya con un panel de glifos (la forma maya de escritura) a la izquierda. La escritura maya se lee, en dobles columnas, de izquierda a derecha y de arriba abajo.

IZQUIERDA: Una lápida vikinga del siglo IX d.C. con líneas de runas, una forma de escritura utilizada por los primeros pueblos germánicos.

Cronología

	6500 a.C.	6000	5500	5000	4500	4000	3500

EUROPA

Europea neolítica: monumentos megalíticos 6500–1500 a.C.

Estepas: Sredny Stog 4400–3500 a.C.

OCEANÍA

◄ Cultura aborigen 40,000 a.C.–hasta la actualidad

INDIA Y EL LEJANO ORIENTE

AMÉRICA

ORIENTE MEDIO Y ÁFRICA

◄ Jericó 10000–6000 a.C.

Çatal Höyük 6250–5400 a.C.

Mesopotamia 5000–3000 a.C.

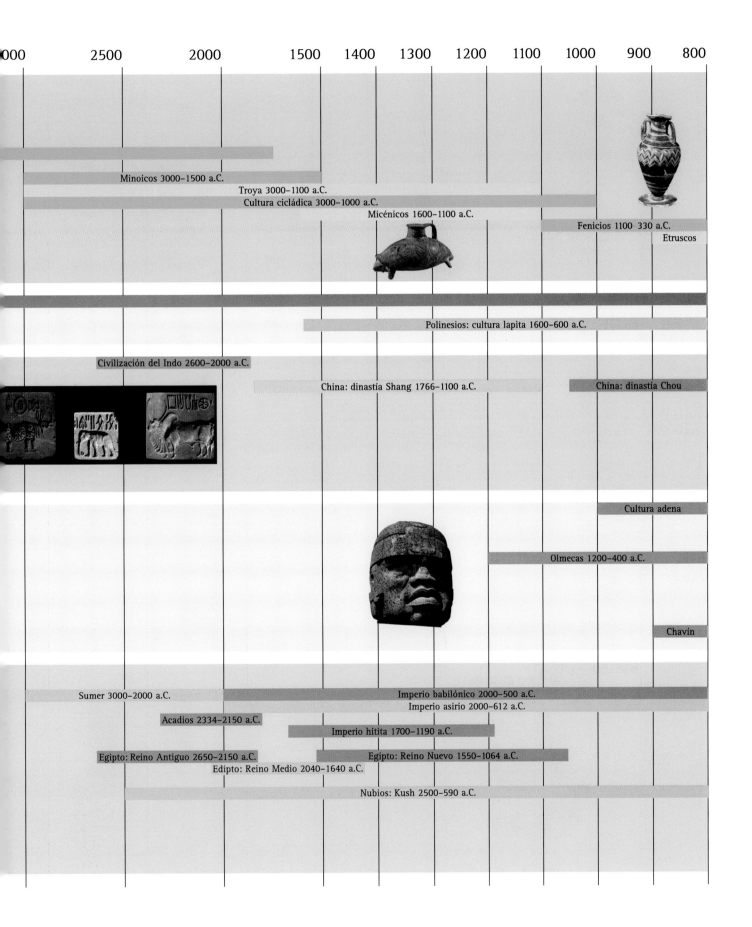

Minoicos 3000–1500 a.C.

Troya 3000–1100 a.C.

Cultura cicládica 3000–1000 a.C.

Micénicos 1600–1100 a.C.

Fenicios 1100 330 a.C.

Etruscos

Polinesios: cultura lapita 1600–600 a.C.

Civilización del Indo 2600–2000 a.C.

China: dinastía Shang 1766–1100 a.C.

China: dinastía Chou

Cultura adena

Olmecas 1200–400 a.C.

Chavín

Sumer 3000–2000 a.C.

Imperio babilónico 2000–500 a.C.

Imperio asirio 2000–612 a.C.

Acadios 2334–2150 a.C.

Imperio hitita 1700–1190 a.C.

Egipto: Reino Antiguo 2650–2150 a.C.

Egipto: Reino Nuevo 1550–1064 a.C.

Edipto: Reino Medio 2040–1640 a.C.

Nubios: Kush 2500–590 a.C.

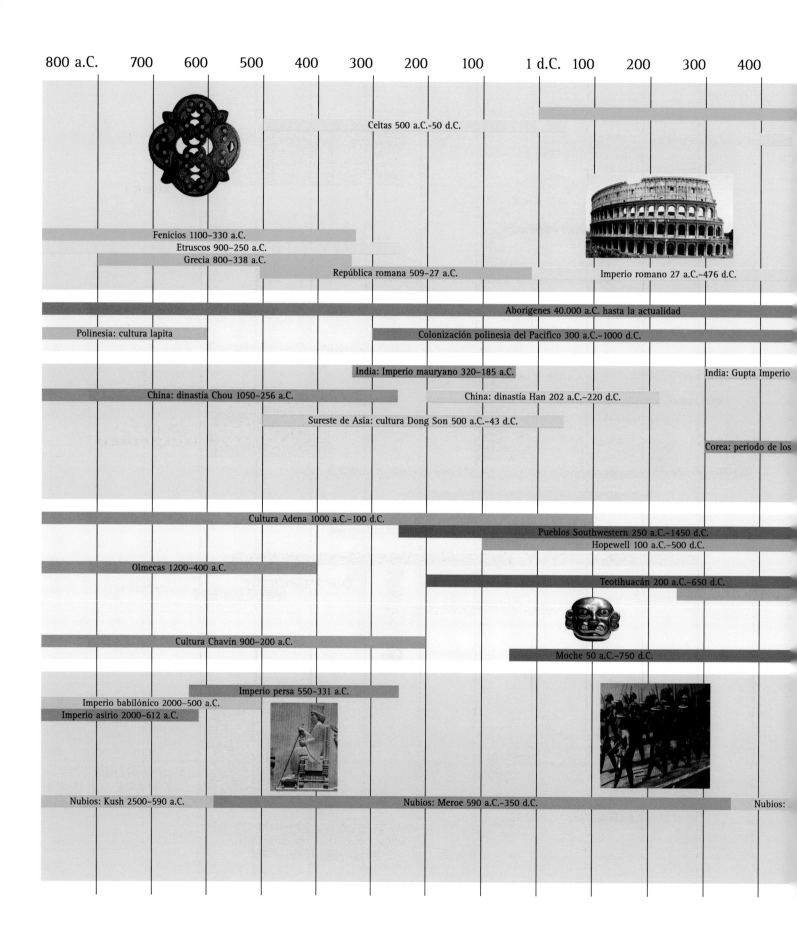

800 a.C.	700	600	500	400	300	200	100	1 d.C.	100	200	300	400

Celtas 500 a.C.–50 d.C.

Fenicios 1100–330 a.C.
Etruscos 900–250 a.C.
Grecia 800–338 a.C.
República romana 509–27 a.C.
Imperio romano 27 a.C.–476 d.C.

Aborígenes 40.000 a.C. hasta la actualidad
Polinesia: cultura lapita
Colonización polinesia del Pacífico 300 a.C.–1000 d.C.

India: Imperio mauryano 320–185 a.C.
India: Gupta Imperio
China: dinastía Chou 1050–256 a.C.
China: dinastía Han 202 a.C.–220 d.C.
Sureste de Asia: cultura Dong Son 500 a.C.–43 d.C.

Corea: periodo de los

Cultura Adena 1000 a.C.–100 d.C.
Pueblos Southwestern 250 a.C.–1450 d.C.
Hopewell 100 a.C.–500 d.C.
Olmecas 1200–400 a.C.
Teotihuacán 200 a.C.–650 d.C.

Cultura Chavín 900–200 a.C.
Moche 50 a.C.–750 d.C.

Imperio persa 550–331 a.C.
Imperio babilónico 2000–500 a.C.
Imperio asirio 2000–612 a.C.

Nubios: Kush 2500–590 a.C.
Nubios: Meroe 590 a.C.–350 d.C.
Nubios:

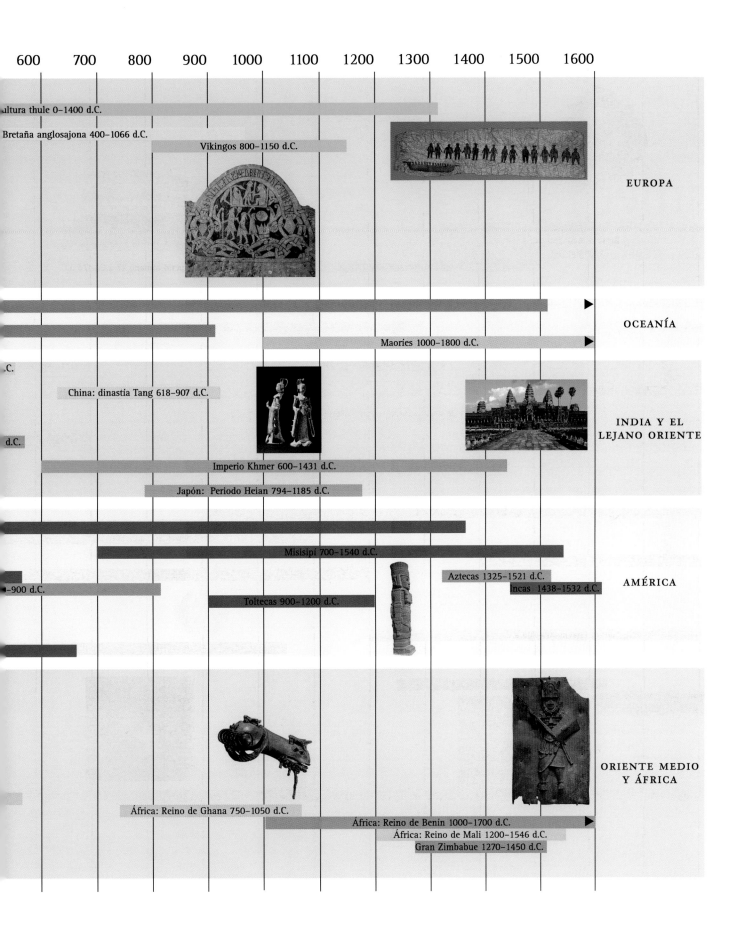

600   700   800   900   1000   1100   1200   1300   1400   1500   1600

ultura thule 0–1400 d.C.

Bretaña anglosajona 400–1066 d.C.

Vikingos 800–1150 d.C.

EUROPA

OCEANÍA

Maoríes 1000–1800 d.C.

China: dinastía Tang 618–907 d.C.

INDIA Y EL LEJANO ORIENTE

Imperio Khmer 600–1431 d.C.

Japón: Periodo Heian 794–1185 d.C.

Misisipí 700–1540 d.C.

Aztecas 1325–1521 d.C.

Incas 1438–1532 d.C.

AMÉRICA

–900 d.C.

Toltecas 900–1200 d.C.

ORIENTE MEDIO Y ÁFRICA

África: Reino de Ghana 750–1050 d.C.

África: Reino de Benín 1000–1700 d.C.

África: Reino de Mali 1200–1546 d.C.

Gran Zimbabue 1270–1450 d.C.

Notas del traductor

1- Recientemente se han encontrado en Egipto tablillas de madera y marfil escritas con nombres de faraones de la Dinastía 0 y que son anteriores a las de Uruk en varios cientos de años.
2- En la actualidad se sabe que la construcción de las pirámides tenía lugar durante todo el año, pues en sus bloques se han encontrado grafitos donde se indican las fechas en las que se entregaban las piedras y en ellas se mencionan todas las estaciones del calendario egipcio.
3- En realidad, los ladrones de la épocafarónica lograron penetrar dos veces en su interior, pero en ambas ocasiones la policía del Valle de los Reyes los detuvo y pudo devolver al interior todo lo que habían sacado, dejando la tumba casi intacta.
4- Esos mismos días de la semana en español se refieren a dioses romanos: el jueves es el día de Júpiter, mientras que el viernes es el día de Venus.
5- Véase la nota 1.
6- En la ciudad de Ugarit, en la costa cananea, se desarrolló un sistema alfabético de 30 signos cuneiformes que ya era de uso habitual en el siglo XIV a.C.

Índice